Les Finances personnelles

POUR LES NULS

Eric Tyson, Tony Martin et Richard Dufour

FIRST
Editions

Les Finances personnelles pour les Nuls

Titre de l'édition originale : *Personal Finance For Canadians For Dummies, 4th Edition*
Publiée par
John Wiley & Sons Canada, Ltd.
6045 Freemont Boulevard
Mississauga, Ontario, L5R 4J3
Canada
www.wiley.com

Copyright © 2006 John Wiley & Sons Canada, Ltd.

© Éditions First-Gründ, Paris, 2010. Publié en accord avec Wiley Publishing, Inc.
60, rue Mazarine
75006 Paris – France
Tél. 01 45 49 60 00
Fax 01 45 49 60 01
Courriel : firstinfo@efirst.com
Internet : www.pourlesnuls.fr

ISBN : 978-2-7540-1502-8
Dépôt légal : 2e trimestre 2010
Imprimé en France
Par CPI Hérissey   CPI
2, rue Lavoisier
27000 Évreux

Ouvrage dirigé par Benjamin Arranger
Traduction : Sylvain Guy Lemire
Édition et correction : Hermine Ortega
Indexation : Emmanuelle Mary
Mise en page : Marie Housseau
Couverture : Reskator
Fabrication : Antoine Paolucci
Production : Emmanuelle Clément

À propos des auteurs

Eric Tyson a commencé à s'intéresser aux questions d'argent il y a une trentaine d'années. Après avoir travaillé comme conseiller en gestion dans des sociétés de services financiers du Fortune 500, Eric a rassemblé ses connaissances des domaines des banques, de l'investissement et de l'assurance et s'est engagé à rendre la gestion financière personnelle accessible à tous.

Aujourd'hui, Eric est un auteur internationalement reconnu de livres à succès sur les finances personnelles, en plus d'être chroniqueur et conférencier. Il a travaillé avec des gens dans toutes les situations financières et connaît bien les préoccupations financières et les questions des gens normaux comme vous. Malgré le fait qu'il possède un MBA de la Stanford Graduate School of Business et un baccalauréat ès sciences en économie et en biologie de l'université de Yale, Eric est passé maître dans l'art de « garder les choses simples ».

Auteur accompli dans le domaine des finances personnelles, Eric écrit une chronique, *Investor's Guide*, qui est lue par des millions de personnes. Il a d'ailleurs reçu un prix pour son travail de chroniqueur au *San Francisco Examiner*. Il est l'auteur de six best-sellers nationaux sur les finances personnelles et l'investissement dans la collection *For Dummies*. Il est également l'auteur de *Mind Over Money : Your Path to Wealth and Happiness* (CDS Books). Le travail d'Eric a été présenté et cité dans des centaines de publications, telles que *Newsweek*, *The Wall Street Journal*, *Forbes*, *Kiplinger's Personal Finance Magazine*, *Parenting*, *Money*, et *Family Money*, ainsi qu'au *Today Show* à NBC, à ABC, CNBC, au *Nightly Business Report* à PBS, à CNN, dans l'émission *Sound Money* sur NPR, et sur *Bloomberg Business Radio*.

Tony Martin est parti découvrir le monde après avoir reçu son diplôme de gestion de Queen's University. (Sa meilleure affaire : une « croisière » de deux jours de Jakarta à Singapour pour 8 $, qui comprenait une place sur le pont pour étendre son sac de couchage et du poisson et du riz trois fois par jour !) Il s'est ensuite joint à la radio de CBC, et depuis, il aide les gens à comprendre le monde de l'argent. Sa force principale réside dans son habileté à doter les individus des connaissances et des outils dont ils ont besoin pour effectuer les meilleurs choix financiers et les meilleurs investissements pour eux-mêmes et leur famille.

Tony est aussi co-auteur, avec Eric, du livre *Investing For Canadians For Dummies*. Sa chronique populaire *Me and My Money* paraît dans *Net Worth*, la section des finances personnelles du week-end du *Globe and Mail*. Son travail a été présenté dans de nombreuses publications de premier plan, dont *ROB Magazine*, le *Reader's Digest* et *Canadian* Business. Tony est un commentateur et un conférencier spécialisé dans les finances personnelles et l'investissement. Il apparaît régulièrement à la télévision et à la radio, notamment à CBC radio, CBC Television, Report on Business Television et TVOntario.

Tony a également joué un rôle déterminant dans la conception et le développement de nombreuses ressources sur Internet, notamment un programme en ligne complet de formation sur l'investissement utilisant des simulations d'opérations boursières.

Richard Dufour détient un MBA de l'Université d'Ottawa et est journaliste économique au quotidien *La Presse*. Il anime aussi un blogue sur la Bourse sur le site cyberpresse.ca où il prend le pouls des marchés au quotidien. Richard s'est fait initier aux rouages de la Bourse à l'âge de 14 ans ; à l'époque, son père lui avait présenté un conseiller financier qui travaillait pour une maison de courtage du nom de Lévesque Beaubien Geoffrion. Après ses études, Richard a débuté sa carrière de journaliste dans les années 1990 à la station régionale du réseau TVA en Outaouais. Il a fait le saut dans la presse écrite quelques années plus tard en acceptant un poste au journal *Les Affaires*. Il a ensuite été journaliste économique au *Journal de Montréal* et à *La Presse Canadienne*.

Dédicace

Ce livre est irrévocablement dédié à nos familles et amis, ainsi qu'à nos clients – qui, en fin de compte, nous ont appris tout ce que nous savons sur la façon d'expliquer les stratégies et les termes financiers afin que nous puissions tous en profiter.

Remerciements

Être entrepreneur implique sans cesse des défis, et sans le soutien et les conseils de mes bons amis et mentors Peter Mazonson, Jim Collins, et de mon épouse et meilleure amie, Judy, je n'aurais pas pu accomplir tout ce travail. Je dois à beaucoup de gens mon intérêt tordu et presque pervers pour le secteur des services financiers et les questions d'argent, mais le gros du blâme revient à mes parents bien-aimés, Charles et Paulina, qui m'ont appris la quasi-totalité de ce qui m'est utile dans la vraie vie.

Je tiens également à remercier Maggie McCall, David Ish, Paul Kozak, Chris Treadway, Sally Saint-Laurent, KT Rabin, Will Hearst III, Ray Brown, Susan Wolf, Rich Caramella, Lisa Baker, Renn Vera, Maureen Taylor, Jerry Jacob, Robert Crum, Duc Nguyen et Maria Carmicino, ainsi que toute l'équipe de King Features pour leur confiance et leur soutien.

— Eric

L'appui, la bonne humeur et les conseils de nombreuses personnes sont essentiels à la réussite, alors on ne travaille jamais vraiment seul. Je dois un grand merci à mon épouse, Jane Howard, et à mon bon ami Geoff Rockburn, qui m'ont tous deux été d'une aide et d'un soutien inestimables au fil des années. Je suis reconnaissant, comme toujours, à mes parents, Ruth et John, de m'avoir si bien enseigné ce qui compte vraiment.

Il y a également beaucoup de gens dans l'industrie des finances personnelles qui m'ont aimablement proposé leur aide pour aborder, comprendre et expliquer les questions d'argent. Un grand merci à tous ceux qui ont généreusement partagé leurs connaissances et leur savoir-faire, parmi lesquels Peter Volpe, Gena Katz, Sandra McLeod, Anthony Layton, Paul Hickey, Jim Bullock, Alisa Dunbar, Alan Silverstein, et Janet Freedman. En outre, je tiens à remercier Karen Benzing, David Chilton, Patricia Davies, Dorothy Engleman, Dave Pyette, Jack Fleischmann, Peggy Wente, et Richard Quinlan pour leur soutien et leurs encouragements au cours des années.

Un grand merci également à toutes les personnes qui ont pu faire des commentaires perspicaces sur ce livre, en particulier à l'extraordinaire planificateur fiscal et financier Francis Barton, à Warren Baldwin, planificateur financier par excellence, ainsi qu'à Mike van den Akker, Gretchen Morgensen, Craig Litman, Gerri Detweiler, Mark White, Alan Bush, Nancy Coolidge, et Chris Jensen. Un merci tout spécial à Peter Volpe, pour son examen technique détaillé et extrêmement intéressant de ce livre. Et je ne peux que tirer mon chapeau à Robert Hickey pour ses nombreux et judicieux conseils. Enfin, merci aux merveilleuses personnes de la ligne de front et des coulisses : Elizabeth McCurdy, Pamela Vokey et Kelli Howey.

— Tony

Comprendre les marchés, la finance et l'économie est un pas vers la liberté et, surtout, un grand pas vers un meilleur contrôle de son portefeuille. Vu de loin, cela peut sembler hyper complexe, mais ça l'est beaucoup moins que ça en a l'air quand on se donne la peine de regarder de plus près. Tout s'explique (la partie rationnelle du moins) et, avec quelques notions seulement, on peut faire des liens entre énormément de choses. L'économie est présente dans tous les aspects de nos vies.

Je remercie évidemment ma mère et mon père qui ont été les premiers à me montrer le chemin. Mais je dois aussi une fière chandelle à toute ma famille, mes amis, mes professeurs, ainsi qu'à mes collègues et ex-collègues de travail qui ont contribué à faire de moi une personne un peu plus solide dans la vie de tous les jours. Je pense entre autres à des gens comme Marc Rouleau, Gilles Paquet, Pierre Bélanger, Jean-Paul Gagné, Stéphane Lavallée et Dany Doucet. Je tiens enfin particulièrement à mentionner ma sœur Sylvie, la personne la plus courageuse que je connaisse.

— Richard

Sommaire

● ●

Introduction

· ·

Cette édition des *Finances personnelles pour les Nuls* est une adaptation spécifique, faite par des Québécois pour les Québécois, de la quatrième édition du succès de librairie *Personal Finances for Canadians for Dummies*, un ouvrage dont les éditions précédentes ont été accueillies avec enthousiasme tant par les lecteurs que par les critiques.

Cela dit, nous ne nous reposons pas sur nos lauriers. Ainsi, le livre que vous tenez entre les mains résulte d'un travail encore plus approfondi et vous offre le matériel le plus à jour qui soit pour mener à bien la gestion de vos finances personnelles.

Pourquoi ce livre ?

Nombre de gens sont financièrement analphabètes, et les Québécois ne font pas exception. Si vous disposez de connaissances limitées dans le domaine de la finance, ce n'est sans doute pas votre faute. «Les finances personnelles 101» figure rarement dans les programmes d'enseignement des polyvalentes, des cégeps et des universités. Et c'est regrettable. (Mais si l'on enseignait un tel cours, il ne serait plus nécessaire d'écrire des livres pratiques et amusants comme celui-ci – ou peut-être s'en servirait-on en classe!)

Les gens commettent sans cesse les mêmes erreurs financières : ils tergiversent, ils ne planifient pas ou le font mal, ils gaspillent, ils sont vulnérables aux vendeurs financiers et à leur baratin, ils prennent des décisions financières importantes sans avoir suffisamment bien étudié la question, et ainsi de suite. Ce livre saura peut-être vous secouer un peu, comme le ferait un bon ami, afin de vous éviter de retomber dans les mêmes pièges.

Aussi injuste que cela puisse paraître, plusieurs de ces pièges vous attendent même lorsque vous cherchez de l'aide pour corriger votre situation financière. On entend régulièrement parler des conséquences des mauvais conseils financiers. Pas surprenant, car le monde est rempli de conseillers financiers partiaux et incompétents. Bien sûr, on trouve des pommes pourries dans toutes les professions, mais trop de ceux qui se disent «planificateurs financiers» sont en situation de conflit d'intérêt et ne sont pas suffisamment compétents.

Bien trop souvent, le conseil financier ne tient pas compte de la vue d'ensemble et se concentre étroitement sur le placement. Or, parce que l'argent n'est pas une fin en soi mais bien une partie de votre vie, ce livre s'efforce de faire le lien entre vos objectifs, vos problèmes financiers et le reste de votre vie. Vous avez besoin d'une compréhension générale des finances personnelles couvrant tous les secteurs de votre vie financière : les dépenses, les impôts, l'épargne et les placements, l'assurance, et la planification en vue d'objectifs majeurs tels que l'éducation, l'achat d'une maison et la retraite.

Même si vous possédez les notions de base de la finance, réfléchir à vos finances de manière holistique peut s'avérer difficile. On est parfois trop près d'une situation pour demeurer objectif. Comme l'organisation de votre bureau ou de vos dossiers (ou la désorganisation, selon le cas), il est possible que vos finances reflètent l'histoire de votre vie plus qu'elles ne reflètent un projet exhaustif pour votre avenir.

Vous êtes peut-être de ces personnes occupées qui ont chaque jour beaucoup à faire et à peine le temps qu'il faut pour y arriver. Pour cette raison, vous aimeriez savoir comment diagnostiquer rapidement (et aisément) votre situation financière afin de déterminer quelles actions entreprendre. Malheureusement, après avoir établi quelle stratégie financière semble la plus appropriée, il vous reste à choisir des produits financiers précis parmi ceux offerts sur le marché, une opération qui peut se révéler cauchemardesque. Vous vous trouvez littéralement devant des milliers de possibilités de placements, d'assurances et de prêts. De quoi faire une indigestion d'information !

Pour compliquer encore davantage les choses, il se peut que vous entendiez parler de la plupart de ces produits par le biais de publicités trompeuses, sinon carrément mensongères. S'il est indéniable que des sociétés éthiques et honorables se font connaître par la voie de la publicité, il est tout aussi clair que d'autres entreprises, surtout intéressées à utiliser vos revenus et vos épargnes à leur profit, en font autant. Et peut-être ces dernières ne seront-elles pas là quand vous aurez besoin d'elles.

À l'évidence, vous avez besoin de connaître la meilleure direction à prendre selon votre situation. Nous avons donc truffé ce livre de recommandations de produits éprouvés, et nos suggestions faciliteront votre orientation au cas où davantage d'informations et d'aide vous seraient nécessaires.

La prise de décisions financières solides exige d'avoir des informations et des conseils qui soient à jour, et c'est ce que ce livre vous propose. Les renseignements présentés dans chacune des pages de ce livre sont au diapason du contexte financier actuel des Québécois.

Comment utiliser ce livre

Vous êtes libre d'utiliser cet ouvrage selon l'une ou l'autre des trois façons suivantes :

✔ Si vous souhaitez explorer un sujet précis, tels que les dettes à taux d'intérêt élevé, la planification en vue d'objectifs majeurs ou le placement, il vous suffit de consulter la section concernée pour obtenir rapidement les renseignements dont vous avez besoin.

✔ Si un cours accéléré sur les finances personnelles vous intéresse, lisez ce livre du début à la fin. Cela vous permettra de consolider vos connaissances des concepts financiers fondamentaux et vous aidera à réfléchir sur vos finances d'une manière plus complète.

✔ Si vous en avez assez de retrouver vos factures, reçus et autres petits papiers sur le plancher chaque fois que les enfants courent après le chat dans la maison, servez-vous de ce livre comme presse-papiers !

Plus sérieusement, ce livre est suffisamment simple pour aider le débutant à s'initier aux grands concepts des finances personnelles, mais le lecteur plus avancé dans le domaine y trouvera aussi son compte, car en plus d'être amené à adopter une perspective nouvelle sur ses finances, il apprendra comment identifier les points qui méritent d'être améliorés. Consultez la table des matières pour un résumé chapitre par chapitre du contenu de ce livre, référez-vous à l'index pour un sujet précis, ou encore, commencez par le début, au chapitre 1.

Comment ce livre est organisé

Ce livre est composé de six parties, chacune portant sur une sphère importante de vos finances personnelles. Ces parties comportent respectivement plusieurs chapitres traitant chacun en détail d'un sujet précis. Vous pouvez lire n'importe quel chapitre (ou partie) sans nécessairement avoir à lire ce qui le précède, ce qui est pratique pour qui dispose de peu de temps. Ce livre constitue aussi un bon choix de lecture dans les situations où vous êtes confiné à un même siège pendant un certain temps (les toilettes, peut-être ?). Au cours de votre lecture, vous serez parfois renvoyé à un autre passage du livre où vous trouverez des informations additionnelles sur un point particulier. Voici maintenant le résumé du contenu de chacune des parties.

Première partie : Évaluer votre situation financière et établir vos objectifs

Cette partie explique comment poser un diagnostic sur votre situation financière actuelle et propose quelques clés qui vous manquent probablement pour bien connaître vos finances personnelles. Nous avons tous des rêves et des buts, alors dans cette partie, nous vous invitons à réfléchir à vos aspirations financières et à vous demander combien d'argent vous devriez mettre de côté en prévision de votre retraite ou d'autres objectifs importants.

Deuxième partie : Épargner plus, dépenser moins

La plupart des gens ne disposent pas de surplus d'argent. Alors cette partie vous aide à comprendre où vont tous vos dollars et vous enseigne comment réduire vos dépenses. Le chapitre 4 est consacré aux différentes façons de vous libérer du poids de vos dettes à taux d'intérêt élevé (les dettes sur cartes de crédit, notamment). Nous vous proposons aussi des idées concrètes destinées à réduire votre fardeau fiscal.

Troisième partie : S'enrichir grâce à l'investissement

Gagner et économiser de l'argent exige des efforts considérables, c'est pourquoi vous devez user de prudence quand vient le temps d'investir les dollars pour lesquels vous avez travaillé si fort (ou l'héritage que vous attendiez depuis si longtemps !). Dans cette partie, nous vous aidons à choisir judicieusement les occasions de placement et à comprendre les notions de rendement, de risques liés à l'investissement, et bien plus encore. Nous présentons les options d'investissement les plus importantes et les meilleures. Nous recommandons des placements et des stratégies précises à utiliser autant à l'intérieur qu'à l'extérieur des régimes de retraite non imposables tels que les REER. Nous parlons également d'achat, de vente et d'investissement dans l'immobilier, ainsi que d'autres possibilités de placement intéressants.

Quatrième partie : L'assurance, protéger vos avoirs

L'assurance est une partie importante de votre vie financière. Malheureusement, pour la plupart des gens, l'assurance constitue un sujet écrasant et terriblement ennuyeux. Mais peut-être réussirons-nous à éveiller votre intérêt pour ce sujet presque ésotérique en vous disant que vous payez déjà probablement plus que vous ne le devriez pour de l'assurance et qu'il est à peu près certain que votre couverture ne convient pas pleinement à votre situation. Cette partie vous apprend tout ce que vous avez toujours voulu savoir (bon d'accord, tout ce que vous n'avez jamais voulu savoir – mais que vous devriez sans doute quand même savoir) à propos de l'assurance et des façons d'acheter au meilleur prix la protection la plus appropriée.

Cinquième partie : Où trouver de l'aide supplémentaire

Au fur et à mesure que vous approfondirez vos connaissances en matière de fiances, il se peut que d'autres questions et de nouveaux problèmes surgissent. Dans cette partie, nous discutons des moyens qui s'offrent à vous et des écueils à éviter lorsque vous cherchez des informations et des conseils financiers. Nous traitons également de la possibilité de faire appel aux services d'un planificateur financier, ainsi que des ressources à consulter sur papier, sur les ondes radio ou télé et sur l'Internet.

Sixième partie : La partie des Dix

Les chapitres de cette partie peuvent vous aider à gérer des changements importants dans votre vie, à survivre à des moments difficiles financièrement et à toujours considérer l'argent dans une perspective saine par rapport au reste votre vie.

Glossaire

Le monde de l'argent possède un jargon bien à lui, alors vous serez heureux d'apprendre que ce livre comporte un glossaire complet de ces termes financiers qui sont souvent utilisés mais rarement expliqués.

Les icônes utilisées dans ce livre

 Ce personnage apparaît à gauche des passages qui ne sont pas essentiels à qui désire simplement comprendre les concepts de base et obtenir des réponses à certaines questions financières. Vous pouvez sans problème ignorer ces passages, mais en les lisant, vous pourrez approfondir et augmenter vos connaissances personnelles de la finance. Ce matériel vous servira peut-être lorsque vous vous retrouverez dans un jeu télévisé ou si vous restez un jour coincé dans un ascenseur en compagnie d'un fana de la finance (eh oui, tout est possible!).

 Cette cible marque les recommandations de stratégies visant à tirer le meilleur parti de votre argent (comme de rembourser une dette de carte de crédit en utilisant vos gains à la loterie).

 Cette icône signale les meilleurs produits financiers dans les secteurs du placement, de l'assurance, et ainsi de suite. Ces produits sont susceptibles de vous aider à appliquer nos recommandations stratégiques.

 Cette icône indique des points abordés ailleurs dans le livre ou des détails que vous voudrez probablement garder en mémoire.

 Cette icône signale les choses à éviter et les erreurs que commettent habituellement les gens dans la gestion de leurs finances.

 Cette icône vous alerte à propos des arnaques et des malfaiteurs qui profitent des gens sans méfiance.

 Cette icône vous signale qu'une recherche complémentaire de votre part pourrait s'avérer profitable. Ne vous en faites pas, nous vous indiquerons de quel côté chercher... et de quel côté ne pas chercher.

Première partie

Évaluer votre situation financière et établir vos objectifs

« Il m'est plus facile de dire non quand j'imagine qu'ils me demandent : "Maman, tu veux m'acheter cette exploitation commerciale d'un personnage de bande dessinée odieusement adorable vendue à un prix indécent?". »

Dans cette partie...

Nous traitons des concepts qui sous-tendent une gestion saine de vos finances personnelles. Vous découvrirez entre autres pourquoi vous n'avez pas appris à appliquer ces concepts fondamentaux avant aujourd'hui (et qui en sont les responsables). Ici, vous vous soumettrez à un examen de santé financière afin d'être en mesure de poser un diagnostic sur votre condition actuelle. Nous discutons également des façons de planifier et d'atteindre des objectifs financiers.

Chapitre 1

Améliorer votre situation financière

Dans ce chapitre :

▶ Comprendre et vaincre les obstacles à la réussite de vos finances personnelles

▶ Surmonter les difficultés financières réelles et imaginaires

▶ Discerner les problèmes d'argent les plus courants

▶ Qu'est-ce qu'une mauvaise dette, une bonne dette, trop de dettes ?

▶ Déterminer quels sont vos actifs, vos passifs et votre valeur nette (financière)

▶ Calculer votre taux d'épargne

▶ Évaluer vos placements et vos assurances

*N*ous nous connaissons à peine, mais nous savons que vous n'êtes pas stupide. Les vrais nuls ne prennent pas le temps de lire et de s'informer. Les vrais nuls ne comprennent pas non plus l'importance d'investir dans leur éducation. Et les vrais nuls sont incapables de mettre leur ego de côté et d'admettre qu'ils ont besoin d'aide et d'orientation.

Qu'est-ce qu'un nul ? C'est par exemple ce type qui entre dans un dépanneur et dépose un billet de 20 $ sur le comptoir en demandant de la monnaie. Quand le commis ouvre le tiroir-caisse, le malfaiteur sort aussitôt un revolver et exige le contenu de la caisse. Après avoir saisi son butin – 15 $ – il prend la fuite, mais en oubliant son billet de 20 $ sur le comptoir. Un nul, c'est aussi ce criminel qui dévalise une personne sans argent comptant sur elle et qui accepte un chèque de sa victime, pour tenter plus tard de l'encaisser dans une banque, où, surprise ! il est arrêté. Ces deux histoires sont des faits vécus.

Alors non, vous n'êtes certainement pas un nul. En revanche, il se peut que vous ayez certaines carences en ce qui a trait aux finances personnelles.

Cibler les points chauds

Si la plupart des Québécois ne savent pas bien gérer leurs finances personnelles, c'est parce qu'on ne leur a jamais appris à le faire. Très peu de nos écoles secondaires, cégeps et universités offrent ne serait-ce qu'un seul cours qui enseigne ces habiletés vitales dont nous avons besoin tout au long de notre vie.

Lorsqu'une institution offre un cours vaguement axé sur les finances personnelles, il s'agit en général d'un cours d'économie (optionnel, le plus souvent). «On enseigne des théories archaïques inefficaces à préparer les étudiants pour le monde réel», nous a confié un directeur de polyvalente avec qui nous avons discuté. Ayant nous-mêmes suivi bon nombre de cours d'économie, nous ne sommes pas étonnés des propos de ce directeur.

Certaines personnes ont la chance d'apprendre les clés de la réussite financière à la maison, auprès d'amis, ou grâce à des livres pratiques comme celui-ci. D'autres ne l'apprennent jamais ou alors à la dure, en commettant beaucoup d'erreurs coûteuses. En plus de causer de l'anxiété, le manque de compétences en finances personnelles entraîne souvent de sérieux problèmes. À ce propos, les statistiques suivantes donnent matière à réflexion :

- Chaque année, près de 30 000 faillites personnelles sont enregistrées au Québec.

- Des études démontrent que beaucoup de gens n'épargnent pas adéquatement en vue de leur retraite. Chaque année ou presque, environ 65 % des Québécois ont au moins l'intention de contribuer à un REER, et seulement 30 % y contribuent à hauteur du maximum que leur permet leur régime.

- Un mariage sur deux se termine par un divorce. Des études démontrent que les désaccords financiers représentent l'une des causes principales des discordes conjugales. Dans un sondage mené en Amérique du Nord par le magazine *Worth* et la firme de sondage Roper/Starch, des couples ont admis se disputer à propos de l'argent plus que tout autre sujet (au moins trois fois plus souvent que sur leur vie sexuelle). En outre, 57 % des personnes sondées se sont dites d'accord avec l'affirmation : «Dans tous les mariages, l'argent devient tôt ou tard le plus grand problème.»

- Près de la moitié des Canadiens croient qu'ils peuvent déduire les intérêts de leur prêt hypothécaire (ce qui est faux!), et qu'ils peuvent réduire leurs risques en investissant leur argent uniquement dans des placements canadiens (ils se trompent!). De plus, un sondage a indiqué que près de 80 % des gens sont d'avis que les placements à faibles risques constituent les meilleurs choix en ce qui concerne l'épargne en vue de la retraite (ce n'est pas le cas, puisque la plupart des gens ont besoin d'un rendement plus élevé afin d'être en mesure de prendre un jour cette retraite).

✔ Dans un test portant sur les connaissances de base dans le domaine de l'investissement (conduit par Princeton Survey Research Associates), approximativement un tiers des participants ont répondu correctement à moins de 50 % des questions. Ces résultats sont encore plus frappants quand on considère que les questions n'offraient chacune que deux ou trois choix de réponses !

✔ Autour de 80 % des consommateurs ignorent comment fonctionne la période de grâce d'une carte de crédit. Davantage encore ne savent pas que les intérêts commencent à être comptés dès la date d'un nouvel achat si la carte de crédit affiche un solde impayé.

✔ 53 % des gens ayant été soumis à un questionnaire sur l'investissement ignoraient que le rendement global représente la meilleure mesure de performance d'un fonds commun de placement.

Les coûts globaux de l'analphabétisme en finances personnelles sont énormes. Le taux élevé de dépenses combiné à un faible taux d'épargne au Québec conduit à long terme à une faible croissance économique ainsi qu'à des taux d'intérêt élevés. Chaque année, des milliards de dollars sont gaspillés en Amérique du Nord dans l'achat de produits financiers médiocres et inefficaces.

Parler argent à la maison

Nous avons pour notre part eu la chance d'avoir des parents qui nous ont enseigné et inculqué l'importance de la bonne gestion des finances personnelles. Nos parents respectifs nous ont appris une foule de choses utiles qui ont eu des effets inestimables tout au long de notre vie, dont certains principes avisés concernant les façons de gagner, de dépenser et d'épargner de l'argent. Il leur fallait savoir ces choses, parce qu'ils élevaient de grandes familles avec (le plus souvent) un seul revenu. Ils connaissaient l'importance d'utiliser au mieux les ressources disponibles et celle de transmettre cette habileté essentielle à leurs enfants.

Dans de nombreuses familles, l'argent est malheureusement un sujet tabou – les parents ne discutent pas des réalités et détails budgétaires avec leurs enfants. Pour certains parents avec qui avons discuté, les questions d'argent ne concernent que les adultes et les enfants ne devraient pas avoir à s'en soucier afin de mieux profiter de leur enfance. Dans plusieurs familles, les enfants n'entendent parler d'argent qu'au moment où des désaccords ou des problèmes financiers surgissent. C'est ainsi que débute pour les enfants le cycle néfaste des associations négatives à propos de l'argent et de la gestion financière.

Dans d'autres cas, des parents animés des meilleures intentions transmettent à leurs enfants leurs habitudes de gestion financière. Tristement, certaines de ces habitudes sont mauvaises. Ceci dit, nous ne suggérons pas de ne pas écouter vos parents. Cependant, dans le domaine des finances personnelles, comme dans tout autre domaine, les conseils familiaux mal avisés sont problématiques. Demandez-vous où vos parents ont acquis leurs connaissances en gestion financière. Ont-ils eu le temps, l'énergie et l'envie de bien examiner toutes les options avant de prendre leurs décisions ? Par exemple, il est possible que vos parents croient, à tort, que les banques constituent le meilleur endroit où placer de l'argent. (Pour connaître les meilleurs endroits où placer votre argent, consultez la troisième partie de ce livre).

Certains parents utilisent une approche valable, mais les enfants, par esprit de rébellion, vont parfois à l'opposé des conseils judicieux qu'ils reçoivent. Si, par exemple, vos parents étaient prudents et réfléchis dans leur façon de dépenser de l'argent, vous serez peut-être tenté de faire le contraire, comme de vous offrir un cadeau dès que vous disposez de quelques dollars de surplus.

Bien que nous ne puissions changer ce que le système éducatif et vos parents vous ont ou ne vous ont pas enseigné en matière de finances personnelles, vous êtes maintenant capable de trouver vous-même ce que vous avez besoin de savoir pour gérer vos finances. Et si vous êtes parents, vous savez sans doute, comme nous, combien les enfants sont surprenants. Ne sous-estimez pas leur potentiel et ne les laissez pas partir sans les avoir munis des outils dont ils auront besoin pour devenir des adultes productifs et heureux. Parlez-leur de finances personnelles alors qu'ils grandissent, comme vous le faites pour les bonnes manières, l'hygiène et la sécurité – et faites-le avant qu'ils ne quittent la maison pour leurs études ou pour leur premier emploi.

Enseigner les finances personnelles à l'école

Nancy Donovan enseigne les finances personnelles à ses élèves de cinquième année dans son cours de mathématiques afin d'illustrer l'utilité de cette matière dans le monde réel. «Les élèves doivent choisir une carrière, trouver un emploi, calculer les déductions sur leur salaire et déterminer le montant de leur chèque de paye. Il leur faut également louer un appartement et établir un budget mensuel» dit-elle, avant d'ajouter : «Les enfants adorent ça et des parents m'ont raconté à quel point ils étaient étonnés de constater la quantité de connaissances en matière de finance que leurs enfants pouvaient intégrer.» L'enseignante fait également investir 10 000 $ (virtuels) à ses étudiants, qui observent ensuite les rendements de leurs placements.

Réclamer que nos écoles enseignent les bases des finances personnelles n'a rien de déraisonnable. Nos enfants devraient être initiés à la gestion du budget d'un ménage, sensibilisés à l'importance d'épargner de l'argent en prévision de projets futurs et mis en garde contre les dangers et les conséquences des dépenses excessives. Malheureusement, très peu d'écoles offrent un cours comme celui de Nancy Donovan. Plus souvent qu'autrement, l'école n'enseigne pas les bases de la finance.

Certaines personnes diront que cet enseignement relève de la responsabilité des parents. Eh bien, c'est cette manière de faire qui prévaut actuellement, avec des résultats lamentables dans la majorité des cas. D'ailleurs, dans certaines familles, l'analphabétisme financier se transmet de génération en génération.

Il faut bien le reconnaître, l'éducation se fait à la maison, dans la rue et à l'école. L'école doit donc porter sa part de responsabilité dans l'enseignement de ces connaissances essentielles. En ces temps où de plus en plus d'adolescents occupent des emplois à temps partiel tout en poursuivant leurs études, l'enseignement de la gestion de ses finances personnelles prend plus que jamais tout son sens.

Faites pression sur vos écoles! Exigez que l'on enseigne les bases de la finance à tous les niveaux scolaires. Si vous croyez que vous êtes impuissant devant la situation, détrompez-vous! De nombreux changement à notre système d'éducation ont pris naissance dans des mouvements populaires.

Identifier les sources d'information douteuses

Certaines personnes sont suffisamment intelligentes pour comprendre qu'elles n'ont rien d'un génie de la finance. Alors le jour où elles décident de se prendre en main financièrement, elles se mettent à lire ou décident d'aller consulter un conseiller financier. Lorsqu'il est question du choix d'un conseiller financier, les écueils sont si nombreux et les dangers si réels que nous avons consacré un chapitre entier au thème de la planification financière. Ainsi, au chapitre 18, vous apprendrez tout ce qu'il vous faut savoir pour éviter de vous faire embobiner.

La lecture? C'est bien. C'est même essentiel. Mais lire afin d'apprendre à gérer votre argent peut s'avérer dangereux si vous êtes novice en la matière. Des sources d'information populaires et apparemment fiables fournissent parfois des renseignements inexacts, comme vous pourrez le constater dans les sections qui suivent.

L'imposture des gourous de l'investissement

Dans *Wealth Without Risk*, un livre à succès sur les finances personnelles, Charles Givens recommande ceci : «Ne contractez une assurance invalidité que si vous avez une mauvaise santé ou que vous êtes sujets aux accidents.» Mis à part le fait qu'aucune compagnie d'assurance (du moins, aucune qui soit intéressée par le profit) ne vous émettra de police invalidité après que votre santé se sera mise à décliner, comment savoir que vous êtes sur le point d'avoir un accident? Les problèmes de santé et les accidents de voiture étant à la source de nombreux cas d'incapacité, on ne peut prévoir l'invalidité!

Prenons le cas de Wade Cook et de ses séminaires sur l'investissement. Ces séminaires attiraient les gens en leur faisant miroiter des rendements formidables mais irréalistes. Bon an mal an, la Bourse génère des rendements moyens annuels d'environ 10 %. Cook, un ancien chauffeur de taxi, faisait la promotion de ses séminaires de la manière suivante : « Un cours vivant, interactif, pratique et intensif de deux jours pour obtenir des rendements formidables à la Bourse. Si vous n'obtenez pas des rendements mensuels de 20 % ou annuels de 300 %, venez nous voir ! »

Les séminaires d'enrichissement rapide de Cook – qui coûtaient plus de 6 000 $ – eurent tant de succès que sa compagnie fut cotée en Bourse à la fin des années 1990 et généra des revenus annuels de plus de cent millions de dollars.

Les techniques de Cook comprenaient l'achat et la revente d'actions et d'options sur actions après une période de possession aussi courte que quelques semaines, quelques jours ou même quelques heures. Ses stratégies boursières se fondaient grosso modo sur une analyse technique. C'est-à-dire qu'il enregistrait les mouvements des prix et des volumes des actions pour ensuite faire des prédictions à partir des résultats de son analyse.

Les dangers de s'appuyer sur une approche qui recommande des opérations d'aller et retour à court terme sont multiples :

- Vous payerez des frais de courtage considérables.

- Vous ne ferez pas de profits élevés, mais plutôt l'inverse. En persistant dans cette approche, vous obtiendrez des rendements inférieurs aux moyennes du marché.

- Vous vous mettrez les nerfs à fleur de peau, car ce type d'opération s'apparente davantage au jeu qu'à l'investissement. Si vous vous accrochez à cette pratique, vous risquez de perdre non seulement de l'argent, mais aussi l'amour et le respect de votre famille et de vos amis.

« On ne peut en aucune façon sérieuse se fier au comportement passé de titres boursiers dans le but de prédire l'avenir. Distrayantes, souvent rassurantes, les stratégies techniques n'ont toutefois pas de valeur réelle », écrit Burton Malkiel, professeur de finances à l'université de Princeton et auteur de l'ouvrage *Une marche au hasard à travers la Bourse*, devenu un classique de l'investissement.

Si les disciples de Wade Cook avaient pu obtenir les rendements de 300 % que ses séminaires leur proposaient d'atteindre, n'importe quel investisseur disposant de 10 000 $ se serait hissé au sommet de la liste des personnes les plus riches au monde (devant Bill Gates et Warren Buffett) en seulement 11 mois !

Comment les gourous de l'investissement deviennent-ils si populaires ?

Vous vous demandez peut-être comment Charles Givens et Wade Cook sont devenus si populaires en dépit des faiblesses évidentes de leurs recommandations. Givens a su tirer le meilleur parti des médias et de ses séminaires, qui lui ont procuré une plate-forme efficace de promotion personnelle. L'un des problèmes avec les médias de masse, c'est que les charlatans comme Givens peuvent y recevoir un formidable traitement publicitaire. Les choses sont ainsi faites que de nombreux membres des médias, souvent eux-mêmes financièrement analphabètes, adorent les histoires à sensation. Givens a donc reçu toutes sortes de publicités gratuites : on l'a maintes fois cité dans la presse et invité à participer à des émissions populaires telles que *The Today Show*, *Oprah* et *Larry King Live*.

Les séminaires animés par Givens attiraient des milliers de personnes, en partie en raison de la crédibilité que ses apparitions dans les médias lui avaient permis de se constituer. Or, comme l'ont à présent bien documenté certains membres de ces mêmes médias, plusieurs investisseurs non avertis ont acheté des produits assortis de frais de courtage exagérément élevés, dont des placements risqués dans des sociétés en commandite simple, par l'intermédiaire de son organisation.

Ce fut le cas d'Helen Giszczak, une secrétaire à la retraite âgée de 69 ans. Elle avait investi près des deux tiers de ses modestes économies dans des sociétés en commandite simple. « Il s'agit probablement des investissements les plus conservateurs que l'on connaisse », lui aurait assuré Givens. Malgré cela, certaines de ces sociétés se sont retrouvées en faillite, tandis que d'autres ont perdu la plus grande partie de leur valeur.

Plus tard, Helen Giszczak participa à l'émission d'infovariétés *Donahue* en compagnie d'un ancien courtier en placements devenu avocat en droit des affaires, John Allen, avec le concours duquel elle poursuivait en justice l'organisation de Givens afin de récupérer son argent. Après avoir discuté longuement avec Giszczak et Allen, Phil Donahue demanda à Ellen comment une personne intelligente comme elle avait bien pu se laisser duper de la sorte. Ce à quoi elle répondit : « Il est passé à votre émission et à celle d'Oprah. Vous lui avez donné de la crédibilité. Vous lui avez offert de la publicité gratuite. »

Wade Cook, quant à lui, faisait la promotion de ses séminaires en recourant au publireportage et à d'autres formes de publicité, comme des spots diffusés sur des chaînes de radio respectées. Les rendements élevés des marchés durant les années 1990 ont entraîné une recrudescence d'avidité. Notre expérience nous a enseigné que cette avidité est beaucoup plus présente lorsque les marchés atteignent des sommets que lorsqu'ils touchent le fond du baril.

Les procureurs généraux de plusieurs États américains ont intenté des procès contre la société de Cook dans le but de récupérer les millions de dollars des investisseurs lésés. Les poursuites alléguaient que l'entreprise avait menti au sujet des rendements passés de ses investissements (rien de surprenant – cette société appâtait les nouveaux investisseurs en leur faisant croire à des rendements de 300 % sur leurs actions).

Afin de régler l'avalanche de poursuites lancées contre elle par différents États ainsi que par la Federal Trade Commission (l'autorité américaine de la concurrence), la société de Cook accepta de divulguer à l'avenir dans ses publicités le rendement précis de ses investissements, et d'offrir des remboursements à ceux de ses clients qui avaient été trompés par ses promesses de rendement exagérées.

Selon un bulletin d'informations de *Bloomberg News*, la société de Cook a révélé des pertes colossales de 89 % de ses propres investissements au cours de sa dernière année de rapport. Comme le fit remarquer Deb Bortner, directrice de la Washington State Securities Division (la commission des valeurs mobilières de l'État de Washington) et présidente de la North American Securities Administrators Association (association nord-américaine visant la protection des investisseurs) : « Soit Wade est incapable d'appliquer sa propre méthode, soit sa méthode ne fonctionne pas. »

N'allez pas vous imaginer qu'un type qui a quelque chose à vous vendre, qui a bonne presse et qui fait paraître beaucoup de publicités se fera nécessairement un devoir de surveiller vos intérêts. Il se peut que ce « gourou » ne soit bon que dans ses relations avec les médias et dans ses activités de promotion personnelle. Il ne fait aucun doute que les émissions d'infovariété et les médias au sens large soient en position de fournir des informations utiles, et ils le font sur une multitude de sujets, mais vous devez avoir à l'esprit que des individus aux intentions douteuses se glisseront aussi forcément dans le tableau. Et comme certaines de ces personnes savent bien cacher leur jeu, elles escroqueront parfois les gens durant des années avant d'être finalement démasquées.

Le poids des annonceurs

Des milliers de publications et de sources médiatiques — journaux, magazines, sites Web, stations de radio et de télévision, et ainsi de suite – distribuent conseils et perspectives en matière de finances personnelles. Bien que plusieurs de ces « fournisseurs de services » tirent des revenus de leurs abonnés, pratiquement tous sont dépendants – totalement dépendants en ce qui concerne l'Internet, la radio et la télévision – des revenus publicitaires. La publicité constitue une part essentielle du capitalisme, certes, mais les annonceurs peuvent corrompre, voire dicter les contenus de ce que vous lisez, entendez et regardez.

Considérons ce cas d'une publication non financière, le magazine *Modern Bride* (le magazine de la mariée moderne). Le magazine *Harper's* mit la main sur une lettre d'excuses (qu'il intitula avec humour : «Aimer, honorer et obéir à nos annonceurs») envoyée par la chef de publicité mode de *Modern Bride* aux annonceurs du même magazine. Voici un extrait de la lettre :

> «*Modern Bride* recommande à ses lectrices et lecteurs (vos clients) de négocier les prix, d'emprunter une combinaison ou un jupon, de comparer les prix des catalogues de souliers, et leur dit en même temps qu'ils pourraient obtenir gratuitement le smoking du marié. Il est difficile de comprendre comment on a pu contraindre *Modern Bride* à publier une telle information. Avec 57 ans d'expérience dans le domaine de l'édition et de soutien à l'industrie du mariage, *Modern Bride* aurait pu et aurait dû être plus sensible envers les détaillants qu'il prétend servir. Nous tous, professionnels du mariage, devons faire en sorte de projeter une image positive des activités de vente au détail des services et des articles de mariage. »

Il est facile de comprendre pourquoi l'auteure de l'article publié dans *Modern Bride* suggérait à ses lectrices et lecteurs des stratégies de réduction de leurs coûts : elle essayait de leur transmettre des informations et des conseils utiles! Maintenant, la parution de lettres aussi révélatrices étant chose rare, comment le consommateur d'informations financières peut-il différencier les bonnes publications de celles qui sont influencées par les annonceurs? Après avoir passé des années à écrire et travailler pour bon nombre de publications et à en étudier de nombreuses autres, nous avons pu élaborer quelques idées sur le sujet.

D'abord, il faut déterminer le degré de dépendance d'une publication ou d'une source médiatique. Nous croyons que les publications et les stations de radio et de télévision «gratuites», parce qu'elles cèdent aux exigences des annonceurs, sont celles qui créent le plus souvent des conflits d'intérêts. (Tous les trois tirent la totalité de leurs revenus de la publicité.) Une grande grande partie de ce que l'on trouve sur l'Internet est également soumise à l'influence des annonceurs. Plusieurs sites portant sur l'investissement offrent des conseils sur les actions individuelles. Chose curieuse, la plus grande partie des revenus de tels sites provient de maisons de courtage en ligne désireuses de recruter de nouveaux clients. (Consultez la troisième partie pour obtenir davantage d'informations sur vos possibilités d'investissement.)

Ensuite, tandis que vous lisez diverses publications, regardez la télévision ou écoutez la radio, remarquez à quel point ces médias sont orientés vers la consommation. Avez-vous le sentiment que l'on se soucie de vos intérêts? Ou ne produit-on pas avant tout des émissions et des publications propices aux annonceurs? Par exemple, si beaucoup de fabricants de voitures annoncent leurs produits dans les médias, ces mêmes médias vous renseignent-ils par ailleurs sur les façons de négocier l'achat d'une automobile ou sur l'importance d'acheter un véhicule qui convient à vos moyens?

Vaincre les obstacles réels et imaginaires

Vous savez peut-être déjà que vous devriez vivre selon vos moyens, acheter et conserver des valeurs solides à long terme et vous procurer une couverture d'assurance propre à vos besoins. Toutefois, vous ne parvenez pas à le faire. Il est vrai qu'il est difficile de briser les habitudes nuisibles acquises au fil des ans. Les invitations à dépenser sont omniprésentes dans notre vie. On aperçoit partout des images de personnes attirantes et sympathiques savourant les fruits de leur travail : une voiture neuve, des vacances exotiques, une maison luxueuse.

Il est possible que vous ayez été frustré par le comportement radin de vos parents durant votre enfance ou que, lassé par la vie, vous recherchiez l'effet de nouveauté que vous procurent les achats. Si seulement vous arriviez à faire un bon coup avec un ou deux placements, pensez-vous, vous pourriez vous enrichir rapidement et mener la vie dont vous rêvez. Pour ce qui est des désastres et des catastrophes, eh bien, ces choses n'arrivent qu'aux autres. D'ailleurs, si des problèmes devaient se profiler à l'horizon, vous en sentiriez sans doute les signes et vous auriez alors le temps de vous y préparer, pensez-vous peut-être.

Vos émotions et vos tentations sont susceptibles de l'emporter. Cependant, il faut savoir que la saine gestion de vos finances implique que vous preniez conscience de vos points faibles et des conséquences prévisibles de vos comportements. Si vous ne le faites pas, vous pourriez vous retrouver esclave d'un emploi sans perspective d'avenir et de votre dépendance à la consommation, ou vous risquez de passer plus de temps sur vos investissements qu'avec votre famille et vos amis. Personne n'est à l'abri des désastres.

Les vrais obstacles à votre réussite

Différents obstacles d'ordres personnel et émotionnel ont le potentiel de nuire à la prise des meilleures décisions financières possibles. Comme nous en avons discuté plus tôt dans ce chapitre, les mauvaises décisions financières s'expliquent souvent par un manque de connaissances financières (le résultat d'une éducation financière déficiente).

Toutefois, certaines personnes ont une propension à justifier leurs problèmes financiers par des causes extérieures à elles-mêmes. Par exemple, certaines personnes pensent que tous les problèmes de la vie d'adulte prennent naissance au cours de l'enfance et de l'éducation qu'on y a reçu. Nos racines seraient ainsi à l'origine de comportements tels que l'abus de substances, la dépendance aux cartes de crédit et les infidélités sexuelles.

Nous ne voulons pas diminuer l'impact que des antécédents familiaux particuliers peuvent avoir sur la tendance chez certaines personnes à faire de mauvais choix au cours de leur vie. L'exploration des histoires personnelles peut certainement offrir des pistes de compréhension quant à ce qui motive les gens. Cela dit, nous sommes des adultes, nous faisons des choix et adoptons des comportements qui affectent autant notre entourage que nous-mêmes. Nous ne devrions pas blâmer nos parents pour notre inaptitude à planifier notre avenir financier, à vivre selon nos moyens et à faire des investissements judicieux. S'il est probable que vos parents sont au moins en partie responsables de ce que vous êtes devenu, il n'en demeure pas moins que c'est à vous qu'il revient de changer vos manières de faire.

D'autres personnes encore justifieront leurs problèmes financiers par l'insuffisance de leurs revenus. Ils sont persuadés que s'ils gagnaient plus d'argent, leurs problèmes financiers (et personnels) disparaîtraient.

Notre expérience avec des gens de divers milieux économiques nous a enseigné que la réussite financière – et, surtout, l'atteinte du bonheur – tient moins au niveau salarial d'une personne qu'à son aptitude à bien faire avec ce qu'elle possède. Nous connaissons des gens qui sont riches financièrement mais pauvres émotionnellement, et ce, bien qu'ils disposent de tout le confort matériel possible. À l'inverse, nous connaissons des gens plutôt heureux, satisfaits et riches émotionnellement, même en dépit de la précarité de leur situation financière.

En principe, les Québécois, y compris ceux qui n'ont pas eu une vie « facile », devraient être en mesure de trouver des raisons d'être heureux et reconnaissants. Ils peuvent par exemple se réjouir d'avoir : une famille qui les aime ; des amis qui rient de leurs blagues stupides ; la liberté d'aller voir un film ou une pièce de théâtre, ou de lire un bon livre ; une voix splendide pour la chanson ; le sens de l'humour ; une chevelure magnifique ; ou simplement, la chance de vivre dans un pays où il n'y a pas de guerre.

Financièrement parlant, les Québécois sont plutôt gâtés. La majorité des habitants de la planète ont un standard de vie ne représentant qu'une fraction de celui de la moyenne québécoise.

Prendre de bonnes habitudes

Après avoir compris les concepts de base et appris où vous procurer les meilleurs produits financiers quand vous en avez besoin, vous verrez vite que la bonne gestion de vos finances personnelles n'est pas beaucoup plus compliquée que d'autres tâches que vous effectuez régulièrement, comme de lacer vos souliers ou de vous rendre au travail.

Quel que soit votre revenu, vous pouvez faire plus avec vos dollars si vous adoptez de bonnes habitudes financières et prévenez les erreurs. En fait, moins vos revenus sont élevés, plus il importe d'utiliser au mieux vos rentrées d'argent et vos épargnes (parce que vous ne disposez pas du luxe de vous en remettre à un prochain chèque de paye généreux pour vous tirer d'affaire).

De plus en plus d'industries étant soumises à la concurrence internationale, vous devez plus que jamais être prudent financièrement. La sécurité d'emploi est en déclin. Les mises à pieds et le recyclage professionnel sont en hausse. Espérer travailler pendant 20 ou 30 ans pour la même compagnie et partir à la retraite avec en prime une montre en or et des prestations à vie est désormais presque aussi futile que d'espérer posséder un ordinateur qui ne soit jamais défectueux.

À propos des régimes de retraite d'entreprise (aussi appelés «fonds de pension de l'employeur» et «régimes de retraite complémentaires»), on rencontre de plus en plus de cas où un individu qui travaille pour une entreprise contribue à son régime de retraite sans que l'employeur y participe. Non seulement devez-vous épargner l'argent, mais vous devez également décider de la façon de l'investir.

Gérer vos finances personnelles implique beaucoup plus que de simplement gérer et investir de l'argent. Cela suppose aussi que vous fassiez en sorte de bien agencer ensemble toutes les parties de votre vie financière. Pour ce faire, il vous faut remédier à votre analphabétisme financier. Tout comme dans la planification de vos vacances, la gestion de vos finances personnelles nécessite un plan visant à faire le meilleur usage possible de votre temps et de vos dollars. (Nous traitons des difficultés financières les plus courantes dans la prochaine section.)

Les stratégies financières intelligentes n'ont rien à voir avec le sexe, l'appartenance ethnique ou le statut civil d'une personne. Tout le monde a intérêt à gérer intelligemment ses finances. Certains aspects de la gestion financière varient en importance au cours d'une vie, mais dans l'ensemble, le principe demeure le même pour tous.

Il n'est pas suffisant de savoir ce qu'il faut faire. Vous devez pratiquer les bonnes habitudes financières de la même manière que vous répétez d'autres bonnes habitudes, comme celle de vous brosser régulièrement les dents. Ne vous inquiétez pas. Au fur et à mesure que vous progresserez dans la lecture de ce livre, dressez une brève liste de vos objectifs, puis commencez à vous y attaquer. Dans les pages de ce livre, nous vous suggérons des façons de vaincre les tentations et de conserver la maîtrise de votre argent, au lieu de vous laisser (mal) mener par les émotions et l'argent.

Vous n'appréciez sans doute pas que l'on vous fasse sentir stupide ou que l'on vous dise que vous êtes dans l'erreur. Et ce que vous faites de votre argent ne concerne que vous. Dans ce livre, nous nous efforçons de ne pas être paternalistes, mais de fournir les conseils et les orientations qui sont dans votre meilleur intérêt. Il n'est pas nécessaire de tout prendre ; vous n'avez qu'à choisir ce qui s'applique le mieux à vous et à connaître les avantages et les inconvénients de vos options. Mais à partir d'aujourd'hui, veillez à ne pas commettre les erreurs facilement évitables et ne négligez pas les stratégies efficaces qui vous sont présentées tout au long de ce livre.

Si vous êtes jeune, nous vous félicitons d'être ouvert d'esprit au point de comprendre la valeur immense que représente l'investissement dans votre éducation financière personnelle. Vous en récolterez les bénéfices des décennies durant. Mais même si vous n'êtes plus si jeune, vous disposez encore certainement de plusieurs années pour tirer le meilleur parti de l'argent que vous possédez actuellement, de l'argent que vous allez continuer de gagner, et peut-être aussi de l'argent dont vous hériterez !

Au fil de notre parcours ensemble, nous espérons ébranler et même changer votre manière de concevoir l'argent et de prendre des décisions financières personnelles importantes – et parfois même vos idées sur le sens de la vie. Bien que nous ne soyons pas des philosophes, nous savons que l'argent – pour le meilleur, mais plus souvent pour le pire – est intimement lié à plusieurs autres parties de notre vie.

Les problèmes financiers courants : vous n'êtes pas seul

Comment se porte votre santé financière ? Il se peut que vous connaissiez déjà la mauvaise nouvelle. Ou peut-être les choses ne sont-elles pas aussi pire qu'elles ne le semblent.

À quand remonte la dernière fois où vous vous êtes assis entouré de tous vos documents personnels et financiers pour faire un bilan de l'ensemble de votre situation financière, en examinant vos dépenses, votre épargne, vos objectifs d'avenir et votre assurance ? Si vous êtes comme la majorité des gens, vous ne vous êtes jamais livré à un tel exercice, ou vous l'avez fait il y a très longtemps.

Il est toujours préférable de détecter les problèmes financiers le plus tôt possible, à l'instar de différents problèmes médicaux (un rythme de vie sain ne fait d'ailleurs de tort à personne). Voici quelques-uns des problèmes financiers parmi les plus courants :

✔ **Ne pas planifier.** Les êtres humains ont une tendance naturelle à tergiverser. C'est pourquoi il existe des échéances – et des prolongations d'échéances. Malheureusement, il est rare que vous ayez des échéances précises concernant l'ensemble de votre vie financière. Vous pouvez ainsi laisser grimper le solde de votre carte de crédit ou laisser dormir vos économies durant des années dans un fonds ou un compte sans véritable rendement. Vous pouvez payer des impôts trop élevés, tolérer des lacunes dans votre régime de retraite ou votre couverture d'assurance et payer trop pour des produits financiers. Évidemment, planifier vos finances n'est pas aussi plaisant que planifier vos vacances, mais en voyant au premier, vous facilitez le second.

✔ **Dépenser excessivement.** Le Québécois moyen épargne moins de 2 % de son revenu net d'impôts (par contraste avec certains autres pays industrialisés où le taux d'épargne est deux ou trois fois plus élevé). Un simple calcul vous permet de déterminer le montant de votre épargne, qui est la différence entre ce que vous gagnez et ce que vous dépensez (en supposant que vous ne dépensiez pas plus d'argent que vous n'en gagnez !). Si vous souhaitez augmenter votre épargne, soit vous travaillez plus (berk !), soit vous vous organisez pour hériter d'une famille riche, soit vous dépensez moins. Pour la plupart des gens, la troisième approche constitue la meilleure façon de faire croître son épargne et sa richesse.

✔ **Acheter à crédit.** Même en considérant les taux d'intérêt actuels, qui sont relativement bas, maintenir d'un mois à l'autre un solde à découvert sur votre carte de crédit ou acheter une voiture à crédit signifie qu'une portion encore plus grande de vos revenus à venir sera consacrée au remboursement de vos dettes. Les achats à crédit vous encouragent à dépenser plus que ce que vous pouvez réellement vous permettre.

✔ **Retarder l'épargne-retraite.** La plupart des gens disent vouloir prendre leur retraite à la mi-soixantaine ou plus tôt. Mais pour atteindre cet objectif, la majorité des gens doivent épargner une part raisonnable de leurs revenus (autour de 10 %), et commencer à le faire plus tôt que tard. Plus vous attendrez avant de commencer à économiser, plus il vous sera difficile de parvenir à votre objectif. Et vous payerez beaucoup plus en impôts si vous ne profitez pas des avantages fiscaux qu'offrent les placements dans certains régimes de retraite.

✔ **Être vulnérable au baratin des vendeurs financiers.** Les bonnes affaires qui ne vous laissent pas de temps pour réfléchir ou pour obtenir un deuxième avis sont souvent des désastres latents. Si un escroc naît à chaque minute, un vendeur rusé naît à chaque seconde. Tenez-vous loin de ceux qui vous poussent à prendre une décision rapide, qui vous promettent des rendements élevés ou qui ne possèdent pas les qualifications et l'expérience requises pour vous aider.

✔ **Ne pas faire vos devoirs.** Pour obtenir le meilleur marché, vous devez comparer les prix, lire des revues, et chercher conseil auprès d'un tiers objectif et désintéressé. Il vous faut vérifier les références et les résultats antérieurs afin de ne pas vous offrir les services d'un conseiller financier incompétent, avide ou frauduleux. Il faut cependant dire qu'avec tous les produits financiers disponibles, prendre des décisions éclairées est devenu une tâche accablante. Nous faisons une partie du travail pour vous par le biais des recommandations que nous formulons dans ce livre. Nous fournissons également des indications quant aux recherches supplémentaires que vous pouvez mener et aux façons de procéder.

✔ **Prendre des décisions sur le coup de l'émotion.** Vous êtes plus vulnérable à la prise de mauvaises décisions financières après un changement important dans votre vie (la perte d'un emploi, un divorce, par exemple) ou lorsque vous vous sentez sous pression. Peut-être vos placements ont-ils perdu de leur valeur ou peut-être un récent divorce vous fait-il craindre de ne pas avoir la possibilité de prendre votre retraite au moment que aviez prévu, alors vous investissez des sommes considérables dans un produit financier dernier cri. Prenez votre temps et laissez vos émotions à l'extérieur de l'équation. Au chapitre 21, nous traitons des différentes approches à adopter lors de changements majeurs dans votre vie en vue de déterminer les possibles modifications à apporter à votre tableau financier.

✔ **Ne pas séparer le bon grain de l'ivraie.** Dans tout domaine où vous n'êtes pas chevronné, vous courez le risque de suivre les conseils de quelqu'un qui se croit expert mais qui en réalité ne l'est pas. Ce livre vous enseigne à différencier les fantaisies financières des faits financiers. Regardez dans n'importe quel miroir et vous y verrez la personne la plus apte à gérer vos finances personnelles. Éduquez-vous et faites-vous confiance !

✔ **S'exposer à des risques catastrophiques.** Vous êtes en situation de vulnérabilité si vous et votre famille ne disposez pas d'une assurance couvrant les frais d'une perte financièrement dévastatrice. Les gens sans économies et sans réseau de soutien risquent de se retrouver à la rue. Bon nombre de personnes n'ont pas une couverture d'assurance suffisante qui puisse combler leur perte de revenu. N'attendez pas que le malheur frappe avant de découvrir si votre couverture d'assurance est adéquate ou non.

✔ **Trop se concentrer sur l'argent.** À trop mettre l'accent sur le gain et l'épargne d'argent, vous pourriez perdre de vue l'essentiel de la vie. L'argent n'est pas la première priorité, ni même la deuxième dans la vie des gens heureux. Votre santé, vos relations avec votre famille, votre partenaire et vos amis, votre satisfaction professionnelle et vos intérêts épanouissants devraient tous être plus importants.

La plupart des problèmes financiers se corrigent avec le temps et grâce aux changements qui s'imposent à votre comportement. (Et c'est ce sur quoi porte le reste de ce livre.)

La seconde moitié de ce chapitre vous guide à travers un examen financier ayant pour but de détecter les problèmes dont pourrait présentement souffrir votre santé financière. Mais ne vous laissez pas abattre par vos « problèmes ». Voyez-les plutôt pour ce qu'ils sont : une occasion d'améliorer votre situation financière. En fait, plus vous identifierez de points à améliorer, plus grand sera votre potentiel de vous constituer une richesse réelle et d'atteindre vos objectifs financiers et personnels.

Bonne dette et mauvaise dette

Pour quelles raisons empruntez-vous de l'argent ? Normalement, vous empruntez de l'argent parce que vous ne disposez pas de la somme nécessaire pour acheter ce que vous désirez ou ce dont vous avez besoin, comme une éducation postsecondaire. Si vous voulez acheter une éducation universitaire de quatre années dans une université québécoise, il vous en coûtera facilement 40 000 $ (ou plus, selon les programmes) en droits d'inscription, droits de scolarité, frais afférents, livres et fournitures scolaires, ainsi qu'en frais de logement, de nourriture et de transport, etc. Or, peu de gens ont une pareille somme à leur disposition. Ainsi, emprunter de l'argent afin de financer une partie de ce montant vous permet d'acheter une formation universitaire.

Une nouvelle voiture ? Une visite chez votre sympathique concessionnaire local vous apprendra qu'une automobile neuve vous coûtera au moins 15 000 $... et souvent bien plus. S'il est vrai que plus de gens sont susceptibles d'être en mesure de s'offrir une voiture que de payer, disons, pour quatre années d'études universitaires, que faire si vous n'en êtes pas capable ? Devriez-vous financer le véhicule comme vous financeriez les études ?

Les concessionnaires d'automobiles et les banquiers, qui meurent d'envie de vous accorder un prêt auto, sont d'avis que vous méritez et que vous pouvez vous permettre de conduire une magnifique voiture neuve et, bien sûr, ils vous conseilleront de contracter cet emprunt. Mais nous disons : « Non ! Non ! Non ! »

Pourquoi sommes-nous en désaccord avec les concessionnaires et les prêteurs ? D'abord, nous n'essayons pas de vous vendre une voiture ou de vous faire un prêt sur lequel nous réaliserions des profits. Mais surtout, il existe une différence énorme entre emprunter pour l'achat d'une chose qui représente un investissement à long terme et emprunter pour la consommation à court terme.

Si par exemple vous dépensez 1 500 $ pour des vacances, l'argent est disparu. Volatilisé ! Vous en conserverez sans doute de bons souvenirs et quelques images aussi, mais rien qui ait une valeur financière. « Mais, dites-vous, les vacances me font un bien fou et je suis plus productif à mon retour. En réalité, je retire plus de mes vacances que ce qu'elles me coûtent ! »

C'est très bien. Nous ne vous suggérons pas d'éviter de prendre des vacances. Prenez-en chaque année une, deux, trois fois ou autant de fois que vos moyens vous le permettent. Mais voilà, allez-y selon vos moyens. Si pour vous offrir vos vacances vous devez emprunter de l'argent sous la forme d'un solde à découvert sur votre carte de crédit, alors vous n'en avez pas les moyens.

Nous appelons « mauvaises dettes » les dettes contractées pour la consommation, parce qu'elles sont nuisibles à votre santé financière à long terme.

Vous serez en mesure de prendre beaucoup d'autres vacances au cours de votre vie si vous épargnez d'abord l'argent. En prenant l'habitude d'emprunter et de payer tous ces intérêts pour vos vacances, vos voitures, vos vêtements et autres articles de consommation courante, vous dépenserez davantage de vos revenus futurs à rembourser vos dettes et leurs intérêts, ce qui vous laissera moins d'argent pour vos vacances et tous vos autres objectifs.

Les taux d'intérêt relativement élevés que les banques et les autres prêteurs font payer pour les « mauvaises dettes » constituent l'une des raisons pour lesquelles vous avez moins d'argent lorsque vous contractez de telles dettes. L'argent emprunté par la voie des cartes de crédit, des prêts auto et d'autres types de prêts à la consommation non seulement porte des taux d'intérêt relativement élevés, mais il n'est pas admis en déduction d'impôts.

Nous ne disons pas que vous ne devez jamais emprunter d'argent ni que toutes les dettes sont mauvaises. Les bonnes dettes, comme celles contractées pour l'achat d'un bien immobilier ou d'une petite entreprise, sont généralement disponibles à des taux d'intérêt plus bas que dans le cas des mauvaises dettes et sont habituellement admises en déduction d'impôts. Lorsqu'ils sont bien gérés, ces investissements prendront souvent de la valeur. Emprunter pour payer des études peut également s'avérer profitable. Normalement, l'éducation constitue un bon investissement à long terme parce qu'elle est susceptible d'accroître votre potentiel de revenu.

Les mauvaises dettes : trop, c'est combien ?

Le calcul de vos dettes par rapport à vos revenus annuels représente une bonne façon de connaître l'ampleur de votre endettement. Pour l'instant, ne tenez pas compte de vos bonnes dettes : prêt hypothécaire, prêt commercial, prêt étudiant, etc. Nous nous concentrons ici sur vos mauvaises dettes, c'est-à-dire celles contractées pour l'achat d'articles qui se déprécient.

Supposons que vous gagnez 30 000 $ par année et que vos cartes de crédits et votre prêt auto totalisent 15 000 $ de dettes. Dans ce cas, votre mauvaise dette représente 50 % de votre revenu annuel.

$$\frac{\text{mauvaises dettes}}{\text{revenu annuel}} = \text{indice de danger des mauvaises dettes}$$

Le montant acceptable de mauvaises dettes est de zéro. (Tout le monde n'est cependant pas d'accord sur ce point. Une importante société américaine de cartes de crédit mentionne – dans le matériel « éducatif » qu'elle distribue dans les écoles pour enseigner des pratiques de gestion financière supposément sérieuses aux enfants – qu'il n'y a pas de problème à porter une dette à la consommation équivalant à 10 à 20 % de votre revenu annuel.)

Le jeu de la période de grâce

Étant donné ce que nous avons à dire à propos des caprices des dettes de consommation, vous pourriez penser que nous sommes toujours contre l'utilisation des cartes de crédit. En fait, si vous acquittez votre solde complet chaque mois, il y a un certain nombre d'avantages à utiliser une carte de crédit. En plus de ne pas avoir à porter trop d'argent comptant dans vos poches, vous profitez de l'utilisation gratuite de l'argent de la banque. (Certaines cartes offrent d'autres avantages, comme les primes différées des programmes de fidélisation de voyages aériens. De plus, il est possible de contester les achats portés à votre carte de crédit si le marchand ne respecte pas ses engagements.)

Lorsque vous portez des frais à une carte de crédit qui n'affiche pas un solde à découvert reporté du mois précédent, vous disposez normalement de plusieurs semaines à partir de la date de l'achat jusqu'à la date d'échéance du paiement pour payer votre solde sans que des intérêts ne soient ajoutés. On appelle cet intervalle la « période sans intérêt ». Quant à l'intervalle qui sépare la date de votre relevé de carte de crédit de la date d'échéance du paiement, c'est le « délai de grâce ». Ainsi, le délai de grâce fait partie de la période sans intérêt. En attendant jusqu'à la date d'échéance ou presque pour payer votre solde, vous jouez, en quelque sorte, avec la période de grâce. Car si vous aviez dû payer pour cet achat – comptant, chèque ou débit – il vous aurait fallu puiser plus tôt dans vos ressources financières.

Si vous avez du mal à économiser de l'argent et que le crédit vous incite à faire des trous dans votre budget, ne vous aventurez pas à jouer avec la période de grâce. Il est préférable pour vous de ne pas faire usage de cartes de crédit. Le même raisonnement s'applique aussi aux personnes qui ont l'habitude de payer leur solde en entier mais qui ont tendance à dépenser plus parce que c'est si facile de le faire avec une carte de plastique.

Quand votre indice de danger de mauvaises dettes commence à dépasser les 25 %, vous risquez de vrais problèmes. De tels niveaux de dettes à taux d'intérêt élevés sur carte de crédit et sur prêt auto sont comme le cancer :

la croissance de votre dette peut faire boule de neige et devenir hors de contrôle à moins qu'une intervention substantielle ne soit faite. Si vos dettes de consommation se situent au-delà des 25 % de votre revenu annuel, référez-vous au chapitre 4 afin d'apprendre comment vous sortir de votre endettement.

Quel serait un montant acceptable de bonnes dettes ? La réponse dépend de votre situation. La question clé à vous poser est celle-ci : Êtes-vous en mesure d'épargner suffisamment en vue de la réalisation de vos objectifs ? Un peu plus loin dans ce chapitre, dans la section « Analyse de l'épargne », nous vous aidons à déterminer combien d'argent vous épargnez réellement, et au chapitre 2, nous vous aidons à établir combien vous devriez épargner pour arriver à atteindre vos objectifs. Jetez un coup d'œil au chapitre 13 afin de connaître les limites raisonnables d'endettement hypothécaire lors de l'achat d'une maison.

Évitez d'emprunter de l'argent pour la consommation (les mauvaises dettes), c'est-à-dire pour l'achat de biens et services qui se déprécient et finissent par perdre toute valeur, tels que les voitures, les vêtements, les vacances, et ainsi de suite. N'empruntez de l'argent que pour investir dans l'acquisition de choses qui conservent leur valeur ou qui, avec un peu de chance, en prendront à long terme, tels qu'une éducation, des biens immobiliers ou votre propre entreprise (les bonnes dettes).

Déterminer votre valeur nette

Votre valeur nette financière constitue un baromètre appréciable de votre santé monétaire. Votre valeur nette traduit votre capacité à atteindre des objectifs financiers importants, comme d'acheter une maison, prendre votre retraite, ou résister à des dépenses imprévues ou à une perte de revenu

Votre valeur nette financière n'a absolument rien à voir avec votre valeur en tant qu'être humain. Ce n'est pas un examen. Vous n'avez pas à comparer vos chiffres avec ceux de votre voisin. La valeur nette personnelle n'est pas la carte de pointage de la vie.

Votre valeur nette financière, c'est vos actifs financiers moins vos passifs financiers.

```
actifs financiers — passifs financiers = valeur nette
```

Les actifs financiers

Un actif financier vaut de l'argent réel, ou alors, c'est quelque chose que vous pouvez convertir en espèces sonnantes pour acheter des choses maintenant ou plus tard.

Les actifs financiers comprennent généralement l'argent dans vos comptes bancaires, les actions, les obligations, les fonds communs de placement (voir la troisième partie, qui traite des investissements). Les sommes investies dans vos régimes de retraite (y compris ceux avec votre employeur) et la valeur des entreprises et des biens immobiliers que vous possédez font également partie de vos actifs financiers.

Nous recommandons généralement de laisser votre résidence personnelle à l'extérieur du calcul lorsque vous évaluez vos actifs financiers. N'incluez votre maison que si vous prévoyez la vendre un jour ou vivre de l'argent que vous avez déjà versé sur votre hypothèque (peut-être en obtenant un prêt hypothécaire inversé, dont nous discutons au chapitre 14). Dans le cas où vous prévoyez puiser un jour dans la valeur nette réelle de votre maison (la différence entre la valeur marchande de la maison diminuée du montant des dettes sur la maison), ajoutez à la liste de vos actifs la portion de la valeur nette réelle que vous comptez utiliser.

Les actifs comprennent aussi vos futures prestations du Régime de rentes du Québec ainsi que celles provenant de votre régime de retraite d'entreprise (si votre employeur offre un tel régime). Ces actifs sont habituellement comptés en dollars par mois plutôt qu'en somme forfaitaire. Nous expliquerons dans un moment comment rendre compte de ces prestations mensuelles dans le calcul de vos actifs financiers.

Les biens mobiliers tels que votre voiture, vos vêtements, votre chaîne stéréo ou votre collection de vins n'entrent pas dans vos actifs financiers. Nous sommes conscients qu'ajouter ces objets à la liste de vos actifs lui donnerait du poids (d'ailleurs, certains logiciels financiers et des publications vous incitent à considérer ces articles comme des actifs), mais le fait est que vous ne pouvez pas vivre de ces objets à moins de les vendre.

Les passifs financiers

Afin d'arriver à votre valeur nette financière, vous devez soustraire vos passifs de vos actifs.

Les passifs comprennent les dettes et les emprunts en cours, comme les dettes de cartes de crédit et les prêts auto. Au moment de dresser la liste de vos passifs, n'oubliez pas d'inclure les sommes d'argent empruntées à des membres de votre famille ou à des amis (à moins que vous n'ayez pas l'intention de les rembourser – nous ne dirons rien!). Ajoutez votre dette hypothécaire à cette liste seulement si vous avez inclus la valeur de votre maison à la liste de vos actifs. Assurez-vous également d'inclure à la liste de vos passifs toutes les dettes dues sur des biens immobiliers – sans exception.

Le calcul de votre valeur nette financière

Le tableau 1-1 est conçu pour vous aider à déterminer vos avoirs financiers. Vous pouvez inscrire vos données dans les espaces prévus, à moins que vous ne prévoyiez prêter ce livre et ne souhaitiez pas y exposer les détails de votre situation financière.

Note importante : consultez le tableau 2-1 du chapitre 2 afin d'évaluer le montant de vos prestations du Régime de rentes du Québec.

Tableau 1-1 : Vos actifs financiers

Compte	Valeur
Comptes d'épargne et de placement (y compris les régimes de retraite) : *Exemple :* Compte bancaire d'épargne	5 000 $
_____	___ $
_____	___ $
_____	___ $
_____	___ $
_____	___ $
_____	___ $
	Total = ___ $
Prestations accumulées donnant un revenu de retraite mensuel :	
Pension d'entreprise	___ $/mois
Régime de rentes du Québec	___ $/mois
	× 240*
	Total = ___ $
Actifs financiers totaux (additionnez les deux totaux) =	___ $

* Pour convertir les prestations qui vous seront versées mensuellement en un montant total, et afin de simplifier l'exercice, supposez que vous passerez 20 ans à la retraite. (Ah, imaginez deux décennies à vous la couler douce, à prendre des vacances, à harceler vos enfants, à gâter vos petits enfants, ou à vous passionner pour une nouvelle carrière !) Prenez ce raccourci : multipliez par 240 (12 mois par an multiplié par 20 ans) le montant des prestations de retraite mensuelles que vous recevrez. L'inflation réduira peut-être la valeur des prestations de votre régime d'entreprise si ce régime ne prévoit pas une indexation au coût de la vie, comme le fait la Régie des rentes du Québec. Mais rien ne presse, vous pourrez régler cette question à la section du chapitre 2 portant sur la planification en vue de la retraite.

Voici maintenant la partie potentiellement déprimante du calcul : établir la liste de vos dettes et de vos emprunts à l'aide du tableau 1-2.

Tableau 1-2 : Vos passifs financiers

Emprunt	Solde
Exemple : carte de crédit banque Ducoux	4 000 $
_____	_____ $
_____	_____ $
_____	_____ $
_____	_____ $
_____	_____ $
_____	_____ $
Passifs financiers totaux =	_____ $

Vous n'avez plus qu'à soustraire vos passifs de vos actifs pour obtenir votre valeur nette, en utilisant le tableau 1-3.

Tableau 1-3 : Votre valeur nette

Trouvez vos	Inscrivez-les ici
Actifs financiers totaux (tableau 1-1)	_____ $
Passifs financiers totaux (tableau 1-2)	− _____ $
Valeur nette =	_____ $

Interpréter les résultats de votre calcul de valeur nette

Votre valeur nette est une information importante et utile qui ne se rapporte qu'à vous et n'a de pertinence qu'en rapport avec votre situation et vos objectifs particuliers. Ce qui peut sembler une grosse somme à quelqu'un ayant un style de vie simple peut représenter presque rien pour une personne aux attentes élevées recherchant un style de vie opulent.

Au chapitre 2, vous pourrez vous livrer à d'autres calculs afin d'établir plus précisément votre statut financier en fonction d'objectifs tels que la planification retraite. Dans le même chapitre, nous traiterons également de l'épargne en vue d'autres objectifs importants. Pour l'instant, si votre valeur nette (excluant vos prestations de retraite anticipées) est négative ou qu'elle correspond à moins que la moitié de votre revenu annuel, prenez-en bien note, car vous êtes en situation précaire, comme l'est d'ailleurs la majorité des Québécois. Si vous êtes dans la vingtaine et que vous venez d'entrer sur le marché du travail, une valeur nette faible est moins inquiétante. La chose la plus importante est de vous débarrasser de vos dettes, en priorité celles dont le taux d'intérêt est le plus élevé. Ensuite, il faut vous constituer un fonds de réserve équivalant à trois à six mois de frais de subsistance. Vous devriez vraiment vous intéresser de près aux moyens à mettre en œuvre pour vous sortir de votre endettement, réduire vos dépenses et trouver des façons fiscalement astucieuses d'épargner et d'investir vos revenus à venir.

Analyse de l'épargne

Combien d'argent avez-vous épargné au cours de la dernière année ? Nous parlons ici des dollars que vous avez pu mettre de côté, dans votre bas de laine, pour ainsi dire.

La plupart des gens ne savent pas ou n'ont qu'une vague idée du rythme auquel ils épargnent. La réponse pourrait vous terrifier ou vous donner à réfléchir, ou encore, vous surprendre agréablement. Afin d'effectuer le calcul de votre épargne de la dernière année, vous devez calculer votre valeur nette d'aujourd'hui et celle d'il y a un an.

Le montant de votre épargne de la dernière année est égal à la différence entre votre valeur nette de la dernière année et celle de l'année précédente. Bref, votre valeur nette d'aujourd'hui moins votre valeur nette d'il y a un an. Nous savons qu'il peut être embêtant de retrouver les relevés indiquant la valeur de vos investissements il y a un an, mais ayez confiance, l'exercice vous apportera une information fort utile.

Si vous êtes propriétaire de votre maison, n'en tenez pas compte dans ce calcul. (Vous pouvez considérer comme de nouvelles économies les paiements supplémentaires que vous faites pour payer plus rapidement le capital de votre hypothèque.) Il ne faut pas non plus inclure vos biens personnels dans le calcul, c'est-à-dire votre voiture, vos vêtements, votre ordinateur, etc.

Une fois que vous avez vos deux nombres, inscrivez-les à l'étape 1 du tableau 1-4. Si vous anticipez l'exercice et que vous êtes déjà en train de soustraire votre valeur nette d'il y a un an de celle d'aujourd'hui dans le but d'établir votre taux d'épargne, votre instinct est correct. Cependant, l'exercice n'est pas aussi simple. Il vous faut procéder à quelques autres calculs, à l'étape 2 du tableau 1-4. Pourquoi ? Eh bien, il ne serait pas juste de compter le rendement des placements que vous avez détenus au cours de la dernière année. Supposons que vous ayez acheté 100 actions à 17 $ chacune dans un capital social il y a un an, et que leur valeur soit à présent de 34 $ l'action. Cela signifie que la valeur de votre investissement a augmenté de 1 700 $ au cours de la dernière année. Même si ce chiffre ferait sans doute des jaloux lors d'une soirée entre amis, ces 1 700 $ en valeur accrue ne sont pas réellement de l'épargne. Ils représentent plutôt l'appréciation de vos investissements, c'est pourquoi il ne faut pas inclure cette somme dans votre calcul.

En revanche, vous ne serez pas injustement pénalisé pour la dépréciation de vos investissements. En effet, le calcul tient compte du déclin de la valeur de vos investissements les moins heureux.

Tableau 1-4 : Votre taux d'épargne de la dernière année

Étape 1 : Évaluation de votre épargne.

Aujourd'hui		*Il y a un an*	
Épargnes et investissements	_____ $	Épargnes et investissements	_____ $
– Emprunts et dettes	_____ $	– Emprunts et dettes	_____ $
= Valeur nette aujourd'hui	_____ $	= Valeur nette il y a un an	_____ $

Étape 2 : Correction en fonction des changements de valeur des placements détenus au cours de la dernière année.

Valeur nette aujourd'hui	_____ $
– Valeur nette il y a un an	_____ $
– Appréciation des investissements (au cours de la dernière année)	_____ $
+ Dépréciation des investissements (au cours de la dernière année)	_____ $
= Taux d'épargne	_____ $

Si tous ces calculs vous donnent mal à la tête, vous étourdissent, ou si vous détestez jongler avec les nombres, essayez l'approche intuitive : mettez régulièrement de côté une partie de votre revenu mensuel. Vous pouvez par exemple déposer cet argent dans un régime d'épargne ou de retraite séparé.

Combien arrivez-vous à épargner en un mois ? Sortez les relevés des comptes auxquels vous contribuez ou dans lesquels vous déposez vos épargnes mensuellement. Peu importe que vous placiez des épargnes dans un régime de retraite qui ne vous permet pas d'accéder immédiatement à vos dollars – de l'argent, c'est de l'argent.

Note : Si par exemple vous épargnez 200 $ par mois durant quelques mois, mais que vous utilisez ensuite la somme accumulée pour payer des réparations à votre voiture, alors vous n'épargnez pas vraiment. Ou encore, vous contribuez à un régime enregistré d'épargne-retraite (REER), mais vous dépensez de l'argent que vous aviez mis de côté il y a un bon moment déjà (en d'autres termes, vous l'aviez économisé il y a plus d'un an). Dans ce cas de figure, il ne faut pas considérer les sommes contribuées à votre REER comme de nouvelles épargnes.

En principe, vous devriez épargner de 5 à 10 % de votre revenu annuel en prévision d'objectifs financiers à long terme tels que la retraite. Si vous ne parvenez pas à le faire, assurez-vous de lire le chapitre 5, où vous apprendrez comment réduire vos dépenses afin d'augmenter vos épargnes.

Évaluer vos connaissances en placement

Félicitations ! Si vous êtes resté avec nous depuis le début de ce chapitre, vous avez maintenant complété la partie la plus laborieuse de l'examen de votre condition financière. L'exercice devient beaucoup plus facile à partir d'ici.

Que vous ayez beaucoup ou peu d'argent d'investi dans les banques, les fonds communs de placement ou d'autres types de comptes, vous avez tout intérêt à investir votre argent aussi intelligemment que possible. Votre connaissance des rouages de l'investissement est essentielle à votre bien-être financier à long terme. N'oublions pas que très peu de gens peuvent se permettre de commettre des erreurs financières importantes ou fréquentes.

Vos réponses au questionnaire suivant vous aideront à déterminer combien de temps vous devrez passer à étudier notre « Cours intensif en investissement » dans la troisième partie, consacrée à l'investissement. Note : plus vous inscrirez de non, plus vous aurez besoin de vous renseigner sur l'investissement, et plus il vous sera bénéfique de lire la troisième partie.

Répondez par oui ou par non.

———— Comprenez-vous la nature des placements que vous détenez présentement ?

_____ L'argent dont vous pourriez avoir besoin en cas d'urgence à court terme est-il placé dans un véhicule où la valeur du capital ne fluctue pas ?

_____ Savez-vous dans quelle tranche d'imposition du revenu (taux fédéral et provincial combinés) vous vous situez et prenez-vous ce facteur en compte au moment de choisir des placements ?

_____ En ce qui concerne l'argent placé à l'extérieur des régimes de retraite, comprenez-vous comment ces investissements produisent des revenus et des gains, et savez-vous si ces types d'investissements constituent un bon choix du point de vue des impôts ?

_____ Votre argent est-il placé dans des véhicules différents et diversifiés qui ne dépendent pas d'un seul ou de quelques titres seulement ou d'un seul type de placement (c'est-à-dire obligations, actions canadiennes et étrangères, immobilier, etc.) ?

_____ L'argent que vous comptez utiliser pour une dépense importante dans les prochaines années est-il investi dans des placements conservateurs plutôt que dans des placements risqués tels que des actions ?

_____ L'argent que vous réservez à des projets à long terme (plus de cinq ans) est-il investi de manière à produire des rendements clairement supérieurs à l'inflation ?

_____ Si vous investissez présentement ou prévoyez investir dans des actions individuelles, savez-vous comment évaluer une action ? Cette évaluation implique un examen du bilan de la société, de ses résultats, de sa stratégie d'affaires, de sa situation concurrentielle, de son ratio cours-bénéfice *versus* celui de ses pairs, et ainsi de suite.

_____ Si vous travaillez en collaboration avec un conseiller financier, cette personne est-elle rémunérée de manière à minimiser les conflits d'intérêts potentiels dans les stratégies et les placements qu'elle recommande ?

Pour réussir financièrement, il ne suffit pas de gagner et d'épargner de l'argent. En fait, gagner et épargner de l'argent sont seulement les préalables à la réussite financière. Si vous ne savez pas comment choisir des placements solides qui correspondent à vos besoins, vous finirez probablement par perdre votre argent, ce qui vous mènera au même résultat que si vous n'aviez pas gagné et pris la peine d'épargner votre argent. Pire encore, vous n'aurez même pas le plaisir de dépenser l'argent ainsi perdu pour des choses dont vous auriez peut-être eu besoin ou envie. Consultez la troisième partie pour découvrir les meilleures façons d'investir, sans quoi vous pourriez continuer de travailler et d'épargner sans jamais atteindre vos objectifs.

Évaluer vos connaissances en assurance

Dans cette section, nous nous intéressons au sujet épineux de la protection de vos actifs et de votre personne au moyen de l'assurance. (Les questions suivantes vous serviront de point de départ.) Si vous êtes comme la plupart des gens, l'examen de votre police d'assurance et de vos couvertures vous passionne autant qu'un traitement de canal. Ouvrez bien grand!

Répondez par oui ou par non.

_____ Comprenez-vous les couvertures individuelles, les types de protection et les montants des différentes polices d'assurance que vous avez?

_____ Votre protection d'assurance correspond-elle toujours à votre situation financière (par opposition à votre situation au moment de l'achat des polices)?

_____ Si vous perdiez votre revenu et que vous n'étiez plus en mesure de subvenir financièrement à vos besoins, possédez-vous une assurance invalidité à long terme adéquate?

_____ Si des membres de votre famille dépendent de votre revenu, êtes-vous adéquatement couvert par une police d'assurance vie au cas où vous mourriez?

_____ Vous procurez-vous vos assurances par le biais de courtiers exécutants, de conseillers rémunérés à l'acte et de sociétés qui vendent directement au public (sans intermédiaire)?

_____ Disposez-vous d'une assurance responsabilité civile couvrant totalement votre maison, votre voiture (y compris une assurance responsabilité civile complémentaire, dite «umbrella»), et votre entreprise?

_____ Avez-vous récemment (au cours des deux dernières années) comparé les prix de divers courtiers afin d'obtenir le meilleur marché possible sur vos polices d'assurance?

_____ Savez-vous si vos compagnies d'assurance ont de bons antécédents en ce qui a trait au remboursement des réclamations et à la satisfaction de la clientèle?

Cela n'a pas été si mal, n'est-ce pas? Si vous avez répondu «non» à plus d'une ou deux des questions, ne vous en faites pas, cela ne fait pas de vous un «nul», car plus de neuf personnes sur dix commettent des erreurs importantes en achetant de l'assurance. Sur ce sujet, vous trouverez votre salut dans la troisième partie. Si vous avez répondu «oui» à l'ensemble des questions, épargnez-vous la lecture de cette partie, mais gardez à l'esprit que la plupart des gens ont autant besoin de toute l'aide disponible dans ce domaine que dans les autres aspects de leurs finances personnelles.

Chapitre 2

Fixer et atteindre vos objectifs

· ·

Dans ce chapitre :

▶ Votre propre définition du bonheur

▶ Établir et favoriser vos objectifs financiers

▶ Épargner pour les mauvais jours, un achat dans l'immobilier, une petite entreprise ou des études postsecondaires

▶ Ce qu'il vous faut pour parvenir à la retraite, et comment rattraper le temps perdu

· ·

Dans notre travail, nous demandons régulièrement aux gens quels sont leurs objectifs personnels et financiers à court et à long terme. Bon nombre de personnes nous disent ensuite combien cette réflexion leur a été bénéfique, parce qu'ils ne s'étaient pas posé cette question depuis longtemps, ou même jamais.

Dans ce chapitre, nous vous invitons à rêver à ce que vous aimeriez obtenir de la vie. Bien que notre champ d'expertise soit celui de la finance, nous ne ferions pas convenablement notre travail si nous ne vous incitions pas à examiner vos objectifs non financiers et la place qu'occupe l'argent dans le reste de vos projets de vie. Ainsi, avant d'aborder les façons d'établir des objectifs financiers généraux et d'épargner en fonction de ceux-ci, nous voulons prendre un moment pour explorer ce que signifie pour vous gagner et épargner de l'argent et discuter des manières d'intégrer le plus harmonieusement possible vos objectifs financiers au reste de votre vie.

Votre propre définition de la « richesse »

Prenez à peu près n'importe quel magazine ou journal financier important, ou parcourez des histoires sur Internet et vous remarquerez le caractère obsessif de notre culture vis-à-vis de la richesse. Il semble que plus les cadres financiers, les vedettes de cinéma et les athlètes professionnels font d'argent, plus ils obtiennent de publicité et d'attention. Plusieurs publications vont même jusqu'à classer ces personnes d'après l'argent qu'elles ont gagné et les fortunes qu'elles ont amassées !

Nous sommes franchement perplexes quant aux raisons qui poussent de nombreuses personnes parmi les mieux payées à maintenir un rythme de travail effréné au détriment de leur vie conjugale et familiale. Selon ce que nous avons pu observer, notre société semble définir ainsi la «richesse» :

- Un salaire très généreux
- Des soldes énormes sur vos comptes de placement
- La capacité d'embaucher des employés à temps plein pour élever vos enfants
- Être pris par votre carrière au point de ne pas avoir le temps d'entretenir des amitiés, de vous intéresser à vos voisins, à votre communauté ou à des questions sociales fondamentales.
- Avoir la liberté d'être infidèle à votre conjoint ou conjointe et de jeter cette personne dès que vous en avez assez d'elle.

Ce que l'argent ne peut acheter

Souvenez-vous des quelques moments de votre vie que vous n'échangeriez pour rien au monde. Il y a fort à parier que ces moments ne concerne pas l'achat d'une voiture ou d'un magnifique chandail griffé. Le vieux dicton est bien vrai : l'argent n'achète pas les choses les plus précieuses et essentielles de la vie.

En effet, l'argent ne fait pas le bonheur. L'affirmation peut vous paraître évidente, pourtant, beaucoup de gens agissent comme si c'était faux. Il est facile de penser qu'avec 10 ou 20 % de plus en revenus annuels, vous seriez plus heureux. Vous auriez ainsi plus d'argent pour voyager, pour les sorties dans les restaurants et pour faire l'achat de cette nouvelle voiture qui vous fait envie, n'est-ce pas ? La vérité pourrait vous surprendre. De nombreuses études sérieuses indiquent qu'il existerait en réalité une relation très mince entre l'argent et le bonheur.

« La richesse, c'est comme la santé : bien que le manque d'argent soit susceptible d'engendrer la misère, avoir de l'argent ne garantit en rien le bonheur», résume le Dr David Myers, professeur au Hope College, dans le Michigan, dans son livre *The Pursuit of Happiness* (Avon Books). Voilà quelqu'un qui sait y faire ! Imaginez, gagner sa vie en étudiant le bonheur.

Malgré des voyages aériens abordables, des lecteurs DVD, des téléphones cellulaires, des fours à micro-ondes, des ordinateurs, des boîtes vocales et tous ces gadgets censés nous rendre la vie plus facile et agréable, les gens ne sont pas plus heureux maintenant qu'ils ne l'étaient il y a 40 ans. Selon des recherches menées par le National Opinion Research Center des États-Unis, 35 % des Américains disaient être «très heureux» en 1957, et aujourd'hui, deux générations plus tard, une proportion moins élevée des gens en dit autant. Ces statistiques surprenantes arrivent pourtant à un moment où les revenus ont plus que doublé (après ajustement en fonction de l'inflation) depuis cette période.

Comme le fait remarquer le Dr Myers dans *The Pursuit of Happiness* : « À en juger par la montée du taux de dépression, par la hausse du nombre de crimes violents, cinq fois plus élevé qu'en 1960, par le taux de divorce deux fois plus élevé et par le triplement du taux de suicide chez les adolescents, nous sommes plus riches et moins heureux. »

Votre relation à l'argent

Au fil des ans, dans la pratique de notre travail, nous avons appris que le rapport et le sentiment d'une personne vis-à-vis de l'argent ont un grand impact sur sa capacité à bien gérer son argent et à prendre des décisions financières importantes. Par exemple, savoir que vous avez une valeur nette de –13 300 $ en raison de vos dettes de cartes de crédit est une information utile, mais ce n'est sans doute pas suffisant pour entreprendre une action constructive visant à résoudre votre problème. La prochaine étape logique consisterait à observer attentivement vos dépenses actuelles et à prendre les mesures nécessaires pour réduire votre niveau d'endettement.

Plus loin dans ce livre, nous présentons des solutions pratiques aux dilemmes financiers courants. Toutefois, nous abordons également l'aspect plus délicat de l'argent. Par exemple, certaines personnes qui accumulent continuellement des dettes à la consommation ont une dépendance aux dépenses financières. D'autres personnes qui agissent impétueusement dans leurs placements et les surveillent sans relâche sont quant à elles victimes d'obstacles psychologiques les empêchant de conserver leurs investissements.

Il y a aussi ces questions quelque peu philosophiques et psychologiques relatives à l'argent et au sens de la vie. Épargner plus d'argent et accroître votre valeur nette ne constitue pas toujours la meilleure approche. Dans la pratique de notre travail, nous avons rencontré de nombreuses personnes qui attachent une trop grande importance à l'accumulation de richesse personnelle et qui négligent la qualité de leurs relations humaines pour mieux se consacrer à leur quête d'argent. Certains retraités ont même du mal à relâcher les cordons de leur bourse et dépenser un peu de l'argent qu'ils ont durement gagné et épargné au cours de leur vie en prévision de leur âge d'or.

La clé de votre bonheur se trouve dans votre capacité de faire concorder vos objectifs financiers avec vos autres grands objectifs de vie. À quoi bon, par exemple, conserver un emploi bien payé dans une profession admirée si ce travail ne représente rien d'autre pour vous qu'une source de revenu ? La vie est trop courte et le temps trop précieux pour gaspiller ainsi vos jours.

Alors, tandis que vous parcourez les différents chapitres et sections de ce livre, veillez à bien considérer vos objectifs de vie les plus élevés. Quelles sont vos priorités non financières (famille, amitiés, causes) et comment pouvez-vous atteindre le plus efficacement ces buts avec les ressources financières dont vous disposez ?

Trouver le juste milieu

Croyez-le ou non, certaines personnes épargnent trop. S'il est bon de gagner et d'épargner de l'argent, il est sans doute également bon d'y aller à fond, n'est-ce pas?

Eh bien, prenons le cas – extrême, il faut en convenir – d'Anne Scheiber, qui, malgré un revenu modeste, commença à épargner à un âge relativement jeune, ce qui lui permit de faire fructifier son argent durant de nombreuses années dans des investissements générateurs de richesse tels que des actions. C'est ainsi qu'elle est parvenue à amasser une fortune évaluée à plus de 20 millions $ US au moment de sa mort, à l'âge de 101 ans.

Anne Scheiber vivait dans un minuscule studio et n'utilisait jamais l'argent de ses investissements, pas même les intérêts et les dividendes. La riche Américaine vivait de ses prestations de sécurité sociale et de la modeste pension qu'elle recevait de son employeur. Elle était d'une frugalité extrême et obsédée par ses économies. James Glassman, du *Washington Post*, écrivit à son sujet : «Elle avait peu d'amis... c'était une femme malheureuse, totalement consumée par ses comptes titres et par son argent.»

La plupart des gens, y compris nous-mêmes, ne choisiraient pas de vivre et d'épargner à la façon d'Anne Scheiber. Elle épargnait pour épargner, sans but, sans projet, sans s'offrir de récompenses. Or, épargner devrait être un moyen d'arriver à ses fins, non pas une fin en soi.

Même ceux et celles qui économisent en vue d'un objectif ultime deviennent parfois obsédés par leurs habitudes d'épargne. Certaines personnes font des pieds et des mains pour obtenir des emplois plus rémunérateurs et économisent sur tout afin de prendre une retraite hâtive. Mais parfois, la vision qu'ils se font de leur vie de demain exige d'eux qu'ils fassent trop de sacrifices aujourd'hui. D'autres encore s'immergent dans le travail sans s'apercevoir que leur famille et leurs amis se sentent négligés, ou sans comprendre pourquoi.

Accumuler de la richesse, d'accord, mais serons-nous encore là demain pour en profiter? Même si tout se passe comme prévu, saurez-vous être heureux lorsque vous ne travaillerez plus, si toute votre vie vous n'avez rien fait d'autre que de gagner de l'argent? Plus important encore, qui sera là, avec vous, pour partager ces moments de loisirs? L'un des coûts d'une carrière intense est le temps qu'on ne passe pas auprès des siens. Peut-être atteindrez-vous votre objectif d'une retraite anticipée, mais ne l'aurez-vous pas payé trop cher?

À ce propos, Charles d'Orléans a écrit en 1465 : «C'est une dangereuse épargne d'amasser trésor de regrets».

Évidemment, à l'autre extrême se trouve le type dépensier qui ne vit que pour aujourd'hui. «Attendre pour satisfaire mes envies, ce n'est pas mon truc», nous a dit un jour un ami. Il semble que ces personnes aient pour devise «Magasiner jusqu'à tomber». «Pourquoi se donner la peine d'épargner alors qu'on ne sera peut-être plus là demain?», pensent-elles.

Le danger de cette approche réside dans l'idée que nous serons probablement là demain, et la plupart des gens ne souhaitent pas devoir travailler toute leur vie. Cependant, si vous négligez de commencer à épargner suffisamment tôt dans votre vie, il se peut que vous soyez contraint de travailler longtemps. Et si pour une raison ou pour une autre vous n'étiez pas en mesure de le faire et que vous ne disposiez pas de l'argent qu'il vous faut pour vivre, encore moins pour vivre agréablement, alors la situation pourrait devenir tragique. Ce qui sépare une personne sans économies ni accès au crédit d'un sans-abri n'est rien de plus que quelques mois de prestations d'assurance emploi.

Gagner et épargner de l'argent, c'est un peu comme manger des aliments. Si vous mangez trop, l'excédent sera gaspillé ou vous fera prendre du poids. La bonne quantité de nourriture, peut-être avec un léger surplus de réserve, vous procurera une existence saine, équilibrée et paisible. On devrait traiter l'argent avec respect et le considérer pour ce qu'il est : un moyen d'arriver à un but et une ressource à ne pas dilapider ni utiliser sans réfléchir.

Comme le fait remarquer le Dr Myers, que nous avons présenté plus tôt dans ce chapitre : «La satisfaction, c'est moins d'avoir ce que l'on désire que de désirer ce que l'on a. Il existe deux manières de devenir riche : la première est d'amasser de la richesse, la seconde est de désirer peu de choses». Essayez de trouver des façons d'utiliser au mieux l'argent qui vous passe entre les mains et ne perdez jamais de vue les choses qui comptent plus que l'argent.

Favoriser vos objectifs financiers

La plupart des gens que nous connaissons se sont fixé des objectifs financiers. Le reste de ce chapitre traite des objectifs financiers les plus courants et des manières de s'organiser pour mieux les atteindre.

- ✔ **Devenir un propriétaire terrien.** Louer une maison ou un appartement et traiter avec un propriétaire s'avère parfois difficile financièrement et émotionnellement, aussi la plupart des gens veulent-ils vivre leur rêve de posséder de l'immobilier – ce qui se traduit le plus souvent par l'achat d'une résidence.

- ✔ **La retraite.** Non, prendre sa retraite ne signifie pas s'asseoir dans une chaise berçante en regardant passer la vie et en espérant que quelqu'un – un vieil ami, vos enfants ou petits-enfants, le chien de votre voisin –

passe vous dire bonjour. Le terme «retraite» est un fourre-tout associé à une réduction du rythme de travail ou peut-être à un arrêt complet du travail rémunéré.

✔ **L'éducation des enfants.** Non, le changement des couches, le biberon tard le soir et les visites au zoo ne suffisent pas à faire de fiston un adulte productif et indépendant, prêt pour le monde réel. Il se peut que vous souhaitiez offrir une éducation collégiale ou universitaire à vos enfants, mais malheureusement, cela peut coûter des tas d'argent.

✔ **Posséder votre propre entreprise.** De nombreux employés aimeraient connaître les défis et les gratifications qui reviennent au patron. La principale raison pour laquelle la plupart des gens se contentent d'en rêver est qu'ils n'ont pas l'argent nécessaire pour le faire. Bien que le démarrage d'une petite entreprise ne coûte pas des tonnes d'argent, presque tous ces projets exigent que vous soyez capable de survivre à une réduction substantielle de vos revenus durant les premières années.

Parce que chacun de nous est différent, nous pouvons avoir des buts (autres que ceux de la liste qui précède) propres à notre situation personnelle. Mais pour accomplir des objectifs comme ceux-là, dans presque tous les cas, il faut économiser. Comme le dit le proverbe chinois : «N'attendez pas d'avoir soif avant de vous mettre à creuser un puits.» En d'autres termes, n'attendez pas d'être prêt à réaliser un de vos objectifs personnels avant de commencer à économiser en prévision de celui-ci !

Savoir ce qui importe le plus pour vous

À moins que vous ne gagniez de très gros dollars ou que vous ne disposiez d'un héritage familial sur lequel vous appuyer, il est probable que vos désirs personnels et financiers excéderont vos ressources. C'est pourquoi vous devez accorder la priorité à vos objectifs si vous souhaitez les concrétiser.

L'une des erreurs les plus communes à bon nombre de gens est de prendre des décisions financières précipitées sans avoir d'abord considéré ce qui est le plus important pour eux. C'est que la plupart d'entre nous sommes pris par les responsabilités du quotidien au point de ne pas trouver le temps de s'arrêter pour faire ces réflexions.

En nous fondant sur nos expériences de travail dans le monde de la finance personnelle, nous pouvons vous dire que les gens qui réussissent à atteindre leurs buts ne sont pas plus intelligents et ne disposent pas de revenus plus élevés que ceux qui n'y arrivent pas. Les personnes qui établissent leurs objectifs et qui entreprennent de travailler en fonction de ceux-ci sont celles qui parviennent à les réaliser.

Évaluer les régimes de retraite

Là où c'est possible, vous devriez essayer d'investir dans des régimes qui comportent un avantage fiscal. Les comptes enregistrés – connus sous des acronymes édifiants tels que REER (Régime enregistré d'épargne-retraite), RPA (Régime de pension agréé), et ainsi de suite – offrent des allégements fiscaux à des personnes de toutes les classes économiques. (Vous trouverez les détails des différents types de régimes de retraite au chapitre 11.) Il y a plusieurs avantages à investir dans un régime de retraite :

- ✔ Les contributions sont habituellement admises en déduction d'impôt. Les régimes de retraite pourraient aussi bien s'appeler «régimes de réduction d'impôt». Si on les appelait ainsi, peut-être les gens seraient-ils davantage tentés d'y participer. Pour de nombreux Québécois, l'occasion de payer moins d'impôt constitue la motivation première d'ouvrir un régime et de commencer à y contribuer.

- ✔ En versant de l'argent dans un régime de retraite, non seulement planifiez-vous en vue de votre avenir, mais vous obtenez également un bénéfice financier immédiat : vous payez moins d'impôt, ce qui signifie que vous avez plus d'argent à économiser et à investir. De façon générale, les contributions aux régimes de retraite ne sont imposées ni au niveau fédéral ni au niveau provincial jusqu'au moment de les retirer. Si vous payez, disons, 35 % en impôts fédéral et provincial combinés (voir le chapitre 6 pour déterminer votre tranche d'imposition sur le revenu), une contribution de 5 000 $ dans un compte retraite réduirait votre impôt de 1 750 $.

- ✔ Les rendements sur vos investissements s'accumulent à l'abri de l'impôt. Après avoir placé de l'argent dans un régime de retraite, vous n'êtes pas imposé sur les intérêts ni sur les dividendes ni sur l'appréciation de cet argent. Évidemment, comme on n'a rien pour rien, ces régimes ne vous permettront pas d'échapper complètement à l'impôt : vous différez le paiement des impôts sur tous les intérêts et les profits accumulés jusqu'à ce que vous retiriez l'argent plus tard.

- ✔ Dans certains régimes de retraite, des compagnies participeront en versant un pourcentage de votre propre contribution. Ainsi, en plus d'avoir droit à une réduction de vos impôts, vous obtenez un supplément d'argent, gracieuseté de votre employeur !

Choisir selon vos objectifs

À moins que vous ne préfériez payer des impôts élevés, pourquoi placeriez-vous vos économies ailleurs que dans les régimes de retraite ? Pour la raison que certains objectifs financiers sont plus difficiles à accomplir en plaçant votre argent dans ces régimes. De plus, les régimes de retraite comportent des limites quant aux montants des contributions annuelles et aux types d'investissement à choisir.

Si vous mettez de l'argent de côté pour l'achat d'une voiture ou pour démarrer ou acheter une entreprise, par exemple, il vous faudra probablement placer vos épargnes à l'extérieur d'un régime de retraite. Pourquoi ? Parce que lorsque vous retirez de l'argent d'un régime de retraite, vous devez inclure cette somme à vos revenus et payer de l'impôt sur celle-ci comme sur le reste de vos revenus. (Voir l'encadré « REER : éviter les pénalités de retrait anticipé », où nous discutons des exceptions à cette règle.)

Vos ressources financières étant limitées, il vous faut faire primer vos objectifs. Avant de contribuer à votre régime de retraite et profiter de ces allégements fiscaux, poursuivez votre lecture pour examiner un peu vos autres objectifs.

REER : éviter les pénalités de retrait anticipé

En procédant au bon moment et de la bonne manière, vous pouvez éviter les pénalités de retrait anticipé qui sont normalement appliquées par les dieux de l'impôt. Il vous est dorénavant possible d'effectuer des retraits sans pénalité dans un REER pour l'achat d'une première maison (limite de 20 000 $ par personne) ou pour des dépenses liées à des études universitaires (jusqu'à 10 000 $ par an pour un maximum de 20 000 $) pour vous ou votre époux/épouse, vos enfants ou petits-enfants. Notez cependant que dans les deux cas, vous devez rembourser l'argent à votre régime au cours des années suivantes.

Si vous perdez votre emploi et retirez de l'argent d'un REER simplement parce que vous en avez besoin pour vivre, cette somme s'ajoute à vos revenus et doit être imposée en conséquence. Toutefois, si vous ne travaillez pas et gagnez si peu d'argent que vous deviez rafler votre régime de retraite, vous êtes sans doute dans une tranche d'imposition basse. Dans ce cas, l'allégement fiscal que vous aura procuré ce placement devrait compenser en tout ou en grande partie le montant de la pénalité.

Lorsque vous effectuez un retrait de votre REER, les administrateurs du régime sont tenus par le gouvernement de retenir une partie de l'argent en guise d'acompte sur l'impôt sur votre revenu. Au Québec, le taux de retenue à la source est de 21 % sur les premiers 5 000 $, de 30 % sur les prochains 10 000 $, et de 35 % sur tout montant dépassant 15 000 $. Ailleurs au Canada, les taux sont de 10 % sur les premiers 5 000 $, de 20 % sur les prochains 10 000 $, et de 30 % sur les montants dépassant 15 000 $. Ces taux d'imposition sont calculés à chaque transaction individuelle. Si vous devez retirer une grande somme d'argent, considérez la possibilité de diviser le montant en plusieurs retraits d'au plus 5 000 $ chacun. Cela minimisera le montant d'impôt retenu et maximisera la somme d'argent que vous empocherez. Cependant, n'oubliez pas qu'il est possible que l'impôt retenu à la source ne suffise pas à couvrir tout ce que vous devrez, surtout si les retraits sont effectués dans une même année fiscale. Soyez prévoyant !

Se constituer un fonds d'urgence

Personne ne peut prédire l'avenir. Vous n'avez simplement aucun moyen fiable de prévoir ce qui adviendra de votre emploi, de votre santé et de votre famille dans les années à venir. Puisque vous ignorez ce que demain vous réserve, il est financièrement avisé de parer à toute éventualité. Même si vous êtes du type chanceux à qui il arrive à l'occasion de trouver un billet de 5 $ dans la rue, vous n'êtes pas en mesure de contrôler le monde parfois chaotique dans lequel nous vivons.

La sagesse populaire veut que vous disposiez de l'argent nécessaire à couvrir environ six mois de frais de subsistance au cas où une urgence surviendrait. Ce montant peut vous convenir ou non, parce qu'il dépend bien sûr de l'importance des coûts entraînés par cette urgence. Mais pourquoi six mois ? Et où conserver cet argent ? Il n'existe malheureusement pas de règle absolue. Le montant d'un fonds d'urgence qu'il vous faut dépend de votre situation.

Nous conseillons de prévoir les fonds d'urgence suivants, selon votre contexte (au chapitre 12, nous recommandons de bons endroits où placer cet argent) :

- **Trois mois de frais de subsistance** si vous possédez d'autres comptes, tel qu'un REER, ou si vous avez des amis ou des membres de votre famille qui peuvent vous consentir un prêt à court terme au besoin. Cette approche minimaliste est appropriée si vous essayez de maximiser vos investissements ailleurs (dans des régimes de retraite, par exemple) ou si vous disposez d'un revenu stable (emploi ou autre).

- **Six mois de frais de subsistance** si vous n'avez nulle part où vous tourner pour un faire un emprunt ou s'il y a de l'instabilité du côté de votre situation d'emploi ou de votre source de revenu.

- **Jusqu'à un an de frais de subsistance** si vos revenus varient beaucoup d'une année à l'autre, si votre occupation implique des risques élevés de perte d'emploi et qu'il pourrait s'écouler passablement de temps avant que vous ne trouviez un nouvel emploi, ou si vous n'avez nulle part où vous tourner pour faire un emprunt.

Dans l'éventualité où une carte de crédit à taux d'intérêt élevé constituerait votre unique source de dépannage financier, vous devriez d'abord mettre de côté au moins trois mois de frais de subsistance dans un compte accessible avant de contribuer à un régime de retraite ou de placer de l'argent en vue d'autres objectifs.

Non à l'assurance vie avec valeur de rachat

Les vendeurs d'assurance vie sont souvent désireux de vous vendre un régime d'assurance vie avec valeur de rachat en espèces, qui combine une protection d'assurance vie à une sorte de compte d'épargne. Le vendeur d'assurance est tout à fait susceptible d'essayer de vous vendre ce genre de régime en prétendant qu'il s'agit d'un bon véhicule pour la réalisation d'objectifs tels que la retraite ou les frais scolaires d'un enfant. Ne tombez pas dans ce piège.

Les polices d'assurance vie avec valeur de rachat n'offrent pas de déductions fiscales immédiates. Par contraste, un régime enregistré d'épargne-retraite tel que le REER vous permet de déduire vos contributions de vos revenus imposables.

La plupart des gens devraient acheter une assurance vie temporaire (voir le chapitre 15 pour de plus amples informations). Les vendeurs d'assurance empochent des commissions beaucoup plus élevées en vendant des polices avec valeur de rachat, d'où leur ardeur à vous en vanter les vertus.

Épargner pour l'achat d'une maison ou d'une entreprise

Lorsqu'on débute financièrement, on se retrouve souvent devant un dilemme : acheter une maison ou placer de l'argent dans un régime de retraite. À longue échéance, l'achat d'une maison s'avère un choix judicieux. D'un autre côté, épargner plus tôt en vue de la retraite facilite l'atteinte de votre objectif.

En supposant que les deux objectifs soient importants pour vous, vous devriez épargner en prévision des deux – la maison et la retraite. Si vous avez vraiment hâte d'acheter une maison, vous pouvez mettre toutes vos économies dans la réalisation de ce but et temporairement laisser de côté l'épargne-retraite. Si vous n'êtes pas pressé, épargnez simultanément en vue de ces deux objectifs.

Quand ils épargnent de l'argent pour l'achat ou le démarrage d'une entreprise, la plupart des gens font face au même dilemme qu'au moment de décider d'épargner pour acheter une maison. Si vous financez vos régimes de retraite mais négligez d'affecter de l'argent à votre projet d'entreprise, vos ambitions entrepreneuriales pourraient bien ne jamais se concrétiser. Généralement, nous recommandons de jouer sûr en versant de l'argent dans vos régimes de retraite tout en en mettant de côté pour votre future entreprise. Nous discuterons dans la troisième partie des bénéfices à tirer d'un investissement dans votre propre petite entreprise, vous vous sentirez peut-être ainsi plus à l'aise de concentrer vos économies sur votre objectif d'entreprise.

Financer l'éducation des enfants

Il est tout naturel que vous souhaitiez subvenir aux besoins éducatifs de vos enfants. Cependant, si vous le faites avant d'avoir convenablement épargné en fonction de vos objectifs personnels, vous pourriez commettre une erreur financière importante.

Cela peut sembler égoïste, mais il vous faut d'abord vous occuper de votre propre avenir. Vous devriez premièrement tirer avantage de l'épargne à l'abri de l'impôt que vous offrent vos régimes de retraite avant de verser de l'argent dans des comptes d'épargne de garde ou dans des régimes enregistrés d'épargne-études. Cette pratique n'a rien d'égoïste, particulièrement si vous ne voulez pas être contraint de vivre aux crochets de vos enfants lorsque vous serez devenu vieux et fragile, faute d'avoir économisé de l'argent pour vos vieux jours.

Voir le chapitre 13 pour obtenir toutes les informations sur l'épargne en prévision des dépenses éducatives.

Épargner pour les gros achats

Si vous désirez acheter une voiture, un canoë ou des billets d'avion pour la France, ne le faites pas, nous le répétons, ne le faites pas au moyen du crédit à la consommation (c'est-à-dire, en payant ces achats mensuellement sur une carte de crédit ou sur un prêt auto). Comme nous l'expliquons au chapitre 4, les voitures, les bateaux, les vacances et autres choses de ce genre sont des biens de consommation, non pas des investissements générateurs de richesse, tels que de l'immobilier ou une petite entreprise. Une automobile entame sa dépréciation dès que vous quittez le concessionnaire. Un billet d'avion pour la France ne vaut plus rien une fois que vous êtes rentré chez vous. (Les souvenirs que vous en conserverez seront inestimables, certes, mais ils ne régleront pas les factures !)

Rembourser des dettes à la consommation à taux d'intérêt élevé risque de réduire votre capacité non seulement d'épargner en vue d'objectifs à long terme tels que la retraite ou l'achat d'une maison, mais aussi d'effectuer des achats importants durant un certain temps. Les taux d'intérêt sur le crédit à la consommation sont exorbitants : jusqu'à 18 %, et même plus, sur la plupart des cartes de crédit. Lorsque vous songez à porter l'achat d'un article de consommation à votre carte de crédit, ajoutez au prix de vente de l'article le total des intérêts que vous payerez sur cette dette pour obtenir le coût réel de cette gratification instantanée.

Ne vous refusez pas de récompenses ; apprenez simplement à les différer de la bonne manière. Prenez l'habitude d'économiser en prévision de vos achats de biens de consommation plus coûteux afin d'éviter les paiements étalés à taux d'intérêt élevés sur carte de crédit. Lorsque vous épargnez pour l'achat d'un bien de consommation tel qu'une voiture, les comptes de dépôt du marché monétaire et les fonds d'obligations à court terme (voir chapitre 11) représentent de bons endroits où placer temporairement vos économies.

Préparer votre retraite

Plusieurs personnes peinent au travail en rêvant d'un avenir dans lequel ils n'auraient pas à subir le trajet et le train-train quotidiens ni à vivre les désagréments d'un déluge de télécopies, de courriels et de messages téléphoniques, un avenir dans lequel ils seraient libres de faire ce qu'ils veulent quand ils le veulent. Les gens supposent souvent que ce jour magique arrivera à leur retraite, à leur prochain vrai jour de congé ou quand ils remporteront le gros lot à la loterie – quelle que soit la première éventualité.

Nous n'avons jamais apprécié l'expression «prendre sa retraite». Celle-ci semble impliquer l'idée d'une inactivité ou de la fin de la contribution d'une personne à la société. Mais si la retraite signifie ne plus avoir à se présenter au travail (surtout s'il est déplaisant) et jouir de flexibilité et d'indépendance financières, alors nous sommes d'accord.

Pratiquement tout le monde rêve d'être en mesure de prendre sa retraite plus tôt que tard. Or cette idée comporte quelques obstacles évidents. D'abord, vous vous dirigez vers une déception. Si vous souhaitez arrêter de travailler autour de 65 ans (moment où entrent en jeu le Régime de pensions du Canada et le Régime de rentes du Québec), il vous faudra épargner suffisamment pour subvenir à vos besoins durant vingt ans, peut-être davantage. Il vous faudra un bon paquet d'argent, plus que la majorité des gens ne se l'imaginent. Plus vous espérez prendre votre retraite tôt, plus vous devez mettre d'argent de côté, et plus vous devez commencer à le faire tôt – à moins que vous ne prévoyiez travailler à temps partiel pendant votre retraite afin d'augmenter vos revenus.

Bon nombre de gens avec qui nous discutons disent vouloir prendre leur retraite, et la plupart ajoutent : «Le plus tôt sera le mieux.» Pourtant, chaque année, autour de 65 % seulement des Québécois disent avoir l'intention de contribuer à un REER et seulement 30 % d'entre eux y contribuent à hauteur du maximum que leur permet leur régime. Lorsque nous avons demandé à un homme d'une cinquantaine d'années que nous connaissons, un type plutôt moqueur ayant peu épargné en vue de sa retraite, à quel moment il aimerait s'arrêter de travailler, il nous a répondu d'un air impassible : « Avant de mourir, autant que possible. » Si vous êtes de ce groupe (et même si vous n'en êtes pas), évaluez la position dans laquelle vous vous trouvez vis-à-vis de la retraite. Si vous êtes comme la plupart des travailleurs, vous devez accroître le rythme de votre épargne-retraite.

Ne pas négliger la préparation non financière de votre retraite

Investir votre argent n'est qu'un des aspects à considérer dans la préparation de votre retraite. Ce n'est pas même le plus important. Afin de profiter au maximum du style de vie que peuvent vous offrir vos épargnes de retraite, il vous faut aussi investir de l'énergie dans d'autres facettes de votre vie.

Peu de choses sont plus importantes que la santé. Sans la santé, apprécier les bonnes choses de la vie peut se révéler plus difficile. Malheureusement, beaucoup de gens ne se décident à s'occuper de leur santé qu'au moment où des problèmes surgissent. Mais il est parfois déjà trop tard.

Bien que faire régulièrement de l'exercice, avoir un régime alimentaire nutritif et équilibré, et éviter les abus de substance ne garantisse pas un avenir sain, ces bonnes habitudes contribuent dans une large mesure à prévenir un grand nombre des causes les plus fréquentes de décès et de maladies débilitantes. Des examens médicaux réguliers sont également importants dans la détection précoce des problèmes.

En plus de votre santé physique, assurez-vous d'investir dans votre santé psychologique. Les gens vivent plus longtemps et sont plus heureux et en meilleure santé quand ils peuvent profiter du soutien de leur famille et de leurs amis.

Malheureusement, beaucoup de gens deviennent plus isolés et perdent le contact régulier avec leurs associés, leurs amis et les membres de leur famille au fil des ans.

Les retraités heureux sont souvent ceux qui restent actifs, qui s'impliquent dans des organismes bénévoles et de nouveaux cercles sociaux. Il leur arrive de rendre visite à de vieux amis ou des membres plus jeunes de leur famille qui sont peut-être trop occupés pour les visiter.

Traitez la retraite comme un bain mousseux et invitant. Immergez-vous-y lentement et agréablement, car en y allant trop précipitamment, vous pourriez perdre du plaisir. Quitter votre emploi abruptement sans avoir d'abord élaboré une sorte de plan pour passer tout ce temps libre, c'est risquer l'ennui et la dépression. Tout le monde a besoin de l'encadrement que procurent les buts et les habitudes. S'engager dans l'univers des loisirs, du travail bénévole ou des activités secondaires tout en réduisant progressivement son horaire régulier de travail peut s'avérer un excellent moyen de faciliter la retraite.

Laissez-vous lentement entrer dans la baignoire. Prenez le temps de vous habituer au changement de température. Ahhh... agréable, n'est-ce pas ?

Établir vos besoins pour la retraite

Si vous souhaitez un jour réduire le temps que vous consacrez au travail, ou cesser complètement de travailler, vous aurez besoin de suffisamment d'économies pour subvenir à vos besoins. Beaucoup de gens – en particulier les jeunes et ceux qui ne possèdent pas la bosse des chiffres – sous-estiment la quantité d'argent nécessaire pour prendre leur retraite. Pour savoir combien vous devriez mettre d'argent de côté mensuellement pour atteindre vos objectifs de retraite, il vous faut procéder à certains calculs. (Ne vous inquiétez pas, ces calculs devraient être plus faciles à faire que votre déclaration d'impôts.)

Heureusement pour vous, vous n'avez pas à démarrer à froid. Des études révèlent comment les gens dépensent habituellement leur argent avant et pendant la retraite. La plupart des gens ont besoin d'environ 70 à 80 % de leurs revenus de préretraite tout au long de la retraite pour maintenir leur niveau de vie. Par exemple, si votre ménage gagne 40 000 $ par an avant la retraite, vous êtes susceptible d'avoir besoin de 28 000 $ à 32 000 $ (70 à 80 % de 40 000 $) par an au cours de la retraite pour vivre de la façon à laquelle vous êtes habitué. Les 70 à 80 % représentent une moyenne. Certaines personnes peuvent avoir besoin de plus que cela simplement parce qu'ils disposent de plus de temps pour dépenser leur argent. D'autres ajustent leur niveau de vie et apprennent à vivre avec moins d'argent.

Vous, bien sûr, n'êtes pas dans la moyenne de quelque manière que ce soit – vous êtes unique! Alors comment savoir ce dont vous aurez besoin? La méthode la plus simple pour l'estimation de vos besoins est que nous vous donnions le pourcentage dont vous avez besoin. (Nous nous connaissons depuis peu, c'est vrai, mais nous allons vous offrir quelques conseils.) Les trois profils suivants fournissent une estimation approximative du pourcentage de votre revenu de préretraite dont vous aurez besoin au cours de votre retraite. Choisissez celui qui correspond le plus fidèlement à votre situation. Si vous tombez entre deux descriptions, choisissez un pourcentage approprié entre les deux.

Pour maintenir votre niveau de vie à la retraite :

✔ Vous avez besoin de **65 % de votre revenu de préretraite** si vous

- épargnez une bonne partie (15 % ou plus) de vos revenus annuels

- avez un salaire élevé

- serez propriétaire d'une maison payée au moment où vous prendrez votre retraite

- ne prévoyez pas de mener un train de vie à la retraite qui reflète votre niveau salarial actuel

Si vous avez un salaire particulièrement élevé et que vous vivez clairement en-dessous de vos moyens, il se peut que vous puissiez vous en tirer sans problème même avec moins de 65 %. Essayez d'établir chaque année un montant ou un pourcentage de votre revenu actuel qui rendra possible le style de vie souhaité pour votre retraite.

✔ Vous avez besoin de **75 % de votre revenu de préretraite** si vous

- épargnez une partie raisonnable (5 à 14 %) de vos revenus annuels
- aurez encore une dette hypothécaire ou un loyer modeste à payer au moment de votre retraite
- prévoyez avoir un niveau de vie à la retraite qui se compare à celui que vous avez aujourd'hui

✔ Vous avez besoin de **85 % de votre revenu de préretraite** si vous

- épargnez peu de vos revenus annuels (de 0 à 5 %)
- aurez des paiements considérables de dette hypothécaire ou un loyer substantiel à payer à la retraite
- prévoyez de conserver votre style de vie actuel tout au long de votre retraite

Bien sûr, vous pouvez utiliser une approche plus précise pour savoir de combien d'argent vous aurez besoin chaque année durant votre retraite. Soyez prévenu cependant que cette méthode plus personnalisée exige plus de temps. Et parce que vous faites des projections en fonction d'un avenir incertain, il se peut qu'elle ne soit pas beaucoup plus précise que la manière décrite plus haut. Si vous êtes du type à bien digérer les données, peut-être vous sentirez-vous à l'aise d'utiliser cette méthode. Vous devez déterminer où vous dépensez votre argent aujourd'hui (feuilles de travail disponibles au chapitre 3), puis effectuer quelques projections quant à ce que vous prévoyez comme dépenses à la retraite (les contenus du chapitre 19 pourront aussi vous aider).

Comprendre les bases de la retraite

Vous avez joué avec des blocs Lego ou Tinker Toys lorsque vous étiez enfant ? Vous commencez par la construction d'une fondation au sol, puis vous débutez la construction proprement dite. Et bientôt, vous créez des ponts, des châteaux et des pandas. Bien que la préparation financière à la retraite diffère passablement des jeux de blocs, le concept est le même : vous avez besoin d'une base à partir de laquelle pourront croître vos épargnes de retraite.

Si vous avez travaillé régulièrement, vous avez peut-être déjà une fondation solide, même si vous n'avez pas activement épargné en prévision de la retraite. Dans les pages qui suivent, nous vous guidons à travers les composantes probables de votre futur revenu de retraite et vous montrons comment calculer le montant qu'il vous faut économiser pour atteindre des objectifs de retraite particuliers.

Compter sur les prestations gouvernementales

Il est évident que personne ne devrait dépendre du Régime de rentes du Québec (RRQ) ou d'autres programmes tel que la Sécurité de la vieillesse (SV) si l'on désire plus que de simplement survivre durant sa retraite. Un sondage révèle que près des deux tiers des Canadiens sont d'avis que les programmes du gouvernement ne leur fourniront pas un revenu suffisant dans leurs années de retraite.

Note : dans le cas où vous auriez travaillé ailleurs au Canada et cotisé au Régime de pensions du Canada, sachez que ce régime est coordonné avec le Régime de rentes du Québec et que le montant de votre rente prend en considération les cotisations versées à ces deux régimes.

Contrairement au cynisme ambiant, une forme ou une autre des divers programmes gouvernementaux devrait vous fournir un certain revenu à votre retraite, peu importe votre âge actuel. En fait, le Régime de rentes du Québec est l'une des vaches sacrées des programmes politiques. Imaginez ce qui arriverait au groupe de politiciens qui voterait pour un arrêt des prestations !

Si vous pensez que vous ne pourrez jamais prendre votre retraite parce que vous n'avez pas mis d'argent de côté, nous sommes heureux de vous informer que vous avez probablement tort. Vous avez sûrement des prestations du RRQ ou de la Sécurité de la vieillesse qui vous attendent. Mais il se peut fort bien qu'elles ne soient pas suffisantes pour vivre confortablement.

Le RRQ, par exemple, n'est là que dans le but de vous fournir un revenu de retraite de subsistance pour couvrir vos besoins essentiels. Il n'est pas destiné à constituer votre unique source de revenus. La rente du Régime de rentes du Québec est conçue pour remplacer environ un quart de votre revenu de préretraite – mais seulement jusqu'à une certaine limite. Peu de gens sont capables de maintenir leur style de vie actuel sans compléter leurs prestations du RRQ avec des économies personnelles ou un régime de retraite complémentaire.

Combien vais-je obtenir du RRQ ?

La rente de retraite que vous recevrez du Régime de rentes du Québec dépend de deux facteurs. Le premier est le nombre d'années pendant lesquelles vous versez des cotisations au régime. Le deuxième est le montant total de vos cotisations. Lorsque vous travaillez, vous payez un pourcentage de vos gains au-dessus de 3 500 $. En 2009, le montant maximum était de 46 300 $; ce plafond est annuellement ajusté en fonction de l'augmentation des salaires. Le montant est calculé en fonction du taux de cotisation, qui depuis 2003 est de 9,9 %. Si vous êtes salarié, vous payez la moitié de vos contributions requises au RRQ et votre employeur paie l'autre moitié (ainsi, d'après le taux de 2009, vous paieriez chacun 4,95 %). Si vous êtes travailleur autonome, vous payez le plein montant. Toutefois, vous ne versez pas de cotisations au RRQ si vous recevez des prestations d'invalidité.

En 2009, la prestation mensuelle moyenne (en supposant que vous ayez pris votre retraite à l'âge de 65 ans) était de 434,76 $, et le paiement mensuel maximum, de 908,75 $. Les paiements sont fixés à vie et sont indexés selon l'inflation. On effectue une fois par année, en janvier, un ajustement reflétant l'évolution du coût de la vie.

Si vous avez suffisamment cotisé au RRQ et n'êtes plus en mesure de travailler en raison d'une invalidité grave et permanente, il se peut alors que vous soyez admissible à une rente d'invalidité. Le maximum est légèrement supérieur à celui des prestations régulières du RRQ. En 2009, le montant moyen des prestations d'invalidité était de 809 $ mensuellement, avec un maximum de 1 105,96 $.

Si vous contribuez au RRQ, vous devriez recevoir un relevé de participation tous les quatre ans. Pour obtenir une estimation de l'importance des prestations auxquelles vous pourriez avoir droit, communiquez avec la Régie des rentes du Québec. Vous pouvez également consulter votre dossier en ligne en visitant le site Internet de la RRQ : http://www.rrq.gouv.qc.ca

Vous pouvez commencer à recevoir votre rente de retraite dès l'âge de 60 ans. Le montant de vos prestations mensuelles sera réduit de façon permanente de 0,5 % pour chaque mois pour lequel vous recevrez des prestations avant l'âge de 65 ans. Cela équivaut à 6 % par année et, encore une fois, la réduction s'applique pour le reste de votre vie. D'autre part, si vous choisissez de retarder la réception de vos prestations du RRQ, celles-ci seront augmentées du même 0,5 % par mois pour chaque mois au-delà de votre soixante-cinquième anniversaire jusqu'à un maximum de 30 %.

À votre décès, si vous avez suffisamment cotisé, il existe trois différents types de prestations de survivants dont votre famille pourrait bénéficier.

La première est une prestation de décès de 2 500 $, payable en un seul versement. La deuxième prestation est la rente de conjoint survivant, qui est versée à votre conjoint ou conjoint de fait. Le montant de cette rente varie selon les cotisations versées par le défunt. Il varie aussi selon l'âge du survivant ainsi que certains autres facteurs. Pour les survivants de moins de 65 ans, la moyenne mensuelle des prestations était en 2009 de 615,30 $, alors que le maximum était de 765,18 $. Pour les 65 ans et plus, la moyenne des prestations de survivants était en 2009 de 289,29 $, avec un maximum fixé à 545,25 $. Toutefois, si le conjoint survivant est également éligible à recevoir des prestations de retraite de son propre RRQ, le montant total sera généralement inférieur à la somme des deux prestations.

La troisième prestation du RRQ liée au décès est la rente d'orphelin. Celle-ci est versée à vos enfants naturels ou adoptés et aux enfants à votre charge au moment de votre décès et se poursuit jusqu'à ce que l'enfant atteigne 18 ans. La rente d'orphelin est versée mensuellement. En 2009, le montant était de 67,95 $.

Combien vais-je obtenir de la Sécurité de la vieillesse ?

La Sécurité de la vieillesse (SV) est versée à tous les Canadiens qui ont 65 ans ou plus. Le seul problème est que, en fonction de vos autres revenus, vous devrez peut-être rendre cette somme en tout ou en partie!

Les règles d'admissibilité et de calcul des prestations sont quelque peu compliquées. En général, pour recevoir le maximum (qui en octobre 2009 était de 516,96 $ par mois, la moyenne étant 464,64 $ par mois), vous devez avoir vécu au Canada pendant au moins 40 ans depuis le jour de vos 18 ans.

En outre, vous pouvez aussi vous qualifier pour le montant maximal si vous remplissez les trois conditions suivantes : vous êtes né le ou avant le 1er juillet 1952; vous avez vécu au Canada durant «une certaine période» entre le jour de vos 18 ans et le 1er juillet 1977; vous avez vécu au Canada pendant les dix années qui ont immédiatement précédé l'approbation de votre demande. (Même si vous n'avez pas vécu au Canada pour l'ensemble des dix années précédant l'approbation de votre demande, il vous est possible d'obtenir le montant maximum si, avant ces dix dernières années, vous avez vécu au Canada après l'âge de 18 ans au moins trois fois plus longtemps que le nombre total des années où vous avez vécu hors du Canada au cours de ces dix dernières années.) Pour obtenir au moins le minimum de prestation mensuelle de SV, vous devez avoir vécu au Canada pendant au moins 10 ans.

Il existe davantage de règles d'éligibilité. Pour de plus amples informations, contactez Service Canada au : 1-800-277-9915, ou visitez le `www.sdc.gc.ca`. Les paiements de SV sont réajustés quatre fois par an en fonction de l'inflation. Vos versements ne démarrent pas automatiquement lorsque vous atteignez 65 ans, vous devez remplir une demande officielle. Assurez-vous de l'envoyer bien à l'avance.

La grande question pour bon nombre de gens, cependant, n'est pas de savoir combien ils recevront de la SV, mais quelle partie de cette somme ils seront en mesure de conserver. Le gouvernement peut si nécessaire récupérer en tout ou en partie ces prestations de la SV si votre revenu net est supérieur à un certain niveau. En 2009, par exemple, le seuil était de 66 733 $ en revenu net. Cette année-là, un revenu supérieur à ce seuil impliquait le remboursement d'au moins une partie des prestations de la SV. Le taux de remboursement est de 15 % du montant de votre revenu net dépassant le seuil. Suivant cette formule, si votre revenu net dépasse un certain niveau, vous finissez par rembourser chaque cent de vos prestations de la SV. À titre d'exemple, si en 2009 votre revenu net dépassait 108 090 $, vous perdiez toutes vos prestations de la SV.

Aide supplémentaire pour retraités à faible revenu

Si vous disposez d'un très faible revenu de retraite, vous pourriez être éligible à recevoir une aide additionnelle de la Sécurité de la vieillesse appelée « supplément de revenu garanti » (SRG). Pour recevoir le SRG, vous devez recevoir des prestations de la SV, en plus de satisfaire aux exigences de revenu. Il existe différents plafonds en fonction de votre situation : célibataire, marié, époux retraité ou non. En 2009, par exemple, le paiement mensuel moyen de SRG pour une personne seule était de 477,88 $, pour un maximum d'environ 652,51 $. Pour être admissible, votre revenu ne devait pas excéder 15 672 $. Ce chiffre comprend tous les revenus – y compris les prestations du RRQ – à l'exception de la Sécurité de la vieillesse.

Planifier votre stratégie personnelle d'épargne/investissement

L'argent que vous épargnez en prévision de la retraite peut comprendre l'argent de votre bas de laine autant que celui qui est placé dans un Régime enregistré d'épargne-retraite (REER). Vous pouvez également affecter des investissements à d'autres types de régimes d'épargne en vue de votre retraite.

Vous pouvez inclure la valeur nette réelle (la différence entre la valeur marchande d'une propriété et ce qui vous reste à payer sur celle-ci) d'immeubles locatifs dans le calcul de votre épargne-retraite. Décider d'inscrire ou non la valeur nette réelle de votre résidence principale (votre maison) est une question plus délicate. Si vous n'avez pas l'intention de puiser dans cet argent à la retraite, n'en tenez pas compte dans le calcul. Toutefois, vous voudrez peut-être inclure une partie de la valeur nette de votre résidence principale dans le total de vos actifs à la retraite. Beaucoup de gens vendent leur maison au moment de leur retraite pour déménager dans une région du pays où la vie est moins chère, pour se rapprocher de leur famille, ou pour acheter une résidence plus petite, donc plus facile à entretenir. Enfin, un nombre croissant de retraités plus âgés puisent dans la valeur nette de leur maison en recourant à un prêt hypothécaire inversé.

Tirer le meilleur parti des régimes de retraite

Les régimes de retraite sont des avantages offerts par certains employeurs – principalement de grandes organisations et des agences gouvernementales. Même si votre employeur actuel n'offre pas de régime de retraite, il se peut que vous ayez déjà contribué à des régimes de retraite dans des emplois précédents.

Les régimes dont nous parlons ici sont appelés «régimes à prestations déterminées». Dans le cadre de ces régimes, vous avez droit à une prestation mensuelle payée à votre retraite en fonction de vos années de service pour un employeur donné.

Bien que les régimes diffèrent d'une entreprise à une autre, tous effectuent le calcul et le paiement des prestations selon une formule. De manière générale, on pourrait vous créditer 1,5 % de votre salaire pour chaque année de service (emploi à temps plein). Par exemple, si vous travaillez pendant une dizaine d'années, vous obtenez une prestation de retraite mensuelle équivalant à 15 % de votre salaire mensuel.

Les prestations de retraite (aussi appelées «pensions» ou «rentes de retraite») peuvent se révéler très utiles. Dans les meilleurs régimes, les employeurs mettent de côté l'équivalent de 5 à 10 % de votre salaire en prévision du paiement de votre future pension. Cet argent ne fait pas partie de votre salaire – il s'ajoute à celui-ci. Vous ne le verrez jamais sur votre chèque de paie, et il n'est pas imposé. L'employeur place cet argent dans un compte pour votre retraite.

Pour être admissible à des prestations de retraite, il n'est pas nécessaire de rester avec un employeur jusqu'à ce qu'on vous remette la montre en or des 25 années de service. Un employé doit généralement profiter de tous ses droits acquis (soit recevoir tous les avantages en fonction des années de service à l'âge de la retraite) après deux années de service à temps plein.

Les régimes de retraite à prestations déterminées sont de plus en plus rares pour deux raisons principales :

- ✔ Premièrement, ils sont coûteux à maintenir pour les employeurs. Beaucoup d'employés ne comprennent pas le fonctionnement de ces régimes ni en quoi ils sont si précieux, alors les compagnies ne tirent pas parti des sommes injectées dans les régimes de pension : les employés ne voyant pas l'argent, ils n'ont pas conscience de la générosité de leur employeur.

- ✔ Deuxièmement, la plupart des nouveaux emplois créés dans l'économie d'aujourd'hui le sont dans de petites entreprises qui, le plus souvent, n'offrent pas ce genre de régime.

Un nombre grandissant d'employeurs offrent des régimes dans lesquels les employés choisissent d'épargner à partir de leur chèque de paye. Ces « régimes à cotisations déterminées » vous permettent d'économiser en vue de votre retraite, mais à vos propres frais plutôt qu'aux frais de votre employeur. (Afin d'encourager la participation aux régimes à cotisations déterminées, certains employeurs contribuent à hauteur d'une partie des cotisations de leurs employés.) Avec ces régimes, une plus grande partie du fardeau et de la responsabilité de l'investissement pour la retraite retombe sur vos épaules, c'est pourquoi il est important de comprendre comment fonctionnent ces régimes. Pour la plupart des gens, il est difficile de savoir combien épargner et comment investir ensuite cet argent. La feuille de planification de retraite de la prochaine section devrait vous aider à établir le montant que vous avez besoin d'épargner. (La troisième partie vous apprend comment investir).

Feuille de planification de retraite

Maintenant que vous avez fait le tour des composantes de votre revenu de retraite, nous voulons essayer de voir avec vous où vous en êtes en termes de préparation de la retraite. N'ayez pas peur d'effectuer cet exercice, car il n'est pas difficile à faire et vous découvrirez peut-être que vous n'êtes pas en si mauvaise position. Nous vous expliquons de plus comment vous rattraper si vous estimez que vous tirez de l'arrière dans votre épargne-retraite.

Note : La feuille de travail (tableau 2-1) et le multiplicateur de croissance (tableau 2-2) suivants supposent que vous prendrez votre retraite à l'âge de 66 ans et que vos investissements produiront un taux annuel de rendement de 4 % de plus que le taux d'inflation. (Par exemple, si l'inflation moyenne est de 3 %, ce tableau suppose que vos investissements vous rapporteront 7 % par an.)

Tableau 2-1 : Feuille de planification de retraite

1. Revenu de retraite nécessaire en dollars d'aujourd'hui (voir plus haut dans ce chapitre).	_____$/an
2. Prestations gouvernementales.	− _____$/an
3. Prestations de retraite annuelles (demandez au département des rentes de votre employeur). (Multipliez par 60 % si vos prestations n'augmenteront pas avec l'inflation au cours de la retraite.)	− _____$/an
4. Revenu de retraite nécessaire provenant d'économies personnelles (soustraire les lignes 2 et 3 de la ligne 1).	= _____$/an
5. Économies nécessaires pour prendre votre retraite à 66 ans (multipliez la ligne 4 par 15).	_____$/an

Tableau 2-1 : Feuille de planification de retraite (suite)

6. Valeur actuelle de votre épargne-retraite.	_____ $
7. Valeur de votre épargne-retraite actuelle à la retraite (multipliez la ligne 6 par le multiplicateur de croissance du tableau 2-3).	_____ $
8. Montant qu'il vous reste à épargner (ligne 5 moins ligne 7).	_____ $
9. Montant que vous devez épargner mensuellement (multipliez la ligne 8 par le facteur d'épargne du tableau 2-3).	_____ $/mois

Tableau 2-2 : Multiplicateur de croissance

Votre âge actuel	Multiplicateur de croissance	Facteur d'épargne
26	4,8	,001
28	4,4	,001
30	4,1	,001
32	3,8	,001
34	3,5	,001
36	3,2	,001
38	3,0	,002
40	2,8	,002
42	2,6	,002
44	2,4	,002
46	2,2	,003
48	2,0	,003
50	1,9	,004
52	1,7	,005
54	1,6	,006
56	1,5	,007
58	1,4	,009
60	1,3	,013
62	1,2	,020
64	1,1	,041

Rattraper le temps perdu

Si le montant que vous devez épargner mensuellement pour atteindre vos objectifs de retraite semble décourageant, ne désespérez pas, car tout n'est pas perdu. Voici quelques recommandations qui vous aideront à rattraper le temps perdu.

- **Revoyez votre façon de dépenser.** Il y a deux façons d'augmenter votre épargne : soit en gagnant plus d'argent, soit en réduisant vos dépenses (ou en faisant les deux). La plupart des gens ne dépensent pas leur argent d'une manière aussi réfléchie qu'ils ne le gagnent. Reportez-vous au chapitre 5 pour des suggestions et des stratégies visant à réduire vos dépenses.

- **Soyez plus réaliste quant à votre âge de retraite.** Si vous prolongez l'âge auquel vous prévoyez prendre votre retraite, vous bénéficiez d'un double avantage financier : vous gagnez et épargnez de l'argent plus longtemps, et vous dépensez ensuite votre pécule sur un nombre réduit d'années. Bien sûr, si votre emploi vous rend malade, cette option n'est peut-être pas la plus séduisante. Essayez de trouver un travail dans lequel vous vous sentirez bien, et envisagez de travailler, au moins à temps partiel, pendant les premières années de ce que l'on considère habituellement comme le temps de la retraite.

- **Utilisez la valeur nette réelle de votre maison.** La perspective de puiser dans la valeur de votre maison peut sembler troublante. Après avoir réuni la somme de l'acompte, vous avez probablement travaillé pendant de nombreuses années pour payer cette maison. Vous êtes heureux de ne pas avoir à faire un seul versement hypothécaire de plus à la banque. Mais à quoi bon posséder une maison payée si vous ne disposez pas de suffisamment d'économies pour votre retraite ? Tout l'argent qui est lié à la maison peut être utilisé pour aider à augmenter votre niveau de vie à la retraite.

  Il existe différentes façons d'exploiter le capital de votre propriété. Vous pouvez vendre votre maison et en acheter une autre à un prix moindre ou louer un appartement. Une autre option consiste à contracter un prêt hypothécaire inversé, où vous recevez un revenu mensuel sous forme de chèque, tandis que vous vous constituez un solde de prêt sur la valeur de votre maison. Le prêt est remboursé quand votre maison est finalement vendue. (Voir le chapitre 14 pour en apprendre davantage au sujet des prêts hypothécaires inversés.)

- **Faites croître vos investissements.** Plus le rythme de croissance de vos investissements est élevé, moins vous avez besoin d'épargner chaque année pour atteindre vos objectifs. En gagnant seulement quelques points de pourcentage par année sur vos placements, vous pouvez considérablement réduire la quantité d'argent que vous devez épargner. Plus vous êtes jeune, plus fort sera l'effet de l'intérêt composé. Par exemple, si vous êtes au milieu de la trentaine, et que vos investissements s'apprécient annuellement de 6 % (au lieu de 4 %) plus rapidement que le taux d'inflation, le montant que vous devez épargner mensuellement pour atteindre vos objectifs de retraite diminue d'environ 40 % !

✔ **Transformez un passe-temps en un revenu de retraite supplémentaire.** Même si vous avez gagné votre vie dans une même carrière durant plusieurs décennies, vous possédez des compétences qui sont transférables et qui peuvent être mises à profit. Choisissez une chose qui vous plaît et en laquelle vous êtes habile, puis élaborez un plan d'affaires et apprenez à commercialiser vos services et produits. Souvenez-vous que les gens étant de plus en plus occupés, davantage de services spécialisés sont créés pour soutenir leurs vies trépidantes. Il y a aussi une demande pour une variété de produits maison de qualité. Soyez créatifs ! On ne sait jamais, vous pourriez retrouver votre profil dans une publication commerciale !

✔ **Investissez d'une manière fiscalement avisée.** En investissant sagement relativement à l'impôt, vous pouvez augmenter le taux effectif de rendement de vos placements, sans courir de risque supplémentaire. Beaucoup de gens ont des habitudes d'épargne et de placement qui les désavantagent sur le plan fiscal.

Placez vos économies dans un régime de retraite fiscalement avantageux tel qu'un REER. Vous obtiendrez ainsi immédiatement une déduction d'impôt d'après cette contribution. Pour l'individu moyen, un tiers ou plus de la contribution représente l'argent qu'il aurait fallu payer aux gouvernements fédéral et provincial en impôt sur le revenu. N'est-il pas préférable que cet argent travaille pour vous dans les prochaines années plutôt que de travailler pour le gouvernement ? En outre, l'argent placé fructifie au fil des ans à l'abri de l'impôt.

Pour ce qui est de l'argent à l'extérieur des régimes de retraite à l'abri de l'impôt, si vous êtes dans une tranche d'imposition relativement élevée, vous pourriez gagner plus en investissant dans des placements et d'autres véhicules financiers qui ne font pas d'importants versements imposables aux détenteurs. (Nous discutons en détail des investissements et des régimes de retraite fiscalement avantageux aux chapitres 10 et 11.)

✔ **Jetez un coup d'œil aux emplois qui offrent des régimes de retraite.** Lorsque l'on évalue des employeurs, l'argent est en général le critère numéro un. Du moment que le poste comprend une couverture médicale complète, la plupart des gens ne s'attarderont qu'au salaire. Mais le fait d'avoir accès à un régime d'épargne-retraite est un précieux avantage. Et un régime de retraite est encore plus avantageux, car il vous verse mensuellement des prestations de retraite en fonction de vos années de service (une façon de créer facilement et sans contraintes de la richesse pour la retraite). Si vous avez la chance de pouvoir choisir, portez attention à ces régimes quand vous évaluerez les offres d'emploi.

✔ **Pensez aux héritages.** Bien que vous ne deviez jamais compter sur un héritage pour vous soutenir durant votre retraite, peut-être hériterez-vous un jour de quelqu'un. Si vous voulez savoir quel impact cela est susceptible d'avoir sur vos calculs de retraite, il suffit d'ajouter à votre épargne, dans le tableau 2-1, une estimation du montant dont vous prévoyez hériter.

Surmonter les objections aux régimes de retraite

Malgré tous les avantages fiscaux considérables que comporte l'investissement dans les REER et autres régimes de retraite, de nombreuses personnes ne saisissent pas l'occasion d'en profiter. Chacun de nous a ses priorités. Il se peut que vous épargniez pour l'achat d'une maison ou que vous remboursiez des prêts étudiants. Toutefois, certaines des raisons de ne pas tirer profit des régimes de retraite découlent d'un manque de connaissance et de compréhension. Les sections suivantes traitent des objections les plus couramment formulées pour ne pas contribuer à ces régimes fiscalement avantageux. Certaines de ces objections sont surmontables, alors que d'autres représentent des raisons légitimes de ne pas participer à des régimes de retraite.

La retraite, c'est bien loin

Lorsque vous êtes dans la vingtaine ou la trentaine, l'âge de 65 ans vous paraît être un avenir très lointain. Pour de nombreuses personnes, les sonnettes d'alarme ne suffisent pas à stimuler la réflexion sur l'âge d'or avant l'arrivée de la quarantaine ou de la cinquantaine.

Retarder l'âge auquel vous commencerez à mettre de l'argent de côté constitue souvent une erreur. Plus tôt vous commencerez, moins il vous sera pénible d'épargner chaque année, parce que vos contributions pourront fructifier sur un plus grand nombre d'années. Pour chaque décennie où vous atermoyez, le pourcentage de vos revenus que vous devrez épargner afin d'atteindre vos objectifs double ou presque. Par exemple, si pour atteindre vos objectifs de retraite il vous suffisait d'épargner annuellement 5 % de vos revenus en commençant dans les premières années de votre vingtaine, ce pourcentage monte à 10 % si vous attendez la trentaine pour le faire, à 20 % si vous retardez jusqu'à la quarantaine, et ainsi de suite.

Quand devriez-vous commencer à épargner en vue de la retraite ? Idéalement, il faudrait commencer à économiser une petite partie de vos revenus d'emploi dès votre premier chèque de paye – une autre raison d'entreprendre l'éducation financière de vos enfants dès leur jeune âge !

Seuls les ringards qui ne savent pas profiter de la vie épargnent pour la retraite

Certaines personnes en sont vraiment convaincues. Mais nous connaissons aussi des «ringards» qui n'épargnent pas en prévision de leur retraite et qui ne savent pas non plus profiter de la vie (aucun de nos collègues et amis, bien sûr).

Cette attitude n'est qu'une manière de rationaliser. En réalité, si vous gérez vos finances et commencez plus tôt à travailler efficacement en vue de vos objectifs, vous pourrez dépenser plus et avoir plus de plaisir à longue échéance. D'ailleurs, qui dit que dépenser tout son argent est l'unique façon de s'amuser ?

Il existe ailleurs des pâturages plus verts pour investir

Certaines personnes trouvent ennuyeux d'investir dans des REER et croient qu'elles peuvent obtenir un meilleur rendement sur le marché immobilier. Les immeubles locatifs peuvent prendre de la valeur et générer des revenus de location croissants au fil des ans. L'investissement dans l'immobilier représente un motif légitime de ne pas maximiser vos contributions de retraite.

Bien que l'immobilier offre certains allégements fiscaux, vous devez également examiner ses inconvénients :

- ✔ Tandis que vous amassez l'acompte, il se peut que vous deviez payer davantage d'impôt sur le revenu si vous sacrifiez des contributions à vos régimes de retraite qui sont admises en déduction d'impôt.

- ✔ La location immobilière génère un revenu imposable qui s'ajoute à tous vos autres revenus au cours de l'année, ce qui risque de vous pousser dans une tranche d'imposition supérieure. Mais même si le supplément de revenu immobilier ne vous portait pas dans une tranche d'imposition supérieure, ce revenu est imposable immédiatement au taux normal d'impôt sur le revenu plutôt que d'être différé pendant plusieurs années.

Dans un REER, les revenus continuent d'être capitalisés sans imposition, et vous décidez du moment où vous puiserez dans cet argent.

Il se peut également que vous soyez en mesure d'investir dans ce qui vous plaira et d'obtenir des allégements fiscaux. Plusieurs types de placements – actions, obligations, fonds communs de placement, métaux précieux, et même l'immobilier – peuvent être détenues dans des régimes de retraite. (Voir le chapitre 10 pour plus de détails.)

Il ne me reste pas d'argent pour épargner

Plus vous dépensez, moins vous êtes en mesure de contribuer à des régimes de retraite. Ainsi, l'impôt supplémentaire que vous payez parce que vous ne pouvez pas faire de contributions de retraite représente un coût qui s'ajoute à vos dépenses aujourd'hui. Donc, si vous parvenez à réduire vos dépenses (voir le chapitre 5), vous pourrez plus facilement atteindre vos objectifs de retraite. Vous aurez davantage d'argent pour contribuer à des régimes de retraite, en plus de réaliser des économies sur vos impôts !

Dans certains cas, les gens ont un tas d'argent investi à l'extérieur des abris fiscaux que sont les REER sans qu'il ne soit destiné à des besoins futurs. Il se peut qu'ils utilisent la totalité de leurs revenus mensuels d'emploi pour subvenir à leurs frais de subsistance quotidiens. Et pour cette raison, ils estiment ne pas pouvoir se permettre de participer à un régime de retraite.

Si vous croyez ne pas être en mesure d'épargner dans un REER ou dans un autre régime d'épargne parce que vous utilisez tout votre revenu pour payer vos frais de subsistance, vous compartimentez vos finances. Il vous faut adopter une perspective d'ensemble. Par exemple, que diriez-vous d'épargner 300 $ par mois par l'intermédiaire de votre régime de retraite déductible d'impôt ? Si l'on suppose que cela entraîne une réduction de 100 $ de vos impôts, votre contribution ne vous coûterait donc en réalité que 200 $ par mois. Vous pourriez alors puiser 200 $ par mois dans vos économies qui ne sont pas placées dans un régime de retraite et affecter ces sommes au paiement de vos frais de subsistance.

Cette opération consiste simplement à transférer des économies placées à l'extérieur des régimes de retraite à l'intérieur d'un REER ou d'un autre régime de retraite. Vous n'épargnez pas vraiment de nouvel argent, mais vous réalisez une économie d'impôt fantastique en vous livrant à ce jeu d'investissement tout à fait légal. Assurez-vous cependant de ne pas trop faire diminuer votre fonds d'urgence.

J'adore mon emploi et je travaillerai toujours

Êtes-vous de ces gens qui adorent leur travail ? Avez-vous l'impression que parce que vous n'avez pas l'intention de prendre votre retraite, vous n'avez pas besoin d'amasser tout l'argent qu'il faut pour vivre pendant plus de 20 ans ? Si oui, vous pouvez vous en tirer en épargnant beaucoup moins que vos amis désireux de prendre une retraite hâtive.

Il se peut toutefois que vous ne soyez pas en mesure de conserver votre emploi actuel pour toujours. Que faire si vous perdez votre emploi ? Et si quelque chose arrive à votre santé ? Vous ne pouvez prétendre que vous serez toujours capable de travailler, alors planifiez en conséquence.

J'ai déjà épargné suffisamment

Félicitations ! C'est la meilleure excuse pour ne plus épargner en fonction de votre retraite. Si vous avez beaucoup d'argent à l'extérieur des régimes de retraite à l'abri de l'impôt, vous pourriez envisager de contribuer à ces régimes de retraite afin de profiter des avantages fiscaux qu'ils offrent.

Deuxième partie

Épargner plus, dépenser moins

«J'ai acheté un logiciel qui devrait nous aider à surveiller et à contrôler nos dépenses, et j'en ai profité pour ramasser quelques jeux, deux économiseurs d'écran, quatre tapis de souris, ce chouette support à clavier rétractable...»

Dans cette partie...

Nous vous expliquons comment effectuer le suivi de vos dépenses et comment vous constituer une épargne au lieu de jeter votre argent par les fenêtres. Vous êtes endetté jusqu'au cou ? Eh bien, il n'est jamais trop tard pour entreprendre de s'en sortir. Ici, vous apprendrez comment alléger votre fardeau d'endettement. Nous consacrons également un chapitre entier aux impôts et aux façons légales de les réduire le plus possible, car il se peut qu'une trop grande partie de votre revenu y disparaisse.

Chapitre 3

Savoir où va votre argent

Si vous êtes comme la plupart des gens, vous devez vivre selon vos moyens afin d'accomplir vos objectifs financiers. Cela exige que vous dépensiez moins que ce que vous ne gagnez et que vous investissiez ensuite le plus intelligemment possible l'argent épargné.

Beaucoup de gens gagnent juste assez pour joindre les deux bouts, tandis que certaines personnes n'arrivent même pas à le faire : elles dépensent plus d'argent qu'elles n'en gagnent. Le résultat de ces comportements est, évidemment, une accumulation de dettes – le gouvernement canadien et sa dette de près de 500 milliards de dollars en est un exemple.

Peu importe quels sont vos rêves financiers, il vous faut épargner et investir (à moins que vous ne prévoyiez gagner à la loterie ou recevoir un gros héritage). Afin de vous mettre dans une position qui vous permette de commencer à épargner, il faut examiner de près vos habitudes d'achat.

Les causes des dépenses excessives

La plupart des tendances sociales vous encouragent à dépenser, en plus du crédit qui est si facilement et largement accessible de nos jours. Pensez-y un peu. Plus souvent qu'autrement, vous êtes considéré comme un consommateur dans les médias et même dans l'enceinte de nos gouvernements. On parle de vous moins comme d'une personne, d'un citoyen ou d'un être humain que d'un consommateur.

Voici quelques-uns des adversaires contre lesquels vous vous battez lorsque vous tentez de contrôler vos dépenses.

Avoir accès au crédit

Comme vous le savez probablement déjà, il est facile de dépenser votre argent. Grâce à des innovations comme le guichet automatique et la carte de crédit, votre argent est disponible pour les dépenses 24 heures par jour, 365 jours par année (366 jours par année lors d'années bissextiles !). De nombreuses compagnies y vont de leur carte de crédit, y compris le poste d'essence et le dépanneur du coin. On ne se surprendra pas le jour où les enfants du quartier se mettront à accepter les paiements par carte à leurs kiosques de limonade. On peut déjà les imaginer : «Nous prenons la Visa, mais pas l'American Express. Désolé !»

On pourrait croire que les prêteurs veulent donner leur argent tellement ils rendent le crédit accessible. Mais cet argent «gratuit» n'est qu'une dangereuse illusion. Quand il s'agit de la dette à la consommation (cartes de crédit, prêts auto, etc.), les prêteurs ne vous donnent rien, si ce n'est la possibilité de vous endetter jusqu'au cou, de payer des intérêts élevés et de retarder votre progression vers vos objectifs personnels.

Le crédit est encore plus nuisible quand vous faites des achats de consommation que vous ne pouviez pas vous permettre en premier lieu.

Utiliser des cartes de crédit

La carte de crédit bancaire telle qu'elle existe aujourd'hui a été inventée par la Bank of America vers la fin du baby-boom. Depuis, le secteur du crédit n'a cessé de prendre de l'expansion.

Si vous payez vos factures en entier chaque mois, l'utilisation des cartes de crédit constitue une façon pratique d'acheter des choses par l'intermédiaire d'un prêt à court terme sans intérêt. Mais si vous traînez cette dette d'un mois à un autre, à des taux d'intérêt élevés, alors les cartes de crédit vous portent à vivre au-dessus de vos moyens. Les cartes de crédit rendent facile et tentant de dépenser de l'argent que vous n'avez pas.

Si vous avez un talent pour l'utilisation excessive de ces petits morceaux de plastique, une seule solution existe : débarrassez-vous de vos cartes de crédit. Prenez des ciseaux et coupez vos cartes. Apprenez à vous abstenir ; vous pouvez fonctionner sans elles. (Voir le chapitre 4 pour plus de détails sur les façons de vivre sans carte de crédit.)

Faire vos paiements mensuels minimum ne suffit pas

Vous ne finirez jamais de payer votre solde de carte de crédit si vous vous contentez d'en acquitter le paiement mensuel minimum. Les intérêts continuent de s'accumuler sur votre dette. N'effectuer que le paiement mensuel minimum, c'est comme d'utiliser une tasse de papier pour écoper l'eau d'un bateau qui est en train de couler, sa coque percée d'un trou de la taille d'un ballon de basket.

Souscrire un prêt auto

Il est facile d'entrer chez le concessionnaire et d'en repartir avec une voiture neuve, que vous n'auriez jamais pu vous permettre si vous aviez dû la payer comptant. Le concessionnaire vous amène à penser en termes de paiements mensuels, qui peuvent vous sembler peu en comparaison de ce que le véhicule vous coûtera réellement. Les prêts auto sont faciles à obtenir pour à peu près tout le monde (à l'exception peut-être d'un criminel en liberté conditionnelle).

Supposons que vous en ayez assez de circuler dans votre vieux tas de ferraille. La voiture est marquée par les années, ennuyeuse à conduire, et vous n'aimez pas être vu à son volant. De plus, cette voiture est susceptible de nécessiter des réparations dans les mois à venir. Alors il est temps, pensez-vous, de rendre visite à votre sympathique concessionnaire automobile local.

Dans la salle de montre, vous regardez tous ces modèles neufs rutilants quand tout à coup, la voici qui s'offre à votre regard : la voiture qui remplacera votre vieille épave. Lustrée et propre, elle est équipée d'un système de climatisation et d'une chaîne stéréo, et tout est électrique.

Avant que vous n'ayez eu le temps de lire la fiche apposée à la vitre latérale, un vendeur se pointe à côté de vous. Il engage la conversation, discutant des attraits de la voiture, mais aussi de hockey et de météo. Bref, vous parlez de tout sauf de l'étiquette de prix du véhicule.

« Comment, vous dites-vous, ce type peut-il passer du temps avec moi sans savoir si je peux m'offrir cette merveille ? » Après un essai routier et quelques échanges de plus à propos des caractéristiques de la voiture, de la météo et de votre vie amoureuse, c'est le moment de vérité.

Le vendeur ne semble pas s'intéresser à votre situation financière. Peu lui importe que vous ayez beaucoup ou peu d'argent. Pas de problème !

La voiture ne coûte que 299 $ par mois.

« Ce prix n'est pas mal », pensez-vous. D'autant plus que vous vous attendiez à ce que l'on vous annonce que la voiture coûtait au moins 20 000 $. Dans le temps qu'il faut pour le dire, le vendeur effectue une vérification de votre solvabilité et vous fait signer quelques documents. Moins d'une heure plus tard, vous voilà fièrement au volant de votre nouvelle voiture.

Le concessionnaire veut vous amener à penser en termes de paiements mensuels, car le coût ainsi exprimé peut vous paraître abordable : 299 $ par mois. Mais en réalité, il s'agit de 299 $ par mois durant plusieurs années. Vous n'êtes pas prêt de voir la fin de ces paiements ; après tout, vous venez de vous offrir un véhicule dont le prix équivaut à une grande partie de votre revenu annuel net (100, 200, 300 % ou plus).

Mais ce n'est pas tout. Que devient le prix de la voiture une fois que l'on y a ajouté les frais d'intérêt ? (Même avec des frais d'intérêt relativement bas, il se peut quand même que vous achetiez une voiture à un prix dépassant vos moyens.) Et n'oublions pas non plus les frais d'immatriculation, d'assurance et d'entretien au cours des sept années environ où vous serez propriétaire de la voiture. À ce stade du calcul, vous dépassez probablement la valeur de votre revenu annuel. Ouch ! (Voir le chapitre 5 pour apprendre comment on achète une voiture selon ses moyens.)

Céder à la pression de vos pairs

Vous sortez parfois avec des amis pour dîner, pour assister à une partie de hockey ou pour voir un spectacle. Tâchez de vous rappeler la dernière fois que l'un de vous a dit : « Allons où c'est moins cher, je ne peux pas me permettre de dépenser autant en ce moment. »

Évidemment, vous ne voulez pas être rabat-joie, mais en même temps, certains de vos amis ont plus d'argent que vous, et si vous dépensez à leur rythme, vous risquez l'endettement.

Dépenser pour vous sentir mieux

La vie est pleine de stress, d'obligations et de responsabilités. « Je travaille dur, vous dites-vous. Non mais, je mérite de profiter un peu de la vie ! » Surtout après que votre patron s'est attribué le mérite de votre dernière bonne idée ou qu'il vous a blâmé pour sa dernière méga erreur. C'est ainsi que vous achetez un article cher ou sortez manger dans un restaurant chic. Satisfait ? Vous le serez moins quand vous recevrez la facture. Évidemment, plus vous dépensez, moins vous économisez – et plus vous risquez de travailler longtemps pour (des imbéciles comme) votre patron !

Devenir accro aux dépenses

Tout comme on peut devenir dépendant à l'alcool, au tabac, à la télévision et à l'Internet, certaines personnes développent une dépendance à l'excitation que leur procurent les dépenses. Un certain nombre de causes sont à l'origine de la dépendance psychologique aux dépenses, dont certaines sont liées aux comportements qu'ont eus vos parents en ce qui a trait à l'argent et aux dépenses. (Vous qui pensiez avoir déjà réglé toutes les questions touchant votre passé familial!).

Si votre problème de dépense et d'endettement se révèle chronique, songez à prendre contact avec les Débiteurs Anonymes – un groupe de soutien calqué sur les Alcooliques Anonymes qui propose un programme en 12 étapes. Voir le chapitre 4 pour de plus amples informations.

Essayer de suivre les tendances

Vous devez absolument voir le dernier film à succès, porter les tous derniers vêtements de marque ou obtenir la nouvelle raquette de tennis améliorée, avec amortisseur, double triangle de suspension et structure en nanotubes de carbone. Tous vos amis s'en procurent une, alors vous feriez mieux d'en faire autant. Pas vrai ?

Faux. D'ailleurs, plusieurs nouvelles technologies et produits ne sont pas à la hauteur de leur prix. Faites preuve d'intelligence : attendez qu'un produit ait été éprouvé et ne l'achetez pas avant d'en avoir les moyens.

Acheter sans tenir compte de vos objectifs financiers

À quand remonte la dernière fois où vous avez entendu quelqu'un dire qu'il avait décidé de renoncer à un achat parce qu'il voulait épargner pour la retraite ou l'achat d'une maison ? C'est plutôt rare, vous ne croyez pas ? Il est tentant de simplement vivre le moment présent en laissant de côté ses besoins et objectifs à long terme. Cette attitude conduit les gens à peiner durant de nombreuses années dans des emplois qu'ils n'aiment pas.

Vivre le jour présent a ses vertus : qui sait si demain nous serons là ? Eh bien, il y a de bonnes chances que nous y soyons, si vous voulez savoir. Mais aurez-vous encore demain la même considération pour les décisions d'achats que vous prenez aujourd'hui ? Ou vous sentirez-vous coupable d'avoir une fois de plus mis vos objectifs de côté ?

Si vous n'avez toujours pas établi vos objectifs, peut-être ne savez-vous pas combien vous devriez épargner. Le chapitre 2 vous aide à démarrer le processus de planification et d'épargne.

Vouloir ce qu'il y a de mieux pour vos enfants

Pour les enfants, bon nombre des meilleures choses de la vie sont gratuites, tout comme elles le sont pour vous. Votre jeune ado peut vivre sans les dernières espadrilles à 200 $. Plus tard dans la vie, vos enfants vous remercieront de leur avoir enseigné qu'ils n'ont pas besoin de tout ce qu'ils voient dans les publicités. Il vaut mieux leur transmettre la pensée critique et un sens avisé de l'économie que de leur enseigner le culte des biens matériels.

L'éducation peut s'avérer coûteuse. Toutefois, les experts en éducation sont les premiers à vous dissuader de l'idée que vous faites ce qu'il y a de mieux pour vos enfants quand vous dépensez beaucoup d'argent pour vivre dans une zone desservie par une école haut de gamme ou quand vous payez cher pour qu'ils fréquentent une école privée. Si vous n'êtes pas assez souvent à la maison pour répondre aux autres besoins et aux désirs de vos enfants, même le meilleur des systèmes d'éducation ne saura pas les aider à réussir dans la vie.

L'éducation commence et se fait de préférence à la maison. Nous voyons des parents qui courent et travaillent tellement pour offrir à leurs enfants tout ce qu'il y a de mieux qu'ils négligent de passer du temps avec eux – même si c'est l'ingrédient le plus important pour leur bonheur et leur réussite à long terme.

Analyser vos dépenses

Se laver le visage, se brosser les dents et faire régulièrement de l'exercice sont de bonnes habitudes. Or, dépenser moins que ce que vous gagnez et épargner conformément à vos objectifs financiers sont les équivalents financiers de ces habitudes quotidiennes.

En dépit de revenus relativement élevés en comparaison avec le reste du monde, la plupart des Québécois ont de la difficulté à épargner un pourcentage appréciable de leurs revenus. Pourquoi ? Parce qu'ils dépensent trop, souvent beaucoup plus que nécessaire.

La première étape en vue d'économiser une plus grande partie de votre revenu durement gagné consiste à savoir où ce revenu est généralement dépensé. L'analyse des dépenses dans la section suivante vous aide à déterminer où disparaît votre revenu.

Vous devriez procéder à l'analyse de vos dépenses dans le cas où au moins une des situations suivantes s'applique à vous :

✔ Vous n'épargnez pas suffisamment d'argent pour la réalisation de vos objectifs financiers. (Vous ne savez pas si c'est le cas ? Veuillez vous référer au chapitre 2.)

✔ Vous avez l'impression de ne pas contrôler votre budget ou vous ne savez pas vraiment où va l'ensemble de vos revenus.

✔ Vous anticipez un changement de vie considérable (par exemple, vous marier, quitter votre emploi et démarrer une entreprise, avoir des enfants, prendre votre retraite).

Si vous êtes déjà un bon épargnant, il ne vous est pas nécessaire de compléter l'analyse des dépenses. Nous ne voyons pas beaucoup d'intérêt à éplucher constamment vos dépenses si vous possédez suffisamment d'épargnes pour accomplir vos objectifs. Vous avez déjà pris la bonne habitude : épargner. Assurer le suivi précis de vos dépenses mois après mois *n'est pas* une bonne habitude. Dans la mesure où vous épargnez suffisamment, on ne va pas se demander ce qui advient des quelques dollars qui restent. (Vous pourriez tout de même tirer avantage de nos recommandations de dépenses sensées au chapitre 5.)

L'objectif immédiat d'une analyse des dépenses est de savoir où vous dépensez généralement votre argent. L'objectif à long terme est de créer une bonne habitude : maintenir une routine d'épargne régulière et automatique.

Savoir où va votre argent chaque mois est une bonne chose. Apporter des changements à vos comportements et couper dans les dépenses superflues afin d'avoir plus d'argent pour atteindre vos objectifs financiers est une excellente chose. Mais vous risquez d'ennuyer tout le monde autour de vous, et vous le premier, en vous mettant à documenter la vie et la mort de chacun de vos dollars.

Souvenez-vous : ce qui importe le plus, c'est d'épargner ce dont vous avez besoin pour réaliser vos objectifs.

Suivre vos dépenses sur papier

Analyser vos dépenses, c'est un peu comme jouer au détective. Votre but est de reconstituer le crime : vos dépenses. Vous avez probablement quelques indices à portée de main, empilés quelque part sur le bureau ou la table où vous vous installez pour payer les factures.

À moins que vous ne conserviez des données précises sur chaque dollar dépensé, vous n'obtiendrez pas d'information parfaite. Mais ne vous en faites pas ! Un certain nombre de sources disponibles devraient vous permettre de retrouver la trace de la majeure partie de votre argent. Pour commencer, sortez vos :

- ✔ talons de chèques de paye récents
- ✔ déclarations d'impôts
- ✔ carnets de chèques et liste des chèques annulés
- ✔ factures et reçus de cartes de crédit et de cartes de paiement (American Express, par exemple)

Idéalement, vous devriez réunir les documents nécessaires au suivi d'un an (12 mois) de dépenses. Mais si vos habitudes de dépenses varient peu d'un mois à l'autre (ou si votre chien a mangé une partie de vos vieilles factures), vous pouvez réduire la collecte de données à une période de six mois, ou à tous les deux ou trois mois pour la dernière année. Si vous prenez de grandes vacances ou achetez beaucoup de cadeaux durant certains mois, assurez-vous d'inclure ce ou ces mois dans votre analyse.

Les achats effectués en espèces sont les plus difficiles à repérer, car ils ne laissent pas de traces écrites. Il est possible de garder la trace de tout ce que vous achetez avec de l'argent comptant au cours d'une semaine ou peut-être même d'un mois. Un tel exercice peut se révéler instructif, mais cela risque aussi d'être ennuyeux. Si vous êtes parfois paresseux, comme nous, ou que vous manquez de temps ou de patience, essayez plutôt d'estimer ce montant. Prenez une semaine ou un mois typique et demandez-vous à quelle fréquence vous faites des achats avec de l'argent comptant. Par exemple, si vous dînez au restaurant quatre midis par semaine à 15 $ le repas, cela vous coûte environ 240 $ par mois. Vous pouvez également analyser vos relevés bancaires pour identifier les retraits d'argent comptant en essayant de vous rappeler à quoi vous avez affecté ces sommes. Si vous utilisez régulièrement une carte de débit, vos relevés bancaires détaillent les endroits où vous avez dépensé votre argent. Il faut seulement vous souvenir des biens ou services précis que vous avez achetés. Si vous n'avez pas vos relevés bancaires physiques, vous serez peut-être en mesure de les consulter sur Internet.

Essayez de séparer vos dépenses en autant de catégories détaillées et utiles que possible. Le tableau 3-1 vous offre une structure de travail pour la compilation de vos données que vous êtes libre d'adapter à vos besoins. Rappelez-vous, si vous regroupez trop de dépenses dans une même catégorie, comme « Autres », vous reviendrez à votre question de départ : « Où mon argent passe-t-il ? ». (Note : lorsque vous remplissez la section de l'impôt dans le tableau 3-1, vous devez inscrire le total de l'impôt que vous avez payé tel qu'il figure sur votre déclaration de revenu annuelle plutôt que l'impôt retenu ou payé au cours de l'année – et prenez les montants totaux des retenues versées au Régime de rentes du Québec et à l'assurance emploi tels qu'inscrits sur le talon de votre dernier chèque de paye de l'année.)

Tableau 3-1 : Le détail de vos dépenses

Catégorie	Moyenne mensuelle ($)	Pourcentage de votre revenu annuel brut (%)
Votre chèque de paye (revenus)	_____	_____
Impôt fédéral	_____	
Impôt provincial	_____	
RRQ	_____	
Primes d'assurance emploi	_____	
Le toit au-dessus de votre tête		_____
Loyer	_____	
Emprunt hypothécaire	_____	
Impôt foncier	_____	
Gaz/électricité/huile	_____	
Eau/ordures	_____	
Téléphone	_____	
Câble & Internet	_____	
Jardinier/gouvernante	_____	
Mobilier/électroménager	_____	
Entretien/réparations	_____	
L'alimentation		_____
Supermarché	_____	
Restaurants (livraisons, etc.)	_____	
Les déplacements		_____
Essence	_____	
Entretien/réparations	_____	
Frais d'immatriculation	_____	
Péages et stationnements	_____	
Billets d'autobus et de métro	_____	
Le style		_____
Vêtements	_____	
Chaussures	_____	
Bijoux	_____	
Nettoyage à sec	_____	
Paiements de dettes (sauf prêts hypothécaires)		_____
Cartes de crédit et de paiement	_____	
Prêts auto	_____	
Prêts étudiants	_____	
Autres	_____	

Tableau 3-1 : Le détail de vos dépenses (suite)

Catégorie	Moyenne mensuelle ($)	Pourcentage de votre revenu annuel brut (%)
Les choses plaisantes		_____
Sorties (cinéma, spectacles, etc.)	_____	
Vacances et voyages	_____	
Cadeaux	_____	
Passe-temps	_____	
Abonnements/adhésions	_____	
Animaux	_____	
Autres	_____	
Les soins personnels		_____
Coiffure	_____	
Club de santé ou gym	_____	
Maquillage/cosmétiques	_____	
Autres	_____	
Affaires personnelles		_____
Comptable/avocat/conseiller financier	_____	
Autres	_____	
Les soins de santé		_____
Médecins et hôpitaux	_____	
Médicaments	_____	
Dentiste et optométriste	_____	
Psychothérapeute	_____	
L'assurance		_____
Propriétaire/locataire	_____	
Auto	_____	
Santé	_____	
Vie	_____	
Invalidité	_____	
Responsabilité civile (umbrella)	_____	
Les dépenses d'éducation		_____
Frais de scolarité	_____	
Livres	_____	
Fournitures	_____	
Les enfants		_____
Garderie	_____	
Jouets	_____	
Pension alimentaire	_____	

Tableau 3-1 : Le détail de vos dépenses (suite)

Catégorie	Moyenne mensuelle ($)	Pourcentage de votre revenu annuel brut (%)
Dons de charité	_____	_____
Autres		_____
_____	_____	
_____	_____	
_____	_____	
_____	_____	
_____	_____	

Suivre vos dépenses sur ordinateur

De nombreux logiciels peuvent vous aider à payer vos factures et assurer le suivi de vos dépenses. Le principal avantage de l'utilisation de tels logiciels est que vous pouvez suivre continuellement vos dépenses tant que vous fournissez les informations au programme. Ces logiciels peuvent même contribuer à accélérer le processus d'émission de chèques (une fois que vous avez compris comment les utiliser, ce qui n'est pas toujours chose facile).

Cependant, vous n'avez pas besoin d'un ordinateur et de logiciels sophistiqués pour payer vos factures et savoir où vous en êtes dans vos dépenses. Beaucoup de gens abandonnent la saisie des données après quelques mois. C'est que cette méthode exige que vous saisissiez une à une les données relatives à vos dépenses faites par chèque, par carte de débit ou de crédit et en espèces.

Comme les appareils d'exercice domestiques et les accessoires de cuisine exotiques, ces logiciels finissent souvent à la poubelle. Vous pouvez très bien assurer le suivi de vos dépenses en utilisant simplement un crayon, du papier et une calculatrice.

Si toutefois vous souhaitez tenter l'informatisation de vos paiements de factures et de vos dépenses, nous recommandons les meilleurs logiciels au chapitre 18.

Gestion financière : votre temps compte

Tom est un modèle d'organisation financière. Ses documents sont bien organisés et identifiés par un code couleur. Chaque mois, il saisit à l'ordinateur l'ensemble des données relatives à ses dépenses. Il a même toujours avec lui un carnet de notes dans lequel il inscrit le détail de ses dépenses, pour que chaque dollar soit pris en compte.

Tom tient également le registre de ses chèques, afin de s'assurer que tout est en ordre. Il ne peut pas se rappeler la dernière fois que sa banque a fait une erreur, mais il connaît quelqu'un qui, une fois, a relevé une erreur de 50 $.

Si vous passez sept heures par mois à faire vos comptes et à détailler toutes vos dépenses, vous gaspillez l'équivalent de deux semaines par année de votre temps, soit environ les deux tiers de vos vacances si vous en prenez trois semaines par année.

Supposons que, chaque année, vous ayez la « chance » de découvrir une erreur de 100 $ commise par la banque en sa faveur. Si vous passez seulement trois heures par mois à faire le suivi de vos dépenses, à équilibrer vos chèques et à faire vos comptes pour arriver à trouver cette erreur, vous allez dépenser 72 heures sur deux ans pour déceler une erreur de 100 $. Quel est alors votre taux horaire ? Un maigre 1,39 $. On gagne davantage à préparer des hamburgers au restaurant du coin. (Note : si par contre vous déposez ou retirez des montants substantiels, assurez-vous de les inscrire dans votre relevé.)

D'ailleurs, après avoir travaillé toute la semaine, en vous occupant de vos tâches financières et des travaux domestiques, vous restera-t-il du temps et de l'énergie pour faire des choses plus importantes et intéressantes ? L'ensemble de votre situation financière personnelle – l'établissement d'objectifs, le choix d'investissements judicieux et d'une couverture d'assurance adéquate – risque d'en souffrir, et vous pourriez perdre des milliers de dollars par année. Au cours de votre vie d'adulte, ce montant pourrait se traduire par des dizaines ou même centaines de milliers de dollars perdus.

Tom, par exemple, ignore combien il doit épargner pour réaliser ses objectifs de retraite. Il n'a pas examiné les documents de son employeur portant sur ses avantages sociaux, de sorte qu'il ne comprend pas son assurance ni les options de son régime de retraite. Il sait qu'il paye beaucoup d'impôts, mais il ne sait pas vraiment comment les réduire.

Il vous faut tirer le meilleur parti de votre argent. À moins que vous n'aimiez vraiment baigner dans ces questions, vous devez vous concentrer sur vos activités financières les plus profitables, car votre temps est limité – la vie est courte. Travailler plus fort sur la gestion de vos finances ne vous rapportera pas de points en prime. Plus vous passerez de temps sur vos finances personnelles, moins il vous en restera pour bavarder avec des amis, aller voir un film, lire un bon roman ou faire quoi que ce soit d'autre qui vous plaise vraiment.

Soyons clairs, il n'y a rien de mal en soi à équilibrer votre chéquier. En fait, si vous faites régulièrement des chèques qui « rebondissent » parce que vous ignorez quel est votre solde, cet exercice peut vous sauver beaucoup d'argent en frais de chèques sans provision. Toutefois, si vous conservez suffisamment d'argent dans votre compte-chèques pour ne pas avoir à craindre de manquer de fonds ou si vous disposez d'une autorisation de découvert, l'équilibre de votre carnet de chèques est probablement un gaspillage de votre précieux temps, même dans le cas où votre taux horaire n'est pas très élevé.

Si vous êtes occupé, voyez un peu quels moyens vous pourriez mettre en œuvre pour réduire la quantité de temps que vous passez sur des tâches financières banales comme le paiement de factures. De nombreuses entreprises vous permettent par exemple de payer vos factures mensuelles électroniquement par l'intermédiaire de votre compte-chèques bancaire ou de votre carte de crédit. (N'utilisez cette option que si vous acquittez le solde entier de votre carte de crédit chaque mois.) Moins vous avez de factures à payer, moins vous avez de chèques et d'enveloppes distinctes à traiter chaque mois. Cela se traduit par plus de temps libre et moins de coupures de papier!

Devenir riche grâce à votre revenu actuel : le secret

Nous avons traité avec des gens qui ont des revenus modestes, avec des gens qui gagnent des centaines de milliers de dollars et au-delà, et avec tous les autres entre ces deux extrêmes. À chaque niveau de revenu, toutes ces personnes entrent dans l'une des trois catégories suivantes :

- ✔ Les personnes qui dépensent plus que ce qu'elles gagnent (elles accumulent des dettes)
- ✔ Les personnes qui dépensent tout ce qu'elles gagnent (elles n'épargnent rien)
- ✔ Les personnes qui épargnent 2, 5, 10 ou même 20 % (ou plus!)

Nous avons vu des gens avec des salaires de 30 000 $ par année épargner 20 % de leur revenu (6 000 $), d'autre personnes avec des salaires de 60 000 $ épargner aussi peu que 5 % (3 000 $) et des gens gagnant dans les six chiffres ne rien épargner et parfois même accumuler des dettes.

Disons que vous gagnez actuellement 40 000 $ par année et dépensez tout cet argent. « Mais comment puis-je économiser? », vous demandez-vous peut-être.

Bonne question!

Plutôt que de vous crever à un deuxième boulot ou vous démener pour la prochaine promotion, vous pourriez simplement vivre un peu en deçà de votre revenu – en d'autres termes, dépenser moins d'argent que vous n'en gagnez. (Nous savons que dépenser moins que ce que vous gagnez est difficile à imaginer, mais courage, vous pouvez y arriver!) N'oubliez pas que pour toutes les personnes mécontentes de leur sort qui gagnent et dépensent 40 000 $ par année, il y a quelqu'un d'autre qui se débrouille avec 35 000 $.

Un certain nombre de personnes vivent avec moins que ce que vous gagnez. Si vous dépensez comme ils le font, vous pourrez épargner et investir la différence.

Chapitre 4

Venir à bout des dettes et des problèmes de crédit

. . . .

Dans ce chapitre :

▶ Utiliser vos épargnes pour réduire vos dettes

▶ Sortir de l'endettement quand vous n'avez pas d'épargnes

▶ Comprendre les implications de la faillite personnelle

▶ Ralentir votre rythme de dépenses

▶ Savoir gérer les problèmes de crédit

. . . .

*L*orsqu'une dette est créée pour investir dans votre avenir, on dit qu'il s'agit d'une bonne dette (voir le chapitre 1). Emprunter de l'argent pour payer des frais d'éducation, acquérir un bien immobilier ou investir dans une petite entreprise, c'est comme manger des aliments riches en calcium pour avoir des os solides ou manger des fruits et des légumes pour leurs vitamines.

Cependant, accumuler des créances douteuses (l'endettement à la consommation) par l'achat de nouveaux meubles de salon ou d'une nouvelle voiture que vous ne pouvez pas vraiment vous permettre, c'est comme vivre sur une diète de sucre et de caféine : une solution rapide fournissant peu de valeur nutritive. Emprunter sur votre carte de crédit pour vous offrir des vacances au Mexique est coûteux et nuisible à votre santé financière à long terme.

Dans ce chapitre, nous vous aidons à vous prémunir contre le problème grandissant de l'endettement à la consommation. Se débarrasser de ses mauvaises dettes peut s'avérer aussi difficile que de renoncer au *junk food* (pour les accros !). Mais sur le long terme, vous serez content de l'avoir fait, vous serez plus sain financièrement et plus heureux. Et après vous être débarrassé de vos dispendieuses dettes à la consommation, assurez-vous d'adopter le meilleur comportement pour éviter les problèmes de crédit : ne vous créez pas de mauvaises dettes.

Avant que vous ne décidiez quelles stratégies de réduction de dettes vous conviennent, vous devez d'abord examiner l'ensemble de votre situation financière et évaluer vos possibilités. (Les stratégies de réduction de vos dépenses courantes – qui vous aident à libérer plus d'argent pour payer vos dettes – sont au menu du chapitre suivant.)

Utiliser vos épargnes pour réduire vos dettes

Beaucoup de gens érigent un mur de briques psychologique entre leurs comptes d'épargne et d'investissements d'une part, et leurs comptes de dettes d'autre part. En négligeant de voir leurs finances dans une perspective holistique, ils prennent l'habitude de considérer ces comptes individuellement. L'idée d'installer une porte à ce grand mur de briques ne leur vient pas à l'esprit.

Ce que vous avez à gagner

Lorsque vous utilisez vos économies pour payer vos dettes, il se peut que vous ayez l'impression de perdre de l'argent, alors qu'en fait, vous en gagnez. Même si vos épargnes et vos placements affichent des rendements convenables, il y a tout lieu de croire que l'intérêt que vous payez sur vos dettes de consommation est plus élevé.

Rembourser des prêts à la consommation sur une carte de crédit qui coûte, par exemple, 12 % d'intérêts, c'est comme trouver un investissement garantissant un rendement de 12 % – après imposition. Pour justifier de ne pas rembourser vos dettes à 12 % d'intérêts, il vous faudrait en réalité trouver un investissement donnant un rendement supérieur à cela – de 16 à 24 %, en fonction de votre taux marginal d'imposition – pour obtenir 12 % net d'impôt. Plus votre tranche d'imposition est élevée (voir le chapitre 6), plus le retour sur vos placements doit être élevé pour justifier le maintien d'une dette à la consommation à taux d'intérêt élevé.

Si vous disposez d'économies avec lesquelles vous pourriez payer vos soldes de cartes de crédit à taux d'intérêt élevé et vos prêts auto, utilisez-les. Bien sûr, vous diminuerez vos économies, mais vous réduirez aussi vos dettes. Vous y gagnerez financièrement parce que les intérêts sur vos épargnes sont faibles en comparaison de ceux de vos dettes de consommation. Assurez-vous de rembourser d'abord les prêts qui portent les taux d'intérêt les plus élevés.

Même si vous pensez être un génie de l'investissement et que vous croyez pouvoir tirer encore plus de vos placements, avalez votre ego et payez quand même vos dettes à la consommation. Le fait est que pour obtenir un plus grand potentiel de rendement, vous devez prendre des risques considérables. D'accord, il est possible que vous profitiez d'un « bon tuyau » dans les actions ou d'une affaire en or dans l'immobilier (sur le site d'un ancien dépotoir ?), mais vous ne pouvez pas compter là-dessus, car il y a en réalité peu de chances que cela se produise.

Si vous utilisez vos économies disponibles pour le remboursement de vos dettes à la consommation, il faut en même temps veiller à laisser suffisamment d'argent dans votre fonds d'urgence. (Au chapitre 2, nous vous indiquons comment en évaluer le montant.) Vous devez être en mesure de résister à une dépense imprévue ou à une perte temporaire de revenu. En contrepartie, si vous utilisez vos économies pour payer vos dettes de cartes de crédit et que vous connaissez ensuite de sérieuses difficultés financières, vous risquez de devoir faire grimper à nouveau le solde de vos cartes (à moins que vous ne les fassiez annuler). Dans un tel cas, vous pourriez essayer de vous tourner vers un membre de votre famille ou un ami à l'aise financièrement pour obtenir un prêt à faible taux d'intérêt.

Trouver de l'argent pour payer vos dettes de consommation

Avez-vous jamais découvert dans la poche d'un vieux manteau d'hiver un billet de 20 $ fripé dont vous aviez oublié l'existence ? Il est toujours agréable de retrouver de l'argent oublié. Mais avant de vous lancer dans l'inspection des recoins de vos placards à la recherche d'argent égaré qui pourrait vous aider à rembourser cette dette de crédit harcelante, vérifiez dans les poches de certains vestons financiers auxquels vous n'avez peut-être pas pensé :

✔ **Empruntez sur la valeur de rachat de votre police d'assurance vie.** Si vous avez été approché par un agent d'assurance vie, il est probable qu'il vous ait vendu une police avec valeur de rachat en espèces, et ce, en raison des fortes commissions qu'elle lui rapporte. Ou peut-être vos parents ont-ils acheté une de ces polices pour vous à l'époque où vous appreniez encore à marcher. Empruntez sur la valeur de rachat pour payer vos dettes. (Note : vous pourriez aussi envisager de résilier ce contrat d'assurance avec valeur de rachat. Voyez le chapitre 15 pour plus de détails.)

✔ **Vendez vos placements détenus à l'extérieur des REER et des FERR.** Vous avez peut-être quelques actions ou des obligations d'épargne du Canada ou du Québec qui ramassent la poussière dans votre coffret de sûreté. Considérez la possibilité d'encaisser ces investissements pour rembourser vos soldes de prêts. Toutefois, n'oubliez pas d'examiner les conséquences fiscales de la vente de ces investissements. Si possible, ne vendez que les placements sur lesquels vous n'aurez pas trop d'impôt à payer.

✔ **Empruntez sur la valeur nette réelle de votre maison.** Si vous êtes propriétaire, vous êtes peut-être en mesure de puiser dans la valeur nette de votre maison, soit la différence entre la valeur marchande de la propriété et le solde de votre prêt hypothécaire (ce qui vous reste à payer sur la maison). On peut normalement emprunter sur des valeurs immobilières à un taux d'intérêt plus bas.

✔ **Empruntez auprès d'amis et de membres de votre famille.** Ils vous connaissent, ils vous aiment et ils sont conscients de vos lacunes, alors on peut espérer qu'ils n'auront pas le cœur aussi dur que certains banquiers que nous connaissons. Les emprunts faits à des membres de la famille peuvent bien sûr comporter des conditions ; il est important de respecter vos engagements. Pour éviter les malentendus, rédigez un simple accord détaillant les termes et conditions du prêt. À moins que les membres de votre famille ne soient comme les pires banquiers, vous obtiendrez probablement un taux d'intérêt équitable et le prêteur aura la satisfaction d'aider un des siens. Ne manquez surtout pas de le rembourser.

Réduire votre endettement quand vous n'avez pas d'épargnes

Si vous n'avez pas d'économies à consacrer au paiement de vos dettes de consommation, vous ne serez sans doute pas étonné d'apprendre que vous avez du pain sur la planche. Si vous dépensez tous vos revenus (et plus !), il vous faut apprendre comment réduire vos dépenses (vous trouverez des tas de bonnes idées au chapitre 5) et/ou augmenter votre revenu. Dans l'intervalle, vous devez ralentir la croissance de votre dette.

Transférer vos soldes vers des cartes à taux d'intérêt plus bas

Les taux d'intérêt varient d'une carte de crédit à une autre. Pourquoi devriez-vous payer 14, 16, ou 18 % (ou plus) quand vous pouvez payer moins ? Le secteur des cartes de crédit est devenu très compétitif. Finie l'époque où toutes les banques facturaient 18 % ou plus pour les cartes Visa et MasterCard.

Jusqu'à ce que vous ayez payé votre dette, essayez de faire en sorte qu'elle n'augmente pas. Vous pourriez ralentir la croissance de votre dette en réduisant les taux d'intérêt que vous payez. Voici des manières efficaces d'y parvenir :

✔ **Faites la demande d'une carte de crédit à faible taux d'intérêt.** Si vous avez un revenu raisonnable, vous n'êtes pas écrasé par les dettes et vous avez de bons antécédents de crédit, vous devriez vous qualifier sans problème pour une carte à faible taux d'intérêt. Une certaine persévérance et un peu de ménage pourraient être nécessaires si vous avez des problèmes de dettes et de revenus ou s'il y a des accrocs à votre dossier de crédit. Après avoir reçu votre nouvelle carte de crédit à faible taux d'intérêt, il vous suffit de transférer sur celle-ci les soldes de vos cartes aux taux les plus élevés.

Souvent, les cartes proposant les meilleurs taux d'intérêt sont offertes dans de plus petites institutions financières. Il vaut la peine de jeter un coup d'œil aux cartes à faible taux offertes par Desjardins, la Banque Laurentienne et la Banque Nationale. En ce qui a trait aux grandes institutions, la banque CIBC et la Banque de Montréal émettent également des cartes à faible taux d'intérêt. (Comme nous le soulignons dans l'encadré «Des cartes de crédit à 1,9 % d'intérêt», au moment d'évaluer les cartes à faibles taux d'intérêt, assurez-vous de considérer le taux d'intérêt régulier, non pas le taux promotionnel de départ.)

L'Agence de la consommation en matière financière du Canada suit la progression des taux d'intérêt des cartes de crédit. Vous pouvez trouver les taux récents des cartes à faible taux d'intérêt sur le site Internet de l'agence : `www.fcac-acfc.gc.ca/fra/`.

✔ **Appelez chacune des banques qui vous ont émis des cartes à taux d'intérêt élevé et dites-leur que vous désirez annuler vos cartes parce que vous avez trouvé un concurrent qui propose des frais annuels et un taux d'intérêt plus bas.** Il se peut que certaines banques choisissent d'égaler les termes de la concurrence plutôt que de vous perdre comme client.

✔ **Tandis que vous remboursez vos soldes de cartes de crédit, cessez d'ajouter de nouveaux frais aux cartes accusant un solde impayé.** Beaucoup de gens ne se rendent pas compte que l'intérêt commence à s'accumuler dès lors qu'ils ont un solde impayé. Vous ne profitez pas du délai de grâce – les vingt et quelques jours dont vous disposez normalement pour payer votre solde entier sans encourir de frais d'intérêt – lorsque vous reportez un solde d'un mois à l'autre.

Des cartes de crédit à 1,9 % d'intérêt !

Évitez les cartes de crédit qui proposent un taux d'intérêt très faible. Certaines cartes annoncent un taux de 1,9 %, mais il faut se plonger dans les petits caractères pour connaître le reste de l'histoire.

Tout d'abord, une carte offrant un taux d'intérêt aussi bas honorera ce taux pour une courte période seulement – dans le cas présent, six mois. Après six mois, le taux d'intérêt grimpe à près de 15 %.

Mais attendez, il y a plus encore. Ayez le malheur de sauter un paiement ou d'excéder votre limite de crédit, et la compagnie augmente votre taux d'intérêt à 19,8 %, en plus de vous frapper avec des frais de 29 $ pour chaque infraction. Si vous prenez une avance de fonds sur votre carte, vous payez des frais équivalents à 3 % du montant avancé. (Au cours du ralentissement économique du début des années 2000, certaines banques sont allées jusqu'à offrir des taux d'intérêt de 0 % – mais ce taux s'appliquait généralement au transfert de solde d'une autre carte, et ces cartes étaient soumises à tous les autres aléas mentionnés dans le présent encadré.)

Maintenant, nous ne disons pas que tout le monde devrait éviter ce type de carte. Cette carte peut convenir à vos besoins si par exemple vous voulez y transférer le solde impayé d'une autre carte et rembourser le tout en quelques mois, pour ensuite annuler la carte afin d'éviter de vous constituer une nouvelle dette à taux d'intérêt élevé.

Si vous magasinez pour une carte de crédit à faible taux d'intérêt, assurez-vous de bien vérifier tous les termes et conditions. Commencez par revoir les renseignements portant sur les taux et les conditions, qui détaillent les multiples frais et conditions applicables. De plus, assurez-vous de comprendre comment sont établis les futurs taux d'intérêt sur une carte à taux d'intérêt variable.

Découper vos cartes de crédit

Si vous avez l'habitude irrépressible de vivre au-dessus de vos moyens en achetant à crédit, il faut vous débarrasser de la cause du problème : vos cartes de crédit. Pour arrêter de fumer, un fumeur doit jeter ses cigarettes et un alcoolique a besoin de se tenir loin de l'alcool. Alors découpez toutes vos cartes de crédit et contactez les compagnies émettrices afin de faire annuler vos comptes. Ensuite, ne recourez plus au crédit facile et coûteux quand vous achetez des articles de consommation tels qu'une auto ou des meubles.

Le monde fonctionnait bien avant l'arrivée du crédit. Pensez-y un peu : à l'époque où nos grands-parents étaient jeunes, les cartes de crédit n'existaient même pas. Les gens payaient avec de l'argent comptant ou avec des chèques. Imaginez cela! Vous pouvez fonctionner sans acheter quoi que ce soit avec une carte de crédit. Dans certaines situations, cependant, on exige une carte de crédit en garantie, comme lorsque vous louez une voiture.

D'accord pour le dépôt de garantie, mais au moment de payer la location, vous pouvez payer en liquide ou par chèque. Laissez la carte à la maison, au fond de votre tiroir à chaussettes ou dans le congélateur, et ne vous en servez que dans les occasions où c'est vraiment nécessaire.

Si vous pouvez vous faire confiance, gardez une carte de crédit uniquement pour les nouveaux achats que vous êtes certain de pouvoir payer en entier avant l'échéance mensuelle. Nul besoin de trois, cinq ou dix cartes de crédit! On peut vivre avec une seule carte (à vrai dire, on peut vivre *sans* carte), puisque la plupart sont largement acceptées. Alors rassemblez vos cartes de crédit, y compris les cartes de magasins et les cartes d'essence, et détruisez-les. Les détaillants, tels que les grands magasins et les stations d'essence, meurent d'envie de vous offrir leurs cartes. Il faut cependant savoir que celles-ci, en plus de porter des taux d'intérêt outrageusement élevés, font le même travail que Visa et MasterCard. Or, presque tous les commerçants acceptent Visa et MasterCard. Plus votre portefeuille contient de cartes de crédit, plus la tentation est grande de dépenser l'argent que vous n'avez pas.

Si vous décidez de conserver une carte de crédit largement acceptée au lieu de la jeter avec les autres, soyez prudent, car vous pourriez être tenté de reporter son solde durant quelques mois, revenant ainsi au cycle de l'endettement à la consommation.

La carte de débit : le meilleur des deux mondes

Les cartes de crédit sont l'une des principales raisons pour lesquelles les gens consomment de nos jours plus qu'ils ne peuvent se permettre. Il serait donc logique que l'un des moyens de contrôler vos dépenses consiste à ne pas utiliser vos cartes de crédit. Mais dans une société où l'utilisation de Visa et de MasterCard est si largement répandue, il est difficile de changer les habitudes. Et vous êtes peut-être préoccupé, à raison, par les risques de perte ou de vol qu'entraîne le fait de porter sur vous de l'argent comptant ou votre chéquier.

Eh bien, la carte de débit offre vraiment le meilleur des deux mondes. La beauté de la carte de débit, c'est qu'elle vous offre la commodité d'effectuer des achats avec un morceau de plastique, sans la tentation et la possibilité de vous créer une dette de crédit. Comme les montants sont déduits de votre compte par voie électronique dès le moment où la transaction est approuvée, la carte de débit vous permet de ne pas dépenser l'argent que vous n'avez pas et vous aide à vivre selon vos moyens.

Si le solde de votre compte chèque est normalement bas et que vous n'avez pas l'habitude d'équilibrer votre chéquier, vous devrez peut-être commencer à le faire sous peine d'avoir à payer inutilement des frais pour chèques sans provision. Évidemment, si vous utilisez une carte de débit pour acheter des articles ou des services pour lesquels vous aviez l'habitude de payer par chèque, il vous sera plus facile d'équilibrer votre chéquier.

Voici quelques autres différences entre les cartes de débit et de crédit :

- ✔ Si vous payez chaque mois votre facture de carte de crédit en totalité et à temps, votre carte vous offre l'utilisation gratuite de l'argent emprunté, et ce, jusqu'au moment de payer la facture. Avec une carte de débit, l'argent est débité presque instantanément de votre compte chèque. (Notez que certaines cartes de crédit facturent des frais même si vous payez votre solde en entier chaque mois.)

- ✔ Si vous payez avec une carte de crédit, il vous est plus facile de contester des frais pour une marchandise achetée présentant un problème, grâce à l'intermédiaire de l'institution émettrice. La plupart des banques vous permettent de contester les frais jusqu'à 60 jours après l'achat et créditeront votre compte du montant de l'achat contesté jusqu'à ce qu'une décision ait été rendue. La majorité des cartes de débit offrent une fenêtre beaucoup plus réduite, généralement moins d'une semaine, pour contester un achat.

Assurez-vous de protéger votre NIP – le code secret de quatre ou cinq chiffres que vous entrez et qui indique au guichet automatique ou au magasin où vous effectuez un achat que vous êtes autorisé à utiliser la carte. N'inscrivez pas votre NIP sur votre carte de débit et ne le conservez pas par écrit dans votre portefeuille ou dans votre sac à main (il ne doit pas accompagner votre carte !) Enfin, veillez à ce que personne ne puisse voir votre NIP quand vous le saisissez sur un clavier.

Déclarer faillite

Pour le consommateur surendetté, il est généralement traumatisant de constater que son revenu mensuel ne suffit plus à payer ses dettes de crédit. Dans de nombreux cas, il peut s'écouler des années avant que des mesures drastiques telles que la faillite personnelle soient entreprises. Des questions tant financières qu'émotives entrent en considération dans ce qui est certainement une des décisions les plus pénibles à prendre au cours d'une vie. Une décision difficile, certes, mais potentiellement bénéfique.

Le jour où Hélène, une mère de deux enfants travaillant comme représentante des ventes, a contacté l'avocat Harry Orr, le total de ses dettes de crédit égalait son revenu annuel brut. En raison de l'écrasant fardeau de sa dette, elle n'était plus en mesure d'effectuer ses paiements mensuels minimum. La plus grande partie de ses revenus servait à payer le loyer et la nourriture. Le peu d'argent qui restait allait aux besoins les plus pressants.

Hélène avait ses créanciers sur les talons. « J'ai commencé à recevoir des appels de services de recouvrement à domicile et au travail – c'était gênant », raconte-t-elle. Le cas d'Hélène est typique en ce que sa dette de crédit a été la cause principale de sa faillite. Bien sûr, les cartes de crédit ne sont pas toujours la cause des faillites, après tout, elles sont simplement un outil qui aide les gens à dépenser trop et vite. Si vous êtes accro aux dépenses, par exemple, le plastique vous permet de dépenser de l'argent que vous n'avez pas réellement. D'autres facteurs, du jeu compulsif jusqu'aux divorces coûteux, entrent aussi en cause dans les faillites.

Le cas d'Hélène est typique à d'autres égards : sa dette s'est accumulée sur un certain nombre d'années ; elle a été propriétaire d'une maison et détient une maîtrise d'une université prestigieuse ; elle a toujours eu une bonne cote de crédit jusqu'à deux ans avant sa faillite ; après son divorce, Hélène a loué un appartement avec ses deux enfants tout en occupant un emploi ; et elle a été congédiée lorsque son employeur a connu des moments difficiles.

Au début, ce sont les factures du dentiste et du médecin qui ont écopé. Et quand Hélène a démarré sa propre entreprise, elle a utilisé ses cartes de crédit pour acheter le mobilier de bureau et d'autres articles de départ. « J'aurais pu faire avec un peu moins pour commencer, mais je pouvais avoir facilement de l'argent avec mes cartes, et ça me permettait de penser en termes de paiements mensuels », explique Hélène.

Au fur et à mesure que la dette augmentait (les taux d'intérêt élevés des cartes y étaient pour quelque chose), de plus en plus d'achats étaient payés avec les cartes, des vêtements pour enfants jusqu'aux réparations de la voiture. Puis un jour où elle n'avait plus d'argent, elle a dû prendre une avance de fonds sur sa carte de crédit pour payer le loyer et la nourriture.

Hélène a bien essayé d'obtenir de verser des paiements mensuels plus bas, mais la plupart des banques à qui elle devait de l'argent sont demeurées inflexibles. « Quand j'ai demandé au représentant du département Visa d'une banque s'il préférait que je déclare faillite parce qu'il refusait de diminuer mon paiement mensuel, il a répondu "oui" », dit-elle. Enfin, après avoir écoulé toutes ses options, Hélène a déposé une faillite personnelle.

Comprendre les avantages de la faillite

Chaque année, plus de 50 000 ménages canadiens (soit environ 1 sur 200) demandent à être placés sous la loi de la protection contre les créanciers. Avec la faillite personnelle, certains types de dettes peuvent être complètement éliminés. Les dettes qui sont habituellement effacées sont celles qui concernent les cartes de crédit, les soins médicaux, les véhicules automobiles, les services publics et le loyer.

Les dettes qui ne sont généralement pas éliminées comprennent les pensions alimentaires, les prêts étudiants, les impôts et les règlements imposés par la Cour. Les dettes liées à la fraude entrent également dans cette catégorie. Et si un créancier n'est pas inclus dans la faillite, il a toujours le droit d'exiger d'être remboursé, même après que les autres dettes ont été annulées.

Il y a plusieurs autres détails à considérer. Par exemple, les prêts étudiants ne sont pas annulés si la faillite est déposée dans les dix ans suivant la fin de vos études. Et si vous avez un prêt auto en cours, le prêteur peut simplement reprendre la voiture, puisque le véhicule lui-même sert habituellement de garantie pour la dette. Souvent, la personne en faillite demande une exemption provinciale et conserve le véhicule, mais cela implique qu'elle doive continuer à verser des paiements mensuels au prêteur.

Le toit au-dessus de votre tête pourrait ne pas être aussi sûr qu'il le semble. Advenant une interruption de vos services, vous pourriez être tenu de verser un dépôt de garantie avant que l'on ne rétablisse ces services. (Notez qu'il est interdit aux différentes compagnies de couper les services publics, notamment l'électricité, durant les mois d'hiver.) Si vous êtes locataire, la faillite peut éliminer vos dettes de loyer, mais elle n'empêchera pas le propriétaire d'exiger votre départ.

Le dépôt d'une faillite offre des avantages financiers, certes, mais aussi psychologiques. «J'étais terrifiée à l'idée de déposer, raconte Hélène, mais je me sens si bien de m'être débarrassée de mes dettes et de ne plus recevoir d'appels des agences de recouvrement – j'aurais dû le faire six mois plus tôt. J'étais constamment inquiète. Quand je voyais des familles sans domicile venir à la soupe populaire où je suis parfois bénévole, je pensais qu'un jour peut-être je me retrouverais dans la même situation avec mes enfants.»

Selon le montant de votre dette par rapport à vos revenus, il pourrait s'écouler une dizaine d'années avant que vous ayez remboursé le tout, alors que l'effacement de vos dettes vous permet de commencer à travailler dans le sens de vos objectifs financiers. Dans le cas d'Hélène, à l'âge de 48 ans, elle n'avait pas d'argent de côté pour la retraite et il lui était de plus en plus difficile de pourvoir aux besoins de ses enfants.

TRUC

Ce que vous pouvez garder lors d'une faillite

Vous pouvez conserver certains biens et actifs, même si vous avez déposé une faillite. Voici la liste (non exhaustive) des biens qui sont insaisissables : les biens servant au ménage, tels que les meubles, les vêtements, la vaisselle, les effets personnels, etc., jusqu'à concurrence de 6 000 $; les outils ou appareils qui sont nécessaires à l'exercice de votre travail ; la plupart des régimes de retraite, tout comme les prestations d'invalidité, les prestations fiscales pour enfants et les sommes d'argent reçues à titre de compensation pour blessure physique (CSST, par exemple); la portion de votre salaire ou de votre revenu qui est nécessaire pour pourvoir aux besoins de votre famille, calculée d'après le nombre de dépendants et selon les critères établis par le Surintendant des faillites du Canada. Enfin, votre résidence principale échappe aussi au couperet si la créance est inférieure à 10 000 $, sauf dans certains cas.

Accepter les inconvénients de la faillite

Il va sans dire que le dépôt d'une faillite comporte un certain nombre d'inconvénients. Lorsque vous déposez une faillite, le syndic que vous avez choisi prend le contrôle de vos avoirs, qu'il peut vendre dans le but de redistribuer l'argent à vos créanciers. En pratique, cependant, le syndic procédera souvent à un arrangement avec vous afin que vous puissiez racheter certains de vos biens, particulièrement s'ils sont difficilement vendables, comme une voiture payée dont la valeur est négligeable.

Faire faillite, c'est aussi renoncer à beaucoup de contrôle sur votre vie financière. Vous ne pouvez pas simplement vendre vos biens ou disposer de ceux-ci comme bon vous semble. En outre, une partie de votre revenu est distribuée à vos créanciers par l'entremise du syndic. Et s'il vous arrivait de recevoir une grosse somme d'argent avant d'avoir été libéré de votre faillite, cet argent serait alors saisi par le syndic qui le distribuerait à vos créanciers.

Il est important de noter qu'en septembre 2009, des amendements à la loi fédérale sont entrés en vigueur dans le but d'amener les gens à négocier avec leurs créanciers (et les amendements en question devraient faciliter cette négociation), plutôt que de déclarer faillite afin de se libérer rapidement de leurs dettes. La nouvelle loi sur la faillite et l'insolvabilité distingue les personnes qui possèdent un revenu bas de celles qui possèdent un revenu moyen à élevé, la durée de la faillite étant plus longue si vous vous situez dans la seconde catégorie. En vertu de ces amendements, le délai minimal de libération pour un individu à sa première faillite est passé de 9 à 21 mois. Et pour une faillite subséquente, le délai minimal de libération a triplé, passant de 12 à 36 mois. Une exception est prévue pour les particuliers à revenus modestes (un maximum de 2 000 $ par mois après impôt pour une personne seule et jusqu'à 4 100 $ par mois pour une famille de deux adultes et trois enfants). Dans ce cas, le délai minimal de libération d'une première faillite demeure à 9 mois. Mais il double de 12 à 24 mois pour les fois suivantes. Le but de ces nouvelles dispositions est de favoriser la proposition de consommateur (dont nous traitons un peu plus loin dans ce chapitre) lorsque les revenus d'une personne le lui permettent.

Après avoir rempli la paperasse administrative, vous êtes officiellement «en faillite» pour une période de 9 ou 21 mois, selon votre situation, dans le cas d'une première faillite. Toutefois, la faillite reste inscrite à votre dossier de crédit durant plusieurs années, tel que dicté par la loi sur la faillite et l'insolvabilité. Au Québec, la faillite est purgée du système de 6 à 7 ans après la date de libération du failli. Cela signifie que vous aurez de la difficulté à obtenir du crédit, en particulier au cours des années suivant immédiatement votre libération.

En revanche, s'il y avait déjà des taches à votre rapport de crédit (en raison de retards ou de défauts de paiement de dettes antérieures), la table était déjà mise. Et de toute façon, sans épargnes, il est probable que vous ne ferez pas d'achats importants (comme une maison) dans les prochaines années.

Si vous déposez une faillite, il est encore possible d'obtenir ultérieurement du crédit. Si vous faites faillite pour des raisons autres que des dettes importantes de cartes de crédit – comme la perte d'un emploi, un divorce coûteux, des factures dentaires ou vétérinaires – vous serez probablement en mesure d'obtenir une carte de crédit si vous pouvez démontrer que vous êtes en mesure de faire vos paiements mensuels sans problème. Vous pouvez peut-être aussi obtenir une carte de crédit garantie, qui vous oblige à maintenir dans un compte d'épargne une somme égale à la limite de crédit de votre carte. Bien sûr, comme nous le préconisons, il est préférable de ne pas vous soumettre à la tentation de dépenser avec des cartes de crédit. Optez plutôt pour la carte de débit. Sachez de plus que si vous pouvez garder un emploi stable, la plupart des créanciers seront prêts à vous consentir des prêts quelques années seulement après une faillite. Presque tous les prêteurs ne tiennent plus compte d'une faillite après 5 à 7 ans.

Un autre inconvénient de la faillite est qu'elle coûte de l'argent. Cela peut paraître injuste, c'est vrai. Vous avez déjà des difficultés financières, c'est d'ailleurs pourquoi vous déposez une faillite! Néanmoins, le dépôt d'une faillite est susceptible de vous coûter plusieurs centaines de dollars en frais de Cour et autres frais juridiques, en plus des paiements mensuels à verser à votre syndic durant votre faillite. Ce montant mensuel est fixé en fonction de vos revenus et de votre capacité à payer.

Il faut aussi dire que pour la plupart des gens, le dépôt d'une faillite occasionne un stress psychologique énorme. C'est en effet une chose pénible que de devoir reconnaître que vos revenus ne suivent plus le rythme de remboursement de vos dettes. Bien que le dépôt de faillite vous permette d'effacer une montagne de dettes et vous donne un nouveau départ financier, il n'est pas rare que l'on ressente un profond sentiment d'échec (et parfois même de honte). Malgré l'augmentation du nombre des faillites personnelles, les personnes qui y ont recours sont réticentes à en parler avec les autres, y compris avec les membres de leur famille et leurs amis.

D'autre part, certaines personnes estiment manquer à leur devoir en déposant une faillite. Eric avait une cliente qui aurait dû déposer, mais elle n'a pas pu se résoudre à le faire. «J'ai dépensé cet argent, alors c'est à moi de le rembourser», disait-elle. (Soit dit en passant, c'est exactement le genre de personne qui devrait envisager de se prévaloir de la proposition de consommateur, dont nous parlons un peu plus loin.)

Sachez toutefois que la plupart des banques font des quantités énormes d'argent grâce à leur entreprise de cartes de crédit. C'est l'un des secteurs d'affaires les plus rentables pour les banques. Vous en doutez? Eh bien, lors d'une conférence bancaire parrainée par la banque d'investissement Salomon Brothers, John Reed, le chef de la direction, a qualifié le secteur des cartes de crédit de créneau «à haut rendement et à faible risque». Ainsi, vous savez maintenant pourquoi votre boîte aux lettres est toujours bombardée d'offres de cartes de crédit.

Obtenir de l'aide du Conseil de crédit du Canada

Si vous éprouvez des problèmes d'endettement, vous pouvez vous adresser au Conseil de crédit du Canada (CCC) pour obtenir des informations et des conseils (`www.creditcounsel-lingcanada.ca/fr`). Le Conseil de crédit du Canada est un organisme représentant des agences de conseil de crédit à but non lucratif, en association avec les programmes de paiement méthodique de dettes régis par les lois provinciales. (Notez que le CCC ne possède pas de bureaux au Québec. Toutefois, vous avez accès au service par l'intermédiaire des agences situées en Ontario et dans les Maritimes, en français et en anglais.)

Certains de ces organismes sont gérés par le gouvernement, certains relèvent des Services à l'enfance et à la famille, tandis que d'autres sont indépendants. Le financement du CCC provient de diverses sources, dont les gouvernements provinciaux, Centraide Canada, des administrations locales et des créanciers. Les modalités de financement varient d'une agence à une autre.

L'objectif des membres du Conseil de crédit du Canada est d'offrir sans frais (ou à faible coût) des conseils en crédit. Selon votre situation, on vous donnera peut-être simplement des conseils sur les façons de mieux gérer votre épargne et d'organiser votre budget. Les organismes mettent également un accent particulier sur l'éducation afin d'encourager les gens à abandonner les habitudes responsables de leur endettement. Un organisme membre peut aussi communiquer avec vos créanciers pour vous, vous mettre en contact avec un tiers médiateur ou vous aider à obtenir un prêt de consolidation.

Grâce à l'aide d'une agence du Conseil de crédit du Canada, vous avez également la possibilité de participer à un programme de gestion de votre dette. Cette mesure s'adresse surtout aux personnes qui sont endettées au point de ne plus être capables d'effectuer leurs paiements mensuels minimum et qui voient ainsi les intérêts de leur dette augmenter dangereusement. Dans de tels cas, l'agence de conseil procédera au calcul de vos besoins financiers mensuels en termes de frais de subsistance et de paiement de prêt hypothécaire, afin de déterminer le montant qui pourra être affecté au paiement de vos dettes. L'agence négociera ensuite avec vos créanciers dans le but d'essayer de les amener à cesser d'ajouter des intérêts, ou peut-être même à réduire votre dette. Si la procédure réussit, vous ne faites ensuite qu'un seul versement mensuel à l'agence, qui, elle, distribue l'argent à vos différents créanciers. Selon votre situation, il est possible que l'agence vous demande de payer des frais (pouvant aller jusqu'à 10 % du montant de votre paiement mensuel) pour ses services.

Le délai maximum de remboursement de vos dettes en vertu d'un tel arrangement est habituellement de quatre ans. Si cela n'est pas possible pour vous, alors la faillite représente peut-être une meilleure solution. Bien que le fait de souscrire à un programme de gestion de dettes ait un impact sur votre cote de crédit, cette mention sera effacée de votre dossier deux ans après la fin du remboursement. En revanche, une faillite reste inscrite à votre dossier de crédit pendant sept ans.

S'informer sur la faillite

Soyez prudent au moment de chercher des conseils quant à la possibilité de déclarer faillite. Les syndics de faillite, qui perçoivent des frais lors des dépôts de faillite par exemple, sont en conflit d'intérêts. Toutes choses étant égales par ailleurs, leur parti pris est – vous l'aurez deviné – de recommander la faillite, ce qui génère leurs honoraires.

Si vous voulez en savoir plus sur les avantages, les inconvénients et d'autres détails concernant le dépôt de faillite, le site Internet du Bureau du surintendant des faillites Canada offre de nombreux renseignements, notamment dans sa section «Ressources à l'intention des débiteurs», à l'adresse suivante : http://www.ic.gc.ca/eic/site/bsf-osb.nsf/fra/br01861.html

L'histoire ayant démontré que vous êtes susceptible de retomber dans de vieilles habitudes, la meilleure et la seule solution consiste à vous abstenir de recourir au crédit. Éliminez votre accès au crédit et payez tout en comptant, par chèques ou par carte de débit.

Une alternative à la faillite : la proposition de consommateur

Si vos dettes totalisent 250 000 $ ou moins (excluant l'hypothèque sur la résidence principale), la proposition de consommateur constitue pour vous une bonne solution de rechange au dépôt d'une faillite. La proposition de consommateur se compare un peu au programme de remboursement de dettes qu'un organisme de conseil en crédit pourrait vous proposer. Cette option s'adresse à vous si vous prévoyez recevoir dans un avenir proche suffisamment d'argent pour rembourser une bonne partie de vos dettes, mais qu'il vous faut un certain temps avant d'y parvenir.

La proposition de consommateur vous permet de négocier le remboursement d'une partie seulement de l'argent que vous devez. Au moment de déposer votre proposition, les dettes qu'elle couvre sont gelées et aucun intérêt ne peut être ajouté à partir de ce point. En outre, vos créanciers ne peuvent plus intenter d'action en justice contre vous, et toute saisie de votre salaire est suspendue (sauf pour les paiements de pension alimentaire).

En règle générale, un syndic vous aide à évaluer votre patrimoine et vos revenus, il organise votre budget et vous rencontre à quelques reprises pour vous conseiller. Ce mandataire présentera un plan précis à vos créanciers détaillant les montants et les dates des paiements que vous leur ferez. Les créanciers ont ensuite 45 jours pour répondre à la proposition. Si la majorité de vos créanciers acceptent la proposition, celle-ci est considérée comme ayant été acceptée par tous. L'accord est juridiquement contraignant.

La proposition de consommateur couvre les créances courantes non garanties, telles que les cartes de crédit, les marges de crédit et les prêts personnels, de même que l'impôt sur le revenu. En général, les créances garanties ne sont pas couvertes par une proposition de consommateur. (Une créance est garantie quand l'argent emprunté est assorti d'un accord selon lequel le prêteur peut prendre possession de certains de vos biens et les vendre pour récupérer son argent si vous ne parvenez pas à rembourser votre prêt.) En outre, les pensions alimentaires et les amendes légales ne sont pas couvertes par la proposition et doivent être payées en totalité.

Une proposition de consommateur est souvent un bon itinéraire à prendre, surtout si vous avez beaucoup d'actifs et un revenu régulier. Dans une faillite, la quasi-totalité de vos biens sont vendus. Dans le cadre d'une proposition de consommateur, cela peut ne pas être nécessaire si vos créanciers sont prêts à se contenter d'une partie de votre chèque de paie.

La proposition de consommateur est susceptible d'être acceptée seulement si vos créanciers estiment qu'ils recevront davantage ainsi que si vous déposez une faillite. De plus, certains prêteurs pourraient préférer que vous fassiez un dépôt de faillite en ce que celle-ci leur permet d'obtenir un règlement à plus court terme. En revanche, dans le cadre d'une proposition de consommateur, vous pouvez demander à ce que vos paiements soient étalés sur plus de cinq ans. Une fois que vous avez terminé vos paiements au titre de la proposition, une note de l'entente demeure inscrite à votre dossier de crédit pendant deux ans.

En finir avec le cycle de l'endettement

Indépendamment de la façon dont vous vous procédez pour payer votre dette, vous risquez grandement de retomber dans les vieilles habitudes. Les rechutes arrivent non seulement aux personnes qui déposent une faillite, mais aussi à celles qui recourent à leurs épargnes et à la valeur nette de leur maison pour éliminer leurs dettes de consommation. Cette section traite de ce risque et vous suggère des moyens d'éviter un retour aux comportements financiers dangereux.

Résister à la tentation du crédit

Se sortir des dettes peut se révéler difficile, mais nous sommes persuadés qu'armé de ce livre, vous pourrez y arriver. En plus des idées abordées plus tôt dans ce chapitre (détruire toutes vos cartes de crédit et utiliser une carte de débit, par exemple), nous vous proposons ici quelques tactiques à mettre en œuvre pour limiter l'influence des cartes de crédit dans votre vie :

✔ **Réduisez votre limite de crédit.** Si vous n'avez pas l'intention de détruire vos cartes tel que nous vous l'avons recommandé plus tôt dans ce chapitre, assurez-vous au moins de garder un plafond sur la limite de votre carte de crédit (le maximum autorisé sur le solde de votre carte). Lorsque la banque décide d'augmenter votre limite de crédit pour vous récompenser d'être un client si rentable, vous n'avez pas à accepter l'augmentation. Composez le numéro de téléphone sans frais de votre fournisseur de carte de crédit et exigez que l'on réduise votre limite de crédit à un niveau plus raisonnable.

✔ **Remplacez votre carte de crédit par une carte de paiement.** La carte de paiement (comme la carte American Express) requiert que vous payiez entièrement votre solde à chaque période de facturation. Vous n'avez pas de ligne de crédit ni de frais d'intérêt. Bien sûr, il est possible de dépenser plus que ce que vous êtes en mesure de payer. Mais le fait de savoir que le solde est payable en entier chaque mois devrait vous inciter à vous comporter d'une manière plus responsable vis-à-vis de vos dépenses.

✔ **N'achetez jamais à crédit quoi que ce soit qui se déprécie.** Les repas au restaurant, les véhicules et les chaussures, par exemple, sont des choses qui se déprécient. N'empruntez que pour des investissements : l'éducation, l'immobilier, votre propre entreprise, etc.

✔ **Pensez en termes de coût total.** Tout semble moins coûteux lorsque considéré en termes de versements mensuels – c'est comme cela que les vendeurs vous incitent à acheter des choses que vous ne pouvez pas vous permettre. Ayez une calculatrice avec vous, s'il le faut, et additionnez le prix de l'étiquette, les intérêts et les frais d'utilisation ou d'entretien. Le coût total pourrait vous faire reculer. C'est du moins à espérer.

✔ **Mettez un terme à l'avalanche de courrier indésirable.** Regardez votre courrier – il y a fort à parier que les lettres de sollicitation et les catalogues de vente par correspondance en constituent près de la moitié. Vous pouvez contribuer à sauver des arbres et vous épargner du temps à trier ce courrier indésirable en faisant retirer votre nom de la plupart des listes de diffusion. Pour ce faire, contactez l'Association canadienne du marketing (ACM) et inscrivez-vous à leur service d'interruption de sollicitation. Joignez l'ACM par la poste : 1, Concorde Gate, bureau 607, Don Mills, Ontario, M3C 3N6, ou sur Internet : www. the-cma.org. Pour faire retirer votre nom des listes de la principale agence d'évaluation du crédit qui sont utilisées par les entreprises de sollicitation de cartes de crédit, composez le 888-567-8688. Enfin, assurez-vous d'informer toutes les compagnies de cartes de crédit avec lesquelles vous continuez de faire affaire d'inscrire à votre dossier une note stipulant que vous refusez que vos renseignements personnels soient transmis aux entreprises de télémarketing.

> ✔ **Limitez ce que vous pouvez dépenser.** N'allez magasiner qu'avec une petite quantité d'argent liquide, sans plastique ni chèques. De cette façon, vous ne pouvez pas dépenser plus que la somme que vous avez avec vous !

Identifier et traiter une dépendance

Peu importe combien elles essaient de briser l'habitude, certaines personnes développent une dépendance aux dépenses et s'endettent continuellement. Cela devient peu à peu un problème chronique qui finit par interférer avec d'autres aspects de leur vie. Les problèmes financiers peuvent conduire à des problèmes au travail, dans la famille et avec les amis.

Débiteurs anonymes (DA), lancé officiellement en 1976, est un organisme sans but lucratif offrant un soutien (principalement par le moyen de réunions de groupe) aux personnes qui tentent de se sortir du cycle des dépenses et de l'endettement. Le programme en 12 étapes des DA est calqué sur celui des AA.

À l'instar des AA, les Débiteurs anonymes travaillent avec des personnes d'horizons et de milieux socio-économiques variés. Tous les niveaux de revenus sont représentés dans les réunions. Certaines personnes sont «dans la marge jusqu'au cou», tandis que d'autres gagnent 100 000 $ et plus par année. Il y a même d'anciens millionnaires qui adhèrent au programme.

Les DA ont mis au point un questionnaire simple qui permet de déterminer si vous êtes un débiteur à problèmes. Si vous répondez oui à au moins 8 des 15 questions suivantes, il se peut que vous soyez en train de développer, si ce n'est déjà fait, des habitudes compulsives de dépenses et d'endettement.

1. Les dettes rendent-elles votre vie privée malheureuse ?

2. La pression de vos dettes détourne-t-elle votre attention de votre travail quotidien ?

3. Vos dettes affectent-elles votre réputation ?

4. Vos dettes vous amènent-elles à vous déconsidérer ?

5. Avez-vous déjà donné une fausse information de façon à obtenir un crédit ?

6. Avez-vous déjà fait des promesses non réalistes à vos créanciers ?

7. La pression de vos dettes vous fait-elle négliger le bien-être de votre famille ?

8. Craignez-vous que votre entourage apprenne l'étendue de votre endettement ?

9. Lorsque vous faites face à une situation financière difficile, la perspective d'emprunter vous apporte-t-elle un sentiment démesuré de soulagement ?

10. La pression de vos dettes nuit-elle à votre sommeil ?

11. La pression de vos dettes vous a-t-elle déjà donné envie de vous enivrer ?

12. Avez-vous déjà emprunté de l'argent sans accorder l'importance adéquate au taux d'intérêt exigé ?

13. Vous attendez-vous généralement à un refus lorsque vous êtes soumis à une enquête de crédit ?

14. Avez-vous déjà mis sur pied un plan strict pour régler vos dettes, pour ensuite le laisser tomber sous la pression ?

15. Justifiez-vous vos dettes en vous disant que vous êtes supérieur aux «autres», et que, lorsque ce sera votre moment, vous saurez sortir de votre endettement en un tour de main ?

Le siège social des Débiteurs Anonymes est situé aux États-Unis, mais l'organisme tient des réunions dans plusieurs grandes villes canadiennes. Pour de plus amples informations (en anglais), visitez le site Internet : www. debtorsanonymous.org. Dans certains cas, il est possible de participer à des réunions téléphoniques et à des échanges en ligne (en anglais, sauf exceptions).

Au Québec, un seul groupe de soutien des DA existe actuellement, à Montréal. Pour joindre ce groupe ou pour obtenir des informations, composez le 514-933-3446. Ailleurs au Québec, les débiteurs compulsifs peuvent obtenir du soutien ou des informations en prenant contact avec le mouvement des Alcooliques anonymes (AA). Pour trouver la section AA la plus près de chez vous, consultez votre annuaire téléphonique local (dans la section «affaires») ou visitez le site Internet des AA : www.aa-quebec.org.

Gérer les erreurs de crédit

Vous l'ignorez peut-être, mais vous avez probablement un dossier de crédit. D'ordinaire, c'est ce que les créanciers examinent avant de vous accorder un prêt ou une ligne de crédit.

Beaucoup de gens ne se rendent pas compte qu'ils ont une tache à leur dossier de crédit jusqu'au jour où un prêteur leur refuse un prêt ou leur demande d'expliquer l'accroc. Bien que la gestion de vos problèmes de solvabilité nécessite un peu de temps, elle n'est pas difficile à effectuer si vous savez quoi faire – et quoi ne pas faire.

Obtenir une copie de votre rapport de crédit

Si l'on vous refuse un emploi, un prêt ou la location d'un logement en raison de renseignements défavorables apparaissant à votre dossier de crédit, demandez à l'agence d'évaluation du crédit de vous remettre une copie de votre rapport de solvabilité.

Si vous cherchez à obtenir un prêt hypothécaire ou à obtenir un autre emprunt important, la plupart des prêteurs vous donneront une copie de votre rapport de solvabilité si vous leur en faites la demande. Pourquoi pas, puisque vous les payez pour la copie!

La lecture d'un dossier de crédit est un défi en soi compte tenu de toutes les abréviations et du jargon employés. Ainsi, nous vous recommandons, une fois que vous aurez reçu votre copie, de demander au prêteur quelle information spécifique sur le rapport a conduit au refus du crédit.

Pour obtenir une copie de votre rapport de solvabilité, communiquez avec les agences d'évaluation du crédit suivantes. Votre demande devrait comprendre des photocopies signées de deux pièces d'identité, ainsi que vos nom, adresse et numéro d'assurance sociale.

- Equifax Canada Inc.
  Division des relations avec les consommateurs
  C.P.190 succursale Jean-Talon,
  Laval (Québec) H7N 1A1
  1-800-465-7166
  `http://www.equifax.com/home/fr _ ca`

  (Vous pouvez également adresser un courriel à inquiries@equifax. com. Equifax vous télécopiera un formulaire d'obtention de rapport de solvabilité.)

- TransUnion
  Relations aux consommateurs
  1, place Laval, bureau 370
  Laval (Québec) H7N 1A1
  514-335-0374
  1-877-713-3393
  `www.tuc.ca`

Obtenir des autres qu'ils corrigent leurs erreurs

Si après avoir reçu votre rapport de solvabilité vous y identifiez une tare dont vous ne croyez pas être le responsable, n'allez pas supposer que l'information est correcte. Les agences d'évaluation du crédit et les créanciers qui leur rapportent des renseignements de crédit commettent souvent des erreurs.

Vous découvrez des informations incorrectes et négatives dans votre rapport de solvabilité et vous vous attendez à ce que l'agence d'évaluation du crédit réagisse promptement et corrige son erreur dès que vous lui en aurez fait part ? Si c'est ce que vous croyez, vous êtes la personne la plus optimiste au monde. Et peut-être pensez-vous aussi ne pas avoir à faire la queue au bureau d'immatriculation des véhicules, au bureau de poste ou à votre banque locale à midi les jours de paie.

Il y a davantage de chances que vous deviez effectuer quelques appels téléphoniques ou écrire une lettre ou deux pour que soient corrigés les problèmes de votre rapport de crédit. Voici comment sont corrigées la plupart des erreurs dont vous n'êtes pas le responsable :

✔ **Le problème de crédit est celui d'une autre personne.** Il n'est pas rare que des incidents figurant à votre dossier de crédit soient en fait des informations négatives destinées au dossier d'une autre personne. Si l'information négative dans votre rapport de solvabilité vous paraît tout à fait étrangère, il vous faut en avertir l'agence d'évaluation du crédit en lui expliquant que, ne reconnaissant pas le créancier, vous désirez obtenir plus de détails.

✔ **Le créancier a fait une erreur.** Les créanciers aussi commettent des erreurs. Vous devez écrire ou téléphoner au créancier afin de l'amener à corriger les informations erronées qu'il a envoyées à l'agence d'évaluation du crédit. On obtient normalement de bons résultats en téléphonant. (L'agence d'évaluation du crédit devrait être en mesure de vous dire comment joindre le créancier en question si vous éprouvez des difficultés à le retracer.) Si c'est nécessaire, faites-lui parvenir une lettre.

Que vous parliez avec une agence d'évaluation du crédit ou avec un prêteur, prenez des notes de vos conversations. Si un représentant dit pouvoir résoudre votre problème, notez son nom et son numéro de poste et recontactez-le s'il ne règle pas votre problème tel que promis. Si vous êtes pris au piège dans le monde bureaucratique, faites monter la tension d'un cran en demandant à parler avec un chef de service.

Raconter votre version des faits

Dans le cas d'un incident mineur à votre dossier de crédit, certains prêteurs vous demanderont tout simplement une explication. Eric a déjà eu un petit accroc à son dossier de crédit parce que, s'étant absenté durant plusieurs semaines, il avait laissé passer la date d'échéance pour le paiement de quelques petites factures. Lorsque le prêteur qui étudiait sa demande de prêt hypothécaire a constaté l'incident, Eric n'a eu qu'à lui fournir une explication écrite de ce qui s'était produit.

Chapitre 5

Réduire vos dépenses

*U*n professionnel très bien payé (que nous appellerons Bart) vivait dans l'une des communautés les plus prestigieuses d'Amérique du Nord. Il était propriétaire de sa propre entreprise, conduisait des voitures haut de gamme équipées des tous derniers gadgets et était membre du club de loisirs le plus cher de sa région. Mais Bart était un bourreau de travail. En fait, s'il travaillait tant, c'était pour soutenir son train de vie. Au fil du temps, sa femme, lassée de la vie qu'ils menaient, avait fini par demander le divorce. Après son divorce, Bart avait contacté Eric pour une consultation. Il semblait abattu et déprimé. Il disait avoir besoin d'aide pour prendre certaines décisions financières, mais il paraissait surtout avoir besoin de longues vacances – et de quelques séances de *counseling*.

À l'autre extrême, il y avait Justin, un jeune homme dans la mi-vingtaine qui, comme Bart, était instruit et intelligent. Justin vivait de façon spartiate, même s'il habitait la même région métropolitaine onéreuse que Bart. Il avait pu s'offrir une année sabbatique pour aller faire un long voyage en voilier avec des amis. Passionné de musique, il jouait dans un groupe en dehors du travail ; il avait d'ailleurs trouvé le temps de produire un CD. Justin dépensait peu d'argent, mais il était heureux.

Trop souvent, les films et les médias dépeignent les gens qui font plus d'argent et possèdent plus de jouets comme étant plus heureux et plus puissants que les personnes qui ne disposent pas de ces choses. Pourtant, dans nos expériences de travail, nous avons rencontré beaucoup plus de Bart que de Justin. En partie à cause de son revenu élevé, Bart ne s'intéressait pas aux manières de dépenser plus judicieusement. Il avait d'ailleurs peu d'économies par rapport à son niveau de revenu. Pour Justin, en revanche, vivre en deçà de ses moyens représentait un défi, c'était une façon de parvenir à ses buts. Plus il utilisait son argent judicieusement, plus il se sentait libre.

De nos jours, peu importe où vous vous trouvez et où vous allez, vous êtes bombardé de publicités et d'invitations à dépenser. C'est pourquoi nous ne sommes pas surpris de constater que bon nombre de personnes pourraient dépenser leur argent d'une manière plus réfléchie qu'elles ne le font actuellement.

Dire aux gens comment et où dépenser leur argent est une entreprise risquée, car la plupart des gens aiment dépenser de l'argent et détestent qu'on leur dise quoi faire. Vous serez heureux d'apprendre que nous n'allons pas vous dire exactement où réduire vos dépenses. Nous allons simplement vous présenter plusieurs stratégies qui se sont avérées efficaces pour d'autres personnes. La décision finale quant aux changements à apporter ne revient qu'à vous. Vous seul pouvez décider de ce qui vous est essentiel et de ce qui vous est superflu : couper dans vos soirées de poker hebdomadaires ou limiter votre collection de chaussures ?

Nous prenons pour acquis tout au long de ces recommandations que votre temps est précieux. Par conséquent, nous n'allons pas vous suggérer de vous serrer la ceinture et de faire des économies en coupant le tube de dentifrice afin de tirer le maximum de son contenu. Nous n'allons pas non plus vous inciter à demander à votre conjoint ou à votre conjointe de faire votre repassage pour réduire vos factures de nettoyage à sec – à quoi bon avoir plus d'argent de côté si votre partenaire menace de vous quitter !

Le fait que vous soyez très occupé explique peut-être en partie pourquoi vous dépensez comme vous le faites. Ainsi, les recommandations du présent chapitre mettent l'accent sur les méthodes susceptibles de produire des économies importantes, sans pour autant exiger beaucoup de temps. En d'autres termes, ces stratégies vous aideront à en avoir plus pour votre argent.

Apprendre à dépenser intelligemment

Pour la plupart des gens, il est beaucoup plus plaisant de dépenser de l'argent que de le gagner. Nous n'allons certainement pas vous conseiller d'arrêter de vous amuser et de vous transformer en personnage avare et casanier. Vous pouvez dépenser de l'argent, bien entendu. Mais il y a un monde entre dépenser négligemment et dépenser à bon escient.

Si vous dépensez trop et le faites sans discernement, vous faites pression sur vos revenus et augmentez votre risque de devoir continuer à travailler longtemps. Inévitablement, vous réduisez vos économies et accumulez probablement aussi des dettes, ce qui diminue vos chances d'atteindre vos objectifs financiers.

En se plongeant trop vite dans les détails, on passe parfois à côté de la vue d'ensemble. Alors, avant d'aborder les points spécifiques qui vous aideront à alléger votre budget, nous vous présentons nos quatre principes clés de dépenses raisonnées. La plupart des recommandations que nous offrons dans ce chapitre sont inspirées de ces quatre principes.

Vivre selon vos moyens

Dépenser trop est un problème relatif. Deux personnes peuvent dépenser chacune 40 000 $ par année et se trouver dans des situations financières radicalement différentes. Comment ? Disons que l'une d'entre elles gagne 50 000 $ par année, tandis que l'autre en gagne 35 000 $. La première épargne 10 000 $ chaque année. La seconde, quant à elle, accumule annuellement 5 000 $ de nouvelles dettes (ou elle dépense ce montant à partir de ses économies préalables). Dépensez selon vos moyens.

Ne laissez pas les habitudes de dépenses des autres vous dicter les vôtres. Certaines personnes – et vous savez de qui il s'agit – font ressortir le grand dépensier en vous. Faites autre chose avec elles que du magasinage et des dépenses. Si vous ne trouvez pas d'autres activités à partager avec ces personnes, essayez d'aller magasiner en apportant le moins d'argent possible et en laissant votre carte de crédit à la maison. De cette façon, il vous sera plus difficile de trop dépenser sur un coup de tête.

Ce que vous pouvez vous permettre de dépenser tout en poursuivant vos objectifs financiers dépend d'où vous en êtes financièrement ainsi que de la nature de ces objectifs. Le chapitre 2 vous aide à établir le montant que vous devriez épargner et ce que vous pouvez vous permettre en termes de dépenses pour atteindre vos objectifs financiers.

Chercher le meilleur marché

On trouve des produits de haute qualité à bas prix. Inversement, les produits dont le prix est élevé ne sont pas nécessairement de qualité supérieure. Les voitures en sont un bon exemple. Qu'il s'agisse d'une sous-compacte, d'une voiture de sport ou d'une berline quatre portes de luxe, certaines voitures sont plus économes en carburant, moins coûteuses à entretenir et peut-être moins dommageable pour l'environnement que des rivales vendues au même prix.

Au moment d'évaluer le coût d'un produit ou d'un service, il faut penser en termes de coût total à long terme. Supposons que vous compariez le prix de deux voitures d'occasion : une berline fiable, coûtant 16 995 $, et une décapotable, lauréate d'un prix citron, se vendant 14 995 $. En surface, la décapotable semble moins chère. Toutefois, la somme que vous déboursez pour l'achat d'une voiture n'est qu'une fraction de ce que l'automobile vous coûte en fin de compte. Si la décapotable est dispendieuse à entretenir, à réparer et à assurer au fil des ans, elle pourrait finir par vous coûter plus cher que la berline ne vous aurait coûté. Parfois, en payant plus à l'achat pour un produit ou un service de meilleure qualité, on sauve de l'argent sur le long terme.

Les vendeurs de produits et de services peuvent initialement sembler avoir vos intérêts à cœur quand ils vous orientent vers un achat moins coûteux. Cependant, vous risquez un réveil brutal le jour où vous découvrez l'ampleur des frais encourus pour l'utilisation de ce produit ou de ce service sur plusieurs années. En général, les vendeurs sont formés pour vous proposer un produit moins cher si vous leur indiquez que c'est ce que vous recherchez.

De grâce, soyez particulièrement prudent lorsque vous effectuez des achats sur Internet dans le but de faire de prétendues économies. Vous n'aurez pas trop de mal à y trouver des produits offerts à des prix relativement bas. Cependant, beaucoup de gens négligent de considérer les frais d'expédition, le coût de leur équipement informatique et les frais mensuels d'accès Internet au moment d'évaluer les pour et les contre des affaires qu'ils font en ligne. Et que faites-vous si vous n'êtes pas satisfait du produit qui vous est livré ? Vous devrez probablement le renvoyer à l'expéditeur, c'est-à-dire, emballer le produit, le poster et payer vous-même pour les frais de livraison, en espérant que le marchand en ligne soit toujours en affaires.

Ne pas gaspiller d'argent sur les noms de marque

Vous n'avez pas à faire de compromis sur la qualité, particulièrement dans les domaines où c'est ce qui compte le plus pour vous. Mais il ne faut pas non plus vous méprendre en croyant que les produits de marques sont nécessairement meilleurs et qu'ils valent tous leur prix plus élevé. Méfiez-vous des entreprises qui dépensent beaucoup en publicité axée sur l'image. Pourquoi ? Parce que les publicités coûtent cher et que ce sont les consommateurs qui les financent par l'entremise des dollars qu'ils déboursent pour ces produits et services.

Toutes les entreprises qui réussissent annoncent leurs produits. La publicité est rentable dans la mesure où elle permet de faire augmenter suffisamment le volume des affaires. Mais il vous faut aller au-delà des images véhiculées dans ces publicités et tenir compte des mérites réels des produits et des services ainsi que des prétentions des entreprises qui les mettent en marché.

Est-ce qu'une boisson de cola a vraiment meilleur goût si elle a «Le vrai goût», ou si elle est «Le choix de la nouvelle génération»? Pensez à tous ces slogans stupides et légers utilisés dans la mise en marché des colas. Des tests de dégustation à l'aveugle ont démontré qu'il y avait peu ou pas de différence entre les produits de marque, plus chers, et les produits moins coûteux et moins annoncés.

Maintenant, si vous ne pouvez vivre sans votre Coca-Cola ou votre Pepsi-Cola et que vous êtes convaincu que ces produits sont clairement supérieurs aux autres, faites-vous plaisir et buvez-en à satiété. Mais ne manquez pas de vous interroger sur l'importance du nom et de l'image des produits que vous choisissez de consommer. Car si les entreprises dépensent beaucoup d'argent pour créer et cultiver leur image de marque, celle-ci n'a rien à voir avec le goût ou la performance de leurs produits.

L'image de marque est utilisée dans de nombreux domaines pour vendre aux consommateurs des produits et des services médiocres à des prix excessifs. Prenez le modeste gallon de peinture. Si les essais démontrent qu'il existe des différences entre les diverses marques de peinture, on sait cependant que l'on peut acheter des peintures de haute qualité pour environ 30 $ à 40 $ le gallon. Alors quel est l'intérêt de payer 60 $ ou 100 $ pour un gallon de peinture béni d'un nom « prestigieux » ? Cette peinture est-elle vraiment à ce point supérieure ?

DL Laboratories, une société de tests, a comparé des peintures prétentieuses et chères à des peintures de haute qualité mais moins coûteuses pour en arriver à la conclusion que les différences étaient minimes ou, tout au moins, qu'elles ne suffisaient pas à justifier l'écart de prix. En fait, l'une de ces peintures soi-disant haut de gamme éclaboussait plus, avait un éclat moins uniforme, ne couvrait pas aussi bien et laissait plus facilement des trainées une fois appliquée, en plus d'émettre un niveau élevé de composés organiques volatils ! Certaines autres marques prétentieuses n'ont pas fait beaucoup mieux. Comme vous le diront les gens de ce domaine, si vous trouvez une couleur particulière de peinture qui vous plaît dans une marque huppée, vous pouvez probablement établir la correspondance avec une marque abordable et de haute qualité grâce au balayage électronique d'un échantillon.

Le magazine Protégez-vous, en version imprimée ou électronique (`www.protegez-vous.ca`), est une publication de renom qui évalue pour vous les produits et les services d'après des critères de qualité et de performance, non pas d'image de marque. En outre, l'association Option Consommateurs (`www.option-consommateurs.org`) offre des services pratiques ainsi que des conseils et des renseignements judicieux au consommateur. Enfin, le lecteur familier avec l'anglais pourra également se référer au magazine Consumer Reports, en version papier ou sur Internet : `www.consumerreports.org`. Consultez ces ressources, ou d'autres références pertinentes, avant de procéder à des achats d'importance.

Recouvrer votre argent

Y a-t-il chez vous des articles dont vous ne vous servez jamais ? Il y a de bonnes chances qu'il y en ait quelques-uns, peut-être même beaucoup. Renvoyer ces objets au détaillant peut se révéler libérateur. Cela pourrait également vous permettre de réduire l'encombrement dans la maison et de récupérer de l'argent.

Pensez au nombre de fois où vous acheté un produit ou un service sans obtenir ce qui vous avait été promis. Qu'avez-vous fait à ce sujet ? La plupart des gens ne font rien et laissent la compagnie s'en tirer à bon compte. Pourquoi cela ? Voici les raisons les plus courantes de ce ce type de comportement :

- **Des standards peu élevés.** Nous avons appris à nous contenter de marchandises et de services de mauvaise qualité simplement parce que c'est ce à quoi on nous a habitués.

- **L'évitement des conflits.** La plupart des gens cherchent à éviter l'affrontement en raison des tensions et des soucis que cela leur apporte. C'est comme si l'évitement de la confrontation faisait partie de l'identité québécoise.

- **L'aversion pour les embêtements.** La plupart des entreprises ne facilitent pas les choses aux consommateurs désireux de récupérer leur argent ou d'obtenir satisfaction. Pour obtenir gain de cause avec certaines compagnies, vous devez être aussi tenace et déterminé qu'un pit-bull.

Vous augmenterez vos chances d'en avoir pour votre argent en faisant affaire avec des entreprises qui :

- **Proposent des politiques de retour équitables.** N'achetez aucun produit ou service sans avoir d'abord bien évalué les modalités de retour sur achats de la compagnie. Méfiez-vous particulièrement des entreprises qui facturent des frais de retour considérables ou qui n'acceptent tout simplement pas les retours de marchandises. Une entreprise qui se respecte vous remboursera intégralement et ne vous servira pas de note de crédit valable en magasin. (La note de crédit est toutefois acceptable si vous prévoyez l'utiliser dans un avenir proche et si vous estimez que l'entreprise sera encore en affaires à cette date.)

- **Sont en mesure de fournir de bonnes références.** Disons que vous vouliez installer une clôture sur votre propriété. Vous entrez alors en contact pour la première fois avec des entrepreneurs en installation de clôtures. Il vous est possible d'éliminer dès le départ les entreprises inférieures en demandant à chaque entrepreneur que vous interviewez de vous fournir au moins trois références de personnes dans votre quartier ou dans votre ville chez qui il a installé une clôture au cours des deux dernières années.

- **Sont engagées dans le type de produit ou de service qu'elles offrent.** Supposons que l'entrepreneur que vous avez choisi exécute un excellent travail et que vous soyez maintenant à la recherche de quelqu'un pour poser des gouttières. Voilà que votre entrepreneur vous informe qu'il s'y connaît en la matière et vous propose de s'en charger. Alors qu'il vous serait plus simple de lui confier l'installation de vos gouttières, vous auriez intérêt à d'abord vous informer auprès de lui de son expérience en la matière, après quoi vous pourriez contacter des entrepreneurs spécialisés en pose de gouttières afin d'être en mesure de comparer les prix et les niveaux de compétence. Parce que si votre entrepreneur n'a effectué qu'une poignée de travaux du genre, il est possible qu'il ne s'y connaisse pas autant qu'un installateur spécialisé dans ce domaine.

En suivant ces directives, vous pourrez considérablement diminuer vos risques d'obtenir des résultats malheureux avec des produits ou des services que vous achetez. Voici un autre conseil important : si possible, payez avec une carte de crédit (mais seulement si vous en payez entièrement le solde chaque mois !). Cela vous donne la possibilité de contester les frais dans les 60 jours et de meilleures chances de récupérer votre argent.

Si vous n'êtes pas satisfait des progrès réalisés lors de vos tentatives d'obtenir une indemnisation pour un produit ou un service inadéquat, voici ce que nous vous recommandons de faire :

✔ **Documentez.** La prise de notes lorsque vous parlez à quelqu'un dans une entreprise peut vous aider à démontrer la pertinence de votre démarche si des problèmes se présentent par la suite. Toutefois, il serait irréaliste de s'imaginer que l'on puisse documenter ainsi chacun de nos achats de produits et de services. Évidemment, plus un achat est important, plus les enjeux financiers sont élevés, et plus vous devez être attentif aux résultats obtenus avec le produit ou le service acheté. Dans de nombreux cas, cependant, vous n'aurez probablement pas besoin de documenter vos échanges avec une compagnie avant qu'un conflit ne se profile. Conservez des copies des documents de marketing des entreprises, car ceux-ci contiennent souvent la déclaration des engagements ou des prétentions que les entreprises ne respectent pas toujours dans la pratique.

✔ **Intensifiez la pression.** Certains employés de première ligne soit ne sont pas capables de résoudre les différends, soit n'ont pas l'autorité pour le faire. Peu importe votre doléance, demandez à parler avec un superviseur et intensifiez votre démarche. Si cela ne règle toujours pas votre problème, logez une plainte auprès de quelque organisme de réglementation pertinent. Assurez-vous également de dire à vos amis et collègues de ne pas faire affaire avec l'entreprise en question (et laissez savoir à l'entreprise que vous le ferez jusqu'à ce que vous ayez obtenu satisfaction). De plus, envisagez de communiquer avec un groupe d'aide aux consommateurs. Ces groupes, qui sont habituellement parrainés par des médias dans les zones métropolitaines, peuvent se révéler utiles dans la résolution de différends ou la diffusion de publicité négative à propos de sociétés ou de produits peu recommandables.

✔ **Contestez en justice.** Si tout le reste échoue et que la société continue de se montrer insensible à vos demandes, envisagez de porter l'affaire devant la Cour des petites créances. (Selon la quantité d'argent en jeu, cette tactique peut valoir le temps que vous y investirez.) La limite des montants recouvrables à la Cour des petites créances est fixée à 7 000 $. Pour des montants plus importants, vous pouvez bien sûr engager un avocat et emprunter les voies juridiques traditionnelles – bien que cela risque de vous coûter encore davantage de temps et d'argent. En règle générale, la médiation et l'arbitrage constituent de meilleures solutions que la poursuite en justice.

Le Bureau d'éthique commerciale (BEC) : un conflit d'intérêt inhérent

Le Bureau d'éthique commerciale du Québec fait partie du Conseil Canadien des Bureaux d'éthique commerciale, lui-même partie intégrante du Council of Better Business Bureaus, un organisme international.

Le Bureau d'éthique commerciale (BEC) déclare que son mandat est de « cultiver et de maintenir une bonne relation entre les entreprises et leurs clients ». Or, la réalité de l'expérience du consommateur moyen ne correspond pas à cette prétention du BEC.

Selon l'Américain Ralph Nader, ardent défenseur des droits des consommateurs, les BEC « ne s'en prennent pas aux entreprises locales établies, parce qu'ils sont financés par ces mêmes entreprises. Les BEC ont certainement une bonne image de relations publiques, mais ce n'est qu'une façade. Ils ne font pas grand-chose pour les consommateurs ».

« Il s'agit d'une association d'entreprises commerciales, et chaque agence locale du BEC est essentiellement indépendante, un peu comme une franchise. En gros, quand quelqu'un a un problème avec une entreprise et qu'il dépose une plainte auprès du BEC, si l'entreprise est membre du BEC, le consommateur finit souvent par ne pas obtenir gain de cause, comme l'ont démontré de nombreux cas. Le BEC protège ses membres », explique John Bear, un auteur de livres sur la défense des consommateurs, dont *Send This Jerk the Bedbug Letter : How*

Companies, Politicians, and the Mass Media Deal with Complaints & How to Be a More Effective Complainer (Éditions Ten Speed Press).

Les rapports de compagnies que le BEC conserve dans ses dossiers font partie des pratiques particulièrement discutables du BEC en faveur des entreprises. Le BEC considèrera une plainte légitime comme résolue de manière satisfaisante même si vous n'êtes pas satisfait et que la société ne fait rien pour corriger le problème dont elle est responsable.

Bear cite également des exemples de certains épisodes vraiment troublants concernant les BEC. Dans un de ces cas, raconte-t-il, une « usine à diplômes » appelée Columbia State University exerçait ses activités en Louisiane, et l'entreprise était membre du BEC local. « Lorsque les plaintes ont commencé, le BEC répondait toujours que l'entreprise opérait selon les normes et que l'affaire était close. En vérité, les plaintes n'étaient pas résolues de manière satisfaisante et il a fallu environ deux ans et des centaines de plaintes avant que le BEC n'annule l'adhésion de l'usine à diplômes, pour ensuite émettre une déclaration très neutre au sujet des plaintes. Deux mois plus tard, le FBI effectuait une perquisition dans les locaux de l'entreprise. Parce que le BEC n'a pas fait son travail, des consommateurs ont perdu des millions de dollars », dit Bear.

L'agence torontoise du BEC a également connu sa part d'ennuis. Au début des années 1990, l'agence a été plongée dans un scandale de dépenses, la conclusion d'une vérification judiciaire révélant que le président d'alors avait reçu un million de dollars en prime de départ, avant d'être immédiatement réembauché. Et en 2000, un ancien directeur et président du BEC de Toronto était trouvé coupable d'infractions relatives aux valeurs mobilières. Le conseil d'administration a retiré son permis au bureau en 2001.

Pour finir, il est arrivé que le président d'un BEC du sud de la Floride (le cinquième plus grand au pays, selon Bear) fasse de la prison pour corruption auprès des entreprises en échange du maintien de rapports favorables aux dossiers.

La vérité à propos des BEC est triste, parce qu'au moment où les agences de protection des consommateurs subissent des coupures et que les consommateurs mécontents sont dirigés vers les BEC, plus de gens sont susceptibles de vivre des expériences insatisfaisantes avec une organisation qui n'est pas là pour eux.

Alléger vos dépenses

Si vous souhaitez réduire vos dépenses globales de 10 %, par exemple, vous pouvez tout simplement diminuer l'ensemble de vos dépenses courantes de 10 %. Ou vous pouvez atteindre votre objectif de 10 % en réduisant vos dépenses dans certaines catégories d'achats seulement. Vous devez vous fixer des priorités et faire des choix quant aux dépenses que vous voulez vous permettre et celles que vous voulez éviter.

Les choix que vous faites dans vos achats relèvent parfois davantage de l'habitude que d'un désir profond ou d'une vision des choses. Par exemple, certaines personnes font leurs achats dans les magasins situés le plus près de chez elles et ne se donnent jamais la peine d'aller voir ailleurs.

Alléger vos dépenses ne signifie pas nécessairement acheter moins. Entre autres façons, vous pouvez économiser de l'argent en achetant en vrac ou en gros. Certains magasins se spécialisent dans la vente de plus gros paquets ou de plus grandes quantités d'un produit à des prix plus bas, parce qu'elles économisent ainsi de l'argent sur l'emballage et la manutention. Et même si ce sac de 10 kilos de riz vous coûte plus cher ponctuellement que la petite boîte d'Uncle Ben's, les repas que vous ferez à partir du sac de 10 kilos seront beaucoup moins coûteux que ceux que vous feriez avec la petite boîte. (Vous êtes célibataire ? Faites vos achats avec un ami et partagez-vous les achats en gros.)

Tourner le dos au crédit à la consommation

Comme nous en discutons aux chapitres 3 et 4, l'achat à crédit de biens qui se déprécient – tels que voitures, vêtements, vacances – est dangereux pour votre santé financière à long terme. Achetez uniquement ce que vous pouvez vous permettre aujourd'hui. En clair, vous ne pouvez pas vous permettre d'acheter à crédit aujourd'hui si cela implique que vous portiez ensuite une dette durant des mois ou des années.

Sans aucun doute, la location-achat constitue la façon la plus coûteuse d'acheter. Voici comment cela fonctionne. Vous voyez une énorme affiche publicitaire proposant : « 12,95 $ pour un lecteur DVD ! »

Eh bien, l'annonce ne dit pas tout : il s'agit en fait d'un montant de 12,95 $ par semaine, à payer pendant plusieurs semaines. Au bout du compte, l'achat d'un lecteur DVD étiqueté à 200 $, par le biais d'un programme de location-achat, coûte à l'acheteur moyen plus de 750 $!

Budgéter afin d'épargner plus

Un peu comme cela se produit avec le terme « régime amaigrissant », la plupart des gens ont une impression désagréable quand on leur parle de budgéter – et à juste titre. Cependant, une fois que vous avez établi l'itinéraire des dollars que vous dépensez, vous pouvez ensuite, grâce à une bonne planification financière, parvenir à une réduction effective de vos dépenses.

La première étape dans le processus de budgétisation ou de planification de vos dépenses à venir est d'analyser la nature de vos dépenses actuelles (voir chapitre 3). Après l'avoir fait, calculez combien d'argent de plus vous aimeriez économiser mensuellement. Puis vient la partie difficile : décider où effectuer les coupures dans vos dépenses.

Supposons que vous n'épargniez actuellement aucune part de vos revenus mensuels et que vous désiriez en économiser 10 %. Si vous pouvez épargner et investir de l'argent grâce à un Régime enregistré d'épargne-retraite, alors il ne vous est pas nécessaire de réduire vos dépenses de 10 % pour atteindre un objectif d'épargne de 10 % (de votre revenu brut). Voici pourquoi.

Lorsque vous contribuez à un régime de retraite fiscalement déductible, vous réduisez vos impôts fédéral et provincial. Donc, si vous disposez de revenus modestes et payez, disons, 35 % en impôts fédéral et provincial sur votre revenu marginal, vous n'avez en réalité à réduire vos dépenses que de 6,5 % pour épargner 10 %, si vous versez dans votre REER l'argent que vous ne dépensez pas. (Les « autres » 3,5 % d'épargne proviennent de votre réduction d'impôts. Plus votre tranche d'imposition est élevée, moins vous aurez besoin de diminuer vos dépenses pour atteindre un objectif d'épargne particulier.

Ainsi, dans cet exemple, pour hausser votre taux d'épargne à 10 %, passez en revue vos dépenses courantes catégorie par catégorie jusqu'à ce que vous ayez identifié suffisamment de réductions potentielles pour abaisser vos dépenses de 6,5 %. Appliquez ces réductions dans les secteurs qui vous affecteront le moins et où vous obtenez le moins de valeur par rapport à votre niveau actuel de dépenses.

Une autre méthode de budgétisation consiste à partir de zéro au lieu d'examiner vos dépenses courantes, pour ensuite entreprendre de les réduire. Demandez-vous combien vous souhaiteriez dépenser dans chacune des catégories. Cette approche comporte l'avantage de ne pas laisser votre niveau actuel de dépenses limiter votre pensée. Vous serez probablement surpris du décalage entre ce que vous pensez que vous devriez dépenser et ce que vous dépensez réellement dans certaines catégories.

Bienvenue dans le monde de la location-achat, qui offre aux consommateurs pauvres la possibilité de louer des articles de consommation avec, à la fin du bail, une option d'achat.

Si vous pensez que les achats réalisés par carte de crédit à un taux d'intérêt de 18 % sont cher payés, songez à ceci : le taux d'intérêt effectif sur les biens vendus par mode de location-achat dépasse les 100 %, et dans certains cas, il peut même atteindre 200 % ou plus ! À côté de cela, on pourrait presque croire qu'acheter avec une carte de crédit, c'est faire une bonne affaire.

Nous ne partageons pas cette information avec vous dans le but de vous encourager à acheter avec des cartes de crédit, mais bien pour souligner l'ampleur de l'arnaque que représente la pratique de la location-achat. Ces magasins s'attaquent aux consommateurs sans argent liquide qui soit sont dans l'impossibilité d'obtenir une carte de crédit, soit ne comprennent pas combien leur coûte réellement la location-achat.

En plus d'être coûteux, le crédit à la consommation renforce une habitude financière néfaste, celle de dépenser plus que ce vous pouvez vous permettre.

Diminuer vos dépenses : les stratégies d'Eric et de Tony

Au fur et à mesure que vous parcourez les stratégies suivantes de réduction de dépenses, gardez à l'esprit que certaines d'entre elles vous conviendront, d'autres pas. Débutez votre plan de réduction de dépenses avec les stratégies qui s'harmonisent le plus facilement avec votre situation. Observez l'ensemble de celles qui sont proposées et dressez une liste des solutions qui vous semblent plus difficiles à appliquer – celles qui demanderaient peut-être plus de sacrifices – mais que vous pourriez mettre en œuvre si c'était nécessaire pour améliorer vos chances d'atteindre vos objectifs de dépenses et d'épargne.

Quelles que soient les idées que vous déciderez d'adopter parmi celles proposées dans ce chapitre, soyez certain que le maintien d'un budget maigre et économe produit des dividendes énormes. Vous récolterez durant de nombreuses années les bénéfices de la mise en pratique d'une stratégie de réduction de vos dépenses. Observez la figure 5-1 : pour chaque 1 000 $ que vous retranchez de vos dépenses annuelles (soit seulement 83 $ par mois), voyez combien vous aurez d'argent plus tard. (Ce tableau suppose que vous investissiez vos nouvelles économies dans un régime de retraite à l'abri de l'impôt, que vous profitiez d'un rendement moyen de 10 % par année sur vos investissements et que vous vous situiez dans une tranche modérée d'imposition d'environ 35 % aux niveaux fédéral et provincial combinés. Voir le chapitre 6 pour plus d'informations concernant les tranches d'imposition.)

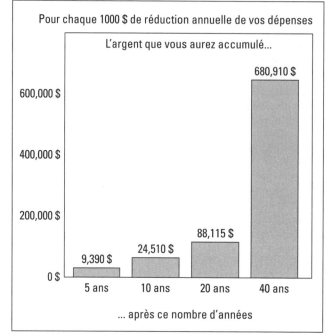

Pour chaque 1000 $ de réduction annuelle de vos dépenses

L'argent que vous aurez accumulé...

680,910 $

600,000 $

400,000 $

200,000 $

88,115 $

9,390 $ 24,510 $

0 $

5 ans   10 ans   20 ans   40 ans

... après ce nombre d'années

Figure 5-1 :
Les bénéfices générés par une réduction de vos dépenses.

Réduire vos dépenses en nourriture

On peut alléger sa facture annuelle de nourriture en cessant de manger. Malheureusement, comme cette méthode présente l'inconvénient de vous affaiblir très rapidement, elle n'est sans doute pas viable à long terme. Les stratégies alimentaires suivantes vous aideront à économiser de l'argent – et peut-être même à améliorer votre santé.

Devenez membre d'un club-entrepôt

Les clubs entrepôts vous permettent d'acheter des produits d'épicerie en gros, au prix de gros. Et, contrairement à la croyance populaire, il n'est pas nécessaire d'acheter 1 000 rouleaux de papier hygiénique à la fois, seulement 24.

Nous avons comparé les prix de clubs-entrepôts tels que Costco et Sam's Club (le principal concurrent de Costco, aux États-Unis) avec ceux de supermarchés de vente au détail pour constater que les grossistes facturent souvent environ 30 à 40 % de moins pour les mêmes articles – tout cela sans les tracas de la cueillette de coupons ou de la chasse au meilleur prix pour la boîte de craquelins! À des prix aussi réduits, vous n'avez qu'à dépenser de 100 $ à 200 $ environ par année pour récupérer vos frais d'adhésion à Costco, par exemple, qui sont d'à peu près 50 $ par année.

TRUC

Maman m'avait dit de manger des légumes

Non seulement la viande est-elle chère, mais de nombreuses études tendent à démontrer qu'elle serait nuisible à la santé. Aux États-Unis, un rapport historique sur la nutrition et la santé intitulé « *The Surgeon General's Report on Nutrition and Health* » (produit sous le mandat de l'ancien chef du service fédéral de la santé publique, le Dr C. Everett Koop), révélait qu'une diète à base de viande et de produits laitiers, donc riche en gras et en cholestérol, serait responsable de la majorité des décès prématurés chez nos voisins américains. En fait, cinq des dix principales causes de décès en Amérique du Nord – les maladies cardiaques, certains types de cancer, les accidents cérébrovasculaires, le diabète et l'artériosclérose – seraient en grande partie imputables à une mauvaise alimentation. Un rapport de l'Organisation mondiale de la santé estime que chaque année au Canada environ 217 000 décès pourraient être évités. Parmi ceux-ci, environ 10 000 seraient attribuables à l'inactivité physique, 12 000 à une consommation insuffisante de fruits et de légumes, et 17 000 à un problème d'embonpoint. Le rapport évalue en outre qu'un taux de cholestérol élevé et l'hypertension artérielle seraient responsables, respectivement, de 20 000 et 32 000 morts de plus annuellement.

Dans les pays en développement, plus pauvres économiquement, où les gens se nourrissent principalement de céréales, de légumes et de plantes légumineuses (de haricots, par exemple), on observe des taux significativement plus faibles de maladies cardiovasculaires et de cancers liés à l'alimentation, tels que les cancers de la prostate et du côlon.

Comme la viande coûte cher, moins vous en consommerez, plus vous économiserez d'argent. Même si vous choisissez simplement de diminuer votre consommation de viande plutôt que de l'éliminer, cela vous permettra tout de même de réaliser des économies. Toutefois, si vous choisissez d'éliminer complètement la viande de votre alimentation, assurez-vous de procéder graduellement, en recherchant de bons substituts.

En plus d'être économiques et sains, les régimes végétariens sont aussi respectueux de l'environnement. L'élevage du bétail exige beaucoup plus de ressources en terres et en eau que la culture de légumes. Voici une statistique intéressante susceptible d'animer la conversation lors de vos rencontres entre amis : le bétail relâche des gaz qui augmentent les taux de méthane dans l'atmosphère, contribuant ainsi à l'effet de serre. En réalité, cent millions de tonnes d'émissions annuelles de méthane dans le monde, soit 20 % du total, sont issues de l'éructation et de la flatulence des bovins !

En plus de vous faire économiser beaucoup d'argent, acheter en gros signifie que vous avez moins de déplacements à effectuer pour vos achats. En outre, comme vous aurez davantage de provisions chez vous, vous ressentirez peut-être moins souvent le besoin de sortir manger au restaurant (ce qui est coûteux) et vous vous éviterez des visites au supermarché (une perte de temps et d'essence).

Malheureusement, la plupart de ces points de vente étant conçus pour les propriétaires de véhicules, on n'y accède pas facilement par transport en commun.

Les denrées périssables, comme leur nom l'indique, sont périssables, alors n'achetez que ce que vous pouvez utiliser. Rempaquetez en petites quantités les emballages en gros et stockez-les si possible dans le congélateur. Si vous vivez seul, magasinez avec un ami ou deux et divisez la commande.

Soyez prudent lorsque vous magasinez dans les clubs-entrepôts, car vous pourriez être tenté d'acheter des choses dont vous n'avez pas vraiment besoin. Ces magasins vendent toutes sortes d'objets : des téléviseurs à écran large, des ordinateurs, des meubles, des vêtements, des jeux complets de cartes de baseball, des articles de sport, et plus encore. Alors méfiez-vous ! Essayez de ne pas faire d'achats impulsifs et soyez particulièrement prudent lorsque des enfants vous accompagnent.

Pour trouver un club-entrepôt ou une grande surface près de chez vous, consultez votre annuaire téléphonique local. Vous pouvez également localiser le magasin Costco le près de chez vous en visitant le site Internet www.costco.ca ou en composant le 1-888-426-7826.

À l'extérieur du foyer, manger frugalement

Manger dans les restaurants et commander des repas pour emporter ou pour les faire livrer chez vous permet peut-être de sauver du temps, mais cela coûte à la longue de gros billets. Manger au restaurant est un luxe : c'est comme si vous engagiez quelqu'un pour faire vos courses, cuisiner vos repas et nettoyer la cuisine à votre place. Bien sûr, certaines personnes détestent cuisiner, ou encore, elles ne disposent pas du temps, de l'espace ou de l'énergie nécessaires pour être productives dans une cuisine. Si c'est votre cas, choisissez soigneusement vos restaurants et soyez sélectif dans votre façon de commander. Voici quelques conseils à observer lors de vos repas au restaurant :

- ✔ **Évitez les breuvages, en particulier l'alcool.** La plupart des restaurants réalisent de gros bénéfices sur les boissons. Buvez plutôt de l'eau. (En plus d'être saine pour vous, elle aide à réduire l'envie de faire la sieste après un repas copieux.)

- ✔ **Commandez des plats végétariens.** Les repas végétariens coûtent généralement moins cher que ceux qui sont composés de viande (ils sont aussi habituellement plus sains pour vous).

Cela dit, nous ne voudrions tout de même pas jouer les rabat-joie. Il est évident qu'une diète constituée de pain et d'eau ne convient à personne.

Alors bien sûr, prenez un dessert, et un peu de vin aussi, si vous en avez envie ! Essayez seulement de ne pas y aller d'un dessert à chaque repas. En prenant vos entrées et vos desserts à la maison, vous réduirez considérablement vos factures de restaurant (surtout si vous suivez nos recommandations d'achats lorsque vous faites l'épicerie.)

Épargner sur le logement

Le logement et tous les coûts qui lui sont associés (les services publics, les meubles, les appareils et, pour les propriétaires, l'entretien et les réparations) peuvent avaler une grande part de votre revenu mensuel. Évidemment, vous ne pouvez pas vivre dans un igloo ou dans un tipi (même si cela serait sûrement moins coûteux), mais il importe de connaître certaines possibilités, souvent méconnues, qui permettent de réaliser des économies dans cette catégorie.

Réduire vos frais de logement

Le loyer peut prendre une part considérable de votre salaire mensuel net. Beaucoup de gens considèrent leurs frais de logement comme une partie fixe et irréductible de leurs dépenses, alors qu'il n'en est rien. Voici quelques pratiques permettant de réduire vos frais de logement :

- ✔ **Emménagez dans un logement plus abordable.** Il se peut qu'un logement moins cher ne soit pas aussi joli : il pourrait être plus petit, ne pas comprendre d'espace de stationnement privé et être situé dans un quartier moins recherché. Cependant, il ne faut pas oublier qu'en dépensant moins pour le loyer, vous serez en mesure d'économiser davantage en vue de l'achat de votre propre maison. Veillez simplement à prendre en compte tous les coûts qu'implique le choix d'un nouveau logement, y compris les frais liés aux déplacements quotidiens.

- ✔ **Partagez un logement.** Vivre seul comporte certains avantages, mais financièrement parlant, c'est un luxe. Si vous partagez un plus grand appartement avec des colocataires, vos frais personnels de location en seront substantiellement réduits. Vous devez toutefois accepter les implications de la vie en cohabitation, qui peut comporter quelques frustrations occasionnelles, mais qui offre également plusieurs avantages, comme l'occasion de faire de nouvelles rencontres ou la possibilité d'avoir quelqu'un à blâmer pour le désordre de la cuisine.

- ✔ **Négociez vos augmentations de loyer.** Chaque année, plus souvent qu'autrement, votre propriétaire augmente votre loyer d'un certain pourcentage. Si le marché locatif local est favorable aux locataires ou si votre logement se détériore, contestez l'augmentation. Vous détenez probablement plus de pouvoir de négociation que vous ne le croyez. Le locateur avisé ne veut pas perdre de bons locataires qui paient leur loyer à temps. Trouver de nouveaux locataires pour un logement exige du temps et de l'argent de la part du propriétaire. Faites valoir vos arguments : vous êtes un locataire responsable, vos recherches ont démontré que des logements comparables sont loués pour moins cher, etc. S'il le faut, sortez vos violons et expliquez-lui à quel point vous en arrachez financièrement! Enfin, si vous ne parvenez pas à éviter l'augmentation de loyer, peut-être pourrez-vous à tout le moins arriver à vous entendre pour que des améliorations soient apportées à l'endroit.

✔ **Achetez au lieu de louer.** L'achat de votre propre maison peut s'avérer coûteux, certes, mais à longue échéance, cela devrait se révéler plus avantageux que de louer, car si tout va bien, vous serez un jour propriétaire d'une maison payée. Si vous achetez des biens immobiliers au moyen d'un prêt hypothécaire étalé sur plus de 25 ans, vos versements hypothécaires mensuels (qui représentent votre plus grande dépense de propriétaire) vont fluctuer d'un certain montant, selon les taux d'intérêt, chaque fois que vous renouvelez. Seuls vos impôts fonciers et vos frais d'entretien et d'assurance sont exposés aux aléas de l'inflation.

En tant que locataire, vos frais mensuels de logement sont susceptibles d'augmenter suivant la hausse du coût de la vie (sauf si vous bénéficiez d'un logement à loyer modéré). Voir le chapitre 14 pour apprendre comment acheter dans l'immobilier, même quand vous êtes à court d'argent.

Réduire les dépenses relatives à votre maison

Les propriétaires le savent bien, les maisons exigent de nombreuses dépenses. Vous avez donc tout intérêt à accorder une attention particulière à cet aspect de votre budget.

✔ **Sachez ce que vous pouvez vous permettre.** Ne commettez pas l'erreur de faire l'achat d'une maison trop chère pour vos moyens. Que vous soyez sur le point d'acheter votre première maison ou d'acquérir une propriété plus coûteuse, soyez réaliste dans vos prévisions financières. Lorsqu'il vous reste trop peu d'argent pour vos autres besoins et désirs – comme les voyages, les sorties au restaurant, les loisirs ou l'épargne en vue de la retraite – votre nouvelle maison de rêve risque de devenir votre prison financière.

Calculez combien vous pouvez vous permettre de dépenser mensuellement pour une maison en déterminant d'abord le montant nécessaire pour combler tous vos autres besoins. (Les exercices du chapitre 3, portant sur le détail de vos dépenses, et du chapitre 2, sur votre planification retraite, vous aideront à établir le montant que vous pouvez vous permettre d'investir dans une maison.)

Bien que l'immobilier puisse représenter un bon investissement à long terme, ne serait-il pas agaçant de devoir verser la plus grande partie de votre argent dans votre maison? Après la décoration et les rénovations de leur nouvelle maison, certaines personnes ressentent le besoin d'en acquérir plus grande quelques années plus tard. Et une fois dans leur nouvelle demeure, elles reprennent le cycle de la décoration et des rénovations, ce qui coûte encore plus d'argent. Apprenez à apprécier ce que vous avez, et souvenez-vous que les maisons sont des endroits où l'on habite, non pas des instruments de mise en valeur. Si vous êtes parent, pourquoi gaspiller de l'argent pour des meubles coûteux qui occupent un espace précieux et vous obligent à harceler sans cesse vos enfants pour qu'ils ne cassent rien? Tu ne convoiteras point, dit le commandement – Il y aura toujours des gens avec une plus grande maison et plus de jouets que vous.

✔ **Louez une chambre.** Parce que vendre votre maison pour acheter une habitation moins chère peut entraîner passablement de travail et de complications, envisagez de conserver votre maison actuelle mais en prenant un locataire dans le but de réduire vos frais de logement. Choisissez soigneusement votre locataire : obtenez des références, demandez un rapport de solvabilité et parlez de règles de base et de vos attentes avant de partager votre espace. N'oubliez pas de vérifier auprès de votre compagnie d'assurance que votre police de propriétaire couvre bien la responsabilité éventuelle de la location.

✔ **Faites réévaluer la valeur foncière de votre propriété.** Si vous avez acheté votre maison dans une période où les prix des propriétés étaient plus élevés dans votre région qu'ils ne le sont maintenant, vous serez peut-être en mesure d'économiser de l'argent en faisant appel de votre évaluation. Si vous habitez dans une région où l'on effectue l'évaluation selon des modalités locales (plutôt que d'après le montant que vous avez payé pour votre maison), il est possible que votre propriété soit surévaluée. Communiquez avec votre bureau d'évaluation régional pour connaître la procédure de dépôt d'un appel. Normalement, vous devez démontrer que votre maison vaut moins aujourd'hui qu'au moment de l'achat ou que l'évaluateur n'a pas correctement évalué votre propriété. Dans le premier cas, on considérera l'évaluation récente de votre maison effectuée par un estimateur. Dans le second cas, examinez l'évaluation faite de votre propriété en la comparant à celle d'autres maisons semblables à proximité – des erreurs se produisent quelquefois.

✔ **Réduisez les coûts des services.** Dans certaines circonstances, il faut dépenser de l'argent pour sauver de l'argent. Les vieux réfrigérateurs, par exemple, consomment parfois beaucoup d'électricité. Isolez pour alléger vos factures de chauffage et de climatisation. Installez des régulateurs de débit d'eau dans la douche et la cuvette de la toilette. Au moment d'organiser votre jardin, choisissez des variétés de plantes qui ne nécessitent pas trop d'arrosage et limitez votre superficie de pelouse. Même si vous ne vivez pas dans une zone susceptible de connaître des périodes de sécheresse, pourquoi gaspiller l'eau? Et n'oubliez pas de recycler vos déchets, vous enverrez ainsi moins d'ordures à la décharge municipale et contribuerez du même coup à réduire votre impact sur l'environnement.

Réduire vos factures téléphoniques

Grâce à une concurrence accrue et aux nouvelles technologies, les frais de téléphone sont en baisse. Si vous n'avez pas récemment cherché à obtenir des taux inférieurs, vous payez probablement plus que vous ne le devriez pour des services téléphoniques de qualité. Malheureusement, il n'est pas facile de s'y retrouver parmi les nombreux fournisseurs de services. Les forfaits sont offerts avec différentes restrictions, des contrats à durée minimale et toutes sortes de fonctionnalités et d'accessoires. Voici nos recommandations pour économiser sur vos factures de téléphone :

✔ **Prenez connaissance des différents plans d'appels offerts par votre fournisseur de services téléphoniques.** Vous pourriez diminuer votre facture en changeant de compagnie, mais nous avons observé que beaucoup de personnes arrivent à réduire significativement leurs frais en gardant le même fournisseur mais en optant pour un plan d'appels plus avantageux. Ainsi, avant de passer des heures à magasiner, contactez votre fournisseur de services local et interurbain et demandez quel plan d'appels convient le mieux à vos habitudes téléphoniques.

✔ **Obtenez de l'aide lorsque vous évaluez les services offerts par d'autres fournisseurs.** Le magazine en ligne Protégez-vous est une ressource fort utile (www.protegez-vous.ca). Consumer Reports (en anglais) offre également de bonnes recommandations (www.consumerreports.org ou 1-800-234-1645). De plus, en visitant le site Internet www.telecomparisons.com (en anglais), vous pourrez directement saisir les informations relatives au moment, à la durée, au lieu et à la fréquence de vos appels pour obtenir des renseignements sur les tarifs de différents fournisseurs de services d'appels interurbains. Enfin, vous pouvez comparer les différents forfaits de la plupart des compagnies de téléphonie cellulaire en visitant l'adresse Internet www.cellphones.ca.

Le secteur des téléphones cellulaires a connu un essor remarquable au cours des dernières années. Bien qu'il soit grandement pratique d'effectuer des appels d'où que vous soyez, vous risquez de payer cher pour votre service étant donné la multitude de frais supplémentaires. En revanche, si vous êtes en mesure de tirer parti des minutes gratuites offertes avec certains forfaits (les week-ends, par exemple), un bon service de téléphone cellulaire peut vous faire économiser de l'argent. Voici comment en tirer le mieux partie :

✔ **Interrogez-vous sur la nécessité de posséder un téléphone cellulaire.** D'accord, il s'agit d'une question délicate pour de nombreux accros. Si vous aimez utiliser votre portable dans vos temps d'arrêt, durant vos déplacements, ou l'avoir à votre disposition en cas d'urgence, cela ne regarde que vous. Cependant, beaucoup de gens n'ont vraiment pas besoin d'un téléphone cellulaire.

✔ **Magasinez.** Assurez-vous de choisir le forfait et le fournisseur les mieux adaptés à l'usage que vous faites de votre téléphone portable. Les entreprises les plus réputées vous permettent habituellement de faire l'essai de leur service. Elles offrent également des remboursements complets en cas d'insatisfaction de votre part après une semaine ou deux de service.

✔ **Évaluez la technique de la téléphonie IP.** Cette technologie est un service récent qui vous permet de faire des appels téléphoniques via une connexion Internet haute vitesse. Selon les caractéristiques et la quantité des appels interurbains que vous effectuez, ceci pourrait vous permettre de réduire vos frais téléphoniques.

Enfin, gardez à l'esprit que l'envoi d'une lettre réfléchie est généralement moins coûteux, plus apprécié, plus durable qu'un appel téléphonique. Il suffit de trouver une heure quelque part et de s'asseoir avec un stylo et du papier pour redécouvrir l'art perdu de la rédaction d'une lettre. La formulation de vos idées sur papier peut se révéler éclairante, voire thérapeutique. Enfin, les utilisateurs d'ordinateurs comprendront qu'il leur est aussi possible d'économiser de l'argent en envoyant des courriels.

Couper dans vos frais de transport

Le Québec est une société organisée autour de la voiture. Dans de nombreux autres pays, la voiture est un luxe. Près de 90 % de la population dans le reste du monde n'a pas les moyens d'acheter une voiture neuve. Si plus de Québécois voyaient l'automobile comme un luxe, moins de gens éprouveraient de difficultés financières – ils auraient d'ailleurs aussi moins d'accidents. En plus de polluer l'air et d'encombrer le paysage, les voitures coûtent de gros dollars. Vous pouvez vous épargner des dépenses en achetant une voiture de qualité et en l'utilisant de manière avisée. Mais d'autres modes de transports peuvent aussi vous faire économiser.

Contrairement à ce que laissent entendre certains slogans publicitaires, les voitures ne sont pas faites pour durer ; les fabricants d'automobiles ne veulent pas que vous conserviez la même voiture trop longtemps. De nouveaux modèles sont constamment introduits sur le marché, avec de nouvelles fonctionnalités et des styles revus.

N'essayez pas de suivre les voisins d'en face qui se pavanent chaque année dans une voiture neuve. Il se peut fort bien qu'ils soient en train de se ruiner à tenter d'impressionner le voisinage. De votre côté, faites plutôt en sorte que l'on vous admire pour votre sens de l'économie et votre sagesse.

L'accès à la télévision par satellite et à l'Internet améliore-t-il nos vies ?

Les choses étaient beaucoup plus simples du temps de notre jeunesse – dans le domaine des technologies de divertissement à domicile, du moins. Nos choix se limitaient à une poignée de chaînes locales et régionales. Maintenant, le câble et les nombreux services par satellite offrent des centaines de chaînes. Et, bien sûr, on peut surfer sur des millions de sites Web moyennant des frais mensuels.

Alors que tout le monde bénéficie de possibilités et de commodités similaires, on constate en même temps les effets néfastes de ces technologies sur la vie de nos familles. Dans l'état actuel des choses, la plupart des familles ont du mal à trouver le temps de passer des moments de qualité ensemble compte tenu des obligations du travail, des longues journées à l'école et des diverses autres activités quotidiennes. À la maison, toutes ces technologies se font la concurrence pour capter l'attention des membres de la famille, et celle-ci s'en trouve ainsi appauvrie en sa nature. Les coûts de tous ces services et gadgets s'additionnent, rendant les individus encore plus esclaves de leur travail.

Efforcez-vous de vivre le plus simplement possible. Vous vous épargnerez des frais, du stress, et vous aurez davantage de temps à consacrer aux aspects de la vie qui comptent vraiment.

Bien se renseigner avant d'acheter un véhicule

Lorsque vous achetez une automobile, vous ne payez pas seulement son prix de vente : vous devez aussi payer pour l'essence, les assurances, l'immatriculation, l'entretien et les réparations. Ne vous contentez pas de comparer les prix de vente, réfléchissez aussi en termes de coût total pour l'utilisation de votre voiture à longue échéance.

Parlant de coût total, n'oubliez pas non plus que votre vie dépend en partie de la fiabilité de votre véhicule. Si l'on pense qu'environ 600 personnes sont tuées tous les ans dans des accidents routiers au Québec, sans parler des nombreux blessés, on ne doit pas négliger la question de la sécurité dans le choix d'une voiture. Plusieurs sites Internet présentent diverses données sur les essais de choc ainsi que d'autres informations concernant les facteurs de sécurité des différentes voitures. Visitez par exemple les sites : `www.autonet.ca` et `www.protegez-vous.ca`. En outre, les sites `http://monvolant.cyberpresse.ca` et `www.guideauto.com` fournissent une grande quantité d'informations précieuses relatives à l'automobile : fiches techniques, essais routiers, essais de choc, assurances, comparatifs, etc. Enfin, vous trouverez des renseignements et des statistiques sur la sécurité routière au Québec en consultant le site Internet de la Société de l'assurance automobile du Québec (SAAQ) à l'adresse suivante : `www.saaq.qc.ca`. Cela dit, pouvez-vous vraiment vous permettre de faire l'achat d'une voiture neuve ?

Payer comptant pour une voiture

Qu'est-ce qui explique que les gens finissent souvent par dépenser plus qu'ils ne le peuvent réellement pour une voiture ? Ils se font financer leur achat. Comme nous en discutons dans la première partie de ce livre, vous devriez éviter d'emprunter de l'argent pour acheter des biens de consommation, surtout en ce qui concerne les articles qui se déprécient, comme les véhicules automobiles. Une voiture ne constitue absolument pas un investissement.

Lorsque vous achetez une voiture, la location-achat est généralement plus coûteuse qu'un emprunt à la banque. Acheter en recourant à la location-achat équivaut à louer une voiture à long terme. Quand on sait comment sont traitées les voitures de location, on comprend pourquoi la location-achat est si coûteuse.

Malheureusement, l'acquisition d'un véhicule au moyen de la location-achat ou de l'emprunt bancaire est en train de devenir la norme dans notre société. Cette approche s'explique sans doute par la désinformation pratiquée par les concessionnaires automobiles, mais aussi, dans certains cas, par les médias. On n'a qu'à imaginer un article de magazine avec un titre comme « Les avantages de la location-achat », par exemple, où l'on vante les mérites de ce mode de consommation et où sont insérées des publicités de concessionnaires automobiles. De telles publications tirant souvent d'importants revenus des publicités, elles ont tout intérêt à plaire à leurs annonceurs. Vous devez également savoir qu'en raison de l'influence de la publicité, et souvent par ignorance, le principe de la location-achat est largement promu par certains sites Web s'affichant comme des ressources d'informations sur le marché automobile.

Laisser tomber les voitures dispendieuses

Peut-être avez-vous déjà compris que votre voiture est trop chère à utiliser en raison des coûts qu'elle exige en assurance, en essence et en réparations. Ou peut-être avez-vous payé trop cher au départ pour votre voiture – les personnes qui recourent au crédit-bail ou à l'emprunt pour acheter une voiture s'offriront souvent un véhicule trop cher pour ce que leur permettent réellement leurs moyens.

Débarrassez-vous de votre voiture de luxe et optez pour un véhicule plus abordable. Plus tôt vous le ferez, plus vous économiserez d'argent. Se débarrasser d'une voiture louée n'est pas chose facile, mais c'est possible. Nous connaissons une personne qui, ayant perdu son emploi et entrepris de réduire ses dépenses, a réussi à convaincre le concessionnaire (en écrivant une lettre au propriétaire) de reprendre la voiture louée.

Se contenter de l'essentiel

Nous avons vu des ménages qui disposent d'une voiture par personne : quatre personnes, quatre voitures! Certaines personnes possèdent même une deuxième voiture qu'elles n'utilisent que dans leurs jours de congé! Or, pour la plupart des ménages, l'achat et l'entretien de deux voitures ou plus représente un luxe coûteux. Essayez de trouver des façons de vous organiser avec moins de voitures.

S'il ne vous est pas absolument nécessaire de posséder une voiture, vous pouvez utiliser le covoiturage, l'autobus, le métro ou le train pour vous rendre au travail. Certains employeurs accordent des primes d'encouragement à l'utilisation du transport en commun pour se rendre au travail et certaines villes ont aménagé des voies réservées au covoiturage et aux autobus. En laissant le volant à quelqu'un d'autre, vous avez l'occasion de faire de la lecture ou simplement de vous détendre sur le chemin du travail, en plus de contribuer à réduire la pollution.

Lorsque vous réfléchissez au coût de la vie dans différents secteurs, n'oubliez pas de tenir compte de vos frais de déplacements quotidiens. Les gens qui vivent près de leur lieu de travail ou, du moins, à proximité des parcours de transport en commun ont l'avantage d'être en mesure de se débrouiller avec moins de voitures ou parfois même sans aucune voiture.

Acheter des laissez-passer mensuels

Dans de nombreuses régions, il est possible de se procurer des laissez-passer mensuels de transport en commun pour l'autobus, le métro ou le train de banlieue, ce qui vous permet d'utiliser le service à moindre coût.

Acheter de l'essence ordinaire

Un certain nombre d'études ont démontré que les essences dites supérieures (super, extra, suprême, etc.) ne valent pas la dépense supplémentaire. Néanmoins, assurez-vous d'acheter de l'essence ayant un indice d'octane adapté à votre véhicule. Payer plus pour du «super» à indice d'octane élevé n'est qu'une perte d'argent : votre essence vous coûte plus cher, mais votre voiture ne fonctionne pas mieux. En outre, n'utilisez pas de cartes de crédit pour acheter votre essence si pour ce faire vous devez payer plus cher.

Voir à l'entretien régulier de votre voiture

Évidemment, l'entretien de votre voiture (les changements d'huile tous les 5 000 à 10 000 kilomètres, par exemple,) coûte de l'argent, mais cela vous permet aussi de réaliser des économies à long terme en prolongeant la durée de vie de votre voiture. L'entretien régulier de votre auto réduit également les risques qu'elle vous claque dans les mains au milieu de nulle part, ce qui pourrait en plus occasionner de jolis frais de remorquage. Encore pire, vous pourriez rester coincé sur une autoroute à l'heure de pointe avec des centaines de banlieusards en colère derrière vous.

Une voiture neuve ? Payez comptant !

« Allons, les gars, soyons sérieux ! pensez-vous peut-être. Comment monsieur tout-le-monde pourrait-il payer comptant pour l'achat d'une voiture neuve ? Qui donc a une telle somme à sa disposition ? »

Certaines personnes pensent qu'il est déraisonnable de suggérer que l'on puisse acheter une auto neuve en argent liquide. Après tout, de nombreuses publications encouragent le consommateur à recourir à la location-achat ou à un prêt auto. Bien entendu, ces mêmes publications tirent également d'importants revenus publicitaires des concessionnaires et des prêteurs. (Coïncidence ? Pas du tout, à notre avis.)

Nous sommes des gens raisonnables. Alors ayez confiance, nos recommandations ne visent que vos intérêts financiers à long terme. Jetez un coup d'œil aux points suivants :

✔ Si vous ne disposez pas de suffisamment de liquidités pour acheter une voiture neuve, nous vous disons : « N'achetez pas de voiture neuve ! » La plus grande partie de la population mondiale ne peut se permettre de s'acheter une voiture, encore moins une voiture neuve ! Achetez une voiture qui convienne à vos moyens – ce qui, pour la plupart des gens, s'appelle une voiture d'occasion.

✔ Ne vous laissez pas influencer par les idées reçues voulant qu'une voiture usagée coûte beaucoup d'argent à entretenir et à réparer. Faites vos devoirs et achetez une voiture d'occasion de bonne qualité. De cette façon, vous aurez le meilleur des deux mondes. Une bonne voiture d'occasion coûte moins cher à l'achat et, grâce à des coûts d'assurance réduits, elle est aussi moins chère à utiliser.

✔ Il n'est pas nécessaire de conduire une voiture de prestige pour faire bonne impression en affaires, même si certaines personnes sont persuadées du contraire. Nous n'allons pas vous dire comment gérer votre carrière, mais songez un peu à ceci : si vos clients actuels – et vos clients potentiels – vous aperçoivent au volant d'une rutilante voiture de luxe, ils pourraient croire que vous dépensez inutilement votre argent ou que vous vous enrichissez sur leur dos.

Dépenser moins pour les vêtements

Étant donné les sommes considérables que certaines personnes dépensent en vêtements et en accessoires vestimentaires, nous nous sommes demandé si les adeptes des colonies de nudistes n'étaient pas de grands épargnants ! Mais puisque, comme la majorité des gens, vous préférez sans doute vous vêtir, voici une brève liste d'idées économiques :

✔ **Évitez les vêtements qui requièrent un nettoyage à sec.** Lorsque vous achetez du linge, optez pour le coton et les tissus synthétiques lavables à la machine au lieu des laines synthétiques ou de la soie, qui exigent un nettoyage à sec. Lisez les étiquettes avant d'acheter des vêtements.

✔ **Oubliez les toutes dernières nouveautés.** Les créateurs de mode et les détaillants s'appliquent en permanence à vous tenter d'acheter toujours plus. Ne le faites pas. Ne tenez pas compte des publications qui dictent les tendances de la saison. Dans la plupart des cas, vous n'avez tout simplement pas besoin d'acheter des tas de nouveaux vêtements, encore moins de renouveler votre entière garde-robe à chaque année. Si vos vêtements ne durent pas au moins dix ans, soit vous les jetez avant leur temps, soit vous achetez des vêtements qui ne sont pas très durables. La mode, telle que définie par ce que portent les gens, change assez lentement. En fait, les classiques ne se démodent pratiquement pas. Si vous désirez obtenir l'effet d'une nouvelle garde-robe chaque année, entreposez vos vêtements un an après les avoir achetés et ressortez-les deux ou trois ans plus tard ! Autrement dit, effectuez un roulement de votre inventaire tous les quatre ou cinq ans. Établissez vos propres critères de mode. Allez à l'essentiel et achetez classique. En suivant les orientations des gourous de la mode, vous aurez peut-être l'air branché, mais vous risquez d'être pauvre.

✔ **Minimisez les accessoires.** Les chaussures, les bijoux, les sacs à main et ainsi de suite peuvent engloutir de grandes quantités d'argent. Encore une fois, combien de ces accessoires avez-vous vraiment besoin d'acheter ? Probablement très peu, parce que ces articles durent normalement de nombreuses années.

Faites l'inventaire de ce qui se trouve dans votre garde-robe, dans vos tiroirs et dans votre boîte à bijoux. Auriez-vous pu utiliser cet argent pour autre chose ? Apercevez-vous des articles que vous regrettez d'avoir achetés, d'autres que vous aviez oubliés ? Évitez de répéter les mêmes erreurs. Et s'il y a beaucoup de choses dont vous ne voulez plus, organisez une vente de garage !

Réduire le coût de votre dette

Au chapitre 4, nous traitons de stratégies de réduction du coût d'une dette de consommation. La meilleure façon de réduire les coûts d'une telle dette est d'éviter dès le début de la créer lorsque vous effectuez des achats de consommation. Vous pouvez éviter l'endettement à la consommation en éliminant votre accès au crédit ou en limitant vos achats d'articles de consommation à ce que vous êtes en mesure de rembourser entièrement chaque mois. Rappelez-vous, n'empruntez que pour des investissements à long terme (voir le chapitre 1 pour en savoir plus).

Ne conservez pas de carte de crédit qui vous facture des frais annuels, surtout si vous payez votre solde en entier chaque mois. Il existe de nombreuses cartes n'en comportent pas et certaines d'entre elles proposent même des avantages d'utilisation :

✔ **Banque de Montréal MasterCard** (1-800-263-2263, www4.bmo.com) est une carte de récompenses « personnalisable », en quelque sorte. Vous avez le choix de l'option sans frais annuels assortie d'un taux d'intérêt plus élevé ou de l'option avec frais annuels assortie d'un taux d'intérêt plus faible. Du côté des récompenses, vous pouvez soit accumuler des Air Miles ou obtenir de 0,5 % à 1 % de remise sur vos achats selon que vous acceptez de payer des frais annuels ou non.

✔ **CIBC** (1-800-465-4653, www.cibc.com/ca/visa) offre quelques options Visa. La carte Dividendes CIBC vous donne un crédit de 0,25 % sur la première tranche de 1 500 $ que vous dépensez par année, de 0,5 % sur la tranche suivante de 1 500 $, et de 1 % sur tout montant au-delà de 3 000 $. La CIBC propose également une carte VISA Shoppers Optimum/Pharmaprix Optimum grâce à laquelle vous pouvez accumuler des points utilisables dans ces pharmacies. Vous recevez des points sur tous les achats portés à cette carte, mais plus de points encore lorsque vous utilisez la carte dans ces pharmacies. Vous pouvez vous servir de vos points accumulés pour obtenir des rabais lors d'achats dans ces pharmacies ou en faire don à un organisme de bienfaisance.

✔ **Citibank** (1-800-387-1616, www.citibank.com/canada) offre plusieurs cartes de récompenses dont la Cartomobile Mastercard Platine Citi. Celle-ci vous propose une remise de 2 % sur vos transactions applicable à l'achat d'un véhicule. Contrairement à ce qui se fait ailleurs, vous n'êtes pas limité à un concessionnaire en particulier et pouvez choisir d'acheter un véhicule neuf ou usagé. La carte Mastercard Enrichi Citi (sans frais annuels) vous offre une remise annuelle en argent équivalant à 1 % de toutes vos dépenses portées à la carte. Enfin, la Mastercard PETRO-POINTS Citi (sans frais annuels) vous permet quant à elle d'obtenir un rabais de 2 cents le litre lorsque vous faites le plein chez Petro-Canada. Vous obtenez également 10 PETRO-POINTS pour chaque dollar dépensé avec cette carte, partout où la carte Mastercard est acceptée. Vos PETRO-POINTS sont échangeables contre des produits et services chez Petro-Canada ainsi que chez différents marchands partenaires du programme.

✔ **La Banque Nationale** (1-800-465-4653, www.bnc.ca) propose actuellement deux cartes de crédit sans frais annuels, l'Édition et la MC1. Différentes cartes de récompenses sont aussi offertes. Certaines vous permettent de profiter de rabais chez des détaillants d'essence et de petites remises sur les achats portés à la carte.

- ✔ **La carte Mastercard Services financiers le Choix du Président** (1-866-246-7262, www.pcfinancial.ca) vous permet d'accumuler des points CP que vous pouvez ensuite utiliser pour obtenir des provisions et d'autres récompenses chez les marchands participants. Vous accumulez 10 points pour chaque dollar porté à la carte, et ce, dans n'importe quel commerce où la carte Mastercard est acceptée. Cette carte constitue un bon choix si vous avez actuellement un solde considérable sur une autre carte de crédit. Le taux d'intérêt sur les transferts de solde est faible (près de 6 % au moment d'écrire ces lignes) et au lieu de grimper à un niveau beaucoup plus élevé au bout de 4 mois, comme c'est le cas avec de nombreuses autres cartes, le taux sur le montant transféré reste faible jusqu'à ce que tout ait été payé.

- ✔ **La carte Visa Classique RBC Récompenses** (1-800-769-2512, www.rbcroyalbank.com) vous permet de gagner des points de récompenses échangeables contre une sélection de primes chez différents détaillants, dont La Baie, Zellers, Déco Découverte et Future Shop. Le programme offre une remise d'environ 0,4 %.

- ✔ **La VISA Remises Scotia sans frais annuels** (1-888-882-8958, www.scotiabank.com) est une carte qui vous offre une remise allant jusqu'à 1 % de vos achats portés à la carte. Cette carte vous rend également admissible à un rabais sur les locations de voitures avec Avis.

- ✔ **Visa TD** (1-800-983-8472, www.tdcanadatrust.com) offre une carte Visa GM, avec laquelle vous accumulez 3 % des achats portés à votre solde. Les dollars ainsi amassés sont applicables à l'achat d'un véhicule de marque GM, jusqu'à concurrence de 3 500 $. La Visa TD Verte est quant à elle une carte de base sans frais annuels.

- ✔ **Visa Desjardins** (1-800-224-7737, www.desjardins.com/fr) offre plusieurs types de cartes, dont trois cartes sans frais annuels. Il y a la « Juste pour étudiants », la « Classique » et la « Or Élégance ».

Ne considérez les cartes de la liste qui précède que si vous payez entièrement votre solde chaque mois, parce que les cartes sans frais annuels perçoivent habituellement des taux d'intérêt élevés sur les soldes reportés d'un mois à l'autre. Et les petites récompenses qui vous sont proposées ne signifieront rien si vous les annulez en payant des frais d'intérêts.

Si vous avez une carte de crédit qui exige le paiement de frais annuels, essayez d'appeler la société pour expliquer que vous voulez faire annuler votre carte parce que vous pouvez obtenir une carte sans frais annuels chez un concurrent. Certaines banques accepteront de renoncer à ces frais annuels sur-le-champ. Il se peut également que des institutions vous demandent de rappeler chaque année pour renouveler l'annulation de ces frais, une corvée que vous pouvez vous éviter en optant pour une carte sans frais annuels.

Parmi les cartes qui facturent des frais annuels, certaines offrent des crédits permettant d'acheter des produits précis, tels qu'un véhicule ou des billets d'avion. Ces programmes n'en valent la peine que si vous payez votre facture en entier chaque mois et que vos achats effectués avec la carte dépassent les 10 000 $ annuellement.

Note : soyez prudent, car vous pourriez être tenté de dépenser plus avec une carte qui vous récompense. N'oubliez pas qu'en dépensant plus que vous ne le feriez autrement dans le seul but d'accumuler des points de récompense, vous annulez les avantages des crédits ainsi accumulés.

Se faire plaisir de façon responsable

L'argent dépensé pour s'amuser, se détendre et récupérer peut l'être à bon escient. Cependant, quand il s'agit de divertissement et de loisirs, les extravagances financières sont capables de ravager un budget par ailleurs équilibré.

Le divertissement

Si vous réglez vos attentes, vos divertissements ne devraient pas vous coûter très cher. Beaucoup de cinémas, de théâtres, de musées et de restaurants offrent des prix réduits à certains moments du jour et de la semaine.

Cultivez des intérêts et des passe-temps qui sont gratuits ou qui se pratiquent à faible coût. Visiter des amis, faire de la randonnée, de la lecture et pratiquer un sport sont des activités susceptibles d'être bénéfiques aussi bien pour vos finances que pour votre santé.

Les vacances

Pour beaucoup de gens, les vacances représentent un luxe. Pour d'autres, des vacances régulières constituent un élément essentiel à leur style de vie. Peu importe comment vous vous y prenez pour recharger vos batteries, rappelez-vous que les vacances ne sont pas un investissement et que pour cette raison, vous ne devriez pas emprunter sur vos cartes de crédit pour financer vos voyages. Après tout, comment arriverez-vous à vous détendre quand il faudra rembourser tout cet argent ?

Voyez s'il vous est possible de prendre des vacances plus courtes et plus près de chez vous. Avez-vous visité un parc national ou provincial récemment ? Il y a probablement des sites intéressants à visiter dans votre région, des endroits que vous n'avez pas encore explorés et qui sont situés dans un rayon de 300 kilomètres autour de chez vous. Ou pourquoi ne pas prendre un temps d'arrêt, faire des siestes et vous détendre à la maison, comme le font les chats ?

Si vous faites un voyage vers une destination populaire éloignée, voyagez pendant la saison morte pour profiter des meilleurs tarifs sur les billets d'avion et les chambres d'hôtel. Surveillez les rabais et les annonces de billets à vendre placées dans les journaux locaux par des personnes qui sont dans l'impossibilité de les utiliser. Sur les sites Internet qui suivent, vous trouverez de nombreux renseignements concernant les tarifs de billets d'avion et d'hébergement, les destinations, les locations de voiture, les conseils et avertissements pour le voyage, et plus encore :

- ✔ www.voyage.gc.ca
- ✔ www.linternaute.com/voyager
- ✔ www.routard.com
- ✔ www.bonjourquebec.com
- ✔ www.selloffvacations.com
- ✔ www.jetvacations.ca (en anglais)

Pas d'excès dans les cadeaux !

Réfléchissez à la façon dont vous achetez des cadeaux au cours d'une année, en particulier durant le temps des Fêtes. Certaines personnes font tellement de dépenses avec leurs cartes de crédit durant la période de Noël qu'il leur faut jusqu'à la fin du printemps ou même jusqu'à l'été pour payer leurs soldes.

Bien que nous ne voulions pas priver vos proches des cadeaux que vous leur offrez, ni vous priver du plaisir de les leur offrir, nous vous rappelons l'importance de dépenser avec sagesse. Les cadeaux confectionnés person-nellement coûtent moins cher et sont parfois plus agréables à recevoir. Beaucoup d'enfants aiment recevoir des jouets classiques, simples et durables. Si les publicités télévisées dictent les désirs de vos enfants, ces derniers passent peut-être trop de temps devant le petit écran (ou peut-être devriez-vous revoir les règles quant à ce que vous les autorisez à regarder).

Certaines personnes oublient leurs habitudes d'achats économes quand vient le temps de faire des cadeaux. Peut-être est-ce en partie parce qu'elles craignent les jugements. Comme pour l'ensemble de vos achats, vous pouvez réaliser des économies substantielles en étant attentif à ce que vous achetez et à l'endroit où vous l'achetez. De plus, ne commettez pas l'erreur d'associer la valeur d'un cadeau à son prix.

Une bonne façon de se débarrasser de ces vieux cadeaux indésirables ? En organisant l'une des activités du temps des Fêtes les plus plaisantes à faire : un échange de « cadeaux inutiles ». Chacun apporte un cadeau emballé, un objet dont il ne veut plus, et l'échange avec quelqu'un d'autre. Une fois les cadeaux déballés, les participants peuvent les troquer entre eux. (Assurez-vous simplement de ne pas apporter un cadeau qui vous a été donné par l'un des participants à l'échange !)

En règle générale, les aînés bénéficient de tarifs réduits chez la plupart des compagnies aériennes. Informez-vous auprès de ces dernières des prix qu'elles proposent.

Enfin, assurez-vous de magasiner vos billets, même lorsque vous passez par un agent de voyage. Comme ceux-ci travaillent à la commission, il se peut qu'ils ne fassent pas tous les efforts possibles pour vous dénicher le meilleur prix. Les forfaits, quand ils correspondent à vos intérêts et à vos besoins, peuvent vous faire économiser de l'argent. Si vous êtes flexible dans vos plans de voyage, vous pourriez réduire vos frais en effectuant en même temps un service de messagerie (mais seulement après avoir vérifié la réputation de l'entreprise).

Vos soins personnels

Vous devez prendre soin de vous-même, mais comme pour le reste, il y a des façons coûteuses et des façons économiques de le faire.

✔ **Les soins capillaires.** Si vous avez besoin d'une coupe de cheveux, différents salons de coiffure sans prétention se chargeront d'effectuer le travail pour un prix raisonnable. Mais peut-être croyez-vous que votre coiffeuse est la seule qui sache s'occuper de vos cheveux selon vos goûts. Si l'on pense aux sommes indécentes que facturent certains salons branchés, il faut vraiment être fou du résultat pour justifier ce qu'il vous en coûte. Envisagez d'aller de temps à autre dans un salon plus modeste pour y faire entretenir la fabuleuse coiffure que vous vous êtes payée dans une boutique branchée. Si vous êtes audacieux, essayez d'obtenir votre coupe de cheveux dans une école de coiffure locale. Pour les parents de jeunes enfants, l'achat d'une simple tondeuse à cheveux électrique peut vous permettre d'économiser du temps et de l'argent – et plus question pour les tout-petits d'aller se faire couper les cheveux par un «étranger». L'ensemble est amorti après seulement deux ou trois coupes de cheveux!

✔ **Les autres services de soins personnels.** À notre avis, les milliards dépensés chaque année en produits cosmétiques sont en grande partie un gaspillage d'argent (sans parler de tout le temps consacré à l'utilisation de ces produits). Le recours fréquent à des services de traitements faciaux, de pédicures et de manucures, par exemple, peut engendrer des dépenses considérables.

✔ **Les clubs de sport.** L'argent dépensé pour l'activité physique est presque toujours de l'argent bien dépensé. Toutefois, il n'est pas nécessaire d'appartenir à un gym branché pour connaître les bienfaits de l'exercice. Si vous êtes membre d'un gym ou d'un club de sport haut de gamme (que ce soit à des fins de rencontres ou d'affaires), à vous de juger si cela en vaut vraiment le coût.

Il existe des installations sportives un peu partout, vous n'avez qu'à les chercher là où vous voyez des enfants et de jeunes adultes. Les écoles locales, les cégeps et les universités disposent souvent, selon les cas, de courts de tennis, d'une piste de jogging, d'une piscine, de terrains de basket-ball et de salles de conditionnement physique, et des moniteurs sont parfois même sur place. Les centres communautaires offrent des programmes et des cours de conditionnement physique. Les régions métropolitaines où l'on trouve beaucoup de clubs de sport ont sans aucun doute la plus vaste gamme de possibilités et de prix. Notez qu'au moment de choisir un centre d'exercice, vous devez prendre en compte le coût de vos déplacements aller et retour, ainsi que les frais de stationnement (le cas échéant). Et surtout, ne manquez pas de vous demander quelles sont les chances que vous vous rendiez régulièrement à cet endroit pour faire de l'exercice.

N'oubliez pas que l'on peut aussi faire de l'exercice gratuitement, à l'intérieur comme à l'extérieur. N'est-il pas plus agréable de se promener à vélo devant un magnifique coucher de soleil que de pédaler sur un vélo stationnaire ? Vous pouvez également faire l'acquisition de certains appareils d'exercice de base et les utiliser chez vous. Faites attention cependant : beaucoup de rameurs et de poids libres finissent dans un placard après quelques semaines d'utilisation.

Être sélectif dans vos achats de publications

Nous avons tous nos publications favorites. Mais certaines personnes ne se rendent pas compte de l'argent qu'elles dépensent en journaux, revues et magazines parce qu'elles ne prennent pas la peine de comptabiliser les montants déboursés pour ces achats.

Les publications gratuites étant souvent poussées par les annonceurs, nous ne vous encouragerons pas à vous jeter sur elles. Mais regardez de plus près le montant total que vous dépensez pour des publications et voyez combien vous coûte chacune d'elles. Conservez celles qui vous en donnent vraiment pour votre argent et laissez tomber les autres ; vous pourrez toujours les lire à votre bibliothèque locale.

Si vous preniez l'argent que vous payez pour un abonnement régulier à un quotidien – disons, 23 $ par mois, ou 276 $ par année – et l'investissiez dans votre REER à un rendement de 10 % par année, dans 25 ans, vous obtiendriez plus de 27 000 $. Et ce calcul ne tient pas compte des augmentations inévitables de l'abonnement. Maintenant que vous avez vu ces chiffres, vous devrez vraiment être persuadé d'en avoir pour votre argent pour choisir de conserver votre abonnement !

Épurer vos frais de services professionnels

Les comptables, les avocats et les conseillers financiers peuvent valoir leurs frais s'ils sont bons. Mais méfiez-vous des professionnels qui créent ou perpétuent le travail et qui sont en conflit d'intérêts avec leurs recommandations.

Veillez à bien vous préparer avant une rencontre avec un professionnel en services fiscaux, juridiques ou financiers. Faites quelques recherches préliminaires afin d'évaluer ses points forts et ses points faibles. Fixez-vous des objectifs et essayez d'évaluer les coûts de la consultation afin de savoir dans quoi vous vous embarquez.

Les ressources informatiques et imprimées (voir les chapitres 18 et 19) peuvent représenter des solutions de rechange valables et économiques à l'embauche de professionnels.

Limiter les frais médicaux

La santé est une question plus importante que jamais. Les coûts des soins de santé augmentent rapidement, et vous devez maintenant payer pour certains services autrefois couverts par la Régie de l'assurance maladie du Québec. Alors que la Régie couvre toujours la plupart de vos besoins de base en santé, c'est à vous qu'il revient de payer pour obtenir les services d'un dentiste, d'un chiropraticien ou d'un optométriste, par exemple. (Le chapitre 16 vous renseigne sur les façons de magasiner pour une assurance maladie complémentaire.)

Dans le secteur de la santé, les prix et la qualité des produits et des services varient comme dans tout autre domaine. Et qu'on le veuille ou non, la santé est une industrie parmi d'autres. Il y a conflit d'intérêt dès lors que la personne qui recommande un traitement tire un bénéfice financier de l'application de ce traitement. En règle générale, les professionnels de la santé sont payés à la pièce ou à l'heure pour une grande partie des actes qu'ils posent, ils ont donc un avantage financier considérable à faire leur travail de la manière la plus payante possible. De nombreuses études ont exposé des cas de chirurgies inutiles et d'autres actes médicaux superflus résultant de ce conflit d'intérêt. Cette question touche tous les Québécois, car même lorsqu'un service de santé fautif est couvert par la Régie de l'assurance maladie, vous contribuez à le financer par l'entremise des impôts que vous payez.

Les thérapies psychologiques, par exemple, sont souvent utiles et permettent sans doute aussi de sauver des vies. Toutefois, les consultations chez certains types de thérapeutes ne sont pas entièrement couvertes – ou pas couvertes du tout – par notre régime de santé provincial. Si vous consultez un thérapeute ou que vous songez à le faire, ayez une conversation franche avec elle ou lui au sujet de la durée et des coûts totaux prévisibles de votre thérapie ainsi que des résultats que vous pouvez espérer. Comme pour tout service professionnel, un thérapeute compétent devrait être en mesure de vous donner une réponse claire s'il veille à votre bien-être psychologique et financier.

Les médecines alternatives (holistiques, par exemple) retiennent de plus en plus l'intérêt du public en raison de l'accent mis sur les soins préventifs et de la prise en compte de la santé globale de la personne dans les traitements. Bien qu'il puisse être dangereux de recourir à une médecine alternative si vous êtes dans un état critique, il existe des traitements alternatifs qui valent la peine d'être explorés pour de nombreuses formes de maladies ou de douleurs chroniques.

Si vous devez prendre régulièrement certains médicaments pour lesquels vous payez de votre poche, vous pourriez réduire vos coûts et vous éviter des visites à la pharmacie en les commandant d'une entreprise de vente par correspondance. Votre régime de santé devrait être en mesure de vous renseigner sur vos possibilités.

Les entreprises suivantes de vente de médicaments par correspondance offrent des médicaments génériques qui sont médicalement équivalents à des médicaments de marque, mais qui coûtent beaucoup moins cher :

✔ Meditrust (1-877-525-6554 ou `www.meditrust.com`)

✔ Pharmacy.ca (Central Medical Pharmacy : 1-800-727-5048 ou `www.pharmacy.ca`)

✔ Pharmex Direct (1-800-663-8637 ou `www.pharmexdirect.com`)

Surveiller vos primes d'assurance

L'assurance est un vaste champ de mines. Dans la quatrième partie, où nous traitons des différents types de couverture, nous vous suggérons ce qu'il convient d'acheter et d'éviter, et nous vous offrons quelques conseils quant aux façons d'économiser sur vos polices. Les points suivants exposent les manières les plus courantes de gaspiller de l'argent dans l'assurance.

✔ **Opter pour une franchise faible.** La franchise (souvent appelée à tort «déductible») est le montant que vous devez vous-même débourser lors d'une réclamation pour un sinistre. Par exemple, si vous êtes impliqué dans un accident de la route et que votre contrat d'assurance automobile comprend une franchise collision de 100 $, vous payez les premiers 100 $ de dommages et votre compagnie d'assurance paye le reste. Une franchise faible, cependant, se traduit par une prime beaucoup plus élevée pour vous. À long terme, vous économisez de l'argent en choisissant une franchise plus élevée, même si cela implique que vous deviez débourser plus d'argent lors d'une éventuelle réclamation. Vos assurances sont là pour vous protéger contre une catastrophe économique, alors soyez logique et n'allez pas non plus choisir une franchise trop élevée, car cela pourrait vous causer des ennuis financiers si vous ne disposez pas du montant nécessaire le jour où vous devrez faire une réclamation.

Si vous faites beaucoup de réclamations, vous ne serez pas plus avancé avec une franchise plus faible, parce que vos primes d'assurance augmenteront. De plus, les franchises faibles signifient plus de formulaires de réclamation à compléter pour des pertes de moindre importance (ce qui vous crée d'autres tracas). Il faut savoir que le dépôt d'une réclamation d'assurance n'est généralement pas une expérience agréable ni rapide.

✔ **Couvrir les petites pertes potentielles et les besoins superflus.** Vous ne devriez pas acheter d'assurance pour tout ce qui ne risque pas de tourner en catastrophe financière dans l'éventualité où vous devez le payer de votre poche. Le service postal n'est pas infaillible, certes, mais il est tout de même inutile d'assurer des cadeaux peu coûteux expédiés par la poste. Les garanties prolongées sur les produits électroniques et les électroménagers sont elles aussi financièrement aberrantes. Et si personne ne dépend de votre revenu, vous n'avez pas non plus besoin de contracter une assurance vie. (Qui sera là pour recueillir le magot quand vous serez mort ?)

✔ **Ne pas magasiner.** Les tarifs varient énormément d'un assureur à un autre. Dans la quatrième partie, nous vous recommandons les meilleures entreprises à contacter pour obtenir des devis, ainsi que différentes stratégies d'économie.

Réduire vos impôts

Les impôts sont sans doute l'une de vos plus grandes dépenses, sinon la plus grande. (Alors pourquoi en discuter en fin de liste ? Lisez la suite pour le découvrir.)

Les régimes d'épargne-retraite constituent l'une des façons les meilleures et les plus simples de réduire votre fardeau fiscal. (Nous traitons plus en détails des régimes d'épargne-retraite au chapitre 10.) Malheureusement, la plupart des gens ne peuvent pas profiter pleinement de ces régimes car ils dépensent tout l'argent qu'ils gagnent. Donc, non seulement ils ont moins d'économies, mais ils payent aussi plus d'impôts sur le revenu – une double faute.

Nous avons assisté à des présentations où un type bien habillé et très volubile, travaillant dans le domaine de l'investissement, parle de l'importance d'épargner pour la retraite et explique comment investir votre épargne. Malheureusement, les détails et les conseils en ce qui a trait aux façons de trouver de l'argent à épargner (la partie la plus difficile pour la majorité des gens) sont laissés à l'imagination du public.

Afin de profiter des économies d'impôt provenant de votre participation à un régime d'épargne-retraite, vous devez d'abord dépenser moins d'argent que vous n'en gagnez. Ce n'est qu'alors que vous pourrez vous permettre de contribuer à ces plans. C'est pourquoi la première partie de ce chapitre porte sur les stratégies visant à réduire vos dépenses.

Dépenser moins et épargner plus implique aussi l'avantage de payer moins de taxes de vente. Vous payez des taxes de vente sur la plupart des produits de consommation que vous achetez. Par conséquent, lorsque vous dépensez moins d'argent et que vous contribuez à un régime de retraite, vous réduisez à la fois votre impôt sur le revenu et les taxes de vente que vous payez. (Voir le chapitre 6 pour en apprendre davantage sur les stratégies de réduction de votre impôt sur le revenu.)

Éliminer les dépendances coûteuses

Les êtres humains sont des créatures d'habitude. Nous avons tous certaines habitudes que nous souhaiterions n'avoir jamais prises et dont il est difficile de se défaire. Les plus coûteuses sont les pires. Voici quelques orientations susceptibles de vous aider à briser vos propres habitudes financièrement dommageables (si vous en avez) :

✔ **Renoncez au tabac.** Les Canadiens dépensent chaque année environ 6 milliards de dollars en produits du tabac. Et les Québécois sont en tête de file. En fumant un paquet par jour, vous dépensez près de 3 000 $ par année pour nuire à votre santé. Les coûts engendrés par les soins médicaux et les heures de travail perdues sont encore plus grands : les estimations varient entre 3 et 7 milliards de dollars par année. Évidemment, si vous choisissez de continuer à fumer, il ne vous est peut-être pas nécessaire d'épargner en vue de la retraite.

Renseignez-vous auprès des hôpitaux locaux pour obtenir des informations sur les programmes d'arrêt du tabagisme. Si vous désirez arrêter de fumer, la Société canadienne du cancer (1-888-939-3333 ; www.cancer.ca) offre un programme d'entraide ainsi qu'un service d'assistance téléphonique. Cette société peut également vous référer à des programmes locaux. L'Association pulmonaire du Canada (1-888-566-5864) offre une foule de renseignements utiles via son site Internet (www.poumon.ca) et peut vous référer à des associations provinciales, dont la plupart proposent des programmes d'arrêt du tabagisme.

✔ **Cessez d'abuser de l'alcool et des autres drogues.** Des milliers de Canadiens suivent chaque année un traitement pour l'alcoolisme ou la toxicomanie. Ces comportements d'addiction, comme les dépenses compulsives, transcendent tous les clivages éducatifs et socio-économiques de notre société. Trois des dix principales causes de décès – la cirrhose du foie, les accidents et les suicides – sont associées à la consommation excessive d'alcool. Malgré cela, des études ont démontré que seulement un alcoolique ou un toxicomane sur sept demande de l'aide.

Pour trouver une section locale des Alcooliques Anonymes, consultez l'annuaire téléphonique ou visitez le `www.aa-quebec.org`. En ce qui concerne la toxicomanie, communiquez avec le ministère de la Santé et des Services sociaux du Québec (`www.msss.gouv.qc.ca`) pour obtenir de l'aide et des informations. Vous pouvez également parcourir des listes de sources sur l'Internet pour obtenir de l'aide en ligne. Le site Internet de l'organisme Toxquébec est une excellente référence en matière de toxicomanie : `www.toxquebec.com`.

✔ **Tenez-vous loin du jeu.** De nombreux joueurs pathologiques finissent par perdre leur maison, ou pire. Pourquoi pensez-vous que tant de gouvernements contrôlent les loteries ? Parce qu'il y a beaucoup d'argent à faire sur le dos des gens qui s'adonnent au jeu, voilà pourquoi. Avec les loteries, les appareils de loterie vidéo, les casinos, les hippodromes, les cynodromes et autres établissements de jeu, vous ne sortirez jamais gagnant à long terme. Il en est de même de l'investissement à court terme dans les actions, qui tient davantage du jeu que de l'investissement. Il est facile et tentant de s'accrocher au rêve de gagner. Bien sûr, on gagne parfois un peu d'argent, juste assez pour vous donner l'envie de recommencer. Et de temps à autre, quelqu'un remporte le gros lot. Mais le plus souvent, ce sont vos dollars qui finissent dans les poches des propriétaires du casino.

Si vous jouez juste pour le divertissement, n'apportez avec vous que l'argent que vous pouvez vous permettre de perdre. Ou mieux encore, trouvez-vous une autre façon de vous divertir ; vous éviterez ainsi le risque de développer une dépendance ! Divers organismes viennent en aide aux personnes pour qui le jeu est devenu une dépendance. Il existe dans la région de Montréal de nombreuses ressources d'aide pour joueurs compulsifs, dont le Centre Dollard-Cormier (1-800-461-0140, `www.joueur-excessif.com`). Dans la région de Québec, communiquez avec Joueurs anonymes (`www.ja-quebec.com`). Le site Internet de l'organisme Toxquébec (`www.toxquebec.com`) offre des conseils et des informations pertinentes. Vous pouvez également communiquer avec le ministère de la Santé et des Services sociaux du Québec pour connaître les programmes d'aide disponibles et consulter son Répertoire des ressources sur le jeu pathologique : `www.msss.gouv.qc.ca`.

Chapitre 6

Apprivoiser l'impôt

- -

Dans ce chapitre :

▶ Comprendre l'appareil fiscal

▶ Réduire l'impôt sur votre revenu

▶ Diminuer l'impôt prélevé sur vos investissements

▶ Comment augmenter vos déductions

▶ Préparer votre déclaration de revenus à l'aide des ressources fiscales

▶ Réagir à un avis de vérification fiscale

- -

*V*ous payez beaucoup d'argent en impôts, probablement plus que vous ne l'imaginez. Croyez-le ou non, peu de gens savent combien ils déboursent chaque année. Ils se souviennent le plus souvent d'un solde dû au fisc ou d'un remboursement reçu, c'est à peu près tout. Mais lorsque vous produisez votre déclaration de revenus, tout ce que vous faites, c'est équilibrer auprès des autorités fiscales le montant des impôts que vous avez versés pendant l'année par rapport à l'impôt total que vous devez payer pour une année d'après vos revenus et les déductions applicables.

(Note : Les règles fiscales fédérales et provinciales sont fréquemment revues et modifiées. Pour cette raison, nous vous invitons à vérifier les informations qui vous intéressent auprès des autorités concernées afin de vous mettre au fait des changements susceptibles d'avoir été apportés depuis la parution de ce livre.)

Comprendre l'impôt que vous payez

Certaines personnes se considèrent chanceuses d'obtenir un remboursement, alors que le fait d'en recevoir un indique simplement que vous avez payé trop d'impôt pendant l'année. On vous rembourse de l'argent que vous auriez déjà dû avoir en banque. Si vous obtenez régulièrement des remboursements annuels d'impôts payés en trop, vous devez réduire vos versements durant l'année.

Lorsque vous remplissez votre déclaration fiscale annuelle, au lieu de vous demander si vous aurez droit à un remboursement, vous devriez vous concentrer sur le total des impôts que vous payez. Pour connaître le montant total que vous payez en impôt, vous devez vous référer à votre déclaration de revenus. Dans les formulaires de déclaration T1 et TP1 (fédéral et provincial), il y a une ligne appelée «Voici votre total à payer». Dans les formulaires récents, c'était la ligne 435 (formulaire fédéral T1) et la ligne 450 (formulaire provincial TP1). Ensuite, soustrayez de ce montant tous les crédits de l'impôt total à payer, à l'exception de l'impôt déjà déduit (ligne 437 du formulaire fédéral et ligne 451 du formulaire provincial) ou de l'impôt payé par acomptes provisionnels (ligne 476 du formulaire fédéral et ligne 453 du formulaire provincial). Le résultat obtenu représente assurément l'une de vos plus grandes «dépenses».

Le but de ce chapitre est de vous aider à réduire légalement et de façon permanente le total des impôts que vous payez. La bonne compréhension du système est la clé de la réduction de votre fardeau fiscal. Si vous ne comprenez pas comment il fonctionne, vous payez sûrement plus d'impôts que nécessaire. Votre ignorance fiscale peut conduire à des erreurs qui peuvent s'avérer coûteuses si l'Agence du revenu du Canada ou Revenu Québec relèvent des erreurs concernant des sommes impayées. Avec la prolifération des données informatisées et le suivi des renseignements, il n'a jamais été aussi facile de retracer les erreurs.

Le système fiscal, comme d'autres politiques publiques, est construit autour de mesures incitatives visant à encourager des comportements et des activités socialement souhaitables. L'accession à la propriété, par exemple, est considérée comme souhaitable, car elle incite les gens à se responsabiliser en ce qui a trait à l'entretien des bâtiments et à la bonne marche des quartiers. Les quartiers les plus propres et les mieux ordonnés sont souvent ceux qui ont les taux les plus élevés de propriétaires occupants. Par conséquent, le gouvernement offre toutes sortes d'avantages fiscaux, dont nous parlerons plus loin dans ce chapitre, dans le but d'encourager les gens à faire l'achat d'une maison.

Tout le monde ne suit pas nécessairement la voie préconisée par le gouvernement ; après tout, chacun est libre d'agir à sa guise. Toutefois, moins vous vous engagez dans des activités dites souhaitables, plus vous payez d'impôts. En connaissant les possibilités, vous serez à même de choisir ce qui correspond le mieux à vos besoins au fur et à mesure que vous franchirez les différentes étapes de votre vie financière.

Connaître l'impact de votre taux marginal d'imposition

Quand il est question d'impôt, tous les revenus ne sont pas traités également. Mais ce fait est loin de sauter aux yeux. Si vous travaillez pour un employeur et touchez un salaire constant au cours d'une année, une quantité constante et égale d'impôts fédéral et provincial est déduite de chacun de vos chèques de paie. Vous avez ainsi l'impression que tous vos revenus sont imposés également.

En réalité, cependant, vous payez moins d'impôt sur vos premiers dollars de revenus et plus d'impôt sur les derniers dollars gagnés au cours d'une même année. Par exemple, si vous êtes célibataire et qu'en 2009 votre revenu imposable (un terme que nous définissons dans la section suivante) s'élève à 40 000 $, vous ne payez aucun impôt sur la première tranche de 10 455 $ (10 320 $ au fédéral) en raison d'un crédit d'impôt qui compense l'impôt sur ce revenu. Votre taux combiné fédéral et provincial d'imposition serait d'environ 27 % sur les revenus de 10 320 $ à 40 726 $, de 38 % de 40 726 $ à 76 770 $, de 42 % de 76 770 $ à 81 452 $, de 46 % de 81 452 $ à 126 264 $ et de 48 % sur les revenus supérieurs à 126 264 $. Le tableau 6-1 donne les taux approximatifs d'imposition aux niveaux fédéral et provincial combinés.

Tableau 6-1 : Taux et tranches d'imposition marginaux combinés (fédéral et provincial) pour l'année 2009

Revenu imposable	*Taux d'imposition (tranches)*
0 $ – 10 320 $	0 % (en raison d'un crédit d'impôt)
10 320 $ – 40 726 $	27 %
40 726 $ – 76 770 $	38 %
76 770 $ – 81 452 $	42 %
81 452 $ – 126 264 $	46 %
126 264 $ et plus	48 %

Votre taux marginal d'imposition est le taux d'imposition que vous payez sur les derniers dollars que vous gagnez dans une année. Dans l'exemple d'une personne seule ayant un revenu imposable de 42 000 $, le taux marginal d'imposition combiné fédéral/provincial serait d'environ 38 %. En d'autres termes, cette personne paierait effectivement 38 % d'impôt sur ses derniers dollars de revenus annuels, c'est-à-dire les revenus excédant 40 726 $.

Le taux marginal d'imposition est un concept efficace qui vous permet de calculer rapidement les impôts supplémentaires que vous auriez à payer sur vos revenus supplémentaires. Inversement, il constitue un outil pratique en ce qu'il vous permet d'évaluer les montants que vous épargnez en impôts soit en réduisant vos revenus imposables, soit en augmentant vos déductions.

Qu'est-ce qu'un revenu imposable ?

Votre revenu imposable est la partie de votre revenu annuel sur laquelle vous payez de l'impôt sur le revenu. (Dans les sections qui suivent, nous vous suggérons des stratégies visant à réduire votre revenu imposable.) Les raisons suivantes expliquent pourquoi vous ne payez pas de l'impôt sur la totalité de votre revenu :

L'impôt minimum de remplacement

Vous serez peut-être étonné d'apprendre qu'il existe un deuxième régime d'imposition (comme si le premier n'était pas déjà suffisamment compliqué). Lorsque certaines conditions sont réunies, ce second système est susceptible de faire augmenter le montant de l'impôt que vous auriez normalement payé. Voici comment cela fonctionne. (Vous avez de l'aspirine ?)

Au fil des ans, tandis que les gouvernements cherchaient à accroître leurs revenus, les contribuables qui étaient parvenus à réduire considérablement leurs impôts en se prévalant de bon nombre de déductions et d'exemptions sur les revenus imposables ont fait l'objet d'une attention particulière. C'est ainsi que les gouvernements ont instauré l'impôt minimum de remplacement (IMR), une deuxième méthode d'évaluation de l'impôt, afin de veiller à ce que les personnes profitant de beaucoup de déductions et d'exemptions fiscales ne puissent payer en deçà d'un certain pourcentage d'impôt sur leurs revenus.

Si vous avez beaucoup de déductions ou d'exemptions d'impôt, vous être peut-être assujetti à l'IMR. Mais même si vous ne réclamez pas beaucoup de déductions et ne détenez pas de placements à l'abri de l'impôt tels que les sociétés en commandite, l'IMR pourrait s'appliquer à votre cas. Par exemple, quelqu'un qui ferait un gain substantiel en capital, comme un agriculteur qui vendrait une grande parcelle de terrain, risquerait de se retrouver sous le coup de l'IMR.

L'IMR vous empêche de réclamer certaines déductions et vous oblige à rajouter certains gains en capital qui ne sont normalement pas imposables. Vous pouvez alors demander une exemption de 40 000 $ et calculer votre impôt fédéral à 15 % et votre impôt provincial à 16 %. Vous pouvez utiliser la plupart des crédits d'impôt personnels, à l'exception de l'impôt sur les dividendes et des crédits d'impôt à l'investissement, comme vous le feriez dans le calcul de votre impôt régulier. Vous devez également effectuer un calcul similaire pour votre impôt provincial. Il vous faut établir votre impôt d'après chacun des deux systèmes et ensuite payer le montant le plus élevé. Idéalement, votre aspirine commence déjà à faire effet.

✔ **Tous les revenus ne sont pas imposables.** Par exemple, les bénéfices éventuels réalisés en vendant la maison dans laquelle vous vivez, ou résidence principale, ne sont généralement pas imposables.

✔ **Vous devez soustraire quelques déductions de votre revenu.** Certaines de ces déductions sont offertes à tous les contribuables sans exception. En 2009, chaque contribuable canadien profite d'une exemption fédérale, appelée « montant personnel de base », sur ses premiers 10 320 $ de revenu. Au Québec, cette exemption est de 10 455 $ pour la même année. Cette somme va graduellement augmenter au cours des prochaines années. Lorsque vous cotisez à un régime de retraite reconnu, tel qu'un REER, vous profitez également d'une déduction.

Classer vos papiers

Localiser vos relevés d'impôts et tous les autres documents et bouts de papier dont vous avez besoin au moment de remplir votre déclaration d'impôt peut se révéler très ennuyeux. En mettant en place un système de classement, vous sauverez du temps et des efforts :

✔ **Un seul dossier.** Si vous avez peu de patience pour la tenue de dossiers bien ordonnés et que financièrement parlant vous n'aimez pas vous compliquer la vie (en d'autres mots, vous ne conservez pas vos reçus durant l'année), vous pouvez restreindre votre classement aux mois de janvier et février. Au cours de ces mois, vous recevez habituellement des relevés récapitulatifs des impôts prélevés sur votre salaire par votre employeur (T4/RL-1), des dividendes imposables de sociétés canadiennes (T5/RL-3), des revenus de programmes d'intéressement (T4PS/RL 25) et des revenus d'intérêts (T5/RL-5 pour comptes bancaires et obligations d'épargne du Canada à intérêts réguliers « R », T5008/RL-18 pour les bons du Trésor). Si vous êtes plus âgé, vous recevez peut-être aussi des relevés de prestations de la Sécurité de la vieillesse (T4A-OAS) et du Régime de rentes du Québec (T4A-P/RL-2). Conservez tous ces papiers ainsi que votre guide d'impôts dans une boîte ou un dossier clairement identifié (« Impôts 2009 », par exemple). Lorsque vous serez prêt à effectuer vos calculs, vous devriez avoir tout ce dont vous avez besoin pour remplir votre déclaration annuelle.

✔ **Plusieurs dossiers.** Classer dans des dossiers individuels les factures payées au cours de l'année constitue une approche plus approfondie. Cette méthode est essentielle si vous possédez votre propre entreprise et devez compiler vos dépenses de bureau chaque année. Vous le savez bien, personne ne vous enverra de relevé annuel de vos dépenses de bureau. C'est à vous qu'il revient de faire ce travail.

> ✔ **Des dossiers informatisés.** Les logiciels peuvent vous aider à organiser vos informations fiscales au cours de l'année et vous faire économiser du temps et des frais de comptabilité fiscale au moment de préparer votre déclaration d'impôt. Voir le chapitre 18 pour plus d'information sur les logiciels financiers et de calcul d'impôt.

Réduire l'impôt sur vos revenus d'emploi

Vous êtes censé payer des impôts sur le revenu que vous rapporte votre travail. D'innombrables solutions illégales s'offrent à vous quand il est question de réduire vos revenus d'emploi. Vous pourriez par exemple omettre de déclarer des revenus, mais si vous choisissez cette manière de faire, vous vous exposez à des amendes considérables et à des frais d'intérêts supplémentaires, en plus de l'impôt à payer sur ces sommes. Vous risquez en outre d'être poursuivi en justice et envoyé en prison. Comme nous ne souhaitons pas vous voir finir en prison ni perdre inutilement de l'argent en pénalités, nous nous concentrerons ici sur les moyens légaux de réduction de votre impôt.

Contribuer à des REER et à des régimes de retraite

Les REER et les régimes de retraite offerts par certains employeurs sont au nombre des rares façons simples et légales de réduire votre revenu d'emploi imposable. En plus d'abaisser vos impôts, les régimes de retraite vous aident à vous constituer un bas de laine afin de ne pas avoir à travailler pour le reste de votre vie.

Vous pouvez déduire de l'argent de votre revenu imposable en l'investissant dans un REER ou un régime de retraite d'entreprise. Si par exemple votre taux marginal d'imposition est de 38 % et que vous versez annuellement 1 000 $ dans un de ces régimes, vous réduisez votre impôt de 380 $. Formidable, n'est-ce pas ? Vous cotisez 1 000 $ de plus, et votre impôt diminue d'un autre 380 $ (tant que vous demeurez dans le même taux marginal d'imposition). Sans oublier que lorsqu'il est placé dans un régime de retraite, votre argent fructifie à l'abri de l'impôt.

Financer vos régimes de retraite en diminuant vos dépenses

Beaucoup de gens se trouvent dans l'impossibilité de saisir cette occasion avantageuse de réduction de leur impôt parce que, ayant dépensé tous (ou presque) leurs revenus d'emploi au cours de l'année, ils n'ont plus suffisamment d'argent quand vient le temps de contribuer à un REER ou à un autre régime de retraite. Si vous êtes dans cette situation fâcheuse, il vous faut réduire vos dépenses afin de pouvoir contribuer financièrement à un régime de retraite. (Le chapitre 5 explique comment diminuer vos dépenses.)

Si votre employeur n'offre pas la possibilité d'économiser de l'argent grâce à un régime de retraite, le REER constitue votre meilleure solution de rechange. Dans de nombreux cas, le salarié est en mesure de cotiser à un REER après avoir contribué le maximum permis à un régime de retraite d'entreprise et profité de la contribution égale de son employeur en son nom. Le chapitre 10 vous aide à déterminer si vous devez contribuer à un REER et vous indique comment tirer le meilleur parti des régimes de retraite enregistrés.

Déplacer certains revenus

Le transfert de revenus est une technique de réduction de l'impôt plus ésotérique s'adressant aux personnes qui peuvent contrôler le moment de la réception de leurs revenus.

Par exemple, supposons que votre employeur vous dit à la fin de décembre que vous êtes admissible à une prime. Il vous offre la possibilité de recevoir de soit en décembre, soit janvier. Si vous êtes à peu près certain que vous serez dans une tranche d'imposition plus élevée l'an prochain, vous devriez choisir de recevoir votre prime en décembre.

Ou disons que vous possédez votre propre entreprise et que vous prévoyez vous situer dans une tranche d'imposition plus basse l'an prochain, en raison, peut-être, de la naissance d'un enfant ou d'un projet de voyage de longue durée. Dans un tel cas, vous pourriez tenter de repousser la conclusion d'un gros contrat jusqu'à janvier, afin que ce revenu soit reçu et imposé dans la prochaine année fiscale.

Réduire l'impôt sur vos revenus d'investissements

Vous n'avez pas besoin de vous inquiéter quant à l'impôt sur les investissements que vous détenez dans des régimes de retraite à l'abri de l'impôt, tels que les REER et les FERR. Cet argent n'est généralement imposé qu'au moment où il est retiré des ces fonds de retraite.

Les versements aux détenteurs de parts et les bénéfices sur les placements que vous détenez à l'extérieur des régimes de retraite à l'abri de l'impôt sont soumis à l'impôt dès que vous les recevez. Les intérêts, les dividendes et les bénéfices provenant de la vente d'un placement à un prix plus élevé que son prix d'achat (appelé «gains de capital» ou «plus-values») sont tous imposables.

Bien que cette section présente quelques-unes des meilleures méthodes de réduction de l'impôt sur les investissements soumis à l'impôt, le chapitre 11 vous explique comment et où investir les sommes détenues en dehors des régimes de retraite à l'abri de l'impôt.

Profiter pleinement des régimes de retraite

Tirer parti des occasions de placer de l'argent dans des régimes de retraite vous apporte deux avantages fiscaux possibles. D'abord, vos cotisations à des régimes de retraite sont en règle générale immédiatement admises en déduction d'impôt. Ensuite, le rendement des sommes investies dans des régimes de retraite n'est normalement imposé que lorsque vous les retirez.

Choisir des placements fiscalement avantageux

Quand vient le temps de choisir des investissements, trop de gens commettent l'erreur de se fier à des taux de rendement antérieurs. Nous savons tous que le passé n'est pas garant de l'avenir. Mais faire le choix d'un investissement offrant un taux de rendement supposément élevé sans tenir compte des conséquences fiscales est une erreur encore pire. Ce qui vous revient, après impôts, c'est ce qui compte à long terme.

Par exemple, en comparant deux fonds similaires, dont un offrirait un taux de rendement annuel moyen de 14 % et l'autre de 12 %, la plupart des gens choisiraient le premier. Mais que faire si le fonds à 14 % vous oblige à payer beaucoup plus d'impôts ? Et si, après prise en compte des impôts, ce fonds à taux de rendement de 14 % par année ne rapporte que 9 %, tandis que le fonds à 12 % par année donne un rendement réel de 10 % ? Dans un tel cas, il serait imprudent de choisir un fonds sur la seule base de son taux de rendement anticipé plus élevé (avant impôts).

Les investissements dont la valeur s'apprécie à l'abri de l'impôt sont dits «fiscalement avantageux». Voir le chapitre 9 pour plus de renseignements concernant l'impôt sur les actions et les fonds communs de placement fiscalement avantageux.

Si vous investissez en dehors d'un régime de retraite et que vous souhaitez recevoir régulièrement des revenus, les actions qui versent des dividendes constituent généralement un bon choix. Normalement, le rendement après impôt de ces investissements est meilleur que celui des bons et des certificats de placement garantis (CPG) qui versent des intérêts. Le rendement n'est pas garanti, mais spécialement en ce qui concerne les actions privilégiées, les grandes entreprises essaient de maintenir leurs dividendes. Si vous vous situez dans la tranche d'imposition de 38 %, c'est ce même taux que vous aurez à payer sur vos revenus d'intérêt. Comparez cela au taux d'imposition sur le revenu de dividende d'environ 15 %.

Opter pour le profit à long terme

Comme nous en discutons dans la troisième partie, lorsque vous achetez des investissements de croissance, tels que les actions et l'immobilier, vous devriez le faire pour le long terme, soit 10 ans ou plus, idéalement. Le système fiscal récompense la patience : vous n'avez pas à payer d'impôts sur vos profits jusqu'à ce que vous vendiez vos actions. De même, si vous investissez dans l'immobilier, la valeur peut considérablement augmenter et ce, durant de nombreuses années. Ce bénéfice est imposable seulement si et quand vous vendez la propriété.

Accroître vos déductions

Les déductions sont exactement ce que leur nom implique : des éléments à soustraire de votre revenu total avant d'effectuer le calcul de l'impôt à payer. Pour établir précisément ce que vaut une déduction, multipliez-la par votre taux marginal d'imposition.

Dans les sections qui suivent, nous expliquons en détail quelques-unes des déductions les plus courantes dont vous êtes en mesure de profiter. Les montants que nous utilisons étant ceux de l'année 2009, il est fort probable que plusieurs seront ultérieurement révisés.

Frais de garde d'enfants

Il n'y a pas de limite à la joie et au plaisir qu'apportent les enfants à leurs parents. On dirait parfois aussi qu'il n'y a pas non plus de limite aux dépenses relatives aux enfants. Heureusement, une bonne partie des frais associés aux services de garde de votre enfant peut être admise en déduction d'impôt. Les frais de gardiennage d'enfants, de pouponnière, de garderie, de camp de jour et de pensionnat sont tous des dépenses admises. Toutefois, les frais doivent être engagés pour vous permettre de travailler ou de suivre une formation professionnelle.

Vous pouvez déduire 7 000 $ pour chaque enfant âgé de moins de 7 ans à la fin de l'année, et 4 000 $ pour chaque enfant âgé de 7 à 16 ans. Votre déduction totale ne peut pas être supérieure aux deux tiers de votre salaire ou de votre revenu net d'entreprise (techniquement, l'argent que vous avez gagné). Au Québec, les mêmes limites s'appliquent mais l'allégement fiscal prend la forme de crédits d'impôt remboursables. Si votre revenu familial est inférieur à 30 795 $, vous obtiendrez un crédit d'impôt remboursable de 75 % sur vos frais de garde d'enfants admissibles. Pour chaque tranche additionnelle de 1 000 $ jusqu'à 85 535 $ de revenu familial, votre pourcentage de crédit d'impôt remboursable est réduit d'un peu moins de 1 %. Lorsque votre revenu familial est de 85 535 $ ou plus, votre taux de crédit reste à 26 %.

Pensions alimentaires

Les paiements de pension alimentaire que vous faites à un ex-conjoint sont déductibles, en autant qu'ils résultent d'un décret, d'une ordonnance, d'un jugement ou d'une entente écrite. Pour être déductibles, les paiements doivent également être effectués de manière régulière et prédéterminée. Vous ne pouvez pas déduire de transferts de propriété ni de paiement effectué en seul versement dans le cadre d'un accord.

Pensions alimentaires pour enfant

Les paiements de pension alimentaire pour enfant qui sont établis conformément à un accord conclu avant le 1er mai 1997 et qui sont établis à l'avance comme allocation impliquant des paiements récurrents sont généralement déductibles. Comme dans le cas des paiements de pension alimentaire pour ex-conjoint, les montants doivent être prédéterminés, payés régulièrement et versés en vertu d'un accord écrit, d'un décret, d'une ordonnance ou d'un jugement émis par un tribunal compétent. Vous devez également vivre séparé de votre conjoint ou ex-conjoint en raison d'une rupture du mariage au moment où les paiements sont effectués.

Cotisations syndicales et professionnelles

Les cotisations annuelles régulières sont déductibles, mais vous ne pouvez pas déduire les frais initiaux ni demander d'évaluation particulière. (Ces cotisations sont habituellement déduites de votre chèque de paie.) Les honoraires versés à des organisations professionnelles ne sont déductibles que si elles doivent être acquittées pour conserver un statut professionnel reconnu par la loi. Si vous êtes travailleur autonome, cependant, vous pouvez ordinairement déduire des cotisations que vous payez pour l'appartenance à des organisations liées à votre travail.

Pertes d'entreprise

Si vous possédez votre propre entreprise sans personnalité morale ou une pratique professionnelle, vous pouvez utiliser les pertes encourues par d'autres entreprises dans lesquelles vous êtes impliqué pour réduire votre revenu d'emploi ou de pratique libérale. Disons que vous travaillez comme salarié dans une usine de voiture et que vous démarrez en même temps une entreprise contractante. Si les dépenses de votre entreprise sont plus importantes que les recettes qu'elle rapporte, vous pouvez soustraire vos pertes de vos autres revenus.

Intérêts sur les prêts à l'investissement

Les intérêts que vous payez sur l'argent que vous empruntez pour acheter des placements ou pour générer un revenu d'entreprise peuvent être déduits. (Note : cette règle ne s'applique pas à l'argent emprunté pour cotiser à un REER.) Vous devez conserver la trace de toutes les sommes empruntées et utilisées ainsi que des intérêts payés au cours de l'année.

Époux versus conjoints de fait

Il est probable que votre mère ne sera pas d'accord, mais aux yeux de l'administration fiscale, vous êtes considéré comme marié si vous vivez en union de fait depuis plus d'un an. Vous êtes alors soumis aux mêmes règles fiscales qui s'appliquent aux couples légalement mariés. Par exemple, si vous vivez en union de fait, vous ne pouvez pas vous prévaloir de l'équivalent de crédit de personne mariée pour la charge d'un enfant. En revanche, vous pouvez profiter de possibilités de planification, dont la création d'un REER de conjoints et la mise en commun de certaines dépenses pour tirer avantage de divers crédits.

Vous êtes considéré comme conjoints de fait si vous et votre partenaire «cohabitez dans une relation conjugale» et que vous eu un enfant ensemble ou que vous vivez ensemble sans interruption depuis au moins 12 mois. Vous êtes réputé «séparés», ou ayant perdu votre statut de conjoints de fait, seulement après avoir été séparés pendant plus de 90 jours en raison de la rupture de votre relation.

Depuis 2001, les couples de même sexe qui vivent ensemble depuis au moins un an reçoivent le même traitement des autorités fiscales que les couples de sexe opposé vivant en union de fait.

Frais de déménagement

Les frais de déménagement admissibles sont souvent négligés, alors qu'ils constituent une déduction appréciable. Les règles sont simples. Si vous démarrez une entreprise ou commencez à travailler dans un nouvel endroit et emménagez dans une maison située à au moins 40 kilomètres plus près de votre nouveau lieu de travail que votre domicile initial (par le chemin le plus court), vous pouvez généralement déduire la plupart des coûts associés à votre relocalisation. Cependant, les dépenses liées à un déménagement résultant d'une arrivée au Canada ou d'un départ du Canada ne sont pas admissibles.

Les dépenses admissibles comprennent les frais de déplacements pour vous et votre famille (y compris la nourriture et le logement durant le trajet), pour vos biens, ainsi que d'éventuels coûts d'entreposage. En outre, vous pouvez déduire le coût de la vente de votre ancienne résidence, y compris les commissions des agents immobiliers, et les frais juridiques associés à l'achat de votre nouvelle maison. Les dépenses ne doivent être déduites que des revenus gagnés dans le nouveau lieu de résidence. Si vous ne parvenez pas à déduire la totalité des dépenses dans l'année du déménagement, le reste peut être déduit dans les années à venir. Le cas échéant, il faut veiller à assurer le suivi de cette déduction.

Les étudiants qui déménagent aux fins de leurs études à l'université ou dans une autre institution postsecondaire à plein temps peuvent aussi déduire leurs frais de déménagement. Les frais doivent être déduits des bourses d'études et des bourses et subventions de recherche imposables. Les étudiants peuvent également déduire des frais de déménagement si celui-ci est effectué en vue d'occuper un emploi, y compris un emploi d'été, ou pour démarrer une entreprise.

Augmenter vos crédits

Les crédits d'impôt vous sont accordés comme si vous aviez déjà payé ces sommes en impôts. Une fois que votre facture d'impôt a été calculée à partir de votre revenu imposable, les crédits d'impôt applicables viennent réduire vos impôts du plein montant de chaque crédit. Un crédit de 500 $ vaut la même chose pour tout le monde : il réduit de 500 $ l'impôt que vous devez payer. La plupart des crédits sont non remboursables, ce qui signifie qu'ils ne peuvent pas être utilisés pour abaisser vos obligations fiscales sous la barre du zéro. S'il vous reste 1 500 $ de crédits après avoir effacé tout votre impôt fédéral à payer, vous n'obtenez rien de plus. Le gouvernement ne vous enverra pas un chèque de 1 500 $.

Les crédits d'impôt ont la même valeur quelle que soit votre tranche d'imposition, ce qui n'est pas le cas des déductions. Ces dernières sont soustraites de votre revenu avant le calcul de l'impôt à payer. Ainsi, une déduction vaut ce que vous auriez payé sur cette portion de revenu selon votre tranche d'imposition marginale.

Crédit d'impôt personnel de base

Tout le monde profite d'un crédit fédéral de base de 1 548 $ et d'un crédit provincial de base de 2 091 $. (Quand vous remplissez le formulaire, vous réclamez au fédéral un «montant personnel de base» de 10 320 $ que vous multipliez ensuite par 15 % pour en arriver à 1 548 $, et au provincial, un «montant personnel de base» de 10 455 $ que vous multipliez par 20 % pour arriver à 2 091 $.)

Crédit pour conjoint

Vous pouvez demander un crédit fédéral pour conjoint de 1 548 $ et un crédit provincial pour conjoint de 2 091 $ si votre conjoint (y compris un conjoint de fait) ne déclare pas de revenu imposable, et un crédit moindre s'il ou elle a gagné moins de 10 320 $ (fédéral) ou moins de 10 455 $ (provincial). Si votre conjoint a gagné plus que le montant seuil de 10 320 $/10 455 $, vous pouvez peut-être profiter de ce crédit si votre partenaire parvient à abaisser suffisamment son revenu en contribuant à un REER.

Crédit pour personne entièrement à charge

Vous pouvez demander ce crédit (autrefois appelé «Équivalent du crédit pour conjoint») si vous êtes célibataire, séparé, divorcé ou veuf et que vous soutenez un parent vivant avec vous. L'exemple le plus courant est celui d'une mère célibataire. Toutefois, que vous soyez un homme ou une femme, vous pouvez demander ce crédit si vous êtes financièrement responsable d'un enfant ou d'un membre de votre famille. Les seules conditions sont que la personne à charge fasse partie de votre famille, qu'elle soit entièrement dépendante de vous sur le plan financier, qu'elle vive au Canada et, à l'exception d'un parent ou d'un grand-parent, qu'elle ait moins de 18 ans à un certain moment de l'année fiscale. (La limite d'âge ne s'applique pas si la personne est à votre charge en raison d'un handicap mental ou physique.) Vous ne pouvez pas demander ce crédit si vous avez un conjoint de fait ou un conjoint de même sexe. Les montants sont les mêmes que pour le crédit pour conjoint.

Crédit pour dons de bienfaisance

Dans la mesure où vous recevez des reçus d'impôt officiels, vous pouvez obtenir des crédits pour la plupart des contributions versées aux organismes de bienfaisance. En plus de contributions en espèces, vous pouvez souvent obtenir des crédits d'impôt si vous faites don d'articles de grande valeur, tel qu'un ordinateur usagé. Le montant du reçu doit refléter la juste valeur marchande de l'article. Toutefois, vous ne pouvez pas obtenir de reçu pour le temps ou l'argent que vous dépensez dans le cadre d'activités caritatives.

Les premiers 200 $ que vous donnez vous valent un crédit de 15 % d'impôt fédéral et de 20 % d'impôt provincial. Lorsque vous passez le cap des 200 $, cependant, vous devenez éligible à un crédit d'impôt fédéral de 29 % et à un crédit d'impôt provincial de 24 %. Vos dons au-delà de 200 $ valent ainsi à peu près autant qu'une déduction si vous vous situez dans la tranche d'imposition supérieure.

Si vous donnez de petites sommes annuellement, rassemblez vos contributions de plusieurs années afin d'atteindre la barre des 200 $. Vous pouvez également combiner vos contributions et celles de votre conjoint sur une seule déclaration. Il n'est pas nécessaire de réclamer le crédit pour l'année fiscale où vous faites un don. Les contributions non réclamées peuvent être reportées et réclamées durant les cinq années suivant l'année d'un don de charité.

Crédit d'impôt pour le transport en commun

En juin 2006, l'ARC a introduit un crédit de transport en commun pour en encourager l'utilisation au Canada. Vous pouvez demander un crédit de 15 % sur vos coûts de laissez-passer mensuels pour vous et votre famille. Le crédit n'est pas limité aux abonnements mensuels. Si vous achetez des laissez-passer de plus courte durée (pour un minimum de 5 jours consécutifs) et avez un accès illimité aux services de transport en commun pour au moins 20 jours à l'intérieur d'une période de 28 jours, ces coûts sont également applicables. Vous êtes tenu de conserver les reçus comme preuve de ces achats.

Crédit d'impôt pour enfants

En 2009, pour chaque enfant né après 1992 (moins de 18 ans), vous recevrez un crédit fédéral de 2 089 $.

Crédit d'impôt pour la condition physique des enfants

En 2007, le gouvernement fédéral a introduit un crédit d'impôt pour la condition physique des enfants. Le crédit s'applique aux dépenses liées à la participation à des programmes d'activités physiques admissibles payés par les parents. Ce crédit permet aux parents de déduire jusqu'à 500 $ par année à l'égard des dépenses admissibles pour activités physiques pour chaque enfant âgé de moins de 16 ans au début de l'année. Les programmes doivent être continus (minimum de 8 semaines consécutives ou cinq jours de camp consécutifs), être supervisés, adaptés aux enfants et comprendre une part importante d'activités physiques.

Crédit d'impôt pour la rénovation domiciliaire (CIRD)

Pour l'année d'imposition 2009 uniquement, le gouvernement fédéral a instauré un crédit d'impôt non remboursable pour la rénovation domiciliaire. Ce crédit a été introduit pour stimuler les dépenses et aider l'économie. Le CIRD porte sur les dépenses admissibles pour l'amélioration de votre maison, condo ou chalet. Il peut être demandé dans votre déclaration de revenus pour l'année 2009. Il s'applique aux travaux exécutés ou aux biens acquis après le 27 janvier 2009 et avant le 1er février 2010 selon une entente conclue après le 27 janvier 2009. Le CIRD s'applique aux dépenses admissibles de plus de 1 000 $ et de moins de 10 001 $. Le crédit maximum est de 1 350 $ (15 % x (10 000 – 1 000)). Vous pouvez consulter le site Internet de l'ARC pour connaître les dépenses admissibles (www.cra-arc.gc.ca).

Crédit pour frais de scolarité

Vous recevez un crédit d'une valeur de 15 % au fédéral et de 20 % au provincial pour des frais de scolarité (pour autant qu'ils totalisent plus de 100 $ par établissement) versés au cours de l'année à un établissement postsecondaire reconnu. Les frais payés à une institution agréée par Emploi et Immigration Canada sont également admissibles. Les frais de scolarité payés à des universités à l'extérieur du Canada peuvent être admissibles, mais les frais payés à des écoles primaires et secondaires hors Canada ne vous valent pas de crédits d'impôt.

Si vous étudiez à temps plein, vous bénéficiez également d'un crédit fédéral pour statut d'étudiant, qui en 2009 est de 15 % de 465 $ par mois. Les étudiants handicapés admissibles peuvent en général réclamer ce montant même s'ils étudient à temps partiel seulement.

Si vous étudiez à temps partiel, pour chaque mois où vous avez participé pendant au moins trois semaines consécutives à un programme admissible impliquant au moins 12 heures de cours par mois, le montant relatif aux études est de 15 % de 140 $ par mois.

Les frais de scolarité couvrent beaucoup plus que les frais d'admission standards. Vous pouvez aussi réclamer des dépenses de bibliothèque et de laboratoire, des frais d'examen, et des dépenses informatiques obligatoires.

En outre, vous pouvez inclure des frais connexes obligatoires tels que ceux des services de santé et l'athlétisme.

Parfois, pour ramener sa facture d'impôt fédéral à zéro, l'étudiant de la famille n'a pas besoin d'utiliser tous les crédits d'impôt pour frais de scolarité ou d'études auxquels il est éligible. Les crédits inutilisés ne sont cependant pas perdus. Jusqu'à 750 $ (5 000 $ × 15 %) de la portion inutilisée de l'un ou des deux crédits (20 % des frais de scolarité au provincial) peuvent normalement être transférés à un parent, à un grand-parent ou à un conjoint. Les frais d'études et de scolarité inutilisés peuvent aussi être reportés et réclamés dans vos déclarations de revenu des années suivantes.

Crédit pour frais médicaux

En dépit de la couverture du système de santé provincial, vous avez peut-être l'impression d'être responsable du paiement d'une part grandissante de vos dépenses médicales. Or, il est payant de conserver vos reçus, parce qu'une gamme surprenante de frais médicaux et de dépenses liées à la santé sont admissibles à un crédit, mais vous devez habituellement soumettre tous vos reçus.

Après avoir établi le total de vos dépenses, vous ne pouvez réclamer que le montant qui excède 3 % de votre revenu net. Le crédit fédéral pour 2009 est de 15 % de ce montant admissible. Ainsi, si votre revenu net est de 65 400 $ ou plus, vous pouvez déduire 15 % de toutes les dépenses supérieures à 1 962 $. Les mêmes règles s'appliquent pour le crédit provincial, mais vous pouvez déduire 20 % des dépenses.

Pour maximiser les avantages de ce crédit, l'un des conjoints peut et devrait réclamer les frais médicaux de toute la famille. Afin d'atteindre plus rapidement le plancher des 3 %, le conjoint ayant le revenu le plus faible est celui qui devrait demander le crédit. De plus, pour toute année d'imposition, vous pouvez réclamer vos frais pour toute période de 12 mois se terminant durant cette année particulière. Ainsi, si vous avez beaucoup de factures à l'automne et au printemps, par exemple, il peut s'avérer avantageux de réclamer votre crédit pour la période du 1er août au 31 juillet.

Vous pouvez inclure un large éventail de frais médicaux dans le calcul de ce crédit. Ajoutez tous les montants payés à des médecins, des infirmières, des dentistes et à des hôpitaux publics ou privés agréés pour vos soins médicaux ou dentaires. Vous pouvez également réclamer vos frais de médicaments d'ordonnance et sans ordonnance, de lunettes, de traitement de la parole ou de problèmes d'audition. En outre, vous pouvez inclure les primes payées pour les régimes privés d'assurance maladie. (Cela comprend le coût de votre assurance voyage pour vos vacances hors du pays ; voir le chapitre 17 pour plus d'informations à ce sujet.) Vous ne pouvez pas réclamer des frais qui vous sont remboursés, comme c'est le cas avec les régimes d'assurance soins dentaires ou médicaux offerts par certains employeurs. Cependant, toute franchise que vous payez est admissible.

Les personnes à faible revenu qui ont des frais médicaux élevés peuvent être en mesure de profiter du supplément pour frais médicaux. Le supplément est de 25 % de vos frais médicaux admissibles à un crédit d'impôt, c'est-à-dire ceux qui excèdent 3 % de votre revenu net. Ce crédit supplémentaire ne peut dépasser 1 067 $ (au fédéral), en plus d'être réduit de 5 % du revenu net de votre famille au-delà de 23 633 $. Le crédit provincial maximum est de 1 032 $ et est réduit de 5 % quand votre revenu familial dépasse 20 425 $. Ce crédit est destiné aux personnes ayant un revenu compris entre 2 640 $ et 40 115 $.

Crédit pour personne handicapée

Vous êtes admissible à un crédit fédéral si vous avez un handicap grave et prolongé, qu'il soit mental ou physique. Le crédit est de 1 079 $ pour l'année d'imposition 2009. Selon le type de handicap, celui-ci doit être certifié par un professionnel autorisé (médecin, optométriste, audiologiste, ergothérapeute ou psychologue).

Les familles qui s'occupent d'un enfant gravement handicapé peuvent également bénéficier d'un crédit supplémentaire de 630 $. Ce montant sera réduit par les frais de garde et les frais de préposés aux soins qui sont supérieurs aux 2 459 $ réclamés pour cet enfant.

Si un parent à charge ne gagne pas un revenu suffisant pour utiliser tout son crédit pour personne handicapée, un parent qui subvient à ses besoins peut utiliser la portion non utilisée du crédit. La personne à charge admissible peut être un conjoint, un enfant, un petit-enfant, un parent, un grand-parent, un frère, une sœur, une tante, un oncle, un neveu ou une nièce. En outre, les familles à faible revenu qui s'occupent d'un enfant admissible au crédit d'impôt pour personnes handicapées peuvent également être admissibles à des paiements de prestations pour enfants handicapés.

Si un parent a à sa charge un enfant handicapé âgé de plus de 18 ans, le parent est autorisé à un crédit additionnel du gouvernement fédéral. Ce crédit est de 630 $ pour l'année d'imposition 2009. Toutefois, le crédit est réduit de 15 % du revenu de la personne à charge au-delà de 10 320 $. Le crédit est éliminé si le revenu à de la personne à charge est supérieur à 17 516 $.

Un crédit pour aidants naturels est également offert aux personnes qui dispensent des soins à domicile à des parents âgés ou handicapés vivant dans la même maison. En 2009, le crédit maximum est de 630 $. Ce crédit est réduit si le parent handicapé dispose d'un revenu compris entre 14 336 $ et 18 534 $, et il est éliminé si son revenu dépasse 18 534 $. Enfin, vous ne pouvez pas profiter de ce crédit si vous demandez d'autres crédits d'impôt pour personne à charge en rapport avec ce membre de votre famille.

Reporter ou regrouper vos dépenses

Comme vous pouvez contrôler le moment où vous effectuez certaines dépenses qui vous rapporteront un crédit, vous pouvez décaler ou rassembler plusieurs d'entre elles dans certaines années pour accroître vos économies d'impôt. Prenons les frais médicaux : vous êtes autorisé à demander une déduction pour frais médicaux pour toute période de 12 mois consécutifs, dès lors qu'elle se termine dans l'année fiscale ciblée. Si par exemple vous anticipez une facture médicale importante, pour des travaux dentaires majeurs peut-être, et que votre période de 12 mois s'étend d'octobre à septembre, essayez de payer pour le service en septembre plutôt qu'en octobre. En incluant la dépense dans la période de 12 mois la plus rapprochée, vous êtes en mesure d'obtenir le crédit pour vos frais dentaires une année entière d'avance.

Les dons de charité constituent une autre catégorie de dépenses où le moment et le regroupement de vos réclamations est avantageux. Vous et votre conjoint êtes autorisés à regrouper vos contributions sur une seule de vos déclarations. Il vous est également possible de regrouper des dons jusqu'à six années en arrière.

Vous pouvez reporter vos crédits pour contributions caritatives jusqu'à cinq années consécutives. Si vous faites régulièrement des dons inférieurs à 200 $, conservez vos reçus et réclamez vos frais tous les deux ou trois ans. Encore une fois, en rassemblant vos dons de manière à dépasser le palier de 200 $, vous profitez d'un crédit à un pourcentage plus élevé.

Crédit pour revenu de pension

Si vous recevez un revenu de retraite, vous pouvez demander un crédit de 15 % sur la première tranche de 2 000 $ de ce revenu, qui est généralement de l'argent versé par une rente viagère à titre de revenu de retraite privé. Les revenus issus de la Sécurité de la vieillesse et du Régime de rentes du Québec ne sont pas admissibles. Si vous ne parvenez pas à utiliser le crédit, il peut être transféré à votre conjoint.

Si vous avez 65 ans ou plus ou que vous recevez des prestations relatives aux décès de votre conjoint, la définition du revenu de pension s'élargit pour inclure les rentes d'un REER ou les régimes d'intéressement différé, la portion de revenu d'une rente ordinaire, ou un paiement de FERR.

65 ans ou plus

Un autre crédit est destiné aux personnes de 65 ans ou plus. Si cela vous concerne, vous pouvez demander un crédit d'impôt fédéral – le « crédit en raison de l'âge » – jusqu'à concurrence de 961 $ (6 408 $ × 15 %) pour 2009. Toutefois, ce crédit est réduit si votre revenu net est supérieur à 32 312 $, et il est complètement éliminé si votre revenu est supérieur à 75 032 $.

Dépenses des travailleurs autonomes

Lorsque vous êtes travailleur autonome, vous pouvez déduire une multitude de dépenses de votre revenu avant d'effectuer le calcul de l'impôt que vous devez. Si vous achetez un ordinateur ou du mobilier de bureau, vous pouvez déduire ces dépenses. (Il arrive parfois qu'elles doivent être déduites progressivement ou amorties sur quelques années.) Les salaires de vos employés ou de vos sous-traitants, les fournitures de bureau, le loyer ou les intérêts hypothécaires pour votre espace de bureau, et les frais de téléphone et d'Internet sont aussi déductibles en temps normal.

Beaucoup de travailleurs autonomes n'utilisent pas toutes les déductions auxquelles ils sont admissibles. Dans certains cas, les gens ne sont tout simplement pas au courant du monde merveilleux des déductions. D'autres craignent qu'en réclamant trop de déductions, ils augmenteront leur risque de subir une vérification. Prenez le temps de bien vous renseigner à propos des déductions fiscales, vous comprendrez vite à quel point il est avantageux et sage de profiter pleinement de vos déductions admissibles.

Voici quelques-unes des erreurs courantes commises par des gens qui travaillent à leur compte :

- ✔ **L'autosuffisance.** Quand il s'agit d'impôt, il est risqué pour le travailleur autonome de faire cavalier seul. Vous devez vous éduquer afin de faire travailler les lois fiscales pour vous plutôt que contre vous. Le recours à un comptable ou à un conseiller fiscal est susceptible de vous épargner du temps et de l'argent. (Voir la section «Faire appel à un professionnel», plus loin dans ce chapitre, pour de plus amples informations sur l'embauche d'experts fiscaux.)

- ✔ **Manquer aux devoirs administratifs fiscaux.** En tant que travailleur autonome, vous êtes responsable du paiement ponctuel et juste des impôts que vous devez ainsi que des impôts sur les salaires de vos employés. Vous devez effectuer les paiements d'impôts prévisionnels sur une base trimestrielle. Et si vous avez des employés, vous devez aussi retenir des impôts sur leurs chèques de paye et effectuer des paiements ponctuels à l'Agence du revenu du Canada et au ministère du Revenu du Québec. Outre les impôts fédéral et provincial, il vous faut également prélever les cotisations dues au Régime de rentes du Québec et à l'assurance emploi, pour ensuite les envoyer aux administrations concernées.

- ✔ **Négliger d'inscrire vos dépenses.** Lorsque vous payez en argent comptant, il peut se révéler difficile de retrouver la trace de vos dépenses, pour vous-même mais aussi pour l'Agence du revenu du Canada et Revenu Québec, dans le cas où vous subiriez une vérification. À la fin de l'année, comment arriverez-vous à retrouver les détails de vos frais de stationnement et de repas d'affaires si vous n'en conservez pas le registre ? Comment survivrez-vous à une vérification fiscale sans documentation adéquate ? Vous devez utiliser un système d'enregistrement de vos petites dépenses courantes. La plupart des calendriers de poche et les agendas électroniques vous permettent de noter ces petits achats. Si vous n'êtes pas du type organisé, essayez au moins d'obtenir des reçus pour vos transactions en espèces et de les conserver dans des enveloppes ou des dossiers étiquetés du mois et de l'année correspondants.

✔ **Choisir la mauvaise entité commerciale.** Lorsque vous démarrez votre propre entreprise, vous pouvez structurer son organisation légale et fiscale de diverses manières. Une société est une entité juridique distincte de vous, de l'individu. Par exemple, si vous êtes incorporé et qu'un client se blesse en glissant sur une peau de banane quelque part dans vos locaux, le client peut poursuivre votre entreprise, mais il ne peut pas s'en prendre à vos avoirs personnels. L'incorporation est encore plus indiquée si des employés, des clients ou des fournisseurs circulent régulièrement dans vos locaux.

Toutefois, l'incorporation ne représente pas toujours la meilleure option. Pour les fournisseurs de services professionnels tels qu'un avocat, un médecin ou un conseiller fiscal travaillant à leur compte, l'incorporation n'est pas nécessairement utile comme protection contre les poursuites pour négligence professionnelle liée au travail. Pour ces personnes, la solution idéale est l'assurance responsabilité professionnelle. Renseignez-vous auprès des associations professionnelles dans votre domaine pour obtenir des renseignements sur les assureurs qui offrent de telles polices.

✔ **Négliger de financer un régime de retraite.** Vous devriez économiser de l'argent en vue de la retraite de toute façon, et vous ne pouvez pas vous permettre de ne pas profiter de l'allègement fiscal. Les travailleurs autonomes sont autorisés à verser jusqu'à 18 % de leur revenu net dans un REER. S'ils participent en même temps à un régime de retraite agréé, le montant maximum de la contribution autorisée est réduit par le facteur d'équivalence. Pour en apprendre davantage sur les REER, consultez le chapitre 10.

✔ **Ne pas utiliser les données financières dans la gestion d'une entreprise.** Si vous êtes un propriétaire de petite entreprise qui n'assure pas sur une base régulière le suivi de ses revenus, de ses dépenses, du rendement de ses employés ni de ses dossiers-clients, votre déclaration de revenus pourrait bien être la seule occasion de l'année où vous obtenez un portrait financier de votre entreprise. Après tout le temps, les efforts et les dépenses consacrés à la production de votre déclaration de revenus, profitez des fruits de votre travail en utilisant ces données financières pour vous aider à analyser et à gérer votre entreprise.

Certains commis comptables et spécialistes en déclarations de revenus peuvent vous fournir des rapports d'information de gestion sur votre entreprise à partir des données fiscales qu'ils préparent pour vous. Il suffit de demander! Des logiciels peuvent également vous aider. Voir la section «Logiciels et sites Web», plus loin dans ce chapitre, pour connaître nos recommandations.

✔ **Ne pas payer pour l'aide familiale.** Si vos enfants, votre conjoint ou d'autres membres de votre famille se chargent de certains aspects de votre entreprise, envisagez de les payer pour leur travail. En plus de leur montrer que vous appréciez leur travail, cette pratique est susceptible de diminuer l'assiette fiscale de votre famille. Par exemple, les enfants se situent habituellement dans une tranche d'imposition inférieure à la vôtre. Ainsi, en transférant une partie de vos revenus à votre enfant, vous réduisez votre facture d'impôt.

Tirer profit des ressources fiscales

Il existe de nombreuses façons de préparer votre déclaration de revenus. L'approche qui vous convient le mieux dépend de la complexité de votre situation et de votre connaissance du système fiscal.

Quelle que soit celle que vous utilisez, vous devez prendre des décisions financières durant l'année afin de réduire vos impôts. Car au moment où, l'année suivante, vous produisez votre déclaration, il est souvent trop tard pour profiter de bon nombre des stratégies de réduction de l'impôt.

L'aide de l'Agence du revenu du Canada et de Revenu Québec

Si votre déclaration de revenus est relativement simple, vous pouvez la compléter en vous aidant simplement des directives de l'Agence du revenu du Canada (ARC) et de Revenu Québec. Cette approche a le mérite d'être la plus économique qui soit. Elle n'implique que du temps, de la patience, des frais de photocopies (vous devriez toujours garder une copie pour vos dossiers) et l'affranchissement nécessaire à l'envoi de vos documents d'impôt.

Les publications de l'ARC et de Revenu Québec ne comportent pas d'icônes, de conseils et d'avertissements. De plus, il arrive de temps à autre qu'elles fournissent des informations erronées. Alors, quand vous communiquez avec ces entités pour une question particulière, assurez-vous de prendre des notes de votre conversation afin de vous protéger dans l'éventualité d'une vérification fiscale. Datez vos notes et indiquez le nom et le numéro d'identification de l'employé à qui vous avez parlez, de même que les questions posées et les réponses obtenues. Rangez ensuite vos notes et la copie de vos déclarations complétées dans un même dossier.

En plus des directives standards qui accompagnent votre formulaire de déclaration de revenus, l'Agence du revenu du Canada et Revenu Québec offrent un certain nombre de guides d'impôt gratuits et utiles que vous pouvez vous procurer en visitant votre centre fiscal le plus proche, ou en appelant pour les demander. Ces guides constituent des références utiles et fournissent plus de détails et de conseils que les publications de base. Pour les travailleurs autonomes, de nombreuses brochures sont disponibles en fonction de la profession, dont les guides : Revenus d'entreprise ou de profession libérale, Revenus d'agriculture, Revenus de pêche et Revenus de location. D'autres guides traitent de situations particulières. Pour vous renseigner sur ces documents ou en faire la demande, composez le 1-800-959-2221 pour l'ARC et le 1-800-267-6299 pour Revenu Québec. Vous pouvez également visiter la section «Formulaires et publications» du site de l'Agence du revenu du Canada (www.cra-arc.gc.ca) et du site de Revenu Québec (www.revenu.gouv.qc.ca).

Guides de conseils et de préparation

Les livres sur la préparation et la planification fiscales qui mettent en lumière les problèmes courants et qui sont rédigés dans une langue compréhensible sont inestimables. Ils viennent compléter les directives officielles, non seulement en vous aidant à remplir votre déclaration correctement, mais aussi en vous montrant comment économiser autant d'argent que possible. On trouve passablement de guides de préparation sur le marché. En voici quelques-uns :

- *Réduisez vos impôts* (Danièle Boucher, Éditions Québécor, 2009)
- *Vous, votre famille et le fisc – 2009* (KPMG, Thomson Carswell, 2009)
- Winning the Tax Game (Tim Cestnick, John Wiley & Sons Canada Ltd.)

Logiciels et sites Web

Si vous avez accès à un ordinateur, un bon logiciel de préparation d'impôt peut s'avérer utile. Bon nombre de ces logiciels sont disponibles sur Internet et plusieurs peuvent être utilisés en ligne. ImpôtRapide (www.intuit.ca) et ImpôtExpert (www.impotexpert.ca) sont deux programmes bien conçus, tout comme TaxTron (www.taxtron.ca). Si vous choisissez la voie des logiciels, nous vous recommandons fortement d'avoir un bon livre de conseils fiscaux sous la main.

Vous trouverez d'autres ressources logicielles pour la préparation de vos déclarations d'impôts en visitant le site Internet Branchez-vous, à l'adresse suivante : www.branchez-vous.com (mes finances/mes impôts/ma déclaration).

Enfin, les sites Internet de l'Agence du revenu du Canada (www.cra-arc. gc.ca) et de Revenu Québec (www.revenu.gouv.qc.ca) sont d'excellentes et de vastes sources d'information en ligne. Consultez-les, vous serez peut-être étonné !

Faire appel à un professionnel

Les spécialistes en déclaration de revenus et les conseillers en matière fiscale peuvent vous faire économiser de l'argent, parfois bien plus que ce que vous coûtent leurs services, en identifiant les stratégies de réduction de votre impôt que vous auriez négligées. Souvent aussi, leur travail a pour effet de diminuer la probabilité d'une vérification que des impairs risqueraient de déclencher. Par contre, il est n'est pas exclu qu'un spécialiste en déclaration de revenus qui serait incompétent commette des erreurs et ne soit pas au courant des façons avisées de réduire votre facture fiscale.

Les fiscalistes possèdent, selon les cas, des formations et des qualifications variées, et tel titre de compétence n'est pas forcément meilleur que tel autre. Les quatre principales catégories de fiscalistes sont : les spécialistes en déclaration de revenus, les comptables généraux licenciés (CGA), les comptables agréés (CA) et les avocats fiscalistes. En règle générale, plus un fiscaliste possède de diplômes et de spécialisations (et plus ses clients sont riches), plus son taux horaire est élevé. Les honoraires et la compétence à tous les niveaux de la profession varient considérablement. Si vous embauchez un conseiller fiscal et que vous doutez de la qualité du travail accompli et du bien-fondé de ses conseils, tentez d'obtenir une deuxième opinion.

Les spécialistes en déclaration de revenus

Les spécialistes en déclaration de revenus sont normalement ceux parmi les professionnels de la fiscalité qui possèdent le moins de formation, et la majorité d'entre eux travaillent à temps partiel. De plus, aucune règlementation ne régit le travail des spécialistes en déclaration de revenus et aucun permis d'exercice n'est requis.

Les spécialistes en déclaration de revenus sont intéressants parce que leurs services sont relativement peu coûteux : ils traiteront une déclaration de base pour environ 100 $. L'inconvénient avec le spécialiste en déclaration de revenus, c'est que vous embauchez quelqu'un qui n'en sait pas beaucoup plus que vous.

Le spécialiste en déclaration de revenus convient aux personnes qui ont une vie financière relativement simple, qui ont des contraintes budgétaires et qui détestent remplir elles-mêmes leur déclaration de revenus. Si vous n'êtes pas du genre à conserver vos reçus ou que vous n'avez pas envie de vous occuper de vos dossiers d'impôts, vous devriez vraiment faire en sorte de trouver un spécialiste en déclaration de revenus qui soit fiable et engagé dans son travail. Vous pourriez bien avoir besoin de tous ces papiers un jour lors d'une vérification, et plusieurs spécialistes en déclarations de revenus conservent et organisent les documents de leurs clients plutôt que de tout leur retourner chaque année. Enfin, il peut être plus sûr de recourir aux services d'un cabinet ouvert toute l'année (certaines petites entreprises ne sont ouvertes que pendant la saison des impôts), aux cas où des questions fiscales ou des problèmes se présenteraient.

Les comptables généraux licenciés (CGA)

Les CGA constitue souvent un choix solide et économique pour des conseils fiscaux. Une part importante du travail de beaucoup de comptables généraux licenciés concerne l'impôt sur le revenu des particuliers.

Le CGA représente le meilleur choix pour les personnes ayant des déclarations modérément complexes qui n'ont pas nécessairement besoin de conseils de planification fiscale tout au long de l'année. Beaucoup de CGA possèdent également une expertise dans la préparation des déclarations pour les petites entreprises. Un professionnel qui connaît bien les particularités de votre secteur d'activité peut être en mesure de vous offrir des conseils plus complets sur les possibilités d'épargne et la façon d'organiser votre entreprise pour réduire votre facture d'impôt. De plus, il ou elle pourra probablement traiter plus rapidement votre déclaration de revenus, ce qui, le cas échéant, devrait se traduire par une facture moins élevée.

Les bureaux des CGA ne ferment pas quand la saison des impôts se termine. Cela signifie que vous pouvez les consulter pour obtenir des conseils et de l'aide concernant votre calendrier ou d'éventuels problèmes après le dépôt de votre déclaration. Les frais pour une déclaration simple sont d'environ 100 $, tandis que des déclarations plus complexes (une entreprise à temps partiel ou des revenus de placement, par exemple) coûteront parfois plusieurs centaines de dollars.

Les comptables agréés (CA)

Les CA sont les gens qui effectuent des vérifications dans les entreprises publiques. Ils sont souvent spécialisés dans des secteurs ou des types d'entreprises spécifiques. Comme beaucoup de CA travaillent pour de grandes sociétés ayant des activités internationales tant en comptabilité qu'en consultation, ils possèdent les compétences nécessaires pour la préparation des déclarations compliquées impliquant des investissements et des gains dans différents pays.

Les honoraires des CA varient énormément. La plupart d'entre eux demandent autour de 100 $ l'heure, mais les services des CA sont en général un plus chers dans les grandes entreprises et dans les régions où le coût de la vie est plus élevé. Le recours aux services d'un CA pour votre déclaration de revenus peut vous coûter de 150 $ à plusieurs milliers de dollars.

Les CA sont particulièrement utiles aux personnes dont les états financiers comportent des complexités importantes ou qui doivent produire des déclarations de revenus dans plusieurs pays. Un client typique du CA serait un Canadien qui, parce qu'il travaille aux États-Unis durant une partie de l'année, doit produire une déclaration dans chacun des deux pays, et a de nombreux abris fiscaux et des investissements immobiliers.

Si votre déclaration est simple et votre situation stable, embaucher annuellement un CA à honoraires élevés pour qu'il inscrive des nombres dans des espaces blancs serait un gaspillage d'argent. Parfois, vous rencontrerez initialement un associé qui fera ensuite exécuter le travail par un subalterne moins qualifié et moins payé. Votre facture, cependant, reflétera probablement davantage le taux horaire du CA que celui de son employé.

Payer plus pour les services d'un CGA ou d'un CA sur une base permanente est utile si vous pouvez vous le permettre et si votre situation est assez complexe. Si par exemple vous êtes travailleur autonome et que votre déclaration comporte plusieurs annexes, il peut être avantageux d'embaucher un CGA ou un CA. Mais il n'est peut-être pas nécessaire de le faire chaque année. Il vous suffit de recourir aux services d'un fiscaliste plus qualifié lorsque votre situation se complexifie. Pour les années régulières, remplissez votre déclaration vous-même en vous aidant d'un guide de conseils ou d'un logiciel, ou embauchez un spécialiste en déclaration de revenus qui coûte moins cher.

Les avocats fiscalistes

Les avocats fiscalistes s'occupent de problèmes fiscaux complexes et d'enjeux ayant généralement un certain angle juridique. À moins que vous n'ayez un revenu très élevé et une vie financière complexe, il serait inutilement coûteux d'embaucher un avocat fiscaliste pour préparer votre déclaration de revenus. En fait, de nombreux avocats fiscalistes ne préparent pas de déclarations de revenus.

En raison de leur niveau de spécialisation et de formation, les avocats fiscalistes ont en général les taux horaires les plus élevés, soit 200 $ ou 300 $ l'heure et même plus.

La perspective d'une vérification

Dans la liste des pires cauchemars de la vie réelle, la plupart des gens classeraient les vérifications fiscales au même niveau que les traitements de canal, les examens rectaux et les comparutions devant un tribunal. Beaucoup de gens sont traumatisés par les vérifications parce qu'ils ont l'impression de subir un procès et d'être accusés d'avoir commis un crime. La chose est désagréable, certes, mais ne nous affolons pas. Inspirez bien, puis expirez.

Vous subissez peut-être une vérification simplement parce qu'une entreprise a rapporté des informations fiscales sur vous ou qu'un employé de l'Agence du Revenu du Canada ou de Revenu Québec a fait une erreur concernant les données de votre déclaration. Il se peut également que vous possédiez un type d'entreprise ou travailliez dans un domaine qui soit la cible des autorités fiscales une certaine année. Le fisc se concentre régulièrement sur certains types d'employés et de professions. Il faut savoir que, dans la grande majorité des cas, les vérifications sont menées à distance, par correspondance postale.

Les vérifications les plus redoutables sont celles qui impliquent que vous vous rendiez au bureau local de l'ARC ou de Revenu Québec. Malheureusement, comme la majorité des survivants à une vérification, vous vous retrouverez sans doute avec une facture d'impôts plus élevée. Le montant de l'impôt supplémentaire et des amendes que vous devrez dépendra du déroulement de la vérification.

Faire face à la situation

Se préparer à une vérification est un peu comme se préparer à un examen à l'école. L'administration fiscale vous laissera savoir quelles sections de votre déclaration de revenus elle souhaite examiner.

La première chose à faire quand vous recevez un avis de vérification est de vous demander si voulez gérer vous-même la question ou faire appel à un conseiller fiscal pour vous représenter. Embaucher quelqu'un peut vous épargner du temps, du stress et de l'argent.

Si vous préparez normalement vous-même votre déclaration et que vous croyez posséder une bonne compréhension des points qui sont soumis à la vérification, gérez vous-même la situation. Lorsque les montants fiscaux en jeu sont faibles par rapport à ce que vous coûteraient les services d'un conseiller, l'auto-représentation constitue probablement votre meilleure option. Toutefois, si vous êtes susceptible de vous mettre à bafouiller et de vous effondrer sous la pression ou si vous êtes incertain de la façon de présenter votre situation, alors embauchez un conseiller fiscal pour vous représenter. (Voir la section « Faire appel à un professionnel », plus haut dans ce chapitre, pour savoir qui engager.)

Si vous décidez de gérer vous-même la vérification, prenez-vous en main plutôt tôt que tard. N'attendez pas la veille de votre visite dans les locaux du fisc pour vous mettre à ramasser vos reçus et autres papiers pertinents. Il vous faudra peut-être contacter certaines personnes ou entreprises afin d'obtenir des copies de documents que vous n'arrivez pas trouver.

Vous devez bien étudier votre documentation et être prêt à ne parler que des points précis qui font l'objet d'une analyse, tel que mentionné dans votre avis de vérification. Organisez vos différents documents et reçus dans des dossiers afin de faciliter la tâche au vérificateur qui examinera votre matériel. N'allez pas lui présenter une pile de documents non classés en lui disant quelque chose comme : «Allez-y, faites vos vérifications!», car vous risqueriez de l'irriter.

Quoi que vous fassiez, ne commettez pas l'erreur d'ignorer les avis de vérification fiscale. Les autorités fiscales fédérales et provinciales constituent les plus puissantes agences de recouvrement de créances. Et si en bout de ligne vous devez plus d'argent (ce qui est malheureusement le cas avec la majorité des vérifications), plus vous rembourserez tôt, moins vous devrez payer d'intérêts et de pénalités.

Survivre au jour du jugement

Deux personnes ayant des situations semblables peuvent se présenter à une vérification et en ressortir avec des résultats très différents. Le perdant peut se retrouver devant une facture d'impôts beaucoup plus considérable, avec un possible élargissement de la vérification à d'autres parties de sa déclaration. Tandis que le gagnant peut se retrouver avec une facture réduite d'impôts à payer.

Voici comment augmenter vos chances de sortir gagnant d'une vérification fiscale :

✔ **Traitez le vérificateur comme un être humain.** Ce conseil peut paraître évident, mais très souvent il n'est pas observé par les contribuables. Il est possible que le fait de subir une vérification vous irrite ou vous mette en colère. Vous pourriez être tenté de grincer des dents et de dire au vérificateur à quel point vous trouvez injuste qu'un honnête contribuable comme vous-même ait été contraint de passer des heures à se préparer pour cet «interrogatoire». Vous voudrez peut-être aussi fulminer sur la façon dont le gouvernement gaspille l'argent de vos impôts ou pester contre le parti au pouvoir qui s'acharne sur vous. Mais réfléchissez bien avant de parler.

Croyez-le ou non, la plupart des vérificateurs sont des gens honnêtes qui essaient simplement de faire leur travail. Ils sont bien conscients que les contribuables n'aiment pas les rencontrer. Alors, sans non plus être mielleux, essayez de vous détendre et d'être vous-même.

Comportez-vous comme vous le feriez autour d'un patron que vous aimez bien, avec respect et sympathie.

✔ **Ne vous écartez pas du sujet.** En principe, votre vérification consiste à discuter uniquement des sections de votre déclaration d'impôt qui sont en cause. Plus vous parlerez d'autres aspects de vos activités, plus vous risquez de voir le vérificateur élargir son examen. N'apportez pas de documentation portant sur les parties de votre déclaration qui ne sont pas visées par la vérification. En plus de vous créer plus de travail, cela risquerait d'ouvrir inutilement une boîte de Pandore. Dans l'éventualité où le vérificateur aborde des parties de votre déclaration qui ne sont pas visées par l'avis de vérification, répondez poliment que vous n'êtes pas prêt à discuter de ces autres questions et qu'une autre rencontre devrait être planifiée.

✔ **Ne discutez pas quand vous êtes en désaccord.** Faites valoir vos arguments. Lorsque le vérificateur veut rejeter une déduction ou augmenter vos impôts à payer et que vous êtes en désaccord avec lui, contentez-vous de lui dire une seule fois pourquoi vous n'êtes pas d'accord avec son évaluation. Si le vérificateur ne change pas d'avis, ne vous obstinez pas et faites en sorte d'éviter la confrontation. Il ne voudra sans doute pas perdre la face. D'ailleurs, son travail est de chercher et de trouver des impôts supplémentaires. Sachez qu'au besoin, vous aurez la possibilité de plaider votre cause auprès d'instances fiscales supérieures. Si votre démarche échoue, vous pourrez ensuite porter l'affaire devant la Cour canadienne de l'impôt ou le Tribunal administratif du Québec.

✔ **Ne vous laissez pas intimider.** La plupart des vérificateurs ne sont pas des génies de l'impôt. D'abord, leur travail est stressant : il n'est pas facile de rencontrer quotidiennement des gens qui n'ont pas envie de vous voir. Cela explique sans doute, en partie du moins, le roulement de personnel assez élevé dans ce domaine. Ensuite, la formation de base que reçoivent les vérificateurs ne couvre pas – ne peut couvrir – tous les détails techniques et les nuances du code fiscal. Il se peut donc que le vérificateur en sache moins que vous sur les questions fiscales et financières. Ainsi, vous ne serez peut-être pas si désavantagé, après tout, surtout si vous travaillez en collaboration avec un conseiller fiscal.

Troisième partie

S'enrichir grâce à l'investissement

« Être l'esclave de Dracula n'était pas très payant, mais Renfield trouvait quand même de l'argent à investir. »

Dans cette partie...

Nous présentons les concepts fondamentaux de l'investissement et nous vous expliquons comment choisir vos placements de façon judicieuse. Gagner et épargner de l'argent exige du travail et du temps, c'est pourquoi vous devez veiller à bien investir les fruits de votre labeur. Dans cette partie, vous aurez l'heure juste en ce qui concerne les actions, les obligations, les fonds communs de placement, l'investissement dans les REER et autres régimes de retraite, dans les comptes du marché monétaire et l'investissement en prévision des dépenses d'éducation. Nous discutons également des questions entourant l'achat d'une propriété, des prêts hypothécaires ainsi que des facteurs à considérer dans la décision d'acheter ou de louer un bien immobilier.

Chapitre 7

Saisir les concepts clés de l'investissement

Dans ce chapitre :

▶ Établir vos objectifs de placement

▶ Les principaux types d'investissements

▶ Les rendements attendus et les risques d'investissement

▶ Comprendre la diversification et la répartition d'actifs

▶ Les différents types de sociétés d'investissement

▶ Les gourous de l'investissement et leurs pronostics

Faire des placements judicieux n'a pas à être compliqué. Pourtant, de nombreux investisseurs s'enlisent dans le bourbier des milliers de possibilités offertes sur les marchés. Ce chapitre vous apprendra à vous forger une vue d'ensemble des grands concepts, laquelle vous permettra de vous assurer que votre plan d'investissement correspond à vos besoins ainsi qu'aux réalités du marché de l'investissement.

Établir vos objectifs

Avant de choisir un placement particulier, vous devez d'abord déterminer vos besoins et objectifs. Pourquoi épargner tout cet argent ? Quel usage en ferez-vous ? Vous n'avez pas besoin de consacrer chaque dollar, néanmoins, vous devez définir vos grands objectifs. Il est important d'établir ces objectifs pour la raison que l'utilisation prévue de l'argent épargné vous aide à prévoir la durée nécessaire de vos placements, ce qui vous aide ensuite dans le choix de ces derniers.

Le niveau de risque de vos investissements devrait tenir compte de vos délais et de votre niveau de confort. Il n'y a pas de sens à investir dans les véhicules à haut risque si cela implique que vous deviez dépenser tous vos bénéfices en frais de traitements médicaux du stress. Par exemple, supposons que depuis un certain moment vous mettiez de l'argent de côté pour le versement initial sur une maison que vous comptez acheter dans quelques années. Vous ne pouvez pas vous permettre de prendre de risque substantiel avec cet investissement, car vous en aurez besoin, et plus tôt que tard. Le marché boursier étant susceptible de connaître des baisses importantes au cours d'une année ou même sur plusieurs années consécutives, les actions constituent sans doute un véhicule trop risqué pour l'investissement de l'argent que vous prévoyez utiliser dans un proche avenir.

Peut-être épargnez-vous en fonction d'un objectif à plus long terme, tel que la retraite, que vous atteindrez dans 20 ou 30 ans. Dans ce cas, vous êtes en mesure de faire des investissements plus risqués, parce que vos titres auront plus de temps pour remonter après des pertes ou des reculs temporaires. Vous pouvez également envisager d'investir dans des placements de croissance, comme les actions, dans un REER que vous laisserez travailler pendant 20 ans ou plus. Vous pouvez tolérer la volatilité du marché d'année en année, parce que le temps joue pour vous. Si vous ne l'avez pas encore fait, consultez le chapitre 2, qui vous aide à évaluer vos besoins et à établir vos objectifs financiers.

Les principaux types de placements

Pour la plupart des gens, le moment de choisir ses placements représente la partie la plus excitante et intéressante d'un projet d'investissement. Et certaines personnes, fatiguées de réfléchir et d'observer passivement les autres faire des profits, sont pressées de se lancer dans la mêlée. Peut-être avez-vous déjà une idée de l'endroit où vous voulez investir, après avoir fait quelques lectures ou regardé un programme divertissant sur l'investissement à la télé ou sur l'Internet. Ou peut-être un ami vous a-t-il parlé d'une occasion formidable d'investissement.

L'investissement de prêt

Oubliez pour un instant toutes les formules accrocheuses, le jargon et les noms de produits que vous avez entendus circuler dans le monde de l'investissement. Dans de nombreux cas, ceux-ci ne servent qu'à occulter la nature réelle d'un investissement et à camoufler des commissions et des frais élevés. Imaginez un monde où il n'y aurait que deux saveurs d'investissement : la vanille et le chocolat.

Le monde de l'investissement est vraiment aussi simple que cela. Il n'existe en réalité que deux grands choix d'investissement : soit vous êtes un prêteur, soit vous êtes un propriétaire (ou actionnaire).

Vous êtes un prêteur lorsque vous investissez votre argent dans des certificats de placement garanti (CPG), dans des bons du Trésor ou dans des obligations émises par une société comme Bombardier, par exemple. Dans chaque cas, vous prêtez votre argent à une institution ou à une entreprise – une banque, un gouvernement, Bombardier, etc. – et vous le faites à un taux d'intérêt préétabli. L'organisme en question promet aussi de vous rembourser votre investissement initial (le capital) à une date précise.

Recevoir le paiement de la totalité des intérêts en plus du montant de votre placement initial (tel que promis) est la meilleure conclusion à espérer dans le cas d'un investissement de prêt. Or, étant donné les nombreuses incidences de mauvais investissements, on aurait tort de prendre ce résultat pour acquis.

Le pire qui puisse arriver avec un investissement de prêt est que vous n'obteniez pas tout ce que l'on vous a promis. Il arrive que des engagements soient rompus dans des circonstances atténuantes. Quand une entreprise fait faillite, par exemple, vous risquez de perdre votre investissement initial en tout ou en partie.

Un autre risque est associé à l'investissement de prêt. C'est que même si vous obtenez ce que l'on vous a promis, il est possible que les ravages de l'inflation réduisent la valeur de votre argent. Ainsi, dans un cas pareil, vous obtenez la somme prévue, mais votre pouvoir d'achat n'est plus ce qu'il était. Dans les années 1960, par exemple, des sociétés solides ont émis des obligations à long terme qui ont rapporté autour de 4 % d'intérêt. À l'époque, l'achat d'obligations à long terme semblait être une bonne affaire, puisque le coût de la vie n'augmentait que d'environ 2 % par année.

Toutefois, lorsque l'inflation a grimpé à 6 % et plus, ces obligations à 4 % d'intérêt ont soudainement perdu de leur attrait. L'intérêt et le capital ne permettaient plus d'acheter autant que quelques années plus tôt, alors que l'inflation était inférieure. Le tableau 7-1 illustre la diminution du pouvoir d'achat de votre argent à différents taux d'inflation après seulement dix ans.

Tableau 7-1 : Réduction du pouvoir d'achat due à l'inflation

Taux d'inflation	Réduction du pouvoir d'achat après 10 ans
6 %	– 44 %
8 %	– 54 %
10 %	– 61 %

Certains investisseurs plus conservateurs commettent l'erreur courante de croire qu'ils diversifient leurs investissements à long terme en achetant plusieurs obligations, quelques CPG et un bon du Trésor. Le problème, toutefois, est que tous ces investissements rapportent un taux de rendement fixe relativement faible qui est exposé aux aléas de l'inflation.

Un dernier inconvénient à propos des investissements de prêt : vous ne partagez pas le succès de l'organisation à laquelle vous prêtez votre argent. Cela signifie que si la société double ou triple sa taille et ses profits, votre capital et votre taux d'intérêt, eux, restent les mêmes, sans doubler ni tripler. Mais bien entendu, avec une telle réussite, vous devriez récupérer sans problème votre capital et vos intérêts, tels que promis.

L'investissement de participation

Vous êtes actionnaire ou propriétaire dès lors que vous investissez votre argent dans un actif comme une entreprise ou de l'immobilier, qui a la capacité de générer des revenus ou des profits. Supposons que vous possédiez 100 actions de Bombardier. Avec plusieurs centaines de millions d'actions ordinaires en circulation, Bombardier est une très grande société, et vos 100 actions ne représentent qu'une minuscule portion de celle-ci.

Qu'obtenez-vous pour votre petite tranche de Bombardier ? En tant qu'actionnaire, vous partagez les bénéfices d'une entreprise sous forme de dividendes annuels et une augmentation (idéalement !) du cours de l'action si la société se développe et devient plus rentable. Évidemment, vous bénéficiez de ces avantages si les choses vont bien. Si toutefois les affaires de Bombardier déclinent, vos actions pourraient perdre de leur valeur, voire toute leur valeur.

Parmi les investissements de participation rentables, l'immobilier est un autre de nos favoris. L'immobilier peut produire des bénéfices quand les revenus de location du bien immobilier sont supérieurs aux coûts qu'il entraîne ou quand ce bien est vendu à un prix plus élevé que ce qu'il vous a coûté. Nous connaissons de nombreux investisseurs immobiliers qui ont obtenu d'excellents bénéfices à long terme.

La valeur d'un bien immobilier ne dépend pas seulement des caractéristiques d'une propriété, mais aussi de la santé et de la performance de l'économie locale. Lorsque les entreprises d'une collectivité sont en croissance et que des emplois à salaires élevés sont créés, l'immobilier se porte habituellement bien. À l'inverse, lorsque les employeurs locaux licencient du personnel et que de nombreux logements sont laissés vacants en raison notamment d'un excès de construction domiciliaire, le loyer et la valeur des propriétés sont susceptibles de tomber.

De nombreux Québécois ont également amassé des richesses substantielles grâce à de petites entreprises. Selon le magazine *Forbes*, une bonne partie des personnes les plus riches au monde ont bâti leur fortune grâce à leur participation dans les petites entreprises. Ces dernières constituent le moteur principal de la croissance économique en Amérique du Nord. Bien que les entreprises de moins de 20 salariés représentent environ un quart de tous les employés, celles-ci ont été à l'origine de près de la moitié des nouveaux emplois créés au cours des deux dernières décennies.

Il existe différentes façons de prendre part dans de petites entreprises. Vous pouvez démarrer votre propre entreprise, acheter et exploiter une entreprise existante, ou simplement investir dans de petites entreprises prometteuses. Dans les prochains chapitres, nous expliquons en détails chacun de ces grands modes d'investissement.

Éviter toute forme de jeu

Bien qu'il comporte souvent certains risques, l'investissement, tel que nous le préconisons du moins, n'est pas un jeu. Jouer, c'est mettre votre argent dans des projets dans lesquels vous êtes assuré de perdre de l'argent avec le temps. Cela ne veut pas dire que tout le monde perd ou que vous perdez chaque fois que vous jouez. Toutefois, les dés sont pipés contre vous. La plupart du temps, c'est la maison qui gagne.

Les courses de chevaux, les casinos et les loteries sont conçus pour ne payer que de 50 à 60 cents sur chaque dollar encaissé. Le reste sert à payer les frais d'administration du système et à remplir les poches des propriétaires – car il ne faut pas oublier qu'il s'agit d'entreprises. Bien sûr, il se peut que votre cheval remporte une course ou deux, mais à long terme, vous êtes presque certain de perdre environ 40 à 50 % de ce que vous pariez. Placeriez-vous votre argent dans un «investissement» où le rendement attendu serait de moins 40 %?

Renoncez aux contrats à terme, aux options et autres produits dérivés

Les contrats à terme, les options et les produits de base sont des dérivés, tout comme les placements financiers dont la valeur est dérivée du rendement d'un autre titre tel qu'une action ou une obligation.

Acheter des contrats à terme n'est pas très différent de claquer 10 000 $ aux tables de craps de Las Vegas. Les prix des contrats à terme dépendent des mouvements hautement instables à court terme des cours boursiers. Comme c'est le cas avec le jeu, vous gagnez à l'occasion, lorsque le marché évolue dans la bonne direction et au bon moment. Mais à longue échéance, vous êtes perdant. En fait, vous risquez même de tout perdre.

Les options sont aussi risquées que les contrats à terme. Avec les options, vous pariez sur les mouvements à court terme d'un titre particulier. Si vous disposez d'une information privilégiée (comme de savoir à l'avance quand une entreprise effectuera un développement important), vous pouvez devenir riche. Mais n'oubliez pas ce petit détail : les opérations d'initié sont illégales dès lors qu'elles sont fondées sur des informations confidentielles. Alors réfléchissez bien !

Les courtiers honnêtes qui aident leurs clients à investir dans les actions, les obligations et les fonds communs de placement vous diront la vérité en ce qui concerne les produits de base, les contrats à terme et les options. Considérez ce commentaire d'un ancien courtier ayant été à l'emploi de Merrill Lynch et de Salomon Smith Barney pendant 12 ans : « Un seul de mes clients a fait de l'argent dans les options, les contrats à terme et les produits de base. Mais s'il a pu le faire, c'est seulement parce qu'il avait soudainement dû retirer son argent afin de finaliser l'achat d'une maison, juste au moment où ses placements s'étaient considérablement appréciés. Les commissions étaient formidables pour moi, mais pour les clients, il n'y a pas d'argent à faire. » Souvenez-vous de ces paroles le jour où l'idée vous viendra de parier sur les contrats à terme, les options ou d'autres produits dérivés.

Cela dit, les contrats à terme et les options ne sont pas toujours utilisés que pour la spéculation et le jeu. Certains investisseurs professionnels sophistiqués les utilisent pour couvrir ou réduire le risque de leurs portefeuilles d'investissements. Même de supposés professionnels ne parviennent pas à obtenir de bons résultats lorsqu'ils recourent à cette méthode. Alors vous, l'investisseur individuel, devriez vous tenir loin des contrats à terme et des options.

Les gouvernements provinciaux encouragent-ils le jeu ?

Les provinces ont eu la piqûre pour le secteur du jeu, qui représente un moyen de générer des recettes fiscales considérables. Les loteries sont devenues une source régulière de revenus pour les gouvernements. Pourtant, cette pratique est répréhensible à plusieurs points de vue. Il a été clairement démontré que les loteries et les casinos font la plus grande partie de leurs affaires sur le dos de ceux qui n'ont pas réellement d'argent à perdre, soit les personnes à faible et moyen revenus. Il s'agit en quelque sorte d'une taxe supplémentaire que l'on fait payer aux moins nantis en leur donnant de faux espoirs.

L'exploitation par les gouvernements des appareils de loterie vidéo (ALV) est encore plus odieuse. Certains premiers ministres ont même essayé de défendre leur soutien à l'exploitation des ALV en invoquant l'argument que cela permettrait de limiter l'implication de criminels dans les jeux électroniques. Or, les experts sont d'avis qu'au contraire, la gestion gouvernementale des

ALV contribue à alimenter le crime organisé, car en plus de créer de nouveaux accros du jeu, cette situation ajoute à la perception que le jeu est un passe-temps socialement acceptable et même positif.

Malheureusement, une part disproportionnée des revenus provient des poches, rapidement vidées, de joueurs compulsifs. Ruptures familiales, dépressions et même suicides ont tous été reconnus comme des conséquences prévisibles de l'utilisation des ALV. En outre, certaines études démontrent que les appareils de loterie vidéo sont encore plus efficaces pour forger de nouveaux joueurs à problème : s'il faut environ quatre ans pour devenir accro à la plupart des autres formes de jeu, les ALV produisent des joueurs dépendants en seulement un an.

La participation gouvernementale à l'industrie du jeu favorise également le développement de la pensée magique qui veut que l'on puisse facilement et rapidement devenir riche. Pourquoi aller à l'école et travailler dur pendant des années si l'on a la possibilité de résoudre tous ses soucis financiers en achetant le prochain billet ou en actionnant un levier ? Le jeu contribue de plus à la faiblesse de notre taux national d'épargne personnelle.

Enfin, le jeu, comme l'alcool et le tabac, peut entraîner la dépendance et causer de graves problèmes. Dans le pire des cas, le jeu et les dettes de jeu diviseront des familles, conduiront à des divorces et seront même à l'origine de suicides et de meurtres. Les gouvernements ne devraient pas être impliqués dans une telle destruction de la vie de leurs citoyens.

Il est déjà bien assez triste que le jeu légalisé existe, alors est-il vraiment nécessaire que notre gouvernement, en quête de profits à court terme et de solutions rapides, participe à ces activités ? En agissant ainsi, le gouvernement encourage le développement d'une attitude irresponsable envers l'argent.

Rejetez la spéculation à court terme

La spéculation à court terme, qui consiste à acheter et à revendre rapidement des titres en ligne, est une pratique tout aussi absurde pour les investisseurs individuels. Il est certes beaucoup moins cher d'effectuer des opérations via l'Internet qu'avec les anciennes méthodes de négociation (comme de téléphoner à un courtier), mais plus vous faites de transactions, plus les frais rongent votre capital d'investissement.

Vous pouvez certainement réaliser des bénéfices grâce à la spéculation à court terme. Cependant, au cours d'une période de temps prolongée, vous obtiendrez forcément un rendement inférieur aux moyennes de l'ensemble du marché. Dans les rares cas où vous pourrez faire un peu mieux que les moyennes du marché, vos bénéfices ne vaudront quand même pas tout le temps investi et les sacrifices exigés de vous-même et de votre famille.

La notion de rendement d'investissement

Les sections précédentes décrivent les différences entre les investissements de prêt et les investissements dans les actions et l'immobilier, en plus de distinguer le jeu et la spéculation des véritables investissements. «C'est bien beau, direz-vous, mais comment puis-je choisir le type d'investissement où mettre mon argent? Combien d'argent puis-je faire et quels sont les risques?»

Bonnes questions. Commençons avec les rendements que vous pourriez obtenir. Si nous employons le conditionnel, c'est parce que nous devons nous pencher sur les antécédents, et ceux-ci sont des faits passés. Utiliser le passé pour prédire l'avenir, en particulier l'avenir proche, est une entreprise hasardeuse. Car l'histoire peut se répéter, mais pas toujours exactement de la même façon et pas nécessairement quand on s'y attend.

Au cours du dernier siècle, les investissements de participation, tels que les actions et l'immobilier, ont produit des rendements d'environ 10 % par année, surpassant facilement les investissements de prêt tels que les obligations (environ 5 à 7 %) et les comptes d'épargne (autour de 3 ou 4 %) dans la course au rendement des investissements. L'inflation, quant à elle, a été de 3 % par année en moyenne.

Si vous savez déjà que le marché boursier peut être risqué, vous vous demandez peut-être si l'investissement dans les actions en vaut la peine, sans parler du stress et des pertes potentielles. Pourquoi se donner tout ce mal pour quelques points de pourcentage de plus par année? Eh bien, sur plusieurs années, ce faible pourcentage de plus peut vraiment amplifier la croissance de votre argent (voir le tableau 7-2). Plus longue sera la durée de vos investissements, plus grand sera l'effet de quelques points de pourcentage supplémentaires sur vos rendements.

Tableau 7-2 : L'effet d'un faible pourcentage de plus

À ce taux de rendement sur un investissement de 10 000 $	Dans 25 ans vous aurez	Dans 40 ans vous aurez
4 % (compte d'épargne)	26 658 $	48 010 $
5 % (obligations)	33 863 $	70 400 $
10 % (actions et immobilier)	108 347 $	452 592 $

L'investissement n'est pas un sport de spectateurs. Vous ne pouvez pas obtenir de bons rendements dans les actions et l'immobilier si vous laissez dormir votre argent sur la touche. Si vous investissez dans des placements de croissance comme les actions et l'immobilier, n'allez pas constamment à la chasse à un nouvel investissement dans le but d'essayer de battre les rendements moyens du marché. La plus grande valeur, c'est d'être dans le marché, non pas de tenter de le battre.

Évaluer les risques d'investissement

Beaucoup d'investisseurs ont une vision simpliste du concept de risque et ignorent comment l'appliquer à leurs décisions d'investissement. Par exemple, lorsque comparé aux mouvements de yo-yo de la Bourse, un compte d'épargne peut sembler un endroit moins risqué pour placer votre argent. À long terme, cependant, le marché boursier battra généralement le taux d'inflation, ce qui ne sera pas le cas du taux d'intérêt sur un compte d'épargne. Ainsi, si vous épargnez de l'argent pour un objectif à long terme comme la retraite, un compte d'épargne peut en fait s'avérer un endroit plus « risqué » pour placer vos économies.

Avant d'investir, posez-vous ces questions :

✔ « J'épargne et j'investis mon argent pour quelle raison ? En d'autres termes, quel est mon but ? »

✔ « Quel est mon échéancier pour cet investissement ? Quand vais-je utiliser cet argent ? »

✔ « Quelle est la volatilité historique de l'investissement qui m'intéresse ? Cela convient-il à mon niveau de tolérance et à mon calendrier pour cet investissement ? »

Après avoir répondu à ces questions, vous aurez une meilleure compréhension du risque et serez à même de faire correspondre vos objectifs d'épargne à leurs véhicules d'investissement les plus appropriés. Le chapitre 2 vous aide à réfléchir à vos objectifs et échéanciers d'épargne. Dans les sections suivantes, nous traitons des risques et des rendements d'investissement.

Comparer les risques des actions et des obligations

Comme nous l'avons mentionné dans la section précédente, les rendements historiques des investissements de participation (les actions et l'immobilier) sont relativement plus élevés qu'ailleurs. Certaines personnes pourraient ainsi penser que c'est là qu'elles devraient placer tout leur argent. Alors, quelle est l'attrape ?

Les investissements qui offrent un potentiel de rendement supérieur comportent plus de risques. Le risque et le rendement sont inséparables. Si vous n'êtes pas disposé à accepter davantage de risques, vous ne serez pas être en mesure d'atteindre des taux de rendement plus élevés.

Le risque avec les investissements de participation se trouve dans les fluctuations à court terme des valeurs. Au cours du siècle dernier, les actions ont baissé, en moyenne, de plus de 10 % (en une année particulière) tous les cinq ans. Des chutes boursières de plus de 20 % se sont produites, en moyenne, une fois tous les dix ans. L'immobilier connaît aussi périodiquement des reculs semblables.

Par conséquent, afin d'obtenir des rendements généreux à long terme sur vos investissements dans les actions ou l'immobilier, vous devez être disposé à tolérer la volatilité. Vous ne devez absolument pas placer tout votre argent dans la Bourse ou le marché immobilier. Vous ne devez pas non plus investir dans de tels investissements volatils vos fonds d'urgence ou de l'argent que vous prévoyez utiliser dans les cinq prochaines années.

Plus la durée de vos investissements sera courte, moins il est probable que vos investissements de croissance, tels que les actions, surpassent les rendements des investissements de prêt, tels que les obligations. Le tableau 7-3 illustre le rapport historique entre les rendements d'actions et d'obligations américaines en fonction du nombre d'années d'investissement.

Tableau 7-3 : Les actions par rapport aux obligations

Nombre d'années de l'investissement	*Probabilités historiques de rendement supérieur des actions*
1	60 %
5	70 %
10	80 %
20	91 %
30	99 %

Certains types d'obligations ont des rendements plus élevés que d'autres, mais le rapport risque-bénéfice demeure inchangé. Une obligation vous rapporte généralement un taux d'intérêt plus élevé quand elle présente :

✔ Une notation de crédit plus faible – afin de compenser le risque plus élevé de défaut de paiement et la probabilité plus grande de perdre votre investissement.

✔ Une échéance à plus long terme – afin de compenser le risque que vous soyez insatisfait du taux d'intérêt établi de votre obligation si le niveau des taux d'intérêt du marché devait monter.

Se concentrer sur les risques contrôlables

Lorsqu'on leur demande ce qu'ils aimeraient apprendre sur les finances personnelles, il n'est pas rare que les gens répondent dans le même sens que cette étudiante dans un cours d'Eric : «Je veux apprendre où investir mon argent en ce moment, tandis que le marché boursier est surévalué et que les taux d'intérêt sont sur le point de grimper, si les obligations sont dangereuses et que les banques ne donnent que des intérêt ridicules.»

Cette étudiante est consciente des risques de fluctuation des cours dans ses placements, mais elle semble aussi croire, comme trop de gens, que l'on peut prédire ce qui va arriver. Comment sait-elle que le marché boursier est surévalué et que les taux d'intérêt sont sur le point de monter, et pourquoi le reste du monde ne l'a-t-il pas encore compris?

Lorsque vous investissez dans des actions ou d'autres placements de croissance, vous devez accepter la nature volatile de ces investissements. Effectuez vos investissements à long terme dans ces véhicules et recourez à la diversification pour en minimiser les risques. N'achetez pas seulement un ou deux titres boursiers, achetez-en plusieurs. Plus loin dans ce chapitre, nous discutons de ce que vous devez savoir à propos de la diversification.

Des investissements à faible risque et à rendement élevé

En dépit de ce que les professeurs enseignent aux cycles d'études supérieurs des universités, il existe bel et bien des investissements à faible risque susceptibles de produire des rendements élevés. Nous en connaissons au moins quatre :

✔ **Rembourser votre dette de consommation.** Si vous payez 10, 14, ou 18 % d'intérêt sur un solde de carte de crédit ou de prêt à la consommation, remboursez-le entièrement avant d'investir. Car pour obtenir un rendement comparable avec d'autres véhicules d'investissement (après le paiement des impôts sur vos bénéfices), il vous faudrait entreprendre une nouvelle carrière d'usurier. Si par exemple vous payez 34 % en impôt fédéral-provincial combiné sur le revenu et que l'intérêt sur votre dette à la consommation est de 12 %, il vous faudrait récolter chaque année un énorme 18 % en intérêts sur vos investissements (avant impôts) pour justifier de ne pas rembourser votre dette. Bonne chance!

> Lorsque votre unique ressource financière pour rembourser votre dette se constitue d'un petit fonds d'urgence correspondant à des frais de subsistance de quelques mois, ce remboursement peut se révéler risqué. Ne puisez dans votre fonds d'urgence que si vous disposez d'une source de financement de dernier recours, comme la possibilité d'emprunter de l'argent à un membre de votre famille qui accepterait de vous aider.
>
> ✔ **Investir dans votre santé.** Mangez sainement, faites de l'exercice et accordez-vous des moments de repos.
>
> ✔ **Investir dans votre famille et vos amitiés.** Investissez du temps et des efforts dans l'amélioration de vos relations avec vos proches.
>
> ✔ **Investir dans votre développement personnel et professionnel.** Pratiquez un passe-temps qui vous passionne, améliorez vos compétences en communication, lisez abondamment. Suivez un cours à la formation des adultes ou retournez aux études pour décrocher un diplôme. De tels investissements devraient vous apporter plus de bonheur et, peut-être aussi, des revenus plus élevés.

Diversifier vos investissements

La diversification est un des concepts d'investissement les plus puissants. Elle consiste à conserver vos œufs (vos placements) dans des paniers différents.

La diversification exige que vous mettiez votre argent dans des placements différents dont les rendements ne sont pas complètement corrélés. C'est-à-dire que lorsque certains de vos investissements connaissent une baisse de valeur, d'autres devraient être en hausse.

Pour réduire le risque que tous vos placements soient frappés en même temps par une baisse de valeur, vous devez investir votre argent dans différents types de placements, tels que les obligations, les actions, l'immobilier et les petites entreprises. (Au chapitre 9, nous traitons de tous ces investissements et d'autres encore.) Vous pouvez diversifier vos placements en investissant aussi bien dans des marchés domestiques qu'internationaux.

Dans une catégorie donnée de placements, il importe de choisir des titres qui se comporteront bien sous diverses conditions économiques. Pour cette raison, les fonds communs de placement, qui sont des portefeuilles diversifiés de valeurs mobilières comme les actions ou les obligations, représentent un véhicule d'investissement très utile. Lorsque vous investissez dans un fonds commun de placement, votre argent est mis en commun avec l'argent de beaucoup d'autres investisseurs pour être investi dans une vaste gamme d'actions ou d'obligations.

On peut apprécier les avantages de la diversification de deux façons :

> ✔ La diversification réduit la volatilité de la valeur de l'ensemble de votre portefeuille. En d'autres termes, votre portefeuille peut atteindre le même taux de rendement qu'un seul placement pourrait fournir, mais avec moins de fluctuations de valeur :
>
> ✔ La diversification vous permet d'obtenir un taux de rendement plus élevé pour un niveau de risque donné.

Gardez à l'esprit que personne, peu importe le poste qu'il occupe et les pouvoirs dont il dispose, ne peut garantir le rendement d'un placement (sauf pour les placements expressément garantis comme les CPG). Vous pouvez exécuter des recherches de qualité et avoir de la chance, mais nul n'est à l'abri du risque de perdre de l'argent. La diversification vous permet cependant de réduire le risque associé à vos investissements. Voir les figures 7-1, 7-2, et 7-3 pour obtenir une idée de la diminution du risque qu'est susceptible d'apporter la diversification. (Les chiffres figurant dans ces graphiques utilisent les plus vastes données historiques disponibles aux États-Unis et sont ajustés en fonction de l'inflation.) Remarquez comment différents investissements ont fait mieux au cours de différentes périodes. Puisque l'on ne peut prédire l'avenir, il est plus sûr de diversifier vos placements. (Dans les années 1990, les actions se sont grandement appréciées, les obligations ont donné d'assez bons résultats, tandis que l'or et l'argent n'ont pas très bien fait. Au début des années 2000, les rendements des actions ont été médiocres, alors que les obligations et les métaux précieux ont bien fait.)

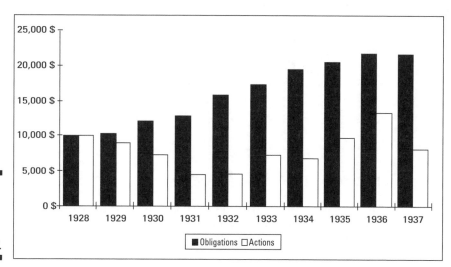

Figure 7-1 :
Valeur de
10 000 $
investis de
1928 à 1937.

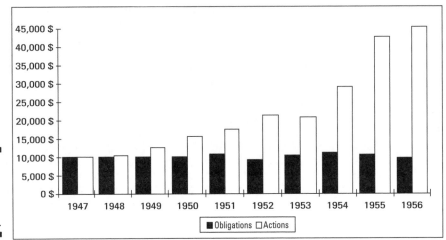

Figure 7-2 :
Valeur de
10 000 $
investis de
1947 à 1956.

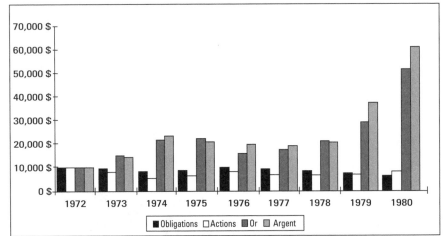

Figure 7-3 :
Valeur de
10 000 $
investis de
1972 à 1980.

La répartition d'actifs

La répartition d'actifs désigne la façon dont vous répartissez vos dollars d'investissement entre les différentes options de placement (actions, obligations, comptes d'épargne à intérêt élevé, et ainsi de suite). Avant d'être en mesure de pouvoir décider intelligemment de la manière de répartir vos actifs, il vous faut réfléchir à un certain nombre de questions, notamment votre situation financière actuelle, vos objectifs et priorités, ainsi que les avantages et les inconvénients des diverses options de placement.

Bien que les actions et l'immobilier offrent des rendements attrayants à long terme, ils subiront parfois d'importantes baisses. C'est pourquoi ils ne représentent pas un bon choix de placement pour l'argent que vous pourriez vouloir ou devoir utiliser dans un horizon de plus ou moins cinq ans.

Les placements du marché monétaire et les placements obligataires sont de bons endroits où mettre l'argent que vous prévoyez utiliser bientôt. Tout le monde devrait avoir un fonds d'urgence – équivalent à environ trois à six mois de frais de subsistance – dans un fonds du marché monétaire ou un compte d'épargne à intérêt élevé auquel accéder en cas d'urgence. Les obligations à plus court terme et les fonds communs d'obligations peuvent constituer un coussin d'urgence à rendement plus élevé. (Reportez-vous au chapitre 2 pour plus d'information sur les fonds d'urgence.)

Les obligations peuvent également être utiles pour certains investissements à plus long terme à des fins de diversification. Par exemple, quand vous investissez pour la retraite, le placement d'une partie de votre argent dans des obligations aide à amortir l'impact des baisses du marché. Les autres chapitres de cette partie du livre exposent les différentes possibilités de placement et vous expliquent comment faire les choix qui correspondent le mieux à vos besoins.

Affecter des sommes à des placements à long terme

Investir de l'argent pour la retraite est un objectif à long terme que partagent la plupart d'entre nous. Votre âge actuel et le nombre d'années qui vous en séparent constituent les principaux facteurs à considérer au moment d'affecter de l'argent à des objectifs à long terme. Plus vous êtes jeune et plus il vous reste d'années avant la retraite, plus vous devriez être à l'aise avec les placements orientés vers la croissance (plus volatils), comme les actions et l'immobilier.

Pour établir quel montant affecter aux investissements de croissance à long terme, tels que les actions, et quel autre aux investissements de prêt (plus conservateurs) comme les obligations, une méthode pratique est de soustraire votre âge de 100 (ou de 120, si vous voulez y aller à fond) et d'investir le pourcentage résultant en actions. Puis vous investissez le pourcentage restant (votre âge) en obligations.

Par exemple, si vous avez 30 ans, vous investissez de 70 (100 - 30) à 90 (120 - 30) % dans les actions. La partie restante, 10 à 30 %, est investie en obligations.

Le tableau 7-4 illustre quelques-unes des lignes directrices pour l'affectation de sommes à l'investissement à long terme. Tout ce qu'il faut connaître, c'est votre âge et le niveau de risque avec lequel vous êtes à l'aise.

Tableau 7-4 : Répartition d'argent à long terme		
Votre attitude d'investisseur	**Affectation en obligations (%)**	**Affectation en actions (%)**
« Prudent »	= âge	= 100 – âge
« Modéré »	= âge – 10	= 110 – âge
« Agressif »	= âge – 20	= 120 – âge

Si par exemple vous êtes du genre conservateur qui n'aime pas beaucoup le risque, mais qui reconnaît tout de même la valeur d'une croissance forte et l'importance de faire fructifier son argent, vous êtes du type modéré. En vous référant au tableau 7-4, vous constaterez qu'à l'âge de 40 ans, par exemple, vous pourriez envisager de placer 30 % (40 - 10) de votre argent dans les obligations et 70 % (110 - 40) dans les actions.

Dans la plupart des régimes de retraite d'entreprise, les fonds communs de placement sont le véhicule typique d'investissement. Si le plan de retraite de votre employeur comprend plus d'une option de fonds commun de placement, vous devriez essayer de discerner quelles sont les meilleurs en utilisant les critères exposés au chapitre 10. Dans le cas où tous les choix de fonds d'actions de votre régime de retraite vous conviennent, il vous suffit de diviser votre répartition en actions à parts égales entre ces choix.

Lorsqu'un ou plusieurs de ces choix sont des fonds d'actions internationales, envisagez d'allouer à des investissements à l'étranger une part de votre argent destiné aux fonds d'actions : au moins 20 % pour l'investisseur prudent, de 25 à 35 % pour le modéré et autant que 35 à 50 % pour l'investisseur agressif.

Si l'investisseur modéré de 40 ans cité dans l'exemple précédent investit 70 % en actions, il peut mettre 25 à 35 % de ses placements dans les fonds d'actions (ce qui correspond à environ 18 à 24 % du total) dans les fonds d'actions internationales.

Historiquement, la plupart des salariés n'ont pas eu à prendre leurs propres décisions d'investissement en ce qui concerne la retraite. Les régimes de retraite, dans lesquels les employeurs font fructifier les fonds de pension des employés, étaient plus généreux et plus nombreux dans le passé. Il est intéressant de noter que dans un régime de retraite typique, les entreprises choisissent d'allouer la majorité de l'argent à l'investissement dans les actions (environ 60 %) et une part moindre dans les obligations (environ 35 %) et les autres investissements. Pour plus d'information sur l'investissement dans les régimes de retraite, consultez le chapitre 11.

Maintenir vos choix d'allocations

L'allocation de vos dollars d'investissement devrait être guidée par vos objectifs et votre sentiment face au risque. Au fur et à mesure que vous avancez en âge, il est naturel de songer à réduire graduellement le niveau de risque (et, par le fait même, le potentiel de croissance) de votre portefeuille.

Ne remaniez pas votre portefeuille d'investissements à chaque semaine, à chaque mois, ni même à chaque année. (N'envisagez de procéder à une analyse annuelle de votre portefeuille que dans le cas où des modifications importantes à la valeur d'un ou deux de vos placements auraient déséquilibré l'allocation de vos actifs. Sinon, tous les trois à cinq ans, vous pourriez procéder à un rééquilibrage de vos titres afin d'obtenir une meilleure répartition, tel que discuté dans la section précédente.) Vous devriez éviter de vous lancer dans des opérations dans l'espoir de mettre la main sur un investissement en apparence prometteur, pour ensuite vous débarrasser de vos perdants. Sauter sur un « gagnant » et jeter un « perdant » peut vous offrir un certain confort psychologique à court terme, mais à long terme, une telle stratégie de placement risque de produire des rendements inférieurs à la moyenne.

Quand un titre boursier obtient une couverture en première page et que tout le monde parle de son ascension remarquable, il vaut la peine d'observer calmement la situation. Car plus la valeur d'un placement grimpe, plus il y a de chances qu'il soit surévalué. Son prochain mouvement pourrait se faire vers le bas. Ne suivez pas le troupeau.

À la fin des années 1990, de nombreuses actions technologiques (en particulier celles d'entreprises liées à Internet) ont connu des hausses spectaculaires, s'attirant ainsi beaucoup d'attention. Mais le simple fait que l'économie était de plus en plus fondée sur la technologie ne signifiait pas que tout prix payé pour une action était juste. Certains investisseurs qui avaient négligé de faire les recherches adéquates avant d'acheter ces séduisantes et ambitieuses actions technologiques ont perdu 80 % ou plus de leurs investissements en 2000 et 2001. Ouille !

Inversement, lorsque la situation semble sombre, il est facile de perdre espoir : qui voudrait s'associer à un perdant ? Toutefois, les investisseurs qui paniquent et vendent après des déclins importants ratent des occasions formidables d'achats.

Beaucoup de gens aiment acheter toutes sortes de choses vendues en solde, des vêtements jusqu'au ketchup, en passant par les voitures. Pourtant, chaque fois que le marché boursier procède à une vente de liquidation, les investisseurs se ruent vers la sortie au lieu de profiter des aubaines. Faites preuve de courage en ne suivant pas le troupeau. Pensez à ces pauvres lemmings qui, coincés au milieu des autres, tombent des falaises ou dans des étangs !

Investir des montants forfaitaires grâce aux achats périodiques par sommes fixes

Lorsque vous avez un gros paquet d'argent à investir – provenant d'un héritage, d'une autre rentrée de fonds inattendue, etc. –, il se peut que vous soyez indécis quant à la manière de le faire. Évidemment, de nombreuses personnes rêvent d'avoir ce genre de «problème». Alors, vous voulez investir votre argent, mais vous êtes un peu frileux, sinon complètement terrifié à l'idée d'investir la totalité de la somme d'un seul coup.

Si l'argent se trouve dans un compte d'épargne ou dans un compte de dépôt du marché monétaire, vous pourriez avoir l'impression qu'il y gaspille son potentiel. Vous voudriez qu'il rapporte davantage! Un premier conseil : ne vous précipitez pas! Il n'y a rien de mal à obtenir un rendement modeste avec un placement sûr. (Reportez-vous au chapitre 12 pour connaître nos recommandations à propos des meilleurs fonds du marché monétaire et des comptes d'épargne à intérêt élevé.) N'oubliez pas qu'un placement dans un fonds du marché monétaire ou un compte d'épargne à intérêt élevé vaut beaucoup mieux qu'un mauvais investissement qui vous ferait perdre 20 % ou plus. Il arrive que des gens se réveillent soudainement et réalisent, presque paniqués, que leurs certificats de placement garantis arrivent à échéance dans quelques jours. Ils doivent alors rapidement décider de l'endroit exact où investir leur argent.

Prenez une grande respiration. Vous n'avez absolument aucune raison de précipiter une décision aussi importante. Prévenez simplement votre sympathique banquier qu'au moment où vos CPG arriveront à échéance, vous désirez transférer l'argent dans un compte du marché monétaire ou un compte d'épargne au meilleur taux d'intérêt possible. De cette façon, vous obtiendrez un peu de temps pour respirer, tandis que votre argent continuera de rapporter des intérêts.

La méthode des achats périodiques par sommes fixes consiste à investir votre argent par segments égaux et à intervalles réguliers – une fois par mois, par exemple – dans un groupe diversifié d'investissements.

Par exemple, si vous avez 60 000 $ à investir, vous pouvez investir 2 500 $ par mois jusqu'à ce que tout soit investi, ce qui prendra deux ans. L'argent qui est en attente d'être investi n'est pas laissé en jachère : vous le conservez dans un compte du marché monétaire afin qu'il rapporte un peu d'intérêts avant d'être à son tour utilisé.

L'attrait principal des achats périodiques par sommes fixes réside dans le fait qu'ils vous permettent de passer graduellement à des investissements plus risqués au lieu d'y aller d'un seul coup. Si les cours de vos titres baissent après vos premiers achats, votre plan prévoit que vous en achèterez d'autres par la suite à des prix inférieurs. Si, à l'inverse, vous mettez tout votre argent d'un seul coup dans un investissement en apparence prometteur qui coule ensuite à pic, vous vous en mordrez les doigts. L'envers de la médaille avec la technique des achats périodiques par sommes fixes est que lorsque vos titres s'apprécient rapidement, il est possible que vous souhaitiez en avoir acheté davantage.

Les achats périodiques par sommes fixes sont également avantageux en ce qu'ils vous permettent d'acheter plus de parts d'un fonds ou d'actions d'une entreprise dans les périodes où les cours sont plus bas. Disons que vous investissez 1 000 $ chaque mois et que les unités d'un fonds se vendent à 100 $ chacune : à ce prix, vous recevez 10 unités. Si le mois suivant le prix a chuté à 90,90 $, vos 1 000 $ vous achètent 11 unités. Inversement, si le prix a augmenté, vous aurez moins d'unités pour vos 1 000 $. Cela signifie qu'au fil du temps, le prix moyen des unités acquises sera inférieur au simple prix moyen des unités sur la même période.

Un inconvénient potentiellement important des achats périodiques par sommes fixes est qu'il se peut que vous soyez mal à l'aise de continuer à verser de l'argent dans un investissement dont la valeur baisse. Beaucoup de gens, attirés par les achats périodiques par sommes fixes parce qu'ils craignent d'acheter juste avant une chute de prix, finissent par quitter le navire qui semble couler. On reproche aussi à cette méthode d'aller à l'encontre du principe fondamental d'investissement dans le marché des actions, qui veut qu'à long terme, le marché ait tendance à augmenter. Investir au moyen des achats périodiques par sommes fixes signifie qu'il s'écoule un certain temps avant que tout votre argent ait été investi et que vous profitiez de son plein rendement. Ainsi, dans l'éventualité d'une hausse du marché, vous obtiendrez un rendement inférieur à celui que vous auriez obtenu en investissant tout votre argent dès le départ. Une étude comparant l'investissement d'une somme forfaitaire à un investissement étalé dans le temps au moyen des achats périodiques par sommes fixes a conclu que pour presque toutes les différentes périodes historiques, l'approche forfaitaire offrait de meilleurs rendements.

N'oubliez pas que c'est dans le marché boursier que vous devriez investir votre argent destiné au long terme. Et si la tendance à long terme du marché est à la hausse, il serait alors justifié d'en tenir compte dans vos investissements. Les achats périodiques par sommes fixes sont tout simplement une stratégie pour atténuer une partie de la volatilité du marché à court terme.

Les achats périodiques par sommes fixes peuvent également poser problème avec votre impôt quand vient le temps de vendre des placements détenus à l'extérieur des régimes de retraite. Lorsque vous achetez des titres à des prix et à des moments différents, la comptabilité se complexifie à mesure que vous vendez des tranches de l'investissement.

Enfin, les achats périodiques par sommes fixes sont un instrument particulièrement utile quand l'argent que vous voulez investir représente une grande partie de votre actif total et que vous êtes en mesure de respecter un calendrier. En recourant aux prélèvements automatiques lorsque vous effectuez des achats périodiques par sommes fixes, vous serez moins susceptible de vous retirer dans l'éventualité d'un recul de la valeur de vos titres après les premiers versements.

Conservez votre esprit d'investisseur même en période d'incertitude

Au cours de périodes troubles comme celle du début des années 2000, initiée par la bulle technologique, et celle, beaucoup plus grave, de la fin des années 2000, déclenchée par la crise financière de 2007, certains investisseurs abandonnent le marché boursier pour de bon. Cela explique en grande partie la lenteur de la reprise d'un marché baissier marqué. Alors que certaines personnes ayant durement écopé ont appris à leurs dépens qu'elles n'étaient pas faites pour l'investissement dans les actions, les autres doivent réévaluer leur approche d'investissement et adapter leurs pratiques et leurs attentes.

Au début des années 2000, le marché boursier a commencé à baisser, alors que certains titres de croissance, en particulier les valeurs techno-logiques, plongeaient comme le font les actions en pleine dépression. La succession de mises à pied et les événements du 11 septembre 2001 ont ébranlé la confiance des consommateurs. C'est alors que le grand public a appris que certaines grandes sociétés – Enron, WorldCom, Global Crossing – avaient lancé de la poudre aux yeux des investisseurs en recourant à des techniques de comptabilité obscures ayant pour effet de gonfler artificiellement leurs résultats. Le Canada a lui aussi connu sa part de promoteurs de valeurs mobilières frauduleux, tels que des sociétés Internet surévaluées comme Book4Golf et bid. com. En outre, de nombreux investisseurs conser-vateurs confiants en la fiabilité de leurs actions Nortel ont vu leurs portefeuilles se détériorer radicalement lorsqu'il s'est avéré que l'entreprise

avait affiché un tableau beaucoup plus optimiste de ses finances que ce qu'elles étaient en réalité, le prix des actions chutant de bien plus de 100 $ à moins de 1 $ chacune. Pendant ce temps, des inquiétudes concernant de nouvelles attaques terroristes, les retombées du SRAS, la guerre en l'Irak et les scandales au sein du Parti libéral formaient des nuages sombres sur l'horizon, souvent même au-dessus de nos têtes.

Nous apercevons beaucoup de similitudes entre la fin des années 2000 et le début des années 1970, où une multitude de problèmes (que l'on n'aurait pas pu prévoir) se sont soudainement présentés. Le début des années 1970 a en effet connu des déficits commerciaux et budgétaires records, une inflation galopante, sans parler de l'invasion du Cambodge, du choc pétrolier et de la crise du FLQ.

Puis l'affaire du Watergate a éclaté aux États-Unis. Les procédures de mise en accusation de Richard Nixon ont été lancées. Après s'être tenu depuis 1966 autour des 1 000 points, l'indice Dow Jones des valeurs industrielles a plongé sous la barre des 600 après la démission de Nixon en 1974 : une baisse de 45 %. De ce côté-ci de la frontière, la Bourse de Toronto était égale-ment touchée, chutant de 38 %. De nombreux investisseurs en ont eu assez des actions et ont quitté le marché en se promettant de ne plus y revenir. Et c'est malheureux, parce que même avec la récente baisse brutale des marchés boursiers, les actions sont encore 15 fois plus élevées aujourd'hui qu'elles ne l'étaient en 1974.

À la fin des années 2000, une crise financière mondiale qui a débouché sur une récession a débuté avec l'éclatement d'une bulle immobilière. La surconsommation a mené à l'endettement des ménages et lorsque des emprunteurs n'ont plus été en mesure de rembourser leurs hypothèques, tout a déboulé. Le gros du problème est venu du fait que les institutions bancaires avaient prêté de l'argent à un trop grand nombre de personnes qui n'avaient pas vraiment les moyens de devenir propriétaires. Les prêts risqués des banques ayant été inclus dans des produits financiers très complexes, le système financier a été ébranlé lorsque trop d'emprunteurs ont été incapables de répondre à leurs obligations. La confiance des investisseurs a été doublement secouée quand des scandales financiers liés de près ou de loin à la crise ont éclaté. L'affaire Madoff en est un exemple. Le financier Bernard Madoff a été arrêté aux États-Unis dans la foulée de la crise après que certains de ses clients ont voulu reprendre l'argent qu'ils lui avaient confié. Il s'est avéré que Madoff, comme Vincent Lacroix au Québec quelques années plus tôt, avait pigé dans les avoirs de ses clients pour ses dépenses personnelles.

Ne laissez pas une chaîne d'événements négatifs vous décourager de l'investissement boursier. L'histoire a prouvé à maintes reprises que continuer à acheter des actions quand les marchés sont en baisse augmente vos rendements à long terme. Jeter l'éponge est la pire chose à faire lorsque les marchés s'effondrent. Et ne perdez pas votre temps à essayer de trouver une façon de battre le système. Achetez et conservez un portefeuille diversifié d'actions. Souvenez-vous que les marchés financiers récompensent les investisseurs qui acceptent les risques et l'incertitude.

Reconnaître les différences entre les sociétés d'investissements

Des milliers d'entreprises vendent des placements et gèrent des portefeuilles. Les banques, les sociétés de fonds communs de placement, les maisons de courtage en valeurs mobilières et même les compagnies d'assurance rivalisent pour avoir votre argent.

Pour compliquer encore davantage les choses, chacune de ces industries joue dans la cour arrière des autres. On trouve ainsi des sociétés de fonds communs de placement qui offrent des services de courtage en valeurs mobilières, des compagnies d'assurance qui travaillent dans le secteur des fonds communs de placement et des sociétés de fonds communs de placement qui fournissent des services et des comptes de type bancaire. Vous profitez en quelque sorte de toute cette concurrence et de ces possibilités d'achats centralisés. En revanche, certaines entreprises qui disposent d'une expertise plus faible dans un secteur d'affaires qui leur est secondaire comptent sur le fait que de nombreuses personnes font leur magasinage en se fiant aux noms de marque.

Se concentrer sur les meilleures entreprises

Assurez-vous que vous faites affaire avec des sociétés qui :

- ✔ **offrent les meilleures valeurs d'investissements par rapport à leurs concurrents.** La valeur provient de la relation entre le coût et le rendement. En partant du degré de risque avec lequel vous êtes à l'aise, il vous faut trouver des investissements offrant les taux de rendement les plus élevés possibles, sans toutefois payer une petite fortune. Les frais de commission, de gestion, d'entretien et autres frais connexes peuvent faire d'un investissement à haut rendement un placement médiocre.

- ✔ **emploient des représentants qui n'ont pas d'intérêt personnel à vous orienter vers un type particulier d'investissement.** Ce critère n'a rien à voir avec le fait qu'une société d'investissement puisse embaucher du personnel courtois, bien éduqué et bien mis. Le facteur le plus important à considérer est la manière dont l'entreprise rémunère ses employés. S'ils sont payés à la commission, il peut être difficile pour ceux-ci de ne pas agir en fonction de leur rémunération. Optez pour des entreprises d'investissement qui ne tentent pas leurs employés à pousser certains produits afin de générer des frais additionnels.

Les fonds sans frais d'acquisition

Les fonds communs de placement constituent un véhicule d'investissement idéal pour la plupart des investisseurs. Les sociétés de fonds communs de placement sans frais d'acquisition sont des entreprises à travers lesquelles vous pouvez investir dans des fonds communs de placement sans payer de commission de vente. En d'autres termes, chaque dollar que vous investissez se retrouvera dans le fonds commun de placement que vous choisissez sans qu'aucune somme ne soit détournée pour payer des commissions de vente. Voir le chapitre 10 pour plus de détails concernant l'investissement dans les fonds communs de placement.

Les courtiers à escompte

L'un des changements les plus profitables survenus au cours du siècle dernier pour les investisseurs a sans doute été la déréglementation du secteur du courtage de détail effectuée par la Commission des valeurs mobilières des États-Unis (S.E.C.) le 1er mai 1975. En 1983, les Bourses de Toronto et de Montréal ont emboîté le pas. Avant cette date, les investisseurs devaient payer des frais fixes chaque fois qu'ils achetaient ou vendaient des actions, des obligations et d'autres titres. Bref, peu importe la maison de courtage avec laquelle traitait un investisseur, les coûts des services de l'entreprise étaient fixés (et le niveau des commissions était élevé). Depuis la déréglementation, les frais sont désormais laissés à la discrétion des différents courtiers.

La concurrence entraîne inévitablement des choix plus nombreux et intéressants. Beaucoup de nouveaux courtiers (qui ne faisaient pas des affaires à l'ancienne) ont ouvert leurs portes. On les a appelés «courtiers à escompte», parce que les frais qu'ils font payer à leurs clients sont nettement inférieurs à ceux que faisaient payer les maisons de courtage en vertu de l'ancien système d'honoraires fixes.

En plus de faire économiser de l'argent à leurs clients, les courtiers à escompte (on les appelle aussi «courtiers exécutants») ont mis en place un système d'indemnisation largement amélioré, qui a permis de réduire considérablement les conflits d'intérêt. En règle générale, les maisons de courtage à escompte paient les salaires de leurs courtiers. Le terme «courtier à escompte» n'est cependant pas sans équivoque. Car s'il est vrai que ce nouveau type de maison de courtage vous permet de sauver de l'argent quand vous investissez (vous pouvez réduire vos frais de 50 à 80 % chez les principaux courtiers escompteurs), ces entreprises n'offrent toutefois pas des investissements «en solde» ou des produits de qualité inférieure. Les courtiers à escompte sont simplement des courtiers sans conflit d'intérêt significatif. Bien sûr, comme toute autre entreprise à but lucratif, ils sont en affaires pour faire de l'argent, mais ils sont beaucoup moins susceptibles de vous orienter à tort pour leur propre bénéfice.

Méfiez-vous des courtiers qui vendent des fonds communs de placement avec frais d'acquisition. (Au chapitre 10, nous exposons les raisons pour lesquelles vous devriez les fuir.)

Les endroits à éviter

Les pires endroits où investir sont ceux où l'on vous facture des frais considérables, ceux où les investissements offrent des rendements faibles ou médiocres et ceux qui présentent d'importants conflits d'intérêt. On parle de conflit d'intérêt important dès lors qu'une entreprise d'investissement paye ses courtiers à la commission, en fonction du volume de leurs ventes. De telles entreprises d'investissement s'efforcent d'effectuer de nombreuses ventes en raison des revenus généreux qu'elles leur rapportent. En outre, elles encourageront les opérations fréquentes dans votre compte : chaque transaction ayant un coût, plus vous achetez et vendez, plus elles font d'argent.

Certaines personnes se prétendant conseillers ou consultants financiers travaillent à la commission. En plus de travailler au sein de grandes maisons de courtage, beaucoup d'entre elles appartiennent à des réseaux dits de «courtiers négociants» qui fournissent des services de soutien et des produits de placement. Quand une personne qui se dit conseiller financier fait partie d'un réseau de courtiers négociants, il y a de fortes chances que vous ayez affaire à un vendeur de produits financiers. (Voir le chapitre 18 pour plus d'information sur l'industrie de la planification financière et pour connaître les questions à poser à un conseiller que vous songez à embaucher.)

L'impact des commissions sur le comportement humain

Les produits d'investissement impliquent de multiples commissions. Les produits qui demandent les commissions les plus élevées sont souvent ceux qui sont les plus recommandés par les courtiers avides de gains.

Le tableau 7-5 énumère les commissions que vous payez à même l'argent de vos placements lorsque vous faites affaire avec des courtiers, des conseillers financiers et des planificateurs financiers travaillant à la commission.

Tableau 7-5 : Commissions sur ventes de placements

Type de placement	Commission moyenne sur un placement de 20 000 $	Commission moyenne sur un placement de 100 000 $
Rentes	1 400 $	7 000 $
Premiers appels publics à l'épargne (émission de nouvelles actions)	1 000 $	5 000 $
Sociétés en commandite	1 800 $	9 000 $
Fonds avec frais d'acquisition	1 000 $	5 000 $
Options et contrats à terme	2 000 $ +	10 000 $ +

Outre le fait que vous ne pouvez jamais être sûr d'obtenir une recommandation impartiale de la part d'un vendeur qui travaille à commission, il se peut que vous perdiez inutilement de l'argent. Tous les bons investissements peuvent être achetés sans aucun frais d'acquisition (sans commission). Les fonds communs de placement sans frais d'acquisition en sont un bon exemple. De nombreux courtiers à escompte vous vendront également des fonds avec frais d'acquisition sans vous faire payer de commission et en ne vous facturant que des frais de transaction relativement faibles.

Lorsque vous avez des doutes au sujet d'un produit de placement qui vous est proposé (et même si vous n'avez pas de doute), demandez une copie du prospectus. Dans les premières pages, vérifiez si l'investissement implique le paiement d'une commission (aussi appelée « frais d'acquisition »). Alors que les vendeurs peuvent se cacher derrière des titres vagues tels que vice-président ou conseiller financier, le prospectus doit obligatoirement et clairement indiquer si un investissement comporte une commission.

Floué par un courtier : que faire ?

Vous ne pouvez pas intenter de poursuite en justice contre un courtier uniquement parce que ses recommandations d'investissement vous ont fait perdre de l'argent. Toutefois, si vous avez été victime de l'une des fautes financières suivantes, vous disposez probablement de certains recours légaux :

- **Information fausse ou trompeuse.** Si l'on vous disait, par exemple, qu'un placement particulier offre un rendement garanti de 15 % par année et que le placement en question perdait ensuite 50 % de sa valeur, on vous aurait induit en erreur. Ou si l'on vous facturait des frais d'acquisition pour l'achat d'un investissement après vous avoir initialement informé que la vente était exempte de commission, on vous aurait fourni une information erronée.

- **Investissements inappropriés.** On recommande souvent aux personnes retraitées qui ont besoin d'accéder à leur capital d'investir dans les sociétés en commandite simple (ou SCS, dont nous discutons au chapitre 9) pour leurs rendements élevés et sûrs. Or, les rendements de la plupart des sociétés en commandite sont tout sauf sûrs. Des investisseurs de SCS ont également découvert à quel point il leur était difficile de convertir leurs placements en espèces – certains ne pouvant être liquidés avant dix ans ou plus.

- **Barattage financier.** Si votre courtier ou votre planificateur financier remanie fréquemment votre portefeuille de placements, il y a de fortes chances qu'il le fasse en raison de l'avantage financier qu'il tire de ces mouvements – à vos frais.

- **Vendeur dévoyé.** Lorsque votre planificateur financier ou votre courtier achète ou vend sans votre approbation ou ignore vos demandes de modifications, vous êtes peut-être en mesure de réclamer les pertes causées par ces actions.

Deux grands types de praticiens sont habilités à vous aider à récupérer votre argent perdu : les avocats en valeurs mobilières et les conseillers d'arbitrage. Vous trouverez des avocats en valeurs mobilières en consultant les Pages Jaunes ou en communiquant avec le barreau du Québec (1-800-361-8495, www.barreau.qc.ca) pour obtenir des références. Si votre réclamation est de 100 000 $ ou moins, l'Organisme canadien de réglementation du commerce des valeurs mobilières (OCRCVM) offre des conseils ainsi qu'un service d'arbitrage (1-877-442-4322, www.iiroc.ca, sous la rubrique « Investisseurs »).

La plupart des avocats et des consultants demanderont dès le début des procédures le versement d'une somme allant de quelques centaines à plusieurs milliers de dollars à titre d'avance pour couvrir leurs honoraires de base. En général, les choses ne se terminent pas dans une salle d'audience. Vous irez probablement en arbitrage – un accord que vous avez conclu (peut-être sans vous en rendre compte) lors de l'ouverture de votre compte avec le courtier ou le planificateur. Il est généralement beaucoup plus rapide, moins coûteux et plus facile de recourir à l'arbitrage que d'aller devant les tribunaux. Vous pouvez même choisir de vous représenter vous-même. Les deux parties présentent leur cas à un comité composé de trois arbitres, après quoi ces derniers rendent une décision sans possibilité d'appel.

Que vous choisissiez de vous préparer à l'arbitrage par vous-même ou de faire appel à l'aide d'un professionnel, l'Institut de médiation et d'arbitrage du Québec (IMAQ), un organisme indépendant à but non lucratif, peut vous fournir des conseils et des informations utiles. Contactez l'IMAQ en composant le 514-282-3327 ou en visitant le www.adr.org. Enfin, vous pourriez également choisir de chercher conseils auprès du Médac – le Mouvement d'éducation et de défense des actionnaires (http://www.medac.qc.ca ou 514-286-1155).

Le conflit d'intérêt des représentants en valeurs mobilières

Les consultants financiers, planificateurs financiers et autres vendeurs de produits de placement se trouvent parfois en situation flagrante de conflit d'intérêt lorsqu'ils recommandent des stratégies et des produits d'investissement particuliers. Les commissions et autres incitatifs financiers contribuent à biaiser les conseils des vendeurs même les plus honnêtes.

De nombreux conflits d'intérêt peuvent nuire à votre portefeuille de placements. Voici la liste de ceux qui sont le plus fréquemment rencontrés et qu'il vous faut tenter d'éviter :

✔ **Promotion de produits à commission élevée.** Comme nous en discutons plus haut dans ce chapitre, les commissions sur les produits d'investissement varient énormément. Les instruments financiers tels que les sociétés en commandite, les matières premières, les options et les contrats à terme se situent à la pire extrémité de l'éventail pour vous (et à la meilleur extrémité de l'éventail pour le vendeur). À l'inverse, les investissements tels que les fonds communs de placement sans frais d'acquisition et les bons du Trésor qui sont exempts de toute commission se trouvent à la meilleure extrémité de l'éventail pour vous (et, par conséquent, à la pire extrémité de l'éventail pour le vendeur).

✔ **Recommandation de transactions fréquentes.** Les représentants en valeurs mobilières vous conseilleront souvent d'effectuer des transactions fréquentes sur différents titres. Ils fondent habituellement leur avis sur des événements récents ou sur des observations d'analyse des titres. Parfois, ces mesures sont valables, mais plus souvent qu'autrement, elles ne le sont pas. Dans les cas extrêmes, les courtiers se livreront à des transactions sur une base mensuelle, si bien qu'à la fin de l'année, ils ont auront retourné votre portefeuille. Inutile de dire que toutes ces transactions vous coûtent des sommes importantes en frais d'exécution.

Les fonds communs de placement diversifiés (voir le chapitre 10) conviennent mieux à la plupart des gens. Considérez la possibilité d'investir dans les fonds communs de placement sans commission de vente. En plus d'économiser de l'argent sur les commissions, vous obtiendrez un meilleur rendement à long terme en profitant de l'expertise d'un gestionnaire.

✔ **Omission de recommander l'investissement dans les régimes de retraite d'entreprise.** Il est rare qu'un représentant en valeurs mobilières vous conseille de contribuer au régime de retraite offert par votre employeur. La raison en est bien simple : ces cotisations réduisent l'argent dont vous disposez pour investir par l'entremise de votre gentil représentant.

✔ **Promotion de produits à frais élevés.** Beaucoup de maisons de courtage qui vendaient des instruments d'investissement exclusivement à commission sont passées à la gestion de comptes intégrés. Cette modification représente une amélioration pour les investisseurs, car elle réduit certains des conflits d'intérêts flagrants provoqués par les commissions.

Par contre, ces courtiers factureront souvent des frais extraordinairement élevés pour la gestion des comptes intégrés. Ces frais sont fonction de la valeur de l'actif total du compte. Pour plus d'informations sur les comptes intégrés, voyez l'encadré ci-après intitulé «Les comptes intégrés».

Le parti pris des analystes des maisons de courtage

Les maisons de courtage et les courtiers qui travaillent pour elles font souvent valoir que leur recherche est de meilleure qualité. Grâce à leurs observations et recommandations, disent-ils, vous obtiendrez de meilleurs résultats et battrez les moyennes du marché.

Il arrive que des analystes des maisons de courtage soient trop optimistes ou pessimistes quand il s'agit de prévoir les bénéfices des sociétés. Ces analystes sont peu disposés à rédiger un rapport négatif sur une entreprise, parce que les maisons pour lesquelles ils travaillent sollicitent par ailleurs les différentes sociétés pour qu'elles émettent de nouvelles actions au public. Quel meilleur moyen d'afficher votre potentiel de vente d'actions au public à des prix élevés qu'en montrant votre confiance en certaines sociétés et en rédigeant des rapports élogieux quant à leurs perspectives d'avenir?

Les analystes des courtiers en valeurs mobilières peuvent difficilement être objectifs. Les services de banque d'investissement, qui consistent entre autres à aider les entreprises à vendre de nouveaux titres, ne peuvent être rendus objectivement par des compagnies (les maisons de courtage) qui effectuent l'évaluation et la notation de ces mêmes titres pour le public investisseur.

Les comptes intégrés

Les comptes intégrés sont en vogue dans les maisons de courtage travaillant à la commission. Ces comptes portent une variété de noms, mais ils sont tous semblables en ce qu'ils sont confiés à des gestionnaires de portefeuille qui investissent votre argent moyennant des frais annuels correspondant à un pourcentage fixe des actifs sous gestion.

Les comptes intégrés peuvent constituer de mauvais placements parce que leurs frais de gestion sont souvent extraordinairement élevés : jusqu'à 3 % par année, et plus dans certains cas, des actifs sous gestion. Souvenez-vous qu'à long terme, les actions peuvent rapporter autour de 10 % par année avant impôts. Alors si vous payez 3 % par année pour la gestion de votre argent investi dans les actions, 30 % de vos revenus de placement (avant imposition) se retrouve dans les poches du courtier. Mais ce n'est pas tout ! Il faut aussi penser – ce que le gouvernement ne manquera pas de faire – que vous payez de plus une bonne part d'impôt sur votre rendement de 10 %. Ainsi, vos 3 % de frais de gestion finissent en réalité par écorner de 40 à 50 % vos bénéfices après impôt.

Les meilleurs fonds communs de placement sans frais d'acquisition (i.e., sans commission) offrent aux investisseurs un accès aux meilleurs gestionnaires de placement au pays pour une fraction du coût des comptes intégrés. Vous pouvez investir dans des dizaines de fonds parmi les plus performants en ne payant que 2 % ou moins par année de vos actifs gérés. Certaines des meilleures sociétés offrent d'excellents fonds pour aussi peu que 0,5 à 1,5 % (voir le chapitre 10).

Il se peut que certaines maisons de courtage vous disent que les gestionnaires de comptes intégrés ne s'occupent habituellement pas de l'argent des petits investisseurs comme vous. Or, pas une seule étude n'indique que les rendements obtenus par les gestionnaires de portefeuille aient quoi que ce soit à voir avec l'actif minimum des comptes gérés. De plus, les fonds communs de placement embauchent bon nombre des mêmes gestionnaires qui travaillent dans d'autres entreprises de gestion de fonds.

On vous dira peut-être aussi que les taux de rendement plus élevés dont vous profiterez justifient le surplus de frais. « Vous auriez pu récolter 18 à 25 % par année si vous aviez investi avec la société de gestion "L'étoile d'hier" », vous dira-t-on. Mais ce qui est passé est passé, et plusieurs des gagnants d'hier seront les perdants de demain ou bien ils offriront des rendements médiocres.

Enfin, il ne faut pas non plus oublier que les fiches de rendements des comptes intégrés comportent souvent une part de battage publicitaire. La façon de faire la plus répandue consiste à ne montrer que les rendements de comptes ayant obtenu les meilleurs résultats.

Ces experts qui prédisent l'avenir

Croire que l'on peut arriver à augmenter les rendements de ses placements en s'appuyant sur les pronostics de tel ou de tel autre gourou est une erreur que commettent plusieurs investisseurs. Beaucoup de gens aimeraient bien qu'il soit possible que certains experts puissent prédire l'avenir du monde de l'investissement. En vous remettant à des gourous, vous acceptez plus facilement les risques que vous êtes conscient de courir lorsque vous tentez de faire fructifier votre argent. Les prédictions sages que vous lirez dans les bulletins d'information sur l'investissement ou le discours des « experts » que vous retrouvez dans les publications financières vous donne un sentiment de confiance – un peu comme Linus avec sa couverture dans les bandes dessinées *Peanuts*.

Les abonnés à des lettres financières sur l'investissement et les adeptes des gourous feraient mieux de s'acheter une couverture bien chaude : elles sont plus utiles et moins chères ! En effet, personne ne peut prédire l'avenir. Si quelqu'un pouvait le faire, cette personne serait si occupée à investir son propre argent et à devenir riche qu'elle n'aurait ni le temps ni l'envie de partager ses secrets avec vous. Ne croyez-vous pas ?

Les lettres financières sur l'investissement

Plusieurs lettres financières sur l'investissement qui prétendent prévoir les mouvements des marchés vous indiquent le moment précis où vous devriez entrer et sortir de certaines actions ou fonds communs de placement (ou dans les marchés financiers en général). Mais une telle approche est vouée à l'échec à long terme, car cette façon de procéder ne vous permettra pas de battre les rendements obtenus par la méthode éprouvée de l'achat et du maintien de titres.

Des gens payent des centaines de dollars chaque année en abonnement à toutes sortes de lettres financières portant sur les prévisions boursières et les choix de placements. Ken, un avocat que nous connaissons, était abonné à plusieurs lettres du genre. Quand nous lui avons demandé pourquoi, il a répondu que leur matériel de marketing soutenait qu'en suivant leurs conseils, il obtiendrait des rendements de 20 % par année sur ses investissements. Mais voilà que durant les quatre années où Ken a suivi leurs conseils, il a en fait perdu de l'argent, et ce, en dépit de l'appréciation globale des marchés financiers.

Avant de songer à vous abonner à une lettre financière, examinez l'historique de ses résultats. Il n'est pas rare que le matériel de marketing des lettres financières exagère les rendements supposés qu'auraient produits les recommandations de ces publications. Malheureusement, il semble que les lettres financières puissent affirmer de multiples faussetés sans jamais avoir à s'expliquer auprès des organismes de réglementation des valeurs mobilières.

N'accordez pas d'importance aux conseils prophétiques des lettres financières. Si leurs auteurs étaient vraiment si astucieux en ce qui a trait à l'avenir des marchés financiers, ils feraient beaucoup plus d'argent comme gestionnaires de portefeuilles. Les seuls types de lettres financières et de périodiques sur l'investissement auxquels vous devriez envisager de vous abonner sont ceux qui offrent des renseignements plutôt que des prédictions. Dans le prochain chapitre, nous discutons de ceux qui sont intéressants.

Les gourous de l'investissement

Les gourous de l'investissement vont et viennent. Certains d'entre eux parviennent à décrocher leurs 15 minutes de gloire sur la base d'une ou deux prédictions réussies et rendues célèbres par quelques articles dans la presse. Le cas d'Elaine Garzarelli, une ancienne analyste de marché chez Shearson, en est un exemple typique.

Mᵐᵉ Garzarelli est devenue célèbre pour sa prédiction de la chute des marchés boursiers survenue à l'automne de 1987. Le fonds de Garzarelli, le Smith Barney Shearson Sector Analysis Fund, avait été créé juste avant le krach. Les indicateurs de Garzarelli l'auraient avertie de se retirer des actions, ce qu'elle avait fait, sauvant ainsi son fonds de la chute.

Shearson, une maison de courtage très axée sur l'argent, avait rapidement incité ses courtiers à vendre les actions du fonds de Garzarelli. En plus d'avoir évité le crash, les courtiers de Shearson avaient été récompensés par une copieuse commission de vente de 5 % pour la vente de ces fonds. À la fin de 1987, les investisseurs avaient déjà versé près de 700 millions de dollars dans ce fonds.

En 1988, le fonds de Garzarelli a été le moins performant des fonds investissant dans les titres de croissance. De 1988 à 1990, le fonds de Garzarelli a performé sous la moyenne de l'indice Standard & Poor's 500 d'environ 43 % ! En 1987, pourtant – l'année du krach – Garzarelli avait battu le S&P 500 d'environ 26 %. Ainsi, les sommes qu'elle avait fait sauver à ses investisseurs en évitant le krach ont été perdues, et même plus, au cours des années subséquentes. En fait, les résultats de Garzarelli ont été tellement lamentables dans les années qui ont suivi l'accident que Shearson l'a finalement congédiée.

Malgré son piètre bilan à long terme, Garzarelli est encore aujourd'hui citée comme une devineresse des marchés. Maintenant à son compte, elle gère de l'argent et produit une lettre financière sur l'investissement. Elle a notamment fait la promotion de ses services en faisant paraître une brochure intitulée *The Garzarelli Edge* (« L'avantage Garzarelli »), en plus d'exploiter son propre site Internet.

« Le système scientifiquement éprouvé qui a produit des gains annuels composés de 20,2 % depuis 1982 ! »

« Elaine Garzarelli a prédit chacun des tournants majeurs du Dow Jones depuis 1982. »

Si de telles affirmations étaient vraies, comment expliquer la faiblesse des rendements du fonds d'investissement de Garzarelli et son congédiement de chez Shearson au milieu des années 1990 après de nombreuses années de prévisions inexactes et de rendements médiocres de son fonds commun de placement ? Chose curieuse, les rendements de 20,2 % mentionnés auraient été vérifiés par une société dite du « Big Six », soit l'une des six sociétés de vérification comptable les plus importantes au monde (on parle aujourd'hui du « Big Four »). Le rapport comportait toutefois une note rédigée en petits caractères : « En attente de vérification ». On pourrait penser que les vérificateurs étaient les mêmes que ceux qui se sont penchés sur les états financiers d'Enron, pour être plus tard rayés de la carte !

Chaque année, de nouveaux gourous voient le jour. On dirait que tout ce qu'il faut pour accéder au statut de gourou de nos jours est une bonne prévision ou un bon choix dans les actions. Dans la deuxième partie des années 1990, par exemple, les pronostiqueurs qui recommandaient des titres technologiques en plein essor passaient presque instantanément au statut de gourou alors que les cours continuaient de grimper.

Les experts qui ont choisi d'investir dans des entreprises comme Presstek et Iomega se sont attiré de nombreux partisans alors que ces actions, qui semblaient défier les lois de la gravité et des évaluations rationnelles, poursuivaient sans cesse leur ascension. Cependant, comme dans le cas de Garzarelli et de son fonds, ces titres et leurs promoteurs ont été ramenés à la réalité à la fin des années 1990 quand les cours ont chuté de plus de 65 %.

Et comme cela se produit avec d'autres titres qui connaissent une ascension remarquable et avec les experts qu'ils rendent célèbre, de nombreux investisseurs n'avaient pas l'intention d'investir dans Presstek et Iomega avant que tout le monde en parle. Mais à ce stade, ces titres entamaient déjà leur descente, et les investisseurs qui en détenaient ont finalement pris une déculottée.

Herb Greenberg, un ancien chroniqueur financier au *San Francisco Chronicle*, a un jour organisé un concours de bourse qu'a remporté un groupe de jeunes de 13 ans. Ceux-ci avaient investi la plupart de leur argent dans Iomega alors que ses actions avaient toujours le vent dans les voiles. Est-ce à dire que ces adolescents de 13 ans sont des génies de l'investissement en qui placer votre confiance ? Bien sûr que non. Et vous ne devriez pas accorder plus de crédibilité à ces experts qui ont eu la chance de voir une de leurs prédictions se réaliser.

Les commentateurs et les experts qui publient des lettres financières prévisionnistes sur l'investissement et que l'on aperçoit parfois dans les médias ne peuvent pas prédire l'avenir. Alors ne tenez pas compte des prédictions et des spéculations des gourous autoproclamés et des devins de l'investissement. En vérité, les rares personnes qui ont réellement une longueur d'avance dans leur analyse des marchés ne partageront pas leurs secrets d'investissement, préférant s'occuper d'investir leur propre argent ! Si vous devez croire en quelque chose pour compenser vos peurs, remettez-vous-en plutôt aux informations des gestionnaires de placement éprouvés. Et n'oubliez pas la valeur de l'optimisme, de la confiance et de l'espoir – peu importe en qui ou en quoi vous croyez !

Encore quelques conseils

Nous couvrons beaucoup de terrain dans ce chapitre. Dans les autres chapitres de la présente partie, nous présentons différents choix d'investissements et de comptes de placements, et nous vous expliquons comment vous constituer un portefeuille solide. Pour terminer le présent chapitre, voici quelques autres points à garder à l'esprit lorsque vous faites des choix d'investissement importants :

- **N'investissez pas en fonction des sollicitations.** Les entreprises qui sollicitent agressivement des clients potentiels à l'aide de tactiques telles que le télémarketing offrent certains des pires produits financiers comportant les frais les plus élevés. Les sociétés qui ont d'excellents produits à proposer n'ont pas à chercher leurs clients de cette façon. Bien entendu, toutes les entreprises doivent faire un peu de promotion. Mais celles qui offrent les meilleures occasions de placement n'ont pas besoin d'utiliser de techniques de vente agressives, car elles profitent notamment des affaires que leur apportent les recommandations de bouche à oreille de leurs nombreux clients satisfaits.

- **N'investissez pas dans ce que vous ne comprenez pas.** L'erreur d'investir sans comprendre les placements que vous faites suit habituellement celle de vous être laissé embobiner par le baratin d'un vendeur. Lorsque vous ne comprenez pas un investissement, il y a de fortes chances qu'il ne soit pas pour vous. Un courtier habile (qu'il s'appelle consultant, conseiller ou planificateur financier) qui gagne des commissions en fonction de ses ventes peut parfois vous orienter vers des investissements inappropriés s'il est à son avantage de le faire. Avant de mettre votre argent dans quelque investissement que ce soit, vous devriez en connaître les antécédents, les coûts réels et savoir s'il est facile ou non à transformer en espèces (ce qu'on appelle sa «liquidité»).

- **Minimisez les frais.** Évitez les investissements qui portent des commissions de vente et frais de gestion élevés (normalement, ils sont spécifiés dans le prospectus). De nos jours, pratiquement tous les investissements peuvent être achetés sans l'intervention d'un vendeur. En plus de payer des commissions inutiles, le plus grand danger qu'il y a à investir par l'intermédiaire d'un vendeur est d'être dirigé dans une voie qui n'est pas dans votre meilleur intérêt. Les frais de gestion constituent un véritable frein au rendement des placements. Il n'est donc pas surprenant de constater que les placements à frais élevés obtiennent en moyenne de moins bons résultats que les placements à frais inférieurs. Les frais de gestion élevés servent surtout à payer pour des bureaux somptueux, des brochures attrayantes et des salaires généreux, ou à soutenir les petites opérations inefficaces. Voulez-vous que vos économies servent à faire vivre ce genre d'entreprise ?

✔ **Tenez compte des conséquences fiscales.** Même si vous deviez ne jamais devenir un expert en investissement, vous êtes assez intelligent pour savoir que plus vous paierez d'argent en impôts, moins vous aurez d'argent à consacrer à l'investissement. Consultez le chapitre 11 pour apprendre comment les régimes de retraite fiscalement avantageux peuvent contribuer à augmenter vos rendements d'investissement. Pour les placements à l'extérieur des régimes de retraite enregistrés, vous devez faire correspondre les types d'investissements à votre situation fiscale (voir le chapitre 12).

Chapitre 8

Choisir votre véhicule d'investissement

....

Dans ce chapitre :

▶ Les investissements prudents : comptes bancaires, comptes de dépôt du marché monétaire et obligations

▶ Les investissements de croissance : actions, immobilier et petites entreprises

▶ Les investissements non standards : métaux précieux, rentes, objets de collection et assurance vie

....

Dans le monde de l'investissement, vous pouvez placer votre argent dans de nombreux types de véhicules de placement. Les véhicules d'investissement sages suivent méthodiquement leur cours sur la piste, ils sont rarement impliqués dans des accidents, mais leur rythme n'est pas des plus rapides. Les meilleurs véhicules d'investissement se frayent un chemin à travers la piste à un rythme soutenu, bien qu'il leur arrive occasionnellement d'être ralentis par un accrochage ou un détour. Les pires véhicules de placement sont irréguliers, ils fonctionnent par poussées et finissent parfois par s'écraser et prendre feu.

Votre choix d'un véhicule d'investissement dépend de l'endroit où vous voulez vous rendre, de la vitesse à laquelle vous voulez rouler et des risques que vous êtes prêt à prendre en cours de route. Si vous n'avez pas encore lu le chapitre 7, vous devriez le faire maintenant. Nous y couvrons un certain nombre de concepts de placement, tels que la différence entre les investissements de prêts et les placements dans les actions et l'immobilier. Ces notions vous permettront d'améliorer votre capacité à choisir parmi les véhicules d'investissement courants expliqués dans ce chapitre.

Des placements lents et stables

Tout investisseur devrait avoir un peu d'argent de placé dans des véhicules d'investissement sûrs. Par exemple, les fonds que vous réservez au paiement de factures, tant prévues qu'imprévues, devraient être en sécurité, bien attachés sur le siège arrière d'une berline Volvo. De même, si vous économisez de l'argent pour l'achat d'une maison dans les prochaines années, vous ne voulez certainement pas le risquer dans les montagnes russes du marché boursier.

Les véhicules d'investissement qui suivent conviennent au placement de l'argent que vous ne pouvez pas vous permettre de perdre.

Les comptes chèques ou de transactions

Les comptes chèques ou de transactions sont pratiques pour le dépôt de vos revenus réguliers et le paiement de vos factures. Si vous désirez profiter d'un compte vous donnant la possibilité d'émettre un nombre illimité de chèques et d'accéder à votre argent avec une carte de guichet automatique, les comptes chèques disponibles dans les banques locales sont souvent votre meilleur choix. Assurez-vous de choisir un compte qui ne comporte pas de frais exagérés, comme pour l'utilisation des guichets automatiques ou pour un solde trop bas.

Compte tenu de la faiblesse actuelle des taux d'intérêt, vous devriez chercher à éviter de payer des frais de services mensuels plutôt que de tenter d'obtenir un taux d'intérêt légèrement plus élevé.

En tout état de cause, votre compte chèques devrait toujours afficher un solde suffisant à couvrir vos paiements mensuels et périodiques ainsi que vos dépenses courantes (avec un certain surplus de sécurité), mais il serait dommage d'y laisser dormir quelques milliers de dollars de trop. Vous auriez avantage à déposer l'excédent dans un compte d'épargne ou un compte de dépôt du marché monétaire, dont nous discutons dans la prochaine section.

Les comptes d'épargne et les comptes de dépôt du marché monétaire

Les comptes d'épargne sont disponibles dans les banques, les caisses Desjardins et dans certaines institutions financières telles que ING Direct. Les fonds du marché monétaire sont disponibles par le biais de sociétés de fonds communs de placement. La principale différence réside dans le fait que les fonds du marché monétaire et les comptes à intérêts élevés offerts par ING Direct et certaines autres institutions payent généralement un bien meilleur taux d'intérêt. Le taux d'intérêt qui vous est versé, aussi appelé rendement, varie avec le temps en fonction du niveau des taux d'intérêt de l'économie globale. En outre, les comptes d'épargne à haut rendement ne comportent normalement pas de frais de transaction.

La plupart des comptes bancaires sont soutenus par la Société d'assurance dépôts du Canada (SADC). Vous ne devriez cependant pas opter pour tel ou tel autre compte bancaire simplement parce que votre investissement (votre capital) est assuré ou parce que vous trouvez réconfortant d'apercevoir une succursale de votre institution financière à chaque coin de rue.

Les comptes à taux d'intérêt élevés offerts par ING Direct sont également couverts par l'assurance SADC. Votre argent y est tout aussi en sécurité que dans une banque traditionnelle, aussi longtemps que votre solde n'excède pas le montant maximum assuré par la SADC. Et ne vous laissez pas influencer par le nombre réduit de points de service, car si de telles entreprises peuvent offrir des taux d'intérêt aussi haut, c'est en partie parce qu'elles ont moins de dépenses liées au maintien de nombreuses succursales. Pour joindre ING Direct composez le 1-888-464-3232 ou visitez le www. ingdirect.ca.

Bien que les fonds du marché monétaire ne soient pas couverts par la SADC, ils sont tout de même réglementés, et des dizaines de fonds du marché monétaire investissent des milliards de dollars de l'argent des particuliers et des institutions. Nous ne connaissons aucun cas où un individu aurait perdu ne serait-ce qu'un dollar de capital. La différence de risque par rapport à un compte bancaire est nulle. Les fonds à usage général du marché monétaire investissent dans des véhicules sûrs et à court terme tels que les certificats de placement garanti (CPG) émis par des banques, les bons du Trésor du Canada, les bons du Trésor du Québec et les papiers commerciaux d'entreprises (dette à court terme), qui sont émis par les sociétés les plus grandes et les plus solvables. En règle générale, les placements dans les fonds du marché monétaire doivent avoir une maturité moyenne de moins de 180 jours. Dans le cas peu probable où un investissement dans un portefeuille d'un fonds du marché monétaire tourne mal, la société de fonds communs de placement qui soutient le fonds du marché monétaire couvrirait presque assurément la perte.

Si le manque d'assurance des fonds du marché monétaire vous effraye encore, voici une façon d'obtenir le meilleur des deux mondes : choisissez un fonds du marché monétaire qui investit exclusivement dans des titres des gouvernements canadien et québécois, qui sont pratiquement sans risque, car ils sont soutenus par la force et le crédit des gouvernements. Ces types de comptes payent ordinairement autour d'un quart d'un point de pourcentage de moins en intérêt que les autres fonds du marché monétaire.

Les obligations

Lorsque vous investissez dans une obligation, vous prêtez en fait votre argent à une organisation. Lorsqu'une obligation est émise, elle comporte une date d'échéance spécifiée à laquelle le capital vous sera remboursé. Les obligations sont aussi émises à un taux d'intérêt spécifique, ce que l'on appelle le « taux d'intérêt nominal ». Ce taux est fixe pour la plupart des obligations. Donc, si par exemple vous achetez une obligation émise par Bombardier pour une durée de cinq ans, à 6 % d'intérêt, vous prêtez votre argent à Bombardier pour cinq ans à un taux d'intérêt de 6 % par année. Les intérêts sur les obligations sont habituellement payés en deux versements semestriels égaux.

La valeur d'une obligation varie généralement avec l'évolution des taux d'intérêt. Par exemple, si vous êtes titulaire d'une obligation émise à un taux de 5 % et que les taux des obligations comparables nouvellement émises sont de 7 %, la valeur de votre obligation diminue. (Pourquoi voudrait-on acheter votre obligation au prix que vous l'avez payée si elle offre seulement 5 % de rendement alors que l'on peut se procurer ailleurs des obligations qui donnent 7 %?)

Certaines obligations sont liées à des taux d'intérêt variable. Par exemple, vous pouvez acheter des obligations qui sont des prêts hypothécaires à taux référencés, sur laquelle le taux d'intérêt est susceptible de fluctuer. En tant qu'investisseur, vous prêtez en fait votre argent à un emprunteur hypothécaire. Vous êtes ainsi, indirectement, un banquier qui consent un prêt à quelqu'un pour l'achat d'une maison.

Les obligations diffèrent les unes des autres des façons suivantes :

- **Le type d'institution à laquelle vous prêtez votre argent.** Les obligations sont disponibles à partir d'un large éventail de sources, dont les gouvernements fédéral et provinciaux, les détenteurs d'hypothèques, ainsi que les sociétés.

- **La solvabilité de l'emprunteur à qui vous prêtez votre argent.** Cela fait référence à la probabilité que l'emprunteur vous verse les intérêts et vous rembourse le capital comme convenu.

- **L'échéance de l'obligation.** La plupart des obligations arrivent à échéance en moins de 30 ans. L'échéance des obligations à court terme est de quelques années, celle des obligations de durée intermédiaire est de 7 à 10 ans, tandis que celle des obligations à long terme varie de 10 à 30 ans. Les obligations à long terme offrent généralement des rendements plus élevés, mais elles fluctuent davantage selon les changements des taux d'intérêt.

Les obligations sont cotées par les principales agences d'évaluation du crédit en fonction de leur degré de risque financier, en général sur une échelle où AAA est la meilleure note possible. Par exemple, les obligations de première qualité des sociétés (notées AAA ou AA) sont considérées comme étant les plus sûres (c'est-à-dire, les plus susceptibles de vous rembourser). Au degré suivant de l'échelle se trouvent les obligations générales (notées A ou BBB), qui sont quand même sûres mais juste un peu moins que les premières. Enfin, les obligations à haut risque (notée BB ou moins), qui ne sont en réalité pas toujours très risquées, mais sont seulement un peu plus faible en qualité et présentent une légère probabilité de non paiement (1 ou 2 %).

Certaines obligations sont remboursables par anticipation, ce qui signifie que l'émetteur peut décider de vous rembourser plus tôt qu'à la date convenue. Cela se produit le plus souvent lorsque les taux d'intérêt baissent et que la société émettrice veut émettre de nouvelles obligations à un taux d'intérêt inférieur pour remplacer les obligations à taux plus élevés. Pour vous dédommager du remboursement anticipé, l'émetteur vous donne généralement une petite prime sur la valeur réelle de l'obligation.

Le certificat de placement garanti (CPG)

Un certificat de placement garanti (CPG) est un autre type d'obligation qu'émettent les banques. Avec un CPG, comme avec une vraie obligation, vous acceptez de prêter votre argent à un organisme (dans ce cas-ci, une banque) pour un nombre prédéterminé de mois ou d'années. En règle générale, plus la durée de votre engagement sera longue, plus le taux d'intérêt que vous recevrez sera élevé.

La plupart des CPG comportent une pénalité pour retrait anticipé. Si vous souhaitez récupérer votre argent avant la fin du terme du CPG, vous perdrez l'équivalent d'un certain nombre de mois d'intérêts. Certains CPG ne vous donnent tout simplement pas la possibilité de retirer votre argent avant l'échéance. D'autres vous permettront de le faire, mais au prix d'un taux d'intérêt inférieur. De plus, les CPG n'offrent habituellement pas des taux d'intérêt très compétitifs. Vous pouvez en général battre les taux d'intérêt des CPG à court terme (ceux dont l'échéance est de moins d'un an ou à peu près) avec les meilleurs fonds du marché monétaire, qui présentent aussi l'avantage de vous permettre d'accéder à votre argent sans aucune pénalité.

Accroître votre richesse grâce aux investissements de participation

Les trois meilleurs moyens légaux d'accroître la richesse sont d'investir en Bourse, dans l'immobilier et dans les petites entreprises. C'est ce que nous avons pu constater au fil des années en observant de très nombreux investisseurs.

Les actions

Les actions, qui représentent des titres de propriété dans une entreprise, sont les investissements de participation les plus courants. Quand les sociétés sont cotées en Bourse, elles émettent des actions que des gens comme vous peuvent se procurer sur les grands marchés boursiers tels que la Bourse de Toronto, la Bourse de New York et le Nasdaq (National Association of Securities Dealers Automated Quotation System), ou sur le marché hors cote.

Alors que l'économie croît et que les entreprises se développent avec elle et font des bénéfices, les cours boursiers suivent généralement le mouvement. Si les cours des actions ne s'apprécient pas au même rythme que les bénéfices des sociétés, la relation entre les deux est tout de même assez étroite au fil des ans. En fait, le ratio cours/bénéfice – qui mesure le prix des actions par rapport aux bénéfices d'une société – des actions américaines a été en moyenne d'environ 15 au cours du dernier siècle (même s'il a été sensiblement plus élevé pendant les périodes de faible inflation). Un ratio cours/bénéfice de 15 signifie simplement qu'une action s'échange à 15 fois la valeur de son bénéfice.

Les entreprises émettrices d'actions (appelées sociétés ouvertes, publiques ou cotées) sont nombreuses et diversifiées. Elles comprennent par exemple des constructeurs automobiles, des producteurs de logiciels informatiques, des chaînes de restauration rapide, des hôtels, des éditeurs de magazines et de journaux, des supermarchés, des établissements vinicoles et des fabricants de fermetures éclair. En revanche, certaines entreprises sont des sociétés fermées (ou privées), ce qui signifie qu'elles ont choisi que leurs actions soient détenues par la haute direction (et parfois un petit nombre de riches investisseurs de l'extérieur). Les actions des sociétés fermées n'étant pas négociées sur les marchés boursiers, il est impossible aux gens comme vous (et nous) de s'en procurer.

Les sociétés diffèrent selon l'industrie à laquelle elles appartiennent, leur secteur d'affaires et leur taille. Dans la presse financière, les sociétés sont souvent désignées par leur capitalisation boursière, soit la valeur de leurs actions en circulation (le nombre total d'actions multiplié par le prix du marché par action). Lors de la description de la taille des entreprises, Bay Street et Wall Street utilisent les termes «faible capitalisation» (*small cap*) et «forte capitalisation» (*large cap*).

Les actions internationales

Non seulement vous pouvez investir dans les actions de sociétés qui sont négociées sur les Bourses canadiennes, mais vous pouvez également investir dans les actions aux États-Unis et outre-mer. Mis à part les gens qui ont des relations d'affaires internationales, quel avantage le citoyen canadien moyen aurait-il à le faire ?

Nous en voyons plusieurs. D'abord, de nombreuses occasions d'investissement existent à l'extérieur du Canada, les actions canadiennes ne représentant qu'un peu moins de 3 % de toutes les actions en circulation dans le monde.

Ensuite, en limitant votre investissement à des valeurs mobilières canadiennes, vous vous privez d'un monde (c'est le cas de le dire) de possibilités, non seulement en raison de la croissance d'entreprises disponibles dans d'autres pays, mais aussi parce que l'investissement international vous donne la possibilité de diversifier encore davantage votre portefeuille. Le marché des valeurs mobilières internationales ne se déplace pas en tandem avec les marchés canadiens. Il arrive qu'au cours d'une baisse du marché boursier canadien, certains marchés boursiers internationaux déclinent moins, tandis que d'autres connaissent des hausses.

Certaines personnes hésitent à investir dans des titres à l'étranger pour des raisons parfois dérisoires. Une chronique aperçue dans un quotidien d'une grande ville était intitulée : « Beaucoup d'écueils dans l'investissement étranger : le choix du moment est primordial dans l'obtention d'un bon rendement. » Plus loin dans l'article, on pouvait lire : « Mais, comme avec le sexe, le transport en commun et le baseball, la détermination du moment propice fait toute la différence dans le marché boursier. » Les investisseurs boursiers intelligents savent bien que le choix du moment propice a peu à voir avec le succès d'un placement. L'article faisait également une mise en garde inquiétante : « Les marchés boursiers étrangers sont connus pour leur tendance à s'évaporer durant la nuit. » Nous aimerions pouvoir en dire autant de l'emploi de certains journalistes incompétents !

D'autres investisseurs craignent que l'investissement étranger ne nuise à l'économie canadienne et ne contribue à des pertes d'emplois au Canada. Nous avons quelques arguments à opposer à cette vision des choses. Premièrement, si vous ne tirez pas profit de la croissance des économies à l'étranger, quelqu'un d'autre le fera. S'il y a de l'argent à faire, les Canadiens devraient aussi bien être là pour en profiter. Deuxièmement, les bénéfices d'une société étrangère sont distribués à tous les actionnaires, peu importe où ils vivent. Les dividendes et l'appréciation du cours des actions ne connaissent pas de frontières nationales.

En outre, vous devez reconnaître que vous faites déjà partie d'une économie mondiale, si bien que sur le plan de l'investissement, il n'y a plus vraiment lieu de faire de distinction entre les entreprises canadiennes et non canadiennes. De nombreuses entreprises qui ont leur siège social au Canada ont également des opérations à l'étranger. Certaines entreprises canadiennes tirent une partie importante de leurs revenus de leurs divisions internationales. Inversement, de nombreuses entreprises basées à l'étranger ont également des opérations canadiennes. Un nombre croissant d'entreprises ont des opérations dans divers pays. Vous n'obtenez pas le plein bénéfice de l'investissement international en achetant seulement des actions des grandes entreprises multinationales ayant leur siège social au Canada. L'avantage de la diversification à l'étranger s'obtient en investissant dans des entreprises qui transigent sur les marchés étrangers.

Investir dans la Bourse implique quelques revers occasionnels et des moments difficiles (un peu comme d'élever des enfants ou de faire de l'alpinisme), mais dans l'ensemble, l'aventure devrait en valoir la peine. Au cours des deux derniers siècles, le marché boursier américain (pour lequel il existe des dizaines d'années de données historiques de plus que pour le marché canadien) a produit un taux moyen de rendement annuel d'environ 10 %. Toutefois, le marché, tel que mesuré par l'indice Dow Jones, a chuté de plus de 20 % au cours de 16 périodes différentes au 20ème siècle. En moyenne, chacune de ces périodes de déclin a duré moins de deux ans. Donc, si vous pouvez résister à un recul temporaire de quelques années, le marché boursier est un endroit éprouvé pour investir en vue d'une croissance à long terme.

Vous pouvez investir dans les actions en choisissant vous-mêmes des titres individuels ou en laissant un gestionnaire de fonds communs de placement (voir le chapitre 10) le faire pour vous.

Découvrir les avantages des fonds communs de placement

Lorsqu'ils sont gérés efficacement, les fonds communs de placement offrent aux investisseurs des moyens à la fois modestes et appréciables d'accéder à faible coût aux services de gestionnaires de portefeuilles compétents. Les fonds communs couvrent tout le spectre du risque et du potentiel de rendement, allant des fonds stables du marché monétaire (qui sont similaires aux comptes d'épargne), aux fonds obligataires (qui offrent généralement des rendements plus élevés que les fonds du marché monétaire, mais fluctuent selon les variations des taux d'intérêt), aux fonds d'actions (qui offrent un plus grand potentiel d'appréciation, mais aussi une plus grande volatilité à court terme).

Pour la plupart des investisseurs, les fonds communs de placement représentent un choix plus sensé que les titres individuels. À titre d'exemple, imaginons le scénario suivant : vous venez d'acheter votre première maison, mais ses tapis, qui comptent plus de vingt ans d'utilisation, sont jaunis et tachés par des dégâts de nourriture et d'animaux domestiques. Vous voulez arracher ces vieux tapis dégoûtants et installer des planchers de bois.

Supposons que vous ayez le choix d'effectuer vous-même le travail de revêtement des planchers ou de payer un entrepreneur seulement 200 $ pour qu'il le fasse pour vous. À ce prix, vous embaucheriez l'entrepreneur, à moins d'être le genre de personne qui prend plaisir à ce type de travail. De toute façon, il y a peu de chances que vous soyez en mesure de faire un travail aussi rapide et propre que ne le ferait un entrepreneur d'expérience, surtout si vous avez pris la peine de trouver un ouvrier fiable.

Vous devriez utiliser le même raisonnement quand vient le temps d'investir dans les actions ou les obligations. L'investissement dans les titres individuels ne devrait être opéré que par des gens qui aiment vraiment s'adonner à cette activité. Les fonds communs, s'ils sont bien choisis, constituent un moyen peu coûteux et fiable de profiter des services de gestionnaires professionnels de portefeuilles.

À long terme, il est difficile de battre les résultats de gestionnaires professionnels qui travaillent à temps plein dans l'investissement de titres de même types et niveaux de risque. Toutefois, comme pour l'embauche d'un entrepreneur, vous devez faire vos devoirs et trouver un bon gestionnaire de portefeuille. Le chapitre 9 est consacré aux fonds communs de placement.

Investir dans les actions individuelles

Notre expérience nous a permis de constater que beaucoup de gens choisissent d'investir dans des titres individuels parce qu'ils se croient plus intelligents ou plus chanceux que les autres. Nous ne vous connaissons pas personnellement, mais nous pouvons quand même présumer qu'à long terme, vos choix d'investissements ont peu de chances de battre les rendements de ceux des meilleurs professionnels de l'investissement.

Nous remarquons une nette différence entre les sexes sur cette question. Peut-être est-ce en raison de différences dans l'éducation, dans les niveaux de testostérone, ou quoi encore, mais l'investisseur masculin semble avoir de la difficulté à avaler son ego et admettre qu'il vaudrait mieux ne pas choisir lui-même ses titres individuels. Qui sait, peut-être le désir de choisir soi-même ses actions est-il lié au refus de demander les directions !

En règle générale, il est préférable d'éviter d'investir dans les titres individuels, car le succès est difficile à atteindre et les inconvénients et les pièges sont nombreux :

✔ **Vous aurez à passer un temps considérable à faire des recherches.** Lorsque vous envisagez l'achat de titres individuels, il faut en savoir beaucoup sur la société dans laquelle vous songez à investir. Il y a un certain nombre de questions pertinentes à vous poser sur cette société, dont : quels produits vend-elle ? Quelles sont ses perspectives de croissance et de rentabilité ? Quelle est l'envergure de sa dette ? Vous devez faire vos devoirs, non seulement avant d'effectuer votre investissement initial, mais de façon régulière, aussi longtemps que vous détiendrez vos titres. La recherche exige votre temps si précieux et parfois aussi elle occasionne des frais.

N'allez pas faire l'erreur de croire ou de laisser quelqu'un (qui y trouve un intérêt personnel) vous faire croire que la sélection de titres et la cueillette d'informations sur une société en particulier sont des tâches simples à accomplir, qui requièrent peu de temps et qui sont plus rentables que d'investir dans des fonds communs de placement.

✔ **Vous vivrez probablement des difficultés émotionnelles.** L'analyse des états financiers, de la position concurrentielle et des stratégies d'une société exige une bonne dose d'intelligence et de perspicacité. Toutefois, ces compétences ne sont pas suffisantes. Aurez-vous les nerfs assez solides pour tenir le coup quand ce que vous croyiez être des titres sûrs perdront 50 % de leur valeur alors que l'ensemble du marché demeurera stable, ou pire, qu'il montera ? Aurez-vous le courage de vous débarrasser de ces titres lorsque vos nouvelles recherches vous indiqueront que cette baisse n'est pas qu'une variation passagère, mais bien le début de la fin ? Quand votre argent est en jeu, il n'est pas rare que vos émotions prennent le dessus et viennent miner votre capacité de prendre de bonnes décisions à long terme. Peu de gens ont la constitution psychologique qu'il faut pour tenir tête aux marchés financiers en toutes circonstances.

✔ **Vous serez moins susceptible de vous diversifier.** À moins que vous n'ayez des dizaines de milliers de dollars à investir dans des actions différentes, vous n'arriverez sans doute pas à diversifier votre portefeuille d'une manière rentable. Par exemple, lorsque vous investissez dans des actions, vous devez en détenir dans différentes sociétés au sein d'une même industrie, de même que dans différentes industries. En ne diversifiant pas vos placements, vous ajoutez inutilement à vos risques.

✔ **Vous serez confronté aux tracas de la comptabilité et de la tenue de livres.** Lorsque vous investissez dans des titres individuels à l'extérieur des régimes de retraite, vous devez inclure ces transactions dans votre déclaration de revenus. Même si vous payez quelqu'un pour la remplir, vous avez quand même toujours la responsabilité de conserver la trace des relevés et des reçus.

Bien sûr, il se peut qu'une personne (y trouvant souvent un intérêt personnel) essaie de vous convaincre qu'il est facile et plus rentable de choisir vos actions et de gérer vous-même votre portefeuille que d'investir, par exemple, dans un fonds commun de placement. D'après notre expérience, ces « stratégistes » en choix d'actions tombent généralement dans l'une ou l'autre des catégories suivantes :

✔ **Les auteurs de lettres financières.** Tant sur papier que sur l'Internet, on trouve des tas de pontifes qui soutiennent qu'en investissant simplement votre argent dans les choix d'actions qu'ils vous proposent, vous pourrez battre haut la main les gestionnaires financiers professionnels, qui ne seraient, selon eux, que des bouffons surpayés. Ce que ces gourous autosacrés veulent de vous en réalité, c'est un abonnement à leurs lettres financières (qui peut coûter plusieurs centaines de dollars par année) ou une visite quotidienne de leurs sites Web farcis de publicités. Eh oui, il faut bien vous tenir au courant de leurs recommandations d'achat et de vente ! Ces prétendus experts cherchent à vous rendre dépendants de leurs conseils. Mais on peut se demander pourquoi ces pontifes, s'ils sont capables de faire des choix de placements aussi brillants, perdent leur temps à produire des bulletins d'information dans lesquels ils offrent leurs idées, au lieu de se servir de leur génie pour devenir riche en investissant leur propre argent. Allez directement voir les meilleurs conseillers et ne perdez pas votre temps et votre argent à suivre ces gourous ! (Nous traitons des lettres financières sur l'investissement au chapitre 7 et des sites Internet au chapitre 20.)

✔ **Les auteurs de livres.** Allez dans n'importe quelle librairie pourvue d'une bonne section sur l'investissement et vous trouverez beaucoup de livres qui prétendent pouvoir vous enseigner des stratégies de choix de placements qui vous permettront de battre le système, et ce, même si dans la plupart des cas, l'auteur ne possède pas d'antécédents professionnels indépendamment vérifiés démontrant l'efficacité des démarches qu'il propose. Au chapitre 20, nous donnons des exemples de tels colporteurs, dont l'histoire d'un groupe d'investissement dont l'éditeur a été poursuivi et condamné pour avoir gonflé et falsifié les supposées réussites des investissements du groupe.

✔ **Les courtiers.** Certains courtiers vous orientent vers les actions individuelles parce qu'ils y trouvent un intérêt financier personnel. Premièrement, comme nous le voyons au chapitre 7, les maisons de courtage reçoivent souvent des commissions considérables en vous faisant acheter des actions. Deuxièmement, les courtiers, prétextant des changements survenus dans la situation de l'entreprise, vous inciteront trop souvent à vendre et acheter différents titres, afin de générer davantage de commissions pour eux-mêmes. Enfin, comme c'est le cas avec les auteurs de bulletins d'information, tout ce processus risque de vous rendre dépendants du courtier.

Les activités de recherche et de suivi d'actions individuelles sont susceptibles de vous prendre de nombreuses heures par semaine, peut-être plus que vous ne l'imaginez, et si vous choisissez d'emprunter ce sentier, n'oubliez pas que vous vous mesurerez à des professionnels qui s'appliquent quotidiennement à ces tâches à plein temps.

Si vous tirez un plaisir de la recherche et du suivi de vos propres actions, envisagez de consulter le journal hebdomadaire Les affaires, qui constitue une source d'informations pertinentes et raisonnablement objectives sur l'investissement et les affaires en général. Les affaires est disponible en version papier ou sur Internet à l'adresse : www.lesaffaires.com.

Les programmes de réinvestissement de dividendes

Beaucoup de sociétés permettent aux actionnaires de réinvestir leurs dividendes en achetant de nouvelles actions sans avoir à payer de commissions de courtage. Dans certains cas, les entreprises vous permettent d'effectuer des achats en espèces d'actions supplémentaires, également sans commission.

Pour être admissible, vous devez habituellement commencer par acheter quelques actions de la société par le biais d'un courtier (bien que certaines sociétés permettent que les achats initiaux soient effectués directement auprès d'elles). Idéalement, vous devriez acheter ces premières actions par l'intermédiaire d'un courtier à escompte afin de payer le moins de frais de commission possible. Certaines associations d'investissements – dont l'Association canadienne des actionnaires (www.shareowner. ca) – ont également des programmes grâce auxquels vous pouvez acheter seulement une ou quelques actions pour commencer.

Nous ne sommes cependant pas des mordus de ces programmes, car ce type d'investissement n'est normalement disponible et rentable que pour les placements détenus à l'extérieur de votre REER ou FERR. En règle générale, il vous faut aussi remplir beaucoup de paperasse pour investir dans les actions d'un certain nombre d'entreprises différentes. La vie est trop courte pour s'embêter avec ces programmes, ne serait-ce que pour cette seule raison.

Enfin, même dans le cas de ces sociétés qui vendent directement des actions sans facturer de commission explicite comme le font les maisons de courtage, vous payez beaucoup d'autres frais. De nombreux programmes comportent des frais d'inscription initiaux, des frais de réinvestissement des dividendes et d'autres frais lorsque vous vendez.

Les fiducies de revenu

Les fiducies de revenu sont devenues un placement assez populaire auprès de ceux qui recherchent des dividendes réguliers supérieurs à ce que leur offrent les investissements de prêt traditionnels comme les certificats de prêt garantis et les obligations d'épargne du Canada.

Malgré cela, les fonds de fiducies de revenu ne sont pas des investissements de prêt. Bien qu'ils donnent l'impression de ressembler aux obligations (sauf pour leurs rendements élevés), ils sont en fait des placements en actions et viennent avec la plupart des risques associés à l'investissement dans le marché boursier.

En général, dans la plupart des sociétés faisant appel public à l'épargne (dont vous pouvez acheter des actions), plus l'entreprise sera rentable, plus le prix de l'action augmentera. Plus souvent qu'autrement, la société se servira de ses profits pour accroître son développement ou élargir ses activités. Mais parfois, une société rentable versera une partie de ses profits à ses actionnaires sous forme de dividendes.

Une fiducie de revenu est tout simplement une entreprise qui a changé sa structure formelle de sorte que la majeure partie de ses bénéfices disponibles soit versée directement à ses détenteurs de parts, habituellement sur une base trimestrielle, sans que cette société n'ait à payer d'impôt sur ces sommes. Ces versements de dividendes constituent alors pour l'investisseur un revenu imposable au taux marginal d'imposition maximum de l'investisseur (voir le chapitre 6 pour plus d'informations sur les impôts).

Les fiducies de revenu ne sont pas un type d'obligations ou de CPG à rendement supérieur : les distributions (le nom utilisé pour faire référence aux dividendes versés par les fiducies de revenu) sont continuellement tributaires de la santé de l'entreprise sous-jacente. Les fiducies de revenu peuvent éventuellement éprouver des difficultés, car elles représentent un investissement de participation, un placement en actions, avec des risques et des avantages similaires à ceux des actions ordinaires.

Tout comme il existe de bonnes et de mauvaises entreprises, on trouve de bonnes et de mauvaises fiducies de revenu. Cela se reflète dans les différences de rendements. Par exemple, les fonds basés sur les sociétés spécialisées dans l'électricité offrent traditionnellement des rendements à l'extrémité inférieure de l'échelle. Cela s'explique par le fait que les entreprises sous-jacentes sont considérées comme étant relativement stables et sûres. À l'autre extrémité, on trouve souvent des fonds basés sur des sociétés pétrolières ou gazières. Les entreprises sous-jacentes dans le secteur énergétique sont vulnérables aux variations des prix de l'énergie. De plus, afin de continuer à verser des distributions, ces entreprises doivent sans cesse renouveler leurs réserves en découvrant ou en acquérant de nouveaux gisements.

Si vous envisagez d'investir dans une fiducie de revenu, acceptez le rendement plus faible d'une entreprise qui continuera de faire de l'argent beau temps comme mauvais temps, et qui pourra ainsi maintenir ses versements aux détenteurs. Tenez-vous-en aux fiducies qui distribuent moins de 100 % des bénéfices générés par l'entreprise. Cela donne aux administrateurs une marge de manœuvre suffisante pour assurer la gestion de l'entreprise, ses développements éventuels et le maintien des versements aux détenteurs.

Créer de la richesse grâce à l'immobilier

Au fil des générations, les propriétaires et les investisseurs immobiliers ont enregistré des taux de rendement comparables à ceux produits par le marché boursier, faisant ainsi de l'immobilier une autre méthode éprouvée de création de richesse. Toutefois, comme les actions, l'immobilier passe par des périodes de bons et de mauvais rendements. La plupart des gens qui gagnent de l'argent en investissant dans l'immobilier le font parce qu'ils investissent sur de nombreuses années.

L'immobilier versus les actions

L'immobilier et les actions ont historiquement produit des rendements comparables. Le choix d'investir dans l'un ou dans l'autre dépend moins des rendements des marchés que de votre situation. Considérez les questions suivantes au moment de décider lequel de ces investissements vous conviendrait le mieux :

✔ La première et la plus importante question à vous poser est de savoir si vous êtes taillé pour gérer les responsabilités d'un propriétaire. L'immobilier est un investissement qui exige beaucoup de temps. Investir dans les actions peut aussi prendre beaucoup de votre temps, mais ce n'est pas le cas si vous investissez dans des fonds communs de placement gérés par des professionnels. (Voir le chapitre 10).

✔ Un inconvénient souvent négligé avec l'investissement dans l'immobilier est l'absence d'avantages fiscaux durant l'accumulation de votre acompte. Avec les REER (voir le chapitre 7), vous profitez d'une déduction fiscale immédiate pour les sommes cotisées. Par conséquent, si vous n'avez pas épuisé vos contributions à ces régimes, envisagez de le faire avant de vous engager dans l'investissement immobilier.

✔ Demandez-vous quels sont les placements que vous comprenez le mieux. Certaines personnes ne sont pas à l'aise avec les actions et les fonds communs de placement parce qu'elles n'en ont pas une bonne compréhension. Si vous saisissez plus facilement les notions de l'immobilier, cela vous donne une bonne raison de songer à y investir.

✔ Trouvez ce qui vous rendra le plus heureux. Certaines personnes apprécient les défis que comportent la gestion et l'amélioration des immeubles locatifs : cela ressemble un peu à la gestion d'une petite entreprise. Si vous êtes doué pour ce genre de choses et que vous avez un peu de chance, vous pouvez gagner de l'argent et tirer d'innombrables heures de plaisir de cet investissement.

Certains investisseurs immobiliers, même si peu l'admettent, tirent une satisfaction personnelle de l'affichage de leur richesse matérielle. Les personnes qui ont ce « complexe d'édifice » ne peuvent pas obtenir un plaisir semblable d'un portefeuille d'actions détaillé sur un morceau de papier (bien que plusieurs aiment se vanter de leurs prouesses de sélection d'actions).

Acheter votre propre maison constitue sans doute la meilleure façon de commencer à investir dans l'immobilier. La valeur nette réelle de votre maison (soit la différence entre sa valeur marchande et le montant que vous devez toujours sur votre prêt hypothécaire), qui s'élève au fil des ans, peut devenir une partie importante de votre valeur nette personnelle. Il vous est par exemple possible de puiser dans la valeur nette de votre maison pour vous aider à financer d'autres objectifs importants tels que la retraite, des études universitaires ou le démarrage (ou l'achat) d'une entreprise.

Tout au long de votre vie d'adulte, l'achat de votre propre maison devrait s'avérer moins cher que la location d'une maison comparable. La raison : en tant que locataire, vos frais de logement sont totalement exposés à l'inflation (sauf si vous êtes le bénéficiaire d'un logement à loyer modéré). En tant que propriétaire, la majeure partie de vos frais de logement – vos paiements hypothécaires mensuels – ne sont pas exposés à l'inflation, à l'exception des changements de taux d'intérêt qui surviennent au moment de votre renouvellement hypothécaire. En outre, quand vous vendez la maison où vous habitez, dans la plupart des cas, tous les bénéfices vous reviennent directement sans être imposés. Voir le chapitre 14 pour découvrir les meilleures façons d'acheter et de financer de l'immobilier.

L'immobilier : un placement hors de l'ordinaire

En plus d'offrir des taux de rendement solides, l'immobilier diffère de la plupart des autres placements à plusieurs autres égards. Voici ce qui en fait un investissement unique en son genre :

- ✔ **L'utilité.** Vous ne pouvez pas vivre dans une action, une obligation ou un fonds communs de placement (même si vous pourriez peut-être vous construire une forteresse en collant ensemble tous les papiers que certaines entreprises vous font parvenir chaque année). L'immobilier est le seul investissement que vous pouvez concrètement utiliser (en habitant la propriété ou en la louant) pour produire un revenu.

- ✔ **La quantité de terrains à bâtir est limitée.** Aux dernières nouvelles, la surface continentale de la terre n'avait pas augmenté. Et comme les humains aiment à se reproduire, la demande de terrains à bâtir et de logements continue de croître. Pensez aux coins du monde où les prix des propriétés sont les plus élevés : Hong Kong, Tokyo, Hawaï, San Francisco, Manhattan, etc. Dans ces zones fortement peuplées, il n'y a pratiquement pas de nouveaux terrains disponibles pour la construction de nouveaux logements.

- ✔ **Le zonage influence le potentiel de valeur.** Les gouvernements locaux réglementent le zonage des propriétés, et le zonage détermine les usages possibles d'une propriété. De nos jours, dans la plupart des communautés, les conseils de zonage locaux s'opposent à une trop forte croissance, une position qui est de bon augure pour la valeur future des biens immobiliers. Il faut aussi savoir que, dans certains cas, il est possible qu'une propriété particulière n'ait pas été développée à son plein potentiel. Si vous parvenez à trouver le moyen de la développer, vous pouvez récolter de gros profits.

- ✔ **L'effet de levier.** L'immobilier diffère également des autres placements en ce que vous pouvez emprunter beaucoup d'argent pour acheter une propriété – jusqu'à 80, voire 90 % ou plus de sa valeur. Ce type d'opération s'appelle un «emprunt avec effet de levier» : à partir d'une petite mise de fonds de 10 à 20 %, vous êtes en mesure d'acheter et de posséder un investissement beaucoup plus important. Lorsque la valeur de votre bien immobilier s'apprécie, vous faites de l'argent sur votre placement et sur tout l'argent que vous avez emprunté. (Au cas où vous vous poseriez la question : vous pouvez utiliser l'effet de levier pour acheter des actions et des placements obligataires à l'extérieur des régimes enregistrés grâce à un emprunt sur marge. Cependant, vous devez faire une mise de fonds beaucoup plus importante, soit le double ou le triple de celle que vous verseriez pour un achat dans l'immobilier.)

Par exemple, supposons que vous allongiez 50 000 $ pour l'achat d'un bien immobilier vendu 200 000 $. Si la valeur de la propriété s'apprécie à 250 000 $, vous réalisez un profit de 50 000 $ (sur papier) sur votre investissement de seulement 50 000 $. En d'autres termes, vous obtenez un rendement de 100 % sur votre investissement. Toutefois, l'effet de levier fonctionne dans les deux sens. Ainsi, dans le cas où la valeur de votre propriété payée 200 000 $ diminue pour atteindre 150 000 $, vous perdez (sur papier) 100 % de votre investissement initial de 50 000 $, et ce, en dépit du fait que le bien immobilier ne perd que 25 % de sa valeur.

✔ **Les valeurs cachées.** Dans un marché efficace, le prix d'un investissement reflète précisément sa juste valeur. Certains marchés d'investissement sont plus efficaces que d'autres en raison du nombre important de leurs transactions et des informations facilement accessibles. Les marchés immobiliers peuvent être inefficaces à certains moments. L'information n'est pas toujours facile à trouver, et il se peut que vous trouviez un vendeur trop motivé ou mal informé. Si vous êtes prêt à faire vos devoirs, vous serez peut-être en mesure d'acheter une propriété pour un prix en dessous de sa juste valeur marchande (possiblement jusqu'à 10 ou 20 %).

Comme tous les autres types d'investissement, l'immobilier comporte des inconvénients. Tout d'abord, l'achat ou la vente d'une propriété prend généralement du temps et occasionne des frais considérables. En outre, posséder une propriété implique des dépenses fréquentes et parfois substantielles. Lorsque vous louez une propriété, vous faites aussi l'expérience des soucis et des ennuis occasionnels qui sont le propre des propriétaires d'immeubles locatifs. Et surtout, dans les premières années qui suivent l'acquisition d'une propriété locative, les dépenses relatives à la propriété peuvent parfois excéder les revenus qu'elle génère, causant ainsi des dépenses nettes en argent sonnant.

Les meilleures options d'investissement immobilier

Bien que l'immobilier soit unique à certains égards, ses prix sont influencés par l'offre et la demande, comme c'est le cas avec les autres types d'investissements. Vous pouvez investir dans des maisons ou de petits immeubles à logements pour ensuite les offrir en location. À long terme, les acheteurs d'immeubles de placement espèrent que leurs revenus de location et la valeur de leurs propriétés augmenteront plus vite que leurs dépenses.

Au moment de choisir de l'immobilier pour des fins de placement, n'oubliez pas que la croissance économique locale représente le carburant de la demande de logements. En plus d'une base dynamique et diversifiée d'emploi, vous devez rechercher une région où les ressources existantes de logements et de terrains à bâtir sont minces. Une fois que vous avez identifié des propriétés dans lesquelles vous pourriez investir, faites les calculs nécessaires afin d'établir quelles sont les implications financières et les probabilités de rentabilité pour chaque projet. Reportez-vous au chapitre 14 pour apprendre à déterminer les coûts d'acquisition de propriétés immobilières.

Quand vous voulez investir directement dans l'immobilier, l'achat de logements résidentiels – tels que les maisons unifamiliales ou les petits immeubles comptant plusieurs unités de logement – peut représenter une manière pratique et attrayante de le faire. Acquérir des propriétés situées près de votre résidence offre l'avantage de vous permettre de surveiller et gérer plus facilement vos investissements. L'inconvénient est que vous serez moins diversifié, car vos placements dépendront alors de votre économie locale.

Si vous ne voulez pas être propriétaire locateur – l'un des aspects les plus rebutants de l'investissement immobilier – envisagez d'investir dans l'immobilier par l'entremise d'une société de placement immobilier (SPI). Les SPI sont des compagnies d'investissements immobiliers diversifiés qui achètent et gèrent des biens immobiliers locatifs pour les investisseurs. Une SPI typique investit dans différents types de biens immobiliers tels que des centres commerciaux, des appartements et d'autres immeubles locatifs. Vous pouvez investir dans des SPI en achetant directement sur le marché boursier ou en investissant dans un fonds communs de placement immobilier (voir le chapitre 10) qui investit dans de nombreuses sociétés de placement immobilier.

Les pires placements immobiliers

Les placements immobiliers n'en sont pas tous de bons : certains ne sont d'ailleurs même pas de vrais investissements. Les mauvais placements se caractérisent par des coûts onéreux et des problématiques économiques fondamentales :

> ✔ **Les sociétés en commandite simple.** Vous devriez éviter les sociétés en commandite simple (SCS) vendues par l'intermédiaire de courtiers et de conseillers financiers. Les SCS sont des véhicules d'investissement inférieurs. Ils sont tellement chargés de commissions de vente élevées et de frais de gestion permanents qui appauvrissent votre investissement que vous pouvez faire mieux ailleurs. Le représentant qui vous vend un tel investissement récoltera une commission allant jusqu'à 10 % ou plus, ce qui signifie que seulement 90 cents environ de chaque dollar sont

investis. De plus, chaque année, les SCS vous factureront habituellement un autre pourcentage en frais de gestion et frais divers. La plupart des sociétés ont peu ou pas d'intérêt à contrôler les coûts. En fait, ils ont un conflit d'intérêt qui les incite souvent à faire payer plus pour enrichir la gérance.

Contrairement à un fonds commun de placement, vos dollars ne vous donnent pas de droit de vote. Si la société est mal gérée et coûteuse, vous êtes coincé. Les SCS sont non liquides, ce qui signifie qu'on ne les convertit pas en espèces sans essuyer une perte importante. Vous ne pouvez pas accéder à votre argent avant que la société n'ait été liquidée, soit généralement de sept à dix ans après votre entrée.

Les courtiers qui vendent des SCS vous diront souvent que si votre investissement augmente de 20 % ou plus annuellement, vous recevrez de beaux dividendes de 8 % environ par année. Or, dans plusieurs cas, les rendements des SCS se sont révélés être frauduleux.
Dans certains cas, des sociétés ont gonflé leurs performances en remboursant aux investisseurs une partie de leur capital investi (sans le leur dire, bien sûr). Quant aux rendements, eh bien, la plupart des investisseurs de SCS qui ont encore la moitié de leur investissement initial après dix ans peuvent se compter chanceux.

✔ **Les multipropriétés.** Celles-ci, qui sont des propriétés en temps partagé, constituent une autre façon à peu près certaine de perdre de l'argent. Avec une multipropriété, vous achetez une semaine ou deux de possession, ou d'occupation, d'une copropriété (généralement un appartement, un «condo», dans un lieu de villégiature) par année. Si, par exemple, vous payez 8 000 $ pour une semaine d'utilisation annuelle (en plus des frais d'entretien permanents), c'est comme si vous achetiez l'appartement au complet pour plus de 400 000 $ dollars, alors que vous pourriez en acquérir un comparable à proximité pour seulement 150 000 $. La différence sert à payer la commission du représentant en valeurs mobilières, les frais administratifs et les bénéfices de la société de gestion de multipropriétés.

Les gens sont souvent attirés par l'achat d'une multipropriété quand ils apprécient un endroit où ils passent des vacances. Ils représentent des proies faciles pour les vendeurs qui tentent de les appâter en leur offrant par exemple une nuit gratuite dans une de leurs multipropriétés, après leur avoir présenté les détails de leur proposition de vente.

Si vous ne pouvez pas vivre sans une propriété en temps partagé, envisagez d'en acheter une de seconde main. Beaucoup de copropriétaires, qui ont probablement perdu un bon paquet d'argent, essayent de se débarrasser de leur part d'une multipropriété (ce qui devrait vous dire quelque chose). Dans ce cas, vous pourriez être en mesure d'acheter une multipropriété à un prix qui soit plus équitable.

Mais pourquoi vous engager à prendre des vacances dans le même emplacement, le même appartement et au même moment chaque année ? Cela dit, plusieurs agences de gestion de multipropriétés vous donnent la possibilité d'échanger vos semaines d'utilisation et votre appartement pour un autre situé ailleurs. Cela peut cependant s'avérer assez compliqué et coûteux, puisque vos choix sont habituellement limités à des périodes de l'année dont les autres ne veulent pas (c'est pourquoi ils veulent échanger !) et que l'on vous facture des frais additionnels pour le service.

✔ **Les résidences secondaires.** Vous êtes peut-être de ces nombreuses personnes qui affectionnent l'idée d'avoir un endroit où s'échapper quelques fins de semaine par mois. Quand vous possédez ce genre de propriété (un cottage, un chalet), il vous est toujours possible de la louer durant les périodes où vous ne l'utilisez pas, afin de générer des revenus qui contribueront à couvrir les coûts reliés à son achat et à son entretien.

Si vous pouvez raisonnablement assumer les dépenses supplémentaires d'une maison secondaire (ou de vacances), nous n'allons pas vous dire comment dépenser vos surplus d'argent. Mais veillez à ne pas faire l'erreur trop fréquente de considérer l'achat d'une résidence secondaire comme un investissement, car ça ne l'est pas, si l'on doit en juger par l'utilisation qu'en font la plupart des gens. La majorité des propriétaires de maison secondaire offrent rarement la propriété en location – moins de 10 % le font. En conséquence, les résidences secondaires constituent souvent un fardeau financier.

Si vous n'avez pas l'intention ou la possibilité de louer votre résidence secondaire la plupart du temps, demandez-vous si vous pouvez vous permettre un tel luxe. Pourrez-vous atteindre vos autres objectifs financiers – l'épargne retraite, les paiements sur votre résidence principale, et ainsi de suite – avec cette dépense supplémentaire ? La décision d'acheter une maison secondaire relève davantage de la consommation que de l'investissement. En réalité, peu de gens peuvent se permettre de posséder plus d'une maison.

La SPI : un fonds commun brique et clic

À part l'achat de votre propre maison, vous pouvez investir efficacement dans l'immobilier par le biais d'une société de placement immobilier (SPI). Tout comme le fonds commun de placement met votre argent en commun avec celui d'autres investisseurs ayant des vues similaires et achète un panier d'investissements au sein d'une certaine catégorie, la SPI assemble un portefeuille de propriétés différentes. En général, il s'agit d'appartements, de centres commerciaux, de bureaux et d'autres types de propriétés locatives. Il existe également des SPI qui achètent des hôtels et même des maisons de soins infirmiers. La SPI gère les propriétés, perçoit le loyer, déduit ses frais et distribue ensuite la plus grande partie des bénéfices restants aux détenteurs de parts.

Si vous aimez l'idée de la propriété locative mais ne voulez pas des maux de tête qui l'accompagnent, les SPI sont souvent un bon choix. La société de placement immobilier est en quelque sorte un intermédiaire qui vous permet d'être propriétaire sans avoir à vivre les tracas du propriétaire. Les personnes qui gèrent les SPI scrutent le marché, évaluent les différentes propriétés et décident quels bâtiments acheter. Elles gèrent ensuite les propriétés immobilières en prenant soin de tout, des réparations jusqu'à la recherche de nouveaux locataires.

La valeur des parts d'une SPI et le montant des sommes versées aux détenteurs dépendront des mêmes facteurs qui s'appliqueraient à vous si vous étiez le seul propriétaire des biens immobiliers gérés. La hausse des taux d'inoccupation, la chute des prix de location et la rareté d'immeubles de qualité à prix raisonnables affecteront les prix des parts et les versements aux détenteurs de parts des SPI. Inversement, l'accroissement de la demande d'espaces locatifs limités en nombre favorise les investisseurs des SPI.

Normalement, les SPI sont moins risquées que d'autres types de fonds de fiducie de revenu, tels que les fiducies pétrolières et gazières et ceux ayant à voir avec des entreprises saisonnières. En outre, de nombreuses sociétés de placement immobilier possèdent un important portefeuille diversifié d'immeubles répartis à travers le pays, ce qui signifie qu'elles sont moins sensibles aux ralentissements dans un marché spécifique ou une région particulière.

Les parts des SPI se transigent, comme les actions, sur les principaux marchés boursiers. Elles peuvent être achetées et vendues par les courtiers à escompte et les courtiers de plein exercice.

Investir dans les petites entreprises

Avec quel type de placement les gens ont-ils amassé le plus de richesses ? Si vous croyez que c'est avec la Bourse ou l'immobilier, vous avez tort. La réponse : avec les petites entreprises. Vous pouvez investir dans les petites entreprises en démarrant la vôtre (ce qui vous permettra enfin d'avoir le meilleur patron dont vous ayez jamais rêvé), en achetant une entreprise existante ou en investissant dans la petite entreprise de quelqu'un d'autre.

Lancer votre propre entreprise

Lorsque vous avez de l'autodiscipline ainsi qu'un produit ou un service à vendre, démarrer votre propre petite entreprise peut se révéler une expérience rentable et enrichissante. Examinez d'abord quelles sont les compétences et l'expertise que vous possédez qui pourraient vous servir dans votre entreprise. Vous n'avez pas besoin d'avoir une idée de génie ou une invention révolutionnaire pour démarrer une petite entreprise. Des millions de personnes exploitent des entreprises qui sont loin d'être originales, comme des nettoyeurs à sec, des restaurants, des entreprises de préparation de déclarations de revenus, et ainsi de suite.

Commencez à explorer votre idée en élaborant par écrit un plan d'affaires. Un tel plan devrait répondre aux questions suivantes : quel produit ou service souhaitez-vous vendre ? Comment ferez-vous votre mise en marché ? Qui seront vos clients et vos concurrents potentiels ? Quelles sont les implications et perspectives financières de l'entreprise, y compris les coûts de démarrage ?

Parmi toutes les possibilités d'investissement dans les petites entreprises, la création de votre propre entreprise est celle qui exige le plus de travail. Bien qu'il vous soit possible d'effectuer ce travail à temps partiel au début, la plupart des gens finissent par travailler à temps plein dans leur entreprise, celle-ci devenant un nouvel emploi, une nouvelle carrière.

Nous exploitons nos propres entreprises respectives depuis de nombreuses années et nous ne voudrions aucunement renoncer à cette expérience pour aller travailler pour quelqu'un d'autre. Cela ne veut pas pour autant dire que la gestion de sa propre entreprise ne comporte pas une part d'inconvénients et de moments difficiles. Néanmoins, nous avons connu beaucoup de gens de divers milieux, des gens ayant toutes sortes d'intérêts et d'aptitudes pour réussir et être heureux dans la gestion de leurs propres entreprises.

Aux yeux de la plupart des gens, la création d'une nouvelle compagnie est la plus risquée de toutes les possibilités d'investissement dans les petites entreprises. Mais si vous vous lancez dans une entreprise qui fait appel à vos compétences et à votre expertise, le risque n'est pas aussi grand que vous ne pourriez l'imaginer. Il vous est en effet possible de démarrer une entreprise avec peu d'argent, en exploitant les compétences et l'expertise que vous possédez. Si vous y consacrez le temps qu'il faut, vous pouvez bâtir une entreprise profitable et vous créer un emploi passionnant. Tant que vous vous renseignez sur la concurrence et que vous offrez un service ou un produit de qualité à un prix raisonnable, votre principal risque se trouve dans la possible faiblesse de la mise en marché de ce que vous avez à offrir. Si vous parvenez à bien commercialiser vos forces, vous êtes sauvé.

Quand vous considérez les risques associés au démarrage d'une entreprise, vous devez également tenir compte de ce qui risque d'arriver si vous choisissez de garder un emploi que vous n'appréciez pas ou qui ne vous permet pas de vous réaliser. Si vous ne faites jamais le plongeon, vous regretterez peut-être un jour de n'avoir pas poursuivi vos rêves.

Acheter une entreprise existante

Si vous ne disposez pas d'un produit ou d'un service précis à vendre, mais que vous êtes habile dans la gestion et l'amélioration des opérations d'une entreprise, vous avez toujours la possibilité d'acheter une petite entreprise. Toutefois, la recherche et l'achat d'une petite entreprise nécessitent passablement de temps et de patience, alors soyez prêt à y consacrer plusieurs mois. Vous devrez peut-être faire appel à des conseillers financiers et juridiques pour vous aider à évaluer l'entreprise, vérifier ses états financiers et élaborer un contrat.

Certes, en achetant une petite entreprise, vous n'avez pas à passer par la période du démarrage. Cependant, vous aurez probablement besoin de plus de capital pour acheter une entreprise établie. Il vous faudra également être capable de vous occuper des questions plus délicates du personnel et de la gestion, parce que l'entreprise possèdera déjà sa façon de fonctionner et son personnel aura ses habitudes. Si vous n'aimez pas prendre des décisions difficiles, congédier des employés qui ne cadrent pas avec vos plans, ou contraindre des gens à changer leur façon de faire, l'achat d'une entreprise existante n'est peut-être pas pour vous.

Certaines personnes perçoivent l'achat d'une entreprise existante comme étant un choix plus sûr que le démarrage d'une nouvelle entreprise. Or, l'achat de l'entreprise de quelqu'un d'autre peut en fait s'avérer plus risqué. Vous êtes susceptible d'avoir à débourser beaucoup plus d'argent au départ, sous la forme d'un acompte, pour acheter une entreprise déjà établie. Alors si vous ne possédez pas les aptitudes qu'il faut pour gérer l'entreprise et que celle-ci éprouve des difficultés, vous aurez plus à perdre financièrement. En outre, si l'entreprise est à vendre, c'est peut-être qu'elle n'est pas très rentable, qu'elle est en déclin ou qu'elle est compliquée à faire marcher.

Il faut savoir que les bonnes entreprises ne sont pas données. Si l'entreprise connaît du succès, son propriétaire actuel a déjà supprimé les risques de non rentabilité, ce qui signifie que le prix de vente devrait refléter cette absence de risque. Lorsque vous disposez du capital pour acheter une entreprise établie dont la rentabilité est clairement démontrée et que vous possédez les compétences pour la faire tourner, envisagez d'emprunter cette voie.

Investir dans la petite entreprise de quelqu'un d'autre

Vous aimez l'idée de tirer profit de petites entreprises prospères mais ne voulez pas des soucis et des responsabilités de la gestion des entreprises ? Si c'est le cas, vous pourriez songer à investir dans la petite entreprise de quelqu'un d'autre. Toutefois, bien que cet itinéraire puisse paraître plus facile, peu de gens sont en fait taillés pour l'investissement dans les entreprises d'autres personnes. Pourquoi cela ? Parce que la recherche et l'analyse des occasions d'affaires est très complexe à effectuer.

Êtes-vous habile dans l'évaluation des états financiers et des stratégies d'affaires des sociétés ? L'investissement dans une petite entreprise privée a beaucoup en commun avec l'investissement dans une société cotée en Bourse (comme c'est le cas lorsque vous achetez des actions), mais il comporte aussi quelques différences. L'une de ces différences est que les entreprises privées ne sont pas tenues de produire des états financiers complets et vérifiés répondant à certains principes comptables. Ce qui signifie qu'il vous sera plus difficile d'obtenir des informations complètes et détaillées au moment d'évaluer une petite entreprise privée.

D'autre part, les occasions d'affaires dans les petites entreprises sont plus difficiles à dénicher. Les meilleures entreprises privées qui sont à la recherche d'investisseurs ne font habituellement pas de publicité. Elles trouvent plutôt leurs investisseurs potentiels grâce au réseautage avec des gens tels que les conseillers d'affaires. Vous pouvez augmenter vos chances de trouver des entreprises privées dans lesquelles investir en discutant avec des conseillers fiscaux, juridiques et financiers qui travaillent auprès de petites entreprises. Vous arriverez peut-être aussi à découvrir des débouchés intéressants grâce à vos propres contacts ou à votre expérience au sein d'une industrie donnée.

Vous ne devriez envisager d'investir dans l'entreprise de quelqu'un d'autre que si vous pouvez vous permettre de perdre tout ce que vous y investissez. De plus, vous devez disposer d'actifs suffisants pour que les sommes que vous investissez dans des petites sociétés privées ne représentent qu'une petite partie (20 % ou moins) de vos actifs financiers totaux.

Hors des sentiers battus : placements divers

Les placements dont nous discutons dans cette section sont difficiles à catégoriser, parce qu'ils ne sont pas des investissements de participation ni de prêt. Voici l'essentiel de ces autres investissements classiques, mais atypiques.

Les métaux précieux

L'or et l'argent ont été utilisés par de nombreuses civilisations à travers l'histoire comme monnaie ou moyen d'échange. En tant que monnaie, les métaux précieux comportent l'avantage de ne pas pouvoir être dépréciés par les gouvernements. Ce qui n'est pas le cas des devises en papier. En effet, si un gouvernement fait imprimer trop de sa monnaie, cela risque de conduire à sa dévaluation et causer de l'inflation. L'or, en revanche, ne se multiplie pas si facilement – il suffit de demander au Nain Tracassin !

Les réserves d'or et d'argent peuvent fournir une sorte de protection contre l'inflation. De la fin des années 1970 au début des années 1980, l'inflation a augmenté considérablement en Amérique du Nord. Cette hausse en grande partie inattendue de l'inflation a entraîné un appauvrissement des actions et des obligations. La valeur de l'or et de l'argent a cependant augmenté énormément. En fait, ces métaux ont connu une hausse de plus de 500 % (même après ajustement en fonction de l'inflation) entre 1972 et 1980 (voir le chapitre 8). Mais de telles périodes sont rares. En règle générale, les métaux précieux sont des investissements plutôt médiocres. Bon an, mal an, leur taux de rendement suit le taux de l'inflation mais sans le dépasser.

Quand vous voulez investir dans les métaux précieux en vue de vous protéger contre l'inflation, votre meilleure option est de le faire par l'entremise des fonds communs de placement (voir le chapitre 10). N'achetez pas de contrats à terme sur les métaux précieux, car ils ne sont pas des investissements : ils constituent un pari à court terme sur la direction que prendront les prix de l'or ou de l'argent sur une courte période de temps. Vous devriez également vous tenir loin des entreprises et des magasins qui vendent des pièces et des lingots d'or ou d'argent. D'ailleurs, même si vous parvenez à trouver une entreprise légitime (et la tâche n'est pas facile), vous risquez d'être refroidi par les frais d'entreposage et d'assurance de l'or et de l'argent. En somme, vous n'obtiendrez pas une bonne valeur pour votre argent. Alors au risque de vous décevoir, la ruée vers l'or est terminée !

Les rentes

Les rentes sont un type particulier de produits d'assurance et d'investissement. Elles sont une sorte de compte d'épargne offrant des rendements légèrement supérieurs, qui sont endossées par des compagnies d'assurance.

Comme c'est le cas avec les régimes de retraite, l'argent placé dans une rente fructifie à l'abri de l'impôt jusqu'à ce qu'il soit retiré. Toutefois, contrairement aux REER, vous ne bénéficiez pas d'allégements fiscaux dès le moment où vous versez une contribution dans une rente. Les rentes ont également tendance à porter des frais d'investissements permanents beaucoup plus élevés – comparativement à d'autres investissements qui ne permettent pas de tels reports d'imposition – ce qui affaiblit vos rendements. N'envisagez d'investir dans une rente qu'après avoir cotisé le montant maximum auquel vous avez droit dans votre REER. (Pour plus d'informations sur l'investissement dans les rentes, reportez-vous au chapitre 12.)

Les objets de collection

La catégorie des collections est un fourre-tout qui comprend par exemple les antiquités, les œuvres d'art, les autographes, les cartes de baseball, les horloges, les pièces de monnaie, les bandes dessinées, les diamants, les poupées, les bijoux, les photographies, les livres rares, les tapis, les timbres, les millésimés et les instruments d'écriture. Bref, tout objet matériel qui, par une quelconque manipulation par l'homme, a acquis de la valeur aux yeux de certaines personnes.

Nonobstant les quelques personnes qui découvrent dans une foire d'antiquités qu'ils possèdent une antiquité de grande valeur, les objets de collection sont plus souvent qu'autrement des véhicules d'investissement médiocres. Les marges de profit des marchands sont énormes, et les frais d'entretien et de conservation sont aussi à considérer. La recherche de tels objets prend du temps et les goûts des gens sont assez changeants. Tout cela pour des rendements qui, après prise en compte de la majoration des prix, ont du mal à suivre l'inflation.

Achetez un objet de collection parce que vous aimez l'objet, et non en vue d'un possible gain financier. Voyez les collections comme un passe-temps, mais pas comme un investissement. De plus, lorsque vous faites l'achat d'un objet de collection, essayez de contourner l'intermédiaire, afin d'éviter la majoration du prix. Achetez directement de l'artiste ou du producteur, si vous le pouvez.

L'assurance vie avec valeur de rachat

Vous ne devriez pas utiliser l'assurance vie en tant qu'investissement, surtout si vous n'avez pas épuisé vos contributions à des régimes de retraite. Les assurances vie universelle, entière, ou à capital variable sont des assurances vie qui combinent une couverture d'assurance avec un compte ayant une valeur de rachat. Les agents d'assurance adorent vous les vendre en raison des commissions élevées qu'elles leur rapportent.

N'envisagez l'achat d'une assurance vie avec valeur de rachat que si vous souhaitez que les sommes assurées aident à payer vos impôts, en tout ou en partie, à votre décès. Vous augmenterez ainsi vos chances que certains de vos actifs soient transmis tels quels à vos héritiers, plutôt que d'être vendus pour aider à payer votre facture finale d'impôt. Dans ce cas, considérez la possibilité de nommer votre succession comme bénéficiaire de votre police. Cela vous garantira que l'argent des assurances sera utilisé pour acquitter votre facture d'impôt. Enfin, vous devriez évaluer la valeur de votre succession potentielle et le montant de la facture d'impôt anticipée afin de déterminer si le procédé est avantageux pour vos héritiers. (Voyez le chapitre 16 pour en savoir plus sur l'assurance vie et apprendre pourquoi l'assurance vie temporaire est celle qui convient le mieux à la grande majorité des gens.)

Chapitre 9

Investir dans les fonds communs de placement

*L*orsque vous investissez dans un fonds commun de placement, une société d'investissement met votre argent en commun avec l'argent de nombreux autres individus ayant des vues similaires aux vôtres et l'investit dans des actions, des obligations et d'autres titres. C'est une sorte de grand club d'investissement sans réunions, si l'on veut. Quand vous investissez dans un fonds commun de placement typique, il se peut que votre argent participe à des sommes pouvant atteindre plusieurs centaines de millions, voire un milliard de dollars.

Comprendre les avantages des fonds communs de placement

Au même titre que le four à micro-ondes, le DVD, les notes autocollantes, la pellicule plastique et, bien sûr, l'iPod, les fonds communs de placement font partie des inventions modernes les plus incontournables. Pour comprendre pourquoi et comment ils peuvent travailler pour vous, lisez les avantages suivants que vous procurent les fonds communs de placement :

✔ **Une gestion professionnelle.** Les fonds communs sont gérés par un gestionnaire de portefeuille et par une équipe de recherche dont le travail à plein temps consiste à scruter le monde de l'investissement afin de trouver les placements qui répondent le mieux aux objectifs énoncés par le fond. Les meilleurs professionnels appellent et visitent les sociétés, analysent les états financiers des entreprises et parlent avec les fournisseurs et les clients des entreprises. Bref, l'équipe effectue plus de travail et de recherches que vous ne pourriez jamais en faire dans vos temps libres.

Les gestionnaires de fonds sont généralement diplômés des écoles et des universités les plus respectées, où ils apprennent notamment les principes de gestion de portefeuille et d'évaluation et de sélection des titres. Les meilleurs gestionnaires de fonds ont habituellement au moins cinq ans d'expérience dans l'analyse et la sélection d'investissements, et plusieurs disposent de dizaines d'années de métier.

✔ **Des coûts modérés.** Les fonds communs de placement en actions les plus efficacement gérés coûtent moins de 2 % par année en frais (les obligations et les fonds du marché monétaire coûtent beaucoup moins cher). Parce que les fonds communs de placement achètent et vendent habituellement des dizaines de milliers d'actions d'un titre à la fois, les pourcentages de commissions que payent ces fonds sont généralement beaucoup plus bas que ce que vous payez pour acheter ou vendre quelques centaines d'actions par vous-même. En outre, lorsque vous achetez un fonds sans frais d'acquisition, vous évitez de payer les commissions de vente sur vos transactions. Nous discutons de ces types de fonds tout au long de ce chapitre.

✔ **La diversification.** L'investissement dans les fonds communs de placement vous permet d'atteindre un niveau de diversification qu'il serait difficile d'obtenir sans des dizaines de milliers de dollars et beaucoup de temps à consacrer. Si vous y allez seul, il faut investir de l'argent dans au moins 8 à 12 titres différents dans des secteurs variés pour vous assurer que votre portefeuille puisse supporter un ralentissement dans un ou plusieurs des investissements. Une bonne diversification permet à un fonds commun de placement d'obtenir le meilleur rendement possible au plus faible degré de risque possible compte tenu de ses objectifs. Il est à noter que, lors de chutes importantes de la Bourse, les investisseurs les plus malchanceux sont le plus souvent ceux qui ont placé leur argent dans quelques titres seulement, dont les cours ont par la suite plongé de 90 % ou plus.

✔ **Un investissement minimum modique.** Pour la plupart des fonds communs de placement, les exigences d'investissement minimum sont faibles, surtout si vous investissez par la voie d'un REER. Même si vous avez beaucoup d'argent à investir, vous devriez considérer les fonds communs de placement. Joignez-vous au nombre croissant d'entreprises et d'institutions qui se tournent vers les services de gestion à faible coût et de haute qualité que fournissent les bons fonds communs de placement.

L'essor de l'industrie des fonds communs de placement

Tout comme les ordinateurs ont remplacé les machines à écrire en raison de leur plus grande efficacité dans le traitement de texte, les fonds communs de placement sont devenus le pilier du portefeuille de nombreux investisseurs parce qu'ils sont plus faciles à choisir que les actions (car moins nombreux) et peuvent rendre l'investissement plus simple et plus clair. Côté sécurité, les fonds communs de placement réduisent pratiquement à zéro les risques associés à la faillite. Contrairement aux banques et aux compagnies d'assurance (qui ont connu des faillites et en connaîtront d'autres), les fonds communs de placement n'ont jamais flanché – et ne le feront sans doute jamais. La situation où la demande de remboursement (le passif) excède la valeur des placements d'un fonds (l'actif) ne peut pas se présenter avec un fond commun de placement.

La valeur d'un fonds fluctue en fonction de la valeur des titres dans lesquels il est investi. Mais cette variation ne mène pas à l'échec ou à la faillite d'une société de fonds communs de placement. En revanche, des centaines de banques et des dizaines de compagnies d'assurance sont tombées en Amérique du Nord ces dernières décennies. Les banques et les assureurs sont susceptibles de s'écrouler parce que leurs passifs peuvent dépasser leurs actifs. Lorsqu'une banque accorde des prêts trop nombreux qui tournent mal au moment où les déposants veulent récupérer leur argent, cette institution financière fait faillite. De même, si une compagnie d'assurance fait plusieurs mauvais investissements ou qu'elle sous-estime le nombre de réclamations qui seront faites par les détenteurs de polices d'assurance, elle aussi peut faire faillite.

D'autre part, vous n'avez pas à vous inquiéter, les sociétés de fonds ne vous voleront pas votre argent. Les titres spécifiques dans lesquels un fonds commun de placement est investi sont conservés par un dépositaire – un organisme distinct et indépendant de la société de fonds communs de placement. L'emploi d'un dépositaire vous garantit que la direction ne peut détourner vos fonds et utiliser les ressources d'un fonds à rendement élevé pour en subventionner un autre dont le rendement serait médiocre.

✔ **Des données vérifiées de rendements et de dépenses.** Dans leurs prospectus, tous les fonds communs de placement sont tenus de divulguer des données historiques sur les rendements, les charges d'exploitation et d'autres frais. L'Autorité des marchés financiers supervise ces divulgations afin de s'assurer de leur exactitude. En outre, plusieurs organisations (telles que GlobeFund et Morningstar) fournissent des rapports mensuels sur les statistiques des fonds, grâce auxquels on peut comparer les rendements, les risques et plusieurs autres facteurs.

✔ **La flexibilité du niveau de risque.** Parmi les différents fonds communs de placement, vous pouvez choisir un niveau de risque avec lequel vous êtes à l'aise et qui répond à vos objectifs personnels et financiers. Si vous voulez que votre argent fructifie sur une longue période de temps, vous avez avantage à choisir des fonds qui investissent principalement dans les actions. Si vous recherchez un revenu régulier et ne voulez pas d'investissements dont la valeur fluctue autant que les actions, peut-être les fonds obligataires, plus conservateurs, vous conviendront-ils mieux. Enfin, si vous voulez être sûr que votre capital investi ne perde pas de valeur (parce que vous prévoyez avoir besoin de votre argent à court terme, par exemple), vous pouvez alors opter pour un fonds du marché monétaire.

Les différents types de fonds

L'une des principales idées fausses véhiculées à propos des fonds communs de placement veut que ceux-ci soient tous investis dans les actions. Or, ce n'est pas le cas. Le tableau 9-1 illustre comment est réparti l'argent actuellement investi dans des fonds communs de placement.

Comme vous pouvez le constater, la plus grande partie n'est pas investie en actions. On entend parfois – même dans les médias – les gens parler des « risques » des fonds communs de placement, mais ces personnes ne tiennent pas compte du fait suivant : ces fonds ne sont pas tous égaux. Un fonds commun de placement est tout simplement un panier de placements. Et les types d'investissements qui sont mis dans ce panier peuvent varier, allant des actions à haut risque aux bons du Trésor à taux fixe garantis par le gouvernement. Et certains fonds, tels que les fonds du marché monétaire, ne présentent pratiquement aucun risque de diminution de la valeur de votre investissement.

Lorsque les sociétés de fonds commun de placement assemblent et commercialisent des fonds, les noms qu'ils donnent à leurs fonds ne sont pas toujours tout à fait exacts ou complets. Par exemple, un fonds d'actions peut ne pas être entièrement investi dans les actions. 20 % de ce fonds peut être investi dans des obligations. On ne doit pas non plus présumer qu'un fonds investit exclusivement dans des sociétés canadiennes, car il peut aussi bien investir dans des sociétés internationales.

Les dangers des fonds spéculatifs

Dans le monde financier, il est important de protéger ses investissements. On tente habituellement de se couvrir en faisant un deuxième investissement qui permettra de limiter ou de compenser les pertes au cas où le premier tournerait mal. Par exemple, supposons que vous estimiez qu'une action prendra de la valeur, mais que vous vous inquiétiez en même temps que certains événements puissent faire plonger son cours. Vous pouvez acheter les actions, mais en achetant aussi des options de vente sur celles-ci, ce qui vous donnera le droit de vendre vos actions plus tard à un prix fixé d'avance. Si vos actions s'apprécient ensuite comme vous l'espériez, vous réaliserez alors des bénéfices, bien que vous perdiez l'argent dépensé pour l'achat des options de vente. Si, par contre, le prix de vos actions devait chuter de façon spectaculaire, vos options de vente vous permettraient de les vendre au-dessus du prix du marché (plus bas), vous laissant ainsi un profit qui viendrait compenser (en totalité ou en partie) la perte sur les actions que vous avez détenues. Lorsque cette méthode est pratiquée à grande échelle avec un certain nombre d'investissements différents et par un gestionnaire de portefeuille professionnel, vous obtenez un fonds spéculatif (aussi appelé *fonds de couverture*).

Les fonds spéculatifs ont longtemps été des investissements marginaux réservés aux grandes institutions, aux individus très riches et à ceux qui recherchaient d'énormes potentiels de rendement pour lesquels ils étaient disposés à prendre des risques considérables. Toutefois, ces dernières années, on a commencé à commercialiser les fonds spéculatifs auprès des investisseurs ordinaires en tant qu'investissements ordinaires, alors que ces derniers, dans la plupart des cas, sont tout sauf ordinaires.

Les efforts de commercialisation sont en partie fondés sur la capacité supposée des fonds spéculatifs de produire des rendements positifs même lorsque les marchés d'actions ne progressent pas ou qu'ils régressent. Cela vient de leur caractère soi-disant neutre par rapport au marché, ce qui signifie qu'ils sont censés ne pas être influencés par le rendement global des marchés boursiers. Contrairement aux fonds communs de placement ordinaires, les gestionnaires de fonds spéculatifs ne s'attendent pas seulement à obtenir des rendements positifs rien qu'en plaçant de l'argent dans des investissements, mais ils s'attendent également à ce que la valeur de leurs placements s'apprécie. Les fonds spéculatifs peuvent aussi parier contre des investissements – et faire de l'argent si ceux-ci perdent de la valeur. Normalement, ils procéderont par vente à découvert. Le fonds vend à d'autres, au prix courant, des titres qui ne sont pas encore en sa possession. Si, tel qu'espéré, le prix des actions en question vient à chuter, les actions empruntées peuvent alors être remplacées par des actions achetées à bas prix sur le marché libre. C'est l'inverse d'une transaction normale. Par exemple, un investisseur qui croit que le prix va monter va acheter des actions à 10 $ chacune, en espérant que celles-ci s'apprécieront à 15 $, ce qui lui permettrait de réaliser un bénéfice de 5 $ par action. Un autre investisseur vend à découvert une quantité des mêmes actions à 10 $ chacune. Si le titre chute à 5 $, l'investisseur ayant vendu à découvert remplacera les actions empruntées (à 10 $ chacune) par des actions achetées à bas prix (5 $ chacune), réalisant ainsi un bénéfice de 5 $ par action. Quant à l'investisseur qui avait parié sur une hausse du titre, il sera perdant.

Cela sonne bien en théorie, mais en réalité le procédé ne fonctionne pas si bien ou n'est pas si rentable. Aucune méthode d'investissement n'est exempte de risque. Les gestionnaires de fonds spéculatifs ne peuvent pas éliminer tous les risques tout en continuant à produire de bons rendements. Alors il leur faut décider de ceux qu'ils sont prêts à prendre, pour ensuite acheter de l'assurance sous la forme de positions couvertes afin d'éliminer les risques auxquels ils ne veulent pas être exposés.

Les fonds spéculatifs comportent plusieurs inconvénients :

✔ Ils attirent les capitaux flottants, soit l'argent des investisseurs agressifs qui sont prompts à se retirer d'un investissement où les rendements sont ralentis autant qu'ils le sont à se jeter sur un investissement dont les chiffres à court terme sont supérieurs à la moyenne. Cela met beaucoup de pression sur les gestionnaires de fonds spéculatifs en les poussant à faire de gros paris sur les mouvements des prix à court terme afin d'augmenter leurs rendements, ce qui accroît le risque et la volatilité.

✔ Ils sont à la fois gérés agressivement et négociés activement, ce qui signifie que les investisseurs paient des frais importants aux gestionnaires de fonds spéculatifs. Habituellement, un fonds spéculatif facturera des frais de 2 % sur les actifs gérés, en plus de prendre 20 % de tous les bénéfices. Comme si cela n'était pas suffisant, de nombreux investisseurs individuels finissent par se faire vendre un assemblage de fonds spéculatifs dans le cadre d'un « fonds de fonds », avec les frais supplémentaires qui s'y rattachent.

✔ Ils engendrent souvent une augmentation de la facture fiscale pour les investisseurs, car ils enregistrent régulièrement des gains en capital imposables.

Vous aurez de la difficulté à dénicher un bon fonds spéculatif. Est-ce qu'un fonds spéculatif obtient des rendements impressionnants grâce à des gestionnaires vraiment talentueux, ou est-ce simplement qu'il traverse une période de chance qui risque de se terminer à tout moment ? En outre, la plupart des fonds spéculatifs présentent des données historiques s'échelonnant sur une courte période, ce qui complique la tâche d'identifier ceux qui ont prouvé qu'ils sont en mesure de produire de bons rendements à long terme. Et l'analyse de ces données historiques peut être trompeuse, car beaucoup de perdants s'effondrent et disparaissent.

Enfin, vous voudrez peut-être tenir compte de l'expérience qu'ont connue quelque 26 000 Canadiens avec la société Portus Alternative Asset Management. Fondée en 2002, Portus était l'un des fonds spéculatifs ayant connu la plus forte croissance au pays et comptait 800 millions de dollars d'actifs sous gestion au moment où, au début de 2005, des inquiétudes concernant des irrégularités comptables ont entraîné le gel des comptes de la société par les autorités de réglementation. Portus avait été activement promue par de nombreux conseillers financiers en raison des généreux frais qu'ils recevaient. Dans certains cas, on disait même aux investisseurs que Portus offrait des investissements à faible risque et des rendements stables.

Tableau 9-1 : Répartition des actifs des fonds communs de placement

Fonds	Pourcentage du total
hypothécaire	1 %
immobilier	0,5 %
du marché monétaire	9 %
de dividendes et de revenu	11 %
équilibré	21 %
d'actions américaines	6 %
d'actions canadiennes	23 %
d'obligations et de revenu	11 %
d'actions étrangères	16,5 %
d'obligations étrangères et de revenu	1 %

Note : La lecture des chapitres 7 et 8, qui donnent un aperçu des concepts et des véhicules de placement, facilite la compréhension du reste de ce chapitre.

Les fonds du marché monétaire

Les fonds du marché monétaire sont le type de fonds communs de placement le plus sûr pour les personnes qui ne souhaitent pas risquer de perdre leurs dollars investis. Les fonds du marché monétaire sont comme des comptes d'épargne en ce que la valeur de votre investissement initial ne fluctue pas. (Pour plus d'information sur les fonds du marché monétaire, veuillez vous référer au chapitre 8.)

Les fonds du marché monétaire présentent plusieurs avantages par rapport aux comptes d'épargne bancaires :

✔ Les meilleurs fonds du marché monétaire offrent des rendements plus élevés.

✔ Ils peuvent être utilisés à l'intérieur comme à l'extérieur des REER et d'autres régimes enregistrés d'épargne.

✔ Ils constituent un lieu d'entreposage pratique pour l'argent que vous avez mis de côté dans le but d'investir dans d'autres types de fonds communs de placement qu'il vous reste à choisir. Cela vous permet d'obtenir un bon rendement tandis que vous menez vos recherches ou que vous attendez le moment propice. Comme pour l'argent que vous déposez dans des comptes d'épargne bancaires, les fonds du marché monétaire sont appropriés pour l'argent que vous ne pouvez pas vous permettre de voir diminuer en valeur.

Les fonds d'obligations

Les obligations sont des reconnaissances de dette. Lorsque vous achetez une obligation nouvellement émise, vous prêtez habituellement votre argent à une société ou à un organisme gouvernemental. Un fonds commun de placement obligataire n'est rien d'autre qu'un gros paquet d'obligations.

Les fonds d'obligations investissent généralement dans des obligations de même échéance (le nombre d'années qui s'écoulent avant que l'emprunteur ne doive rembourser l'argent que vous lui prêtez). Les noms de la plupart des fonds d'obligations comprennent un ou deux mots qui fournissent des indices sur la durée moyenne de l'échéance de leurs obligations. Par exemple, un fonds obligataire à court terme concentre normalement ses placements dans des obligations arrivant à échéance dans les deux à trois prochaines années. Un fonds à moyen terme détient généralement des obligations qui arrivent à échéance dans les trois à dix ans. Quant aux fonds à long terme, leur durée est de plus de dix ans.

Contrairement à une obligation individuelle, que vous achetez et détenez jusqu'à son échéance, un fonds obligataire remplace constamment les obligations de son portefeuille de manière à maintenir son objectif d'échéance moyenne. Par conséquent, si vous savez qu'à une date donnée vous devez absolument pouvoir disposer d'une partie de votre capital investi, les obligations individuelles sont peut-être plus appropriées qu'un fonds d'obligations.

Les fonds d'obligations sont utiles lorsque vous souhaitez vivre de revenus de dividendes ou quand vous ne voulez pas mettre tout votre argent dans des placements plus risqués comme les actions et l'immobilier (peut-être parce que vous envisagez d'utiliser l'argent sous peu).

Les fonds d'actions

Les fonds communs de placement d'actions investissent en Bourse. Ils sont souvent classés selon le type d'actions dans lesquelles ils investissent principalement.

Les types d'actions se définissent d'abord par la taille de l'entreprise (petite, moyenne ou grande). La valeur marchande totale (capitalisation) des actions en circulation d'une société détermine sa taille. Les petites et moyennes entreprises canadiennes, par exemple, sont habituellement définies comme des sociétés ayant une valeur boursière de moins de 500 millions de dollars.

Les actions sont aussi classées selon leur rythme de croissance ou leur valeur. Les actions de croissance sont émises par des sociétés qui connaissent une expansion rapide de leurs revenus et de leurs profits, et dont les cours boursiers sont en général élevés par rapport à leurs bénéfices courants ou à leur valeur d'actifs (valeur comptable). Ces entreprises ont tendance à réinvestir la plupart de leurs gains dans leur infrastructure pour alimenter une expansion. C'est pourquoi les actions de sociétés en croissance (comme les sociétés technologiques) rapportent généralement peu ou pas de dividendes.

Les actions de valeur se situent à l'autre extrémité du spectre. Les investisseurs en actions de valeur recherchent les bonnes affaires. Ils veulent investir dans des actions qui sont bon marché par rapport à la valeur des actifs et aux bénéfices d'une société.

Ces catégories se combinent de diverses façons pour décrire comment un fonds commun de placement investit son argent. Un fonds peut se concentrer sur les actions de grandes sociétés en pleine croissance, tandis qu'un autre fonds se limitera aux actions de valeur de petites entreprises. Enfin, un fonds est aussi classé selon l'orientation géographique de ses investissements : canadien, américain, international, mondial, et ainsi de suite (voir la section suivante).

Les fonds de fonds

Un nombre croissant de fournisseurs de fonds répondent à des investisseurs dépassés par les centaines de fonds disponibles en offrant un moyen simplifié de construire un portefeuille : le fonds de fonds. Il s'agit d'un fonds commun de placement qui se diversifie dans de nombreux autres fonds communs de placement. Quand un fonds de fonds est bien conçu, il permet d'attirer l'attention des investisseurs des fonds sur une question importante : la vue d'ensemble de l'allocation d'actifs. Quelle part de votre argent à investir consacrerez-vous aux actions et quelle autre aux obligations ?

Bien que les meilleurs fonds de fonds semblent offrir des portefeuilles diversifiés de haute qualité d'un seul coup, ils ne sont pas tous créés égaux et ne sont pas tous dignes de vos dollars d'investissement. Certains fonds de fonds développés récemment par de grandes sociétés sont, dans l'ensemble, avantageux pour les investisseurs. Recherchez ceux qui ne facturent pas de frais supplémentaires pour l'assemblage des fonds individuels.

D'autres fonds de fonds qui facturent des frais élevés méritent un examen beaucoup plus critique. Certains d'entre eux facturent des frais d'exploitation annuels de 1 à 2 % qui s'ajoutent aux frais des fonds communs sous-jacents dans lesquels ils investissent. Lorsque vous additionnez le tout, investir dans les fonds communs de placement par la voie des fonds de fonds peut vous coûter annuellement un gros 3 à 4 % de vos soldes d'investissement.

Rappelez-vous que les rendements passés des actions sont en moyenne de tout juste 10 %. Alors, en payant de 3 à 4 % en frais, vous dites adieu à environ 30 à 40 % de vos rendements anticipés. Il n'est pas surprenant de constater qu'en termes de rendements, les fonds de fonds qui facturent des frais élevés accusent souvent du retard sur les indices des marchés.

Équilibrer les obligations et les actions : les fonds profilés

Les fonds profilés investissent dans un mélange de types différents de valeurs mobilières. Le plus souvent, ils investissent dans des obligations et des actions. Ces fonds sont généralement moins risqués et volatiles que ceux qui investissent exclusivement dans les actions. En période de ralentissement économique, les obligations conservent habituellement mieux leur valeur que ne le font les actions. Toutefois, durant les périodes économiques favorables où le marché boursier est en plein essor, la portion d'obligations de ces fonds a tendance à faire diminuer un peu les rendements de ces fonds.

Les fonds communs de placement profilés sont aussi connus sous les appellations *fonds équilibrés* et *fonds de répartition d'actifs*. Les fonds équilibrés s'efforcent généralement de maintenir un pourcentage relativement constant de placements en actions et en obligations. Les fonds de répartition d'actifs ont tendance à ajuster le mélange de leurs différents placements en fonction des prévisions boursières du gestionnaire de portefeuille. Évidemment, il y a des exceptions : certains fonds équilibrés effectueront des changements majeurs dans leurs allocations, alors que certains fonds de répartition d'actifs maintiendront un dosage relativement fixe. Il est important de noter que la plupart des fonds qui opèrent des changements fréquents dans l'allocation de leurs actifs, au lieu de rester dans de bons investissements, battent rarement la moyenne du marché sur un certain nombre d'années.

Les fonds profilés constituent une manière simple d'investir dans les fonds. Grâce à ceux-ci, vous profitez d'une diversification instantanée à travers une variété d'options d'investissement, au lieu d'avoir à faire le choix d'un fonds d'actions et d'un fonds d'obligations, par exemple. Les fonds profilés facilitent également la tâche aux investisseurs frileux, qui peuvent ainsi investir en Bourse tout en évitant la forte volatilité des fonds d'actions purs. Vous devez cependant savoir que ces fonds demandent habituellement des frais plus élevés, qui sont prélevés à même vos rendements.

Les fonds canadiens, américains, internationaux et mondiaux

À moins de contenir des mots comme *américain*, *international*, *mondial* ou *global* dans leur nom, la plupart des fonds concentrent leurs investissements au Canada. Toutefois, même des fonds qui n'auraient pas un de ces termes d'accolé à leur nom peuvent investir à l'échelle internationale.

La seule manière de savoir avec certitude où un fonds est actuellement investi (ou encore, où il pourrait ultérieurement être investi), c'est de le demander. Vous pouvez le faire en appelant le numéro sans frais de la société de fonds communs de placement qui vous intéresse ou en consultant le rapport annuel d'un fonds (que l'on trouve en général sur le site Web de la société de fonds), qui présente les détails des investissements du fonds.

Quand le nom d'un fonds comporte le mot «international», cela signifie généralement qu'il peut investir n'importe où dans le monde sauf au Canada. Les termes «mondial» et «global» impliquent habituellement qu'un fonds investit partout dans le monde, y compris au Canada. En général, nous recommandons d'éviter les fonds mondiaux ou globaux, pour deux raisons. Premièrement, il est difficile pour un gestionnaire de fonds de suivre en même temps et attentivement les mouvements des entreprises et des marchés financiers dans plusieurs parties du monde. Il est déjà bien assez compliqué de suivre les sociétés sur les marchés financiers du Canada et des États-Unis ou sur un marché international précis. Deuxièmement, la plupart de ces fonds facturent des frais d'exploitation élevés – parfois plus de 3 % par année – ce qui freine vos rendements.

Les fonds socialement responsables

Les fonds sélectifs se qualifient eux-mêmes de socialement responsables, un terme qui signifie différentes choses pour différentes personnes. Dans la plupart des cas, cependant, il implique que le fonds évite d'investir dans des sociétés dont les produits ou les services sont dangereux pour les personnes ou pour l'environnement – les fabricants de tabac, par exemple. Parce que les cigarettes et les autres produits du tabac tuent des centaines de milliers de personnes et coûtent des milliards de dollars en soins médicaux, la plupart des fonds socialement responsables rejettent les compagnies de tabac.

Cela dit, l'investissement socialement responsable présente tout de même quelques problèmes. Par exemple, votre définition de la responsabilité sociale ne correspond pas nécessairement à celle proposée par le gestionnaire financier en charge d'un fonds. De plus, même si vous arrivez à vous entendre sur ce qui n'est pas socialement responsable (comme la vente de produits du tabac), les fonds ne sont pas toujours aussi propres qu'on aimerait le croire. Ainsi, un fonds pourrait éviter les fabricants de tabac, mais investir chez les détaillants qui vendent des produits du tabac.

Si vous songez à investir dans un fonds socialement responsable, examinez les plus récents rapports annuels du fonds, qui répertorient ses investissements précis. Envisagez également de faire des dons directement à des organismes de bienfaisance, ce qui vous vaudra du même coup une déduction fiscale.

Les fonds indiciels

Les fonds indiciels sont des fonds qui peuvent être (et qui sont, pour la plupart) gérés par un ordinateur. Les actifs d'un fonds indiciel sont investis de manière à reproduire un indice de marché existant, tels que l'indice S&P/

TSX de la Bourse de Toronto ou le Standard & Poor's 500, un indice mesurant les rendements de 500 grandes sociétés américaines. Sur de longues périodes (dix ans ou plus), les fonds indiciels surpassent les rendements des trois quarts environ de leurs pairs ! Comment est-ce possible ? Comment un ordinateur qui fait des prédictions automatiques et prévisibles peut-il battre un gestionnaire de portefeuille créatif et talentueux possédant un MBA et travaillant avec une brillante équipe d'analystes de recherche qui scrutent les marchés pour y dénicher les meilleurs titres ? La réponse concerne principalement les coûts. L'ordinateur ne demande pas de salaire élevé ni de grand bureau confortable ni d'équipe d'analystes de recherche.

La plupart des gestionnaires de fonds ne peuvent surmonter le handicap des coûts d'exploitation élevés qui contribuent à diminuer leurs taux de rendement. Comme nous le voyons plus loin dans ce chapitre, les coûts d'exploitation comprennent tous les frais et les bénéfices qui sont prélevés par un fonds commun de placement sur les rendements d'un fonds avant que ne vous soit versée votre part de ces rendements. Par exemple, un fonds d'actions canadiennes moyen présente un ratio de coûts d'exploitation d'environ 2,5 % par année. Ainsi, un fonds indiciel d'actions canadiennes affichant un ratio de coûts d'exploitation de seulement 1 % par année offre un avantage de 1,5 % par année.

Comme autre avantage non négligeable, les fonds indiciels ne peuvent pas vraiment faire moins bien que le marché, alors que certains fonds ont des rendements inférieurs en raison du fardeau de leurs frais élevés et/ou de leur mauvaise gestion.

En ce qui a trait à l'argent investi en dehors des régimes de retraite, les fonds indiciels offrent un avantage supplémentaire : des distributions imposables plus basses sont versées aux actionnaires en raison du nombre réduit de transactions de titres et de la plus grande stabilité du portefeuille.

Certes, les fonds indiciels peuvent sembler ennuyeux. Lorsque vous y investissez, vous n'avez plus l'occasion de vous vanter auprès de vos amis des choix judicieux de placements qui vous ont permis de battre les moyennes du marché. D'autre part, avec un fonds indiciel à faible coût, votre risque de faire moins bien que le marché (ce que font plusieurs gestionnaires de fonds communs) est à peu près nul. Il arrive que les fonds indiciels se fassent battre par des fonds gérés efficacement, en particulier lorsque les marchés boursiers connaissent une baisse généralisée. Les fonds gérés activement peuvent conserver une partie de leurs actifs en espèces, ce qui signifie qu'ils conservent leur valeur lorsque les prix des actions chutent, alors que les fonds indiciels investissent habituellement tout leur capital.

Les fonds indiciels sont indiqués pour une partie de vos placements, car il est difficile pour les gestionnaires de portefeuilles de battre le marché. Les grandes banques ainsi que quelques-unes des familles de fonds sans (ou à faibles) frais d'acquisition offrent toutes des fonds indiciels. En particulier, les eFunds de la Banque TD – disponibles uniquement sur Internet – sont accessibles avec des frais minimes commençant à 0,3 %.

Les fonds spécialisés

Les fonds spécialisés ne s'inscrivent pas dans les catégories précédentes. Ces fonds sont aussi appelés «fonds sectoriels», car ils ont tendance à investir dans les titres d'industries spécifiques.

Dans la plupart des cas, vous devriez éviter d'investir dans les fonds spécialisés. L'investissement dans les actions d'un seul secteur va à l'encontre d'un principe important de l'investissement dans les fonds communs de placement : la diversification. Une autre bonne raison d'éviter les fonds spécialisés, c'est qu'ils tendent à facturer des frais beaucoup plus élevés que les autres fonds communs de placement.

Les fonds spécialisés qui investissent dans l'immobilier ou les métaux précieux peuvent être indiqués pour une petite partie (10 % ou moins) de votre portefeuille de placements. Ces types de fonds peuvent contribuer à la diversification de votre portefeuille, car ils résistent souvent mieux que d'autres aux périodes de forte inflation.

En ce qui concerne les valeurs technologiques, voici ce que nous avions à dire sur les fonds d'actions technologiques dans une édition précédente au début de l'année 2001 : «Soyez prudent avec les fonds technologiques qui ont eu le vent dans les voiles de la fin des années 1990 jusqu'au début 2000. Beaucoup de ces actions se vendent avec une prime importante. Lorsque vous investissez dans des fonds d'actions diversifiés, vous obtenez déjà beaucoup d'exposition au secteur des technologies.»

En 2003, les sociétés technologiques avaient perdu 80 % de leur valeur. Alors qu'elles ont depuis repris de la vigueur, les cours boursiers de nombreuses sociétés technologiques sont encore bien inférieurs aux sommets connus autour de l'an 2000.

Choisir les meilleurs fonds communs de placement

Lorsque vous partez en randonnée dans la nature, vous pouvez vous organiser de manière à maximiser vos chances de passer un bon moment. Vous apportez une carte pour vous orienter dans vos déplacements, des quantités suffisantes de nourriture adaptée, des vêtements appropriés pour rester au sec et au chaud, des articles de premiers soins pour traiter les blessures mineures, et ainsi de suite. Mais quelle que soit la préparation que vous faites, vous courez toujours le risque de connaître des problèmes : emprunter le mauvais sentier, vous briser une cheville sur un terrain accidenté, vous faire voler vos provisions durant la nuit par un ours en quête d'une collation.

C'est un peu la même chose avec les fonds communs de placement. Bien que la plupart des investisseurs soient récompensés pour leurs efforts, il n'y a pas de garanties. Vous pouvez toutefois suivre quelques lignes directrices simples et sensées qui vous aideront à rester sur la piste et à augmenter vos chances de réussir dans l'investissement et d'être heureux. Les questions abordées dans les sections suivantes sont celles que vous devriez prendre en considération.

La lecture des prospectus et des rapports annuels

Les sociétés de fonds communs de placement produisent des informations susceptibles de vous aider à prendre des décisions concernant vos investissements dans ces fonds. Chaque fonds est tenu de publier un prospectus. Ce document juridique est examiné et vérifié par les régulateurs des valeurs mobilières. Mais la plus grande partie de ce qui est écrit dans ces pages ne vaut pas le temps qu'il faut pour les lire.

Les renseignements les plus précieux – les objectifs de placement du fonds, les coûts et l'historique des résultats – sont résumés dans les premières pages du prospectus. Assurez-vous de bien lire cette partie. À moins de disposer d'un surplus de temps et de patience, vous pouvez le plus souvent laisser tomber le reste, qui se compose essentiellement de détails juridiques fastidieux.

Les fonds produisent également des rapports annuels qui examinent les comportements du fonds et fournissent des détails sur ses investissements spécifiques. Si, par exemple, vous voulez savoir dans quels pays investit un fonds international, vous trouverez cette information dans le rapport annuel du fonds.

Réduire les coûts au minimum

Les frais que vous payez pour acheter ou vendre des unités d'un fonds, ainsi que pour ses coûts d'exploitation permanents, peuvent avoir un impact important sur le taux de rendement que vous rapportent vos placements. De nombreux investisseurs débutants accordent trop d'attention aux rendements antérieurs d'un fonds (dans le cas de fonds d'actions) ou aux rendements courants d'un fonds (dans le cas de fonds obligataires). Or, il est dangereux de le faire, car un fonds peut gonfler ses rendements ou ses résultats de diverses façons (risquées). Et ce qui a fonctionné hier peut très bien échouer demain.

Une étude réalisée aux États-Unis par l'Investment Company Institute confirme ce que nous avons depuis longtemps remarqué chez les acheteurs de fonds : seulement 43 % des acheteurs de fonds interrogés prenaient la peine d'examiner les frais et les dépenses du fonds qu'ils finissaient par acheter. La majorité des acheteurs de fonds – 57 %, pour être précis – ne savaient pas combien les fonds leur facturaient pour gérer leur argent !

Les frais constituent un facteur important dans les rendements que vous récoltez d'un fonds commun de placement. Ils sont déduits de votre investissement. Toutes choses égales par ailleurs, les coûts d'exploitation élevés et les divers autres frais réduisent vos rendements. Quels sont les frais d'un fonds, demandez-vous ? Bonne question – vous obtiendrez les réponses en poursuivant votre lecture.

Éliminer les frais d'acquisition

Les frais d'acquisition sont les commissions versées aux courtiers qui vendent des fonds communs de placement. Ces frais consomment en général de 2 à 6 ou même 7 % de votre investissement. (73 % des acheteurs de fonds interrogés par l'Investment Company Institute ne savaient pas si les fonds qu'ils avaient achetés leur facturaient des commissions de vente !) Les frais d'acquisition présentent deux problèmes :

✔ **Les frais d'acquisition représentent un coût inutile qui vient diminuer les rendements de vos placements.** Parce que les commissions sont versées au vendeur et non au gestionnaire de fonds, le gestionnaire d'un fonds avec frais d'acquisition ne travaille pas plus fort et n'est pas plus qualifié que le gestionnaire d'un fonds sans frais d'acquisition. Le bon sens suggère, et les études le confirment, que les fonds avec frais d'acquisition obtiennent en moyenne de moins bons rendements que les fonds sans frais d'acquisition lorsque le calcul tient compte des frais de commission. Et n'allez pas croire qu'il est facile de repérer un fonds qui fait payer des frais d'acquisition. Tout comme certains bijoutiers essayent de vous refiler de faux diamants dans les publicités de fin de soirée à la télé, un nombre croissant de courtiers et de planificateurs financiers tentent de vous vendre des fonds soi-disant sans frais d'acquisition, alors ceux-ci sont simplement cachés.

« Détenez ce fonds pendant cinq à sept ans, vous chante le courtier, et vous n'aurez pas à payer les frais de rachat qui s'appliqueraient normalement au moment de la vente de l'investissement. » Bien que cette déclaration puisse être vraie, il est aussi probable que le fonds vous facture des frais d'exploitation permanents élevés (qui sont habituellement de 1 % de plus par année que ceux des vrais fonds sans frais d'acquisition), qu'il utilise pour payer la généreuse commission du vendeur. Donc, d'une façon ou d'une autre, le courtier obtient le paiement de sa commission à partir de vos dollars d'investissement. Les frais de rachat, ces commissions qui sont payables lors de la vente de vos unités d'un fonds, sont également appelés «frais d'acquisition reportés».

Le problème avec les frais d'acquisition reportés est que si vous voulez retirer votre argent de ces fonds tout simplement parce que vous en avez besoin, ou peut-être parce que les gestionnaires qui vous ont attiré vers ce fonds sont allés travailler ailleurs, vous êtes pénalisé.

✔ **L'influence de l'intérêt personnel peut biaiser les conseils de votre courtier.** Bien que cette question soit rarement abordée, elle est encore plus problématique que celle des frais de vente supplémentaires. Naturellement, les courtiers qui travaillent à la commission préfèrent vous vendre des produits d'investissement qui comportent une commission. Par conséquent, leurs intérêts entrent souvent en conflit avec les vôtres.

Alors qu'il est possible que vous soyez enlisés dans des dettes à taux d'intérêt élevés ou que vous sous-financiez votre plan de retraite, certains représentants ne vous conseilleront jamais de payer vos cartes de crédit ou de verser plus d'argent dans votre régime de retraite d'entreprise. Pour vous inciter à acheter, ils ont tendance à exagérer les bénéfices potentiels et à masquer les risques et les inconvénients des produits qu'ils vendent. Ils ne se donnent pas la peine d'éduquer les investisseurs. Nous avons vu trop de gens acheter des produits d'investissement auprès de courtiers sans comprendre ce qu'ils achetaient et sans connaître leur degré de risque ou l'incidence de ces investissements sur l'ensemble de leur vie financière.

Investissez dans les fonds sans frais d'acquisition (sans commission). La seule façon d'être certain qu'un fonds n'en comporte absolument aucun est d'examiner attentivement son prospectus. C'est seulement là, en noir sur blanc et sans battage publicitaire, que vous pouvez avoir l'heure juste en ce qui a trait aux commissions de ventes et aux divers autres frais. En outre, lorsque vous désirez obtenir des conseils d'investissement, embauchez un conseiller financier rémunéré à l'acte (voir le chapitre 18), ce qui vous coûtera sans doute moins cher, en plus de minimiser les conflits d'intérêts potentiels.

Si vous souhaitez acheter un fonds avec frais d'acquisition – et plusieurs bons choix s'offrent à vous – rappelez-vous que les frais exigés correspondent à la commission de vente maximale permise. Mais si vous avez suffisamment d'argent à investir, certains planificateurs et courtiers vous vendront des fonds avec frais d'acquisition à un coût moindre, voire sans aucune commission de vente, parce qu'aussi longtemps que vous laisserez votre argent dans leur fonds, ils recevront périodiquement une commission appelée «commission de suivi». Si vous optez pour un fonds avec frais d'acquisition, assurez-vous d'obtenir un service de haute qualité ainsi qu'une expertise et des conseils continus, car après tout, vous payez pour cela!

Minimiser les coûts d'exploitation

Tous les fonds communs de placement facturent des frais permanents. Ces frais servent à payer les dépenses résultant de l'exploitation quotidienne du fonds, les salaires des employés, la mise en marché, le service téléphonique sans frais, l'impression et la diffusion des documents publiés, l'entretien des ordinateurs utilisés pour le suivi des investissements et des soldes des comptes, les frais comptables, et ainsi de suite. En dépit du fait qu'ils sont appelés « dépenses », les profits qu'une société tire de la gestion d'un fonds sont aussi ajoutés aux frais.

Les coûts d'exploitation d'un fonds sont cotés selon un pourcentage annuel de votre investissement et sont essentiellement invisibles pour vous, parce qu'ils sont déduits avant que vous ne receviez votre part des bénéfices. Les frais sont facturés quotidiennement, il vous est donc impossible de sortir d'un fonds en espérant éviter de payer ces frais.

Les détails relatifs aux frais d'exploitation se trouvent dans le prospectus du fonds. Dans la section des frais (ou dépenses), cherchez une ligne qui dit quelque chose comme « Total des frais d'exploitation du fonds ». Vous pouvez également composer le numéro sans frais du fonds et poser vos questions à un représentant.

À l'intérieur d'un secteur donné des fonds communs de placement (le marché monétaire, les obligations à court terme, les actions internationales, par exemple), les fonds dont les frais d'exploitation annuels sont les plus bas peuvent plus facilement produire des rendements plus élevés pour vous. Bien que les frais entrent en considération dans tous les fonds, certains types sont plus sensibles que d'autres aux frais élevés. Les frais sont essentiels aux fonds communs de placement du marché monétaire et ils sont très importants pour les fonds obligataires. Les gestionnaires de fonds ayant déjà du mal à battre les moyennes sur ces marchés, il leur devient presque impossible de le faire avec des frais encore plus élevés.

Les frais des fonds d'actions constituent un facteur moins important (mais toujours considérable) dans le rendement d'un fonds. Il ne faut pas oublier que bon an mal an, les actions produisent des rendements annuels moyens d'environ 10 %. Ainsi, si un fonds d'actions facture 1 % de plus qu'un autre fonds en frais d'exploitation, vous perdez dès le départ 10 % de votre rendement anticipé.

Certaines personnes soutiennent que les fonds d'actions qui facturent des frais élevés peuvent être justifiés de le faire s'ils génèrent des rendements plus élevés. Mais rien ne démontre que ces fonds d'actions produisent des rendements supérieurs. En fait, les fonds dont les frais d'exploitation sont plus élevés tendent à produire des rendements inférieurs. Cette tendance est logique, puisque les dépenses d'exploitation sont déduites des rendements générés.

En règle générale, vous devriez vous en tenir à des fonds qui ont de faibles frais d'exploitation totaux et ne demandent pas de frais d'acquisition (commissions). Ces deux types de frais sortent de votre poche et contribuent à réduire votre rendement.

Vous n'avez aucune raison de payer trop cher pour accéder aux meilleurs fonds, comme le montre le tableau 9-2. (Dans les chapitres 11 et 12, nous proposons quelques recommandations précises de fonds, ainsi que des modèles de portefeuilles pour des investisseurs de situations différentes.)

Tableau 9-2 : Ratios des frais d'exploitation des fonds communs de placement

Type de fonds	Éventail des frais	Qui en offre de bons
Fonds du marché monétaire	0,4 % à 0,75 %	Legg Mason, McLean Budden, Phillips, Hager & North, Sceptre
Fonds obligataires	0,5 % à 1,6 %	Altamira, Banque de Montréal, Bissett, Legg Mason, Mawer, Phillips, Hager & North, RBC, TD
Fonds profilés	1,9 % à 2,5 %	AIM, Bissett, CI, Mawer, Saxon
Fonds d'actions canadiennes	0,3 % à 2 %	AGF, Banque de Montréal, Bissett, RBC, Saxon, Sceptre, TD
Fonds d'actions américaines	0,3 % à 2,5 %	AIC, Chou Associates, CI, McLean Budden, RBC, TD
Fonds d'actions internationales	0,5 % à 2,5 %	CI, CIBC, Mawer, Trimark
Fonds indiciels	0,3 % à 1,25 %	TD (particulièrement le fonds Série e à frais réduits), Altamira, Banque de Montréal, CIBC, Banque Nationale, RBC, Banque Scotia

Observer l'historique du rendement

Le rendement d'un fonds, ou l'historique de ses rendements, est un autre facteur à considérer lors du choix d'un fonds commun de placement. Comme tous les fonds communs de placement sont censés vous le dire, les rendements passés ne sont pas garants des rendements futurs. L'analyse de l'historique des rendements démontre en effet que certaines des étoiles du moment cessent de briller par la suite.

De nombreux anciens fonds à haut rendement ont obtenu leurs résultats en prenant des risques élevés. Les fonds qui prennent plus de risques produisent des rendements plus élevés. Mais les fonds à haut risque chutent habituellement plus rapidement durant les baisses importantes de marché. Ainsi, afin d'être considéré comme supérieur, un fonds doit constamment offrir un bon rendement compte tenu de l'ampleur du risque qu'il prend.

Au moment d'évaluer un fonds en particulier, comparez ses rendements et sa volatilité sur une période de temps prolongée (cinq à dix ans, idéalement) à un indice de marché pertinent. Par exemple, comparez des fonds qui se concentrent sur l'investissement dans les grandes entreprises canadiennes à l'indice composé S&P/TSX. Pour les grandes entreprises américaines, observez l'indice S&P 500, et pour les fonds qui investissent dans les actions américaines de toutes tailles, comparez à l'indice Wilshire 5000. Des indices existent également pour les obligations, les marchés boursiers étrangers et presque tout autre type de titre que vous puissiez imaginer.

Évaluer la réputation des gestionnaires et des familles de fonds

On se demande souvent qui, dans les faits, gère tel ou tel autre fonds commun de placement. Comme Peter Lynch, le célèbre gestionnaire du fonds Fidelity Magellan, maintenant à la retraite, a déjà déclaré : «La presse financière a fait de nous, les types de Wall Street, des célébrités, une notoriété qui ne nous revenait pas en réalité. On nous a élevés au rang de vedettes…»

Bien que le gestionnaire de fonds individuels soit important, aucun gestionnaire de fonds n'est une île. Les ressources et les capacités de la société mère sont tout aussi importantes. Les entreprises ne possèdent pas toutes les mêmes capacités et niveaux d'expertise en ce qui concerne les différents types de fonds. Ainsi, quand vous envisagez un fonds en particulier, examinez l'historique des rendements et des frais non seulement de ce fonds, mais aussi des fonds similaires proposés par la même société. Si les autres fonds similaires de la société ont mal fait ou si la société n'offre pas d'autres fonds du même type, vous êtes en droit de vous poser des questions. Sachez également que les fonds qui emploient des gestionnaires «vedettes» ont tendance à faire payer des frais plus élevés afin d'aider à payer leurs salaires.

Considérer l'impact fiscal

Les investisseurs oublient souvent de prendre en compte la question des conséquences fiscales lors de la sélection de fonds communs de placement qu'ils ont l'intention de détenir en dehors de leur REER ou de leur fonds enregistré de revenu de retraite (FERR). De nombreux fonds communs de placement réduisent les rendements de leurs actionnaires en raison de distributions imposables (gains en capital et dividendes). (Voir les sections «dividendes» et «gains en capital» plus loin dans ce chapitre.)

Les gains en capital des fonds communs de placement ont un impact significatif sur le taux de rendement après impôts des placements d'un investisseur. Tous les gestionnaires de fonds communs de placement achètent et vendent des actions au cours d'une année. Chaque fois qu'un gestionnaire de fonds commun de placement vend des titres, tous gains ou pertes relatifs à ces titres doivent être transférés aux porteurs de parts du fonds. Les titres vendus à perte peuvent contrebalancer les titres vendus à profit.

Quand un gestionnaire de fonds a de bons résultats, les investisseurs obtiennent un montant élevé de gains imposables. Ainsi, même si certains fonds peuvent prétendre produire des rendements totaux plus élevés, ce n'est pas nécessairement le cas après la prise en compte des impôts.

Choisir des fonds communs de placement qui minimisent les gains en capital vous permet de reporter l'impôt sur vos gains. En laissant votre capital continuer à s'accumuler comme il le ferait dans un compte de retraite, vous profitez d'un rendement total supérieur. Si vous êtes un investisseur à long terme, vous avez tout avantage à choisir des fonds communs de placement qui minimisent les gains en capital. Plus vous laissez votre investissement fructifier longtemps sans subir d'imposition, plus vous optimisez son potentiel d'appréciation et récoltez de bénéfices.

Les investisseurs qui achètent des fonds communs de placement à l'extérieur des régimes de retraite à l'abri de l'impôt devraient également tenir compte du moment de l'année où ils achètent des parts dans des fonds. Le mois de décembre est celui durant lequel les fonds communs de placement génèrent le plus de gains en capital. Lorsque vous procédez à un achat à la fin de l'année, demandez si et quand le fonds prévoit effectuer ses transactions qui produiront des gains (ou pertes) en capital. Envisagez de reporter l'achat de ces fonds à une date postérieure à la distribution.

Établir vos besoins et vos objectifs

Afin de sélectionner les fonds qui vous conviennent le mieux, vous devez d'abord connaître vos objectifs de placement et votre degré de tolérance au risque. Un fonds peut très bien être approprié pour votre voisin sans nécessairement l'être pour vous. Vous possédez un profil financier unique.

Vous avez déjà déterminé vos besoins et vos objectifs ? Parfait ! Si vous ne l'avez toujours pas fait, reportez-vous au chapitre 2. Cette étape est essentielle à la poursuite de votre démarche d'investisseur. Et ne manquez pas de vous renseigner sur les placements que vous comptez faire, car si vous ne comprenez pas les investissements dans lesquels vous vous embarquez, il vaut mieux ne pas entrer dans la danse.

Décrypter le rendement de votre fonds

Il y a fort à parier que lorsque vous regardez un relevé de vos fonds communs de placement, vous avez du mal à le déchiffrer. Il vous est peut-être difficile de comprendre comment se comportent vos placements. Comme la plupart des gens, vous voulez savoir combien vous avez gagné ou perdu sur votre investissement.

Vous ne pouvez pas simplement calculer votre rendement en comparant les cours actuels d'un titre du fonds à celui que vous avez initialement payé. Pourquoi cela ? Parce que les fonds communs de placement effectuent des versements de dividendes aux détenteurs de parts en plus d'enregistrer des gains (ou pertes) en capital, ce qui fait en sorte que vous obtenez une plus grande participation dans un fonds.

Les versements créent un problème de comptabilité, car ils réduisent la valeur du fonds. (Sans cela, vous n'auriez qu'à acheter vos titres juste avant qu'une distribution ne soit effectuée et ainsi réaliser immédiatement un profit.) C'est pourquoi le simple fait de suivre l'évolution de la valeur d'un fonds ne vous renseigne pas sur l'argent que vous avez gagné ou perdu

Imaginez que votre fonds commun de placement est comme un ballon gonflé d'hélium auquel est attachée une petite pierre. Le ballon (qui représente le cours du fonds) essaie de s'élever, mais la pierre (qui représente les distributions du fonds) l'empêche de le faire.

La seule façon de déterminer exactement combien vous avez gagné ou perdu sur votre investissement est de comparer la valeur totale actuelle de vos participations dans le fonds au montant total de votre investissement initial. Si vous avez investi des sommes d'argent à différents moments et que vous souhaitez prendre en compte le calendrier de vos divers placements, l'exercice devient plus compliqué. (Consultez le chapitre 19 pour connaître nos recommandations de logiciels d'investissement).

Le rendement total d'un fonds correspond à la variation en pourcentage de votre investissement sur une période donnée. Par exemple, un fonds peut vous dire qu'en 2008, son rendement total a été de 15 %. Par conséquent, si vous aviez investi 10 000 $ dans ce fonds, le dernier jour de l'année 2007, votre investissement aurait valu 11 500 $ à la fin de 2008. Pour connaître le rendement total d'un fonds, vous pouvez appeler le numéro sans frais de la société de fonds, visiter son site Web, ou consulter son rapport annuel.

Le rendement total d'un fonds dépend des trois composantes suivantes :

- ✔ Les intérêts et les dividendes
- ✔ Les gains (ou pertes) en capital
- ✔ Les variations du titre

Les intérêts et les dividendes

Tant les obligations que les actions peuvent générer des intérêts. Les dividendes, une seconde source de revenu, sont des versements provenant des actions détenues par un fonds. Lorsqu'un versement d'intérêts ou de dividendes est effectué, vous pouvez le recevoir en espèces (ce qui est bien si vous avez besoin de cet argent) ou en unités supplémentaires du fonds. Dans les deux cas, la valeur du fonds sera réduite d'un certain montant pour compenser les paiements. Alors si vous espérez faire fortune en achetant une grande quantité de titres d'un fonds juste avant que celui-ci ne procède à des distributions, c'est peine perdue, car vous paierez simplement plus d'impôt sur le revenu.

Si vous détenez vos fonds communs de placement à l'extérieur d'un régime de retraite, les intérêts et les dividendes sont tous deux imposables. Vous devrez payer de l'impôt sur vos gains, que vous les receviez en espèces ou que vous les réinvestissiez en unités supplémentaires du fonds.

Les intérêts sont imposables selon votre taux marginal d'imposition maximum. Les dividendes, cependant, sont imposés à un taux beaucoup plus faible grâce au crédit d'impôt pour dividendes. En conséquence, les fonds qui versent des dividendes constituent un bon choix si vous investissez pour gagner un revenu à l'extérieur des régimes à l'abri de l'impôt tels que les REER.

Les gains en capital

Quand un gestionnaire de fonds communs de placement vend un titre du fonds, les gains nets réalisés sur cette vente (la différence par rapport au prix d'achat) doivent être versés aux détenteurs de parts en tant que gain en capital. En règle générale, les fonds procèdent à une distribution de gains en capital une fois par année, en décembre, mais des versements peuvent également être effectués plusieurs fois par année.

Comme c'est le cas avec la distribution des dividendes, vous pouvez recevoir vos gains en capital en espèces ou en unités supplémentaires du fonds. Dans les deux cas, la valeur du fonds sera réduite afin de compenser pour les versements aux détenteurs.

En ce qui a trait aux fonds détenus en dehors des régimes de retraite, vos versements de gains en capital sont imposables. Et comme pour les dividendes, ces gains sont imposables, que vous les réinvestissiez ou non en unités supplémentaires du fonds. Si vous voulez éviter de faire un placement dans un fonds qui est sur le point d'effectuer une distribution de gains en capital, demandez à la société de fonds à quel moment elle procède aux distributions. Les versements de gains en capital augmentent votre impôt à payer de l'année courante pour les investissements effectués en dehors des régimes de retraite. (Nous traitons de ce sujet plus en détail au chapitre 12.)

Les variations du cours d'un titre

Vous faites aussi de l'argent avec un fonds commun de placement lorsque la valeur du titre augmente. C'est pareil à ce qui se produit quand vous investissez dans les actions ou dans l'immobilier. Si le fonds commun de placement vaut plus aujourd'hui que ce qu'il valait au moment où vous l'avez acheté, vous récoltez un profit (sur papier, du moins). Afin de réaliser ce profit, vous devez vendre vos titres de ce fonds.

Voici les composantes du rendement total d'un fonds :

Versements des dividendes et des intérêts + Gains en capital + Variations du cours du titre = Rendement total

Suivre et vendre vos fonds

C'est vous qui décidez du type de suivi que vous faites de vos fonds. Vous y allez selon ce qui vous satisfait et ce qui vous convient. Nous ne vous recommandons pas de suivre les prix unitaires de vos fonds (pas plus que ceux de vos autres investissements, d'ailleurs) sur une base quotidienne, car en plus de prendre beaucoup de temps, cela risque de devenir stressant et de nuire à la perspective à long terme qu'il est bon d'avoir sur vos investissements. Lorsque vous effectuez le suivi de vos placements de trop près, vous êtes davantage susceptible de paniquer quand les temps deviennent difficiles. De plus, en ce qui concerne les placements détenus hors des régimes de retraite, vous êtes frappé par l'impôt chaque fois que vous vendez un placement avec un bénéfice.

Une vérification mensuelle ou trimestrielle est plus que suffisante pour le suivi de vos fonds. Diverses publications indiquent les rendements totaux sur différentes périodes afin de vous aider à déterminer le taux de rendement précis de vos investissements.

Essayer de faire coïncider vos transactions sur les marchés de manière à acheter durant les baisses et vendre durant les hausses est une stratégie qui fonctionne rarement. Pourtant, toute une panoplie de lettres financières sur l'investissement, de services d'assistance téléphonique, de services-conseils en ligne et d'autres fournisseurs de recommandations prétendent être en mesure de vous dire à quel moment acheter ou vendre. Ne perdez pas votre temps et votre argent avec de telles inepties. (Voir le chapitre 7 pour plus d'informations à propos des gourous de l'investissement et des lettres financières.)

Vous devriez envisager de vendre un fonds lorsqu'il ne remplit plus les critères mentionnés dans la section «Choisir les meilleurs fonds communs de placement», plus haut dans ce chapitre. Si un fonds rapporte moins que ses pairs sur une période d'au moins deux ans ou s'il fait grimper ses frais de gestion, c'est peut-être le moment de vendre. Par contre, si vous faites vos devoirs et achetez de bons fonds chez des sociétés de fonds fiables, vous ne devriez pas vraiment avoir à faire de transactions.

Sélectionner des fonds et y investir ne relève pas du génie. Les chapitres 11 et 12 recommandent certains fonds communs de placement précis en se fondant sur les critères examinés plus haut dans ce chapitre.

Chapitre 10

Les régimes enregistrés d'épargne-retraite

Dans ce chapitre :

▶ Examiner les avantages des REER

▶ Savoir comment augmenter vos cotisations

▶ Évaluer vos options en vue de l'échéance de votre REER

L'expression «régime enregistré d'épargne-retraite» et l'acronyme «REER» font partie des termes financiers les plus connus. Pourtant, et c'est malheureux, peu de gens savent de quoi il s'agit réellement. En fait, un REER est une sorte de compte spécial dans lequel vous pouvez placer les placements canadiens et étrangers les plus populaires.

Pour la plupart des Québécois, contribuer à un REER constitue la façon la plus simple et la plus efficace d'épargner en vue de la retraite et de réduire l'impôt sur le revenu. Pour tirer le meilleur parti des REER, cependant, vous devez non seulement comprendre comment les utiliser, mais aussi ce qu'ils sont et en quoi ils sont si avantageux.

Comment fonctionne un REER

Le mot «enregistré» dans «régime enregistré d'épargne-retraite» signifie que vous avez conclu une entente avec le gouvernement. En «enregistrant» votre épargne-retraite auprès du gouvernement, vous vous engagez à mettre de l'argent de côté pour votre retraite sans y toucher. En contrepartie, le gouvernement vous offre deux avantages précieux :

✔ L'argent que vous cotisez à votre REER est déductible de votre revenu imposable. Cela signifie que toute partie de votre revenu que vous utilisez pour cotiser à votre régime d'épargne n'est pas imposée.

✔ Le gouvernement permet que l'épargne placée dans votre REER fructifie sans imposition. Tous les bénéfices de vos placements dans un REER ne sont pas imposables tant que vous n'aurez pas quitté votre régime et retiré vos fonds.

Les avantages combinés des cotisations déductibles d'impôt et de la croissance à l'abri de l'impôt contribuent à augmenter la valeur de votre épargne-retraite. Maintenant, examinons un peu l'ampleur de l'impact que peuvent avoir les REER sur votre capacité d'épargner pour l'avenir.

L'avantage des contributions à imposition différée

Les sommes que vous cotisez à un REER peuvent être déduites de votre revenu annuel avant que votre impôt sur le revenu ne soit calculé. Par exemple, disons que vous ayez gagné 50 000 $ et contribué 5 000 $ à votre REER. Si vous demandez 5 000 $ à titre de déduction dans votre déclaration d'impôt, votre impôt sur le revenu sera calculé comme si vous aviez gagné seulement 45 000 $ pour l'année visée.

Si par exemple vous vous situez dans une tranche d'imposition de 42 %, cela signifie que le gouvernement prend 42 cents du dernier dollar que vous gagnez dans l'année. En cotisant 1 000 $ à votre REER, vous vous épargnez 420 $ en impôt. Ainsi, vous contribuez 1 000 $ à votre REER en ne sortant que 580 $ de votre poche.

Comme le montre le tableau 10-1, les économies d'impôt réalisées grâce à des cotisations à un REER sont considérables, quelle que soit votre tranche d'imposition.

Tableau 10-1 : Avantage à court terme des contributions à imposition différée à un REER

Où	Montant investi	Taux d'imposition	Réduction d'impôt	Coût en dollars après imposition
Hors REER	5 000 $	Tous	0 $	5 000 $
Dans un REER	5 000 $	27 %	1 350 $	3 650 $
Dans un REER	5 000 $	38 %	1 900 $	3 100 $
Dans un REER	5 000 $	42 %	2 100 $	2 900 $
Dans un REER	5 000 $	46 %	2 300 $	2 700 $
Dans un REER	5 000 $	48 %	2 400 $	2 600 $

Les avantages des cotisations à imposition différée augmentent avec le temps. Disons que vous avez 35 ans et que vous investissez 5 000 $ de votre salaire de la présente année à l'extérieur d'un REER. En supposant que votre taux combiné fédéral et provincial d'imposition soit de 40 %, le fisc prélèverait 2 000 $ d'impôt, ce qui vous laisserait 3 000 $. Vous investissez aussitôt ces 3 000 $ dans un fonds commun de placement qui donne un rendement annuel composé de 10 %. Au bout de 30 ans, vous aurez amassé un montant de 52 000 $. (Cette somme ne tient cependant pas compte de l'impôt que vous auriez probablement à payer sur les distributions des gains en capital, des dividendes et des intérêts, ce qui réduirait votre rendement annuel composé moyen à l'extérieur d'un REER).

À présent, voyons quels seraient vos résultats si vous choisissiez de contribuer cette somme à un REER. Étant donné que le fisc ne prélève aucun impôt sur vos contributions, vous pouvez investir l'intégralité de vos 5 000 $. Cela vous donne déjà 2 000 $ de plus. (En réalité, vous payez de l'impôt sur votre revenu durant l'année. Mais à la fin de l'année, vous recevez un remboursement de 2 000 $ pour votre contribution de 5 000 $. Ainsi, vous ne sortez que 3 000 $ de votre poche pour en investir 5 000 $.)

Si vous investissez ces 5 000 $ dans le même fonds commun de placement mais dans le cadre d'un REER à un taux de rendement composé moyen de 10 % pendant 30 ans, vous vous retrouvez avec 87 000 $, soit près de 35 000 $ de plus que ce que vous auriez obtenu en plaçant l'argent dans un fonds commun de placement à l'extérieur d'un REER. Le tableau 10-2 montre à quel point les contributions versées dans un REER à l'abri de l'impôt peuvent être précieuses pour la croissance à long terme de votre épargne.

Tableau 10-2 : Bénéfice à long terme des contributions à imposition différée à un REER

Où	Épargnes	Disponible à l'investissement (à 10 % de rendement)	Valeur dans 30 ans
Dans un REER	5 000 $	5 000 $	87 000 $
Hors REER	5 000 $	3 000 $	52 000 $

Comme l'illustre le tableau 10-2, le message est simple : plus votre mise initiale est élevée, plus vous finissez par récolter d'argent au fil d'arrivée pour n'importe quel investissement donné.

La croissance composée à imposition différée

Si vous placez votre argent dans un REER, tous les bénéfices que vous récoltez sur cet argent ne sont pas imposés tant que vous ne les retirez pas de votre régime. Au fil du temps, cette croissance composée a pour effet de faire augmenter progressivement votre épargne retraite.

La croissance composée à imposition reportée a lieu lorsque les intérêts et les gains sur des investissements ne sont pas imposés et que la valeur totale de ces bénéfices est ajoutée au montant initial. Ce nouveau montant, plus élevé, produit alors encore plus de bénéfices, qui sont à leur tour incorporés au capital, et ainsi de suite. Avec le temps, l'effet composé se traduit par une croissance exponentielle. Que pouvez-vous espérer de la croissance composée de votre investissement ? Un bon critère à retenir est la « règle du 72 ». Prenez le nombre 72 et divisez-le par votre taux de rendement pour obtenir le nombre approximatif d'années qu'il faudra pour que votre investissement double sa valeur. Par exemple, un investissement produisant un rendement de 7 % doublera sa valeur en 10 ans environ.

Maximiser votre épargne REER

Vous n'avez qu'à suivre deux règles fondamentales pour faire de votre REER un investissement aussi lucratif que possible :

✔ Commencez à contribuer aussi jeune que vous le pouvez.

✔ Essayez de maximiser le rendement de votre REER.

Commencer jeune à cotiser à un REER

Votre REER a besoin d'une longue piste pour effectuer son décollage, mais une fois qu'il a pris son envol, il gagne rapidement de l'altitude. En commençant tôt dans votre vie à investir dans un REER, vous augmentez vos chances d'économiser plus d'argent en vue de votre retraite. Mais surtout, la croissance composée de votre argent investi se fera sur un plus grand nombre d'années.

Prenons le cas d'une personne qui commence à investir dans un REER à l'âge de 28 ans et qui verse des contributions annuelles de 2 000 $ jusqu'à ses 65 ans. Si cette personne place son argent dans une famille de fonds communs de placement offrant un rendement moyen de 10 %, le montant total accumulé sera d'environ 660 000 $.

Mais la même personne pourrait accumuler le même montant si dès l'âge de 21 ans, elle commençait à contribuer à un REER à raison de 2 000 $ par année, et ce, pendant sept ans seulement. (Voir le tableau 10-3.)

Vous avez par exemple 25 ans et n'avez que 1 000 $ par année à investir : placez-les dans un REER ! Si vous profitez d'un rendement annuel moyen de 10 %, vous aurez 45 000 $ de plus dans votre régime lorsque vous prendrez votre retraite à 65 ans.

Tableau 10-3 : Potentiel de rentabilité d'un REER quand on commence à cotiser jeune

Contribution annuelle	Âge au début	Âge à la fin	Nombre total d'années	Valeur finale à 65 ans
2 000 $	21	27	7	664 000 $
2 000 $	28	65	37	660 000 $

Note : le tableau 10-3 est établi d'après un taux annuel de rendement de 10 %.

La motivation pour cotiser à un REER

En examinant les avantages des cotisations à un REER, vous serez peut-être enclin à reconsidérer votre façon de dépenser et d'épargner. Disons par exemple que vous soyez en mesure de verser 6 000 $ chaque année dans un REER offrant un rendement moyen de 9 %. Au bout de 30 ans, vous aurez accumulé la somme impressionnante de 817 845 $.

Mais que se passe-t-il si vous ne cotisez annuellement que 4 500 $ à votre REER et que vous utilisez 1 500 $ par année pour prendre une semaine de vacances au soleil ? Vous disposerez tout de même de la rondelette somme de 613 384 $ à votre retraite. Mais si l'on observe un peu les choses sous un autre angle, on s'aperçoit qu'en choisissant d'aller vous faire bronzer chaque année pendant une semaine, vous disposerez de 200 000 $ de moins à votre retraite. La question est simple : quelles sont vos priorités ? Le choix vous appartient.

Des exemples comme ceux qui précèdent sont couramment utilisés pour vendre les mérites des contributions précoces à un REER. Par contre, si vous n'êtes plus si jeune, de tels exemples peuvent être déstabilisants. En effet, si vous ne connaissiez pas les avantages des REER quand vous étiez plus jeune ou si vous ne disposiez pas de suffisamment d'argent pour y investir, il est possible qu'il vous soit navrant de constater l'ampleur des économies d'impôt et de la croissance composée dont vous n'avez pas bénéficié. Quoi qu'il en soit, il n'est jamais trop tard pour rectifier le tir. En remaniant un peu le dicton, on dirait : aujourd'hui est le premier jour du reste de votre vie financière !

Accroître vos rendements

Le choix de placements appropriés est essentiel à l'optimisation de la croissance de votre REER. Et plus il vous reste d'années à cotiser avant votre retraite, plus un accroissement de vos rendements, ne serait-ce que de 1 ou 2 %, vous sera profitable.

Si par exemple vous contribuez 5 000 $ par année à votre régime durant 30 ans à un rendement moyen de 8 %, la valeur finale de votre investissement sera d'un peu plus de 566 000 $.

Mais quel résultat obtiendriez-vous si vous mettiez un peu plus de temps à choisir vos placements REER et que vous parveniez à obtenir un rendement de 9 % par année, soit seulement 1 % de plus ? Au bout de 30 ans, votre régime vaudrait plus de 681 000 $.

Ainsi, en augmentant le rendement de votre fonds de seulement 1 %, vous récolteriez 115 000 $ de plus ! (Voir le tableau 10-4.)

Tableau 10-4 : Bénéfices d'un placement rentable : croissance d'une contribution annuelle de 5 000 $

Durée du placement	Valeur à un taux de rendement de 8 % par année	Valeur à un taux de rendement de 9 % par année
5 ans	29 924 $	29 333 $
10 ans	72 433 $	75 965 $
30 ans	566 416 $	681 538 $

Éprouvez-vous de la difficulté à trouver l'argent nécessaire à votre contribution maximale au moment de la date limite de cotisation à votre REER ? Si oui, essayez le mode des déductions automatiques. Vous pouvez demander à votre institution financière ou à votre fournisseur de REER de prélever un certain montant de votre compte bancaire à intervalles réguliers – le jour de paye, par exemple. De cette manière, vous serez en mesure d'effectuer votre contribution maximale, si vous en avez les moyens, et vous serez peut-être étonné de la quantité d'argent que vous aurez ainsi épargnée.

Comprendre les règles de contribution

Tant que vous avez 71 ans ou moins et que vous recevez des revenus provenant d'un emploi, de l'exploitation d'une entreprise, ou même des revenus locatifs nets – c'est-à-dire, aussi longtemps que vous avez un revenu gagné – vous pouvez généralement cotiser à un REER. Il n'y a pas de condition d'âge minimum ; même un enfant peut avoir un REER, du moment qu'il ou elle reçoit un revenu gagné.

Vérifier les limites de cotisation

Trois facteurs déterminent le montant maximum qu'il vous est permis de cotiser à votre REER au cours d'une année quelconque.

✔ **Le plafond de cotisation à un REER dans une année.** Le montant maximum pour l'année d'imposition 2009 est de 21 000 $, et en 2010, il sera de 22 000 $. Depuis 2006, le montant maximum absolu est indexé, ce qui signifie qu'il est augmenté au même rythme que la hausse du coût de la vie.

Si vous ne cotisez pas le montant total auquel vous êtes autorisé pour une année donnée, ou que vous ne versez aucune contribution, la portion inutilisée peut être reportée et utilisée au cours des années subséquentes. Par exemple, si vous pouviez contribuer 7 000 $ cette année et que vous avez contribué 5 000 $ seulement, il vous restera 2 000 $ en *droits inutilisés de cotisation* à utiliser dans les années futures. Si l'année prochaine, vos revenus vous donnent droit à une cotisation de 10 000 $, le montant total que vous pourrez contribuer à votre REER pour l'année en question sera de 12 000 $ (vos droits totaux de cotisation), soit les 2 000 $ de cotisation admissible reportée (vos droits inutilisés de cotisation) de l'année précédente additionnés à la contribution admissible de 10 000 $ (vos nouveaux droits de cotisation) pour l'année en cours.

✔ **Vos revenus.** La cotisation maximale admissible à votre REER pour une année donnée est également limitée à 18 % de votre revenu gagné de l'année précédente, jusqu'à concurrence de certains plafonds (voir l'encadré « Qu'est-ce qu'un revenu gagné ? » pour plus d'informations sur les revenus gagnés admissibles). Ainsi, votre cotisation maximale admissible pour l'année d'imposition 2009 serait de 18 % de votre revenu gagné dans l'année 2008.

✔ **Le fait de bénéficier ou non d'un régime de retraite d'entreprise ou d'un régime de retraite à participation différée aux bénéfices.** Le gouvernement procède à une estimation de la valeur de la pension que vous avez accumulée l'année précédente. Ce montant, appelé « facteur d'équivalence » (FE), est soustrait du montant le moins élevé de la cotisation maximale admissible ou de 18 % de votre revenu gagné, pour arriver à votre plafond de cotisation à un REER.

Au printemps ou à l'été de chaque année, le fisc envoie à tous les contribuables un avis d'imposition pour l'année précédente. Votre plafond de cotisations pour l'année en cours est inscrit dans la section «État du maximum déductible au titre des REER». Par exemple, si vous avez produit votre déclaration de revenus 2008, vous trouverez le montant de votre cotisation admissible pour l'année 2009 sur votre avis d'imposition, que vous devriez avoir reçu entre mai et juillet 2009.

Vérifiez votre cotisation maximale admissible afin de vous assurer que le gouvernement a bien évalué le montant. Si le montant fourni par le fisc est trop élevé et que vous cotisez un montant dépassant votre plafond de cotisation admissible, vous risquez de devoir payer une pénalité. Si le montant indiqué est trop faible, votre régime en souffrira parce que vous n'aurez pas maximisé votre contribution.

Qu'est-ce qu'un revenu gagné ?

Il est probable que vous croyez savoir ce que vous gagnez comme revenus, cependant, l'idée que vous vous en faites ne concorde pas nécessairement avec celle de nos gouvernements. Lorsqu'il s'agit de déterminer quels sont vos «revenus gagnés», certains types sont à prendre en compte, d'autres pas.

Les revenus gagnés comprennent principalement les sources de revenus suivantes :

✔ Les salaires

✔ Les revenus nets de travailleur autonome

✔ Les primes et commissions

✔ Les revenus nets d'entreprise

✔ Les pensions alimentaires imposables pour ex-conjoint ou pour enfant (reçues)

✔ Les revenus locatifs nets

✔ Les redevances

✔ Les rentes d'invalidité versées en vertu du Régime de pensions du Canada ou du Régime de rentes du Québec

✔ Les revenus de régimes de participation aux bénéfices pour employés

✔ Les revenus de prestations d'assurance emploi

✔ Certains types de revenus d'emploi imposables, dont les prestations d'invalidité et de maladie

Les éléments suivants réduisent vos revenus gagnés :

✔ Les pensions alimentaires déductibles pour ex-conjoint ou pour enfant (versées)

✔ La plupart des dépenses déductibles reliées à l'emploi, y compris les frais de déplacement

✔ Les pertes locatives

✔ Les cotisations syndicales ou professionnelles

Enfin, il existe de nombreux types de revenus qui sont tout simplement exclus de vos revenus gagnés. En plus de la plupart des revenus de placement, y compris les intérêts, les dividendes et les gains en capital, plusieurs autres sources de revenu ne font pas partie de vos revenus gagnés : les prestations de retraite, les allocations de retraite ou les indemnités de départ, les prestations de décès et l'argent reçus d'un REER, d'un FERR ou d'un régime de participation différée aux bénéfices.

Calculer votre cotisation admissible

D'abord, il faut savoir que le gouvernement fixe un plafond absolu aux contributions que toute personne peut verser annuellement dans son REER, sans égard aux situations individuelles.

Si vous n'avez pas de régime de retraite d'entreprise, la cotisation maximale que vous êtes autorisé à verser dans votre REER pour toute année donnée correspond au plus bas des deux montants suivants :

✔ La cotisation maximale admissible pour une année donnée (voir la section précédente), ou

✔ 18 % de votre revenu gagné de l'année précédente

(Si aucun membre de votre famille n'a de régime de retraite d'entreprise, vous pouvez passer à la section suivante. Dans le cas inverse, veuillez poursuivre.)

Si vous bénéficiez d'un régime de retraite ou d'un régime à participation différée aux bénéfices (RPDB), le gouvernement réduit le montant qu'il vous permet de cotiser à un REER. La raison en est simple : parce que vous avez d'autres sources de revenu de retraite, vous ne devriez pas profiter du même allègement fiscal que le contribuable n'ayant pas d'autre régime de pension.

Le gouvernement réduit par ailleurs votre contribution maximale admissible par la valeur attribuée aux contributions que vous et votre employeur versez à votre régime de retraite d'entreprise ou à votre RPDB. Ce montant, appelé facteur d'équivalence (FE), dépend du type de régime auquel vous participez.

Votre facteur d'équivalence est alors soustrait de 18 % de votre revenu gagné pour établir votre cotisation maximale à un REER. Votre facteur d'équivalence est inscrit sur le feuillet T4 que vous recevez normalement à la fin du mois de février de chaque année. En général, plus vos contributions à votre régime sont élevées, plus votre facteur d'équivalence est élevé, et plus votre cotisation maximale admissible est diminuée.

Si vous participez à un régime de retraite à prestations déterminées

Avec un régime de retraite à prestations déterminées, le montant que vous recevez à votre retraite est établi d'après vos années de service et votre niveau de revenu. Si vous participez à ce type de régime, votre facteur d'équivalence est fondé sur un calcul de la valeur future attribuée à votre régime pour l'année d'emploi précédente. Votre cotisation maximale pour 2009, par exemple, serait de 18 % de votre revenu gagné de 2008, jusqu'à un maximum de 18 000 $, moins votre FE de 2008.

Si vous bénéficiez d'un régime de retraite à cotisations déterminées

Sous ce type de régime de retraite, votre facteur d'équivalence correspond au montant total combiné de vos contributions et de celles de votre employeur à votre régime pour l'année précédente. Votre cotisation maximale pour 2009, par exemple, serait de 18 % de votre revenu gagné de 2008, pour un maximum de 18 000 $, moins l'ensemble des cotisations versées à votre régime pour l'année 2008 (votre FE).

Si vous bénéficiez d'un régime de retraite à participation différée aux bénéfices (RPDB)

Si votre employeur verse en votre nom de l'argent dans un régime de retraite à participation différée aux bénéfices, votre facteur d'équivalence est égal au montant total des cotisations versées l'année précédente (jusqu'à la cotisation maximale admissible pour un RPDB). Par exemple, votre plafond pour 2009 serait de 18 % de votre revenu gagné de 2008, jusqu'à un maximum de 18 000 $, moins votre FE de 2008.

La date limite de cotisation

Pour toute année d'imposition donnée, vous êtes libre de verser une contribution à tout moment jusqu'au soixantième jour inclusivement de la prochaine année. Le dernier jour où vous pouviez cotiser pour l'année d'imposition 2008, par exemple, était le 1er mars 2009. Bien sûr, vous pouviez contribuer dès le 1er janvier 2008. La seule exception est que, dans l'année où vous atteignez 71 ans, vous devez cotiser à votre régime avant le 31 décembre.

La seule chose positive concernant les cotisations de dernière minute, c'est qu'elles vous donnent une bonne poussée d'adrénaline. Mais pensez à ceci : en planifiant bien et en versant vos cotisations à l'avance, vous gagnerez probablement assez d'argent en intérêts supplémentaires au fil des années pour vous payer des heures de bungee jumping et de saut en parachute qui vous donneront des tas de sensations fortes à votre retraite (attention à l'infarctus).

En février de chaque année, les gens sont nombreux à se précipiter pour payer leurs cotisations à un REER avant la date limite. Malheureusement, les contributions placées à la hâte sont souvent faites sans tenir compte des options de placement.

Si vous ne pouvez pas éviter de déposer vos contributions à la dernière minute, essayez de ne pas prendre de décision d'investissement importante. Envisagez de placer votre argent dans un fonds du marché monétaire ou d'autres véhicules sûrs qui vous donnent un accès facile à votre argent, et transférez ensuite cet argent dans des placements à meilleur rendement, mais seulement quand vous aurez le temps et l'énergie de bien examiner vos options. En évaluant avec soin vos placements REER, vous pouvez considérablement augmenter la valeur de votre régime, ce qui se traduit directement en milliers de dollars de revenus de plus pour vivre pendant votre retraite.

Retirer de l'argent de votre REER

Il n'est pas nécessaire d'être à la retraite pour accéder aux fonds de votre régime. Vous êtes autorisé à retirer l'argent de votre REER quand bon vous semble. Lorsque vous le faites, cependant, le gouvernement voudra percevoir les taxes qu'il n'avait pas précédemment prélevées sur vos contributions.

Quand vous retirez de l'argent de votre REER, le fournisseur du régime est tenu de retenir l'impôt sur vos retraits.

Et quand vous produisez votre déclaration de revenus, vous devez déclarer vos retraits en tant que revenus pour l'année où vous avez retiré l'argent de votre régime. Pour la majorité des gens, cela signifie des impôts supplémentaires à payer, parce que dans la plupart des cas les taux de retenue sont inférieurs au taux marginal d'imposition.

Les taux de retenue d'impôt sont calculés sur chaque retrait. Si vous le pouvez, effectuez des retraits de votre REER par montants séparés d'au plus 5 000 $ chacun, afin de minimiser le montant de la retenue d'impôt.

Tirer profit d'un REER de conjoint

Un REER de conjoint peut aider à réduire la facture d'impôts à venir de votre ménage si vous êtes marié ou vivez en union libre et que vous prévoyez qu'il y aura un écart important entre vos revenus et ceux de votre conjoint ou conjointe lorsque vous serez tous deux à la retraite.

Un REER de conjoint est tout simplement un type particulier de REER auquel un conjoint verse des cotisations pour lesquelles il bénéficie de déductions fiscales. Toutefois, l'argent appartient alors à l'autre conjoint. (Bien que ce changement officiel de propriétaire inquiète certains partenaires potentiellement intéressés par cette façon de faire, il n'y a rien à craindre, en réalité. Dans la plupart des cas, l'argent placé dans un REER est simplement considéré comme faisant partie de vos actifs combinés et si vous deviez un jour vous séparer, il serait réparti également entre vous et votre conjoint.) Un REER de conjoint vous permet de faire passer certains revenus futurs des mains de la personne située dans la tranche d'imposition la plus élevée à celles du conjoint ayant le plus faible revenu de retraite, soit celui qui se situe dans une tranche d'imposition inférieure.

Vous devez connaître certaines règles particulières. Les contributions totales versées par un conjoint à la fois à son propre REER et à celui de son ou de sa partenaire ne peuvent dépasser la contribution maximale admissible pour cette personne. En outre, il existe des restrictions visant à empêcher que le conjoint au revenu le plus élevé cotise au REER de l'autre conjoint, profitant ainsi d'une déduction fiscale calculée à partir d'un taux d'imposition marginal supérieur, pour que le conjoint bénéficiaire retire ensuite l'argent de ce régime à un taux marginal d'imposition moindre. Si vous cotisez à un REER de conjoint, l'argent appartient immédiatement à votre conjoint. Cependant, s'il ou elle retire toute somme de ce régime au cours de l'année de la cotisation ou des deux années civiles suivantes, le retrait est considéré comme étant fait par vous, le contributeur, et il est imposé selon votre taux marginal. (Cette règle ne s'applique pas si vous et votre époux ou votre épouse êtes séparés ou divorcés.)

Enfin, depuis 2007, le 31 décembre de l'année où vous atteignez 71 ans est la date limite à laquelle vous pouvez cotiser à vos REER. Toutefois, si à partir de ce moment vous avez des revenus gagnés dans une année, vous pouvez toujours cotiser au REER de votre partenaire aussi longtemps qu'il ou elle n'a pas atteint 71 ans et profiter d'une déduction d'impôt.

Prestations de retraite et plafonds de cotisations

Parfois, les prestations de retraite d'un régime à prestations déterminées sont améliorées de façon rétroactive. Si cela se produit, votre plafond de cotisations REER pourrait être réduit par le facteur d'équivalence pour services passés (FESP).

En revanche, il se pourrait aussi que votre plafond de cotisations soit augmenté. Par exemple, vous travaillez pour une entreprise offrant un régime de retraite. De ce fait, votre plafond de cotisations REER est réduit par votre facteur d'équivalence. Cependant, il se peut que vous quittiez l'entreprise avant d'avoir acquis vos droits au régime de retraite. Dans ce cas, afin de vous rendre une partie des droits de cotisations REER qui vous avaient été enlevés en raison des avantages de votre participation à un régime de retraite d'entreprise, vous bénéficieriez du facteur de rétablissement. Ce dernier augmente vos cotisations maximales admissibles à un REER pour l'année où vous quittez l'emploi en question.

Connaître les différents types de REER

REER et Régime enregistré d'épargne-retraite, qui ne sont pas des appellations particulièrement éclairantes, désignent en plus une réalité aux formes diverses. En effet, les REER se divisent en trois types principaux : les régimes garantis, les régimes placés dans des fonds communs de placement, et les REER autogérés ou ouverts auprès d'un courtier. Les noms des REER sont souvent en partie dictés par l'institution financière qui les offre. (Vous pouvez obtenir un REER à peu près partout : banque locale, société de fiducie, maison de courtage, compagnie d'assurance, caisse populaire Desjardins, société de fonds communs de placement.) Voici une brève description de chacun de ces types de REER.

Les REER garantis

Les régimes garantis sont en fait des REER investis dans des placements où votre capital est protégé, comme les certificats de placement garantis (CPG). Lorsque vous procédez de la sorte, vous prêtez votre argent à une banque ou autre institution financière en échange de paiements d'intérêts réguliers. Les régimes garantis rapportent des rendements fixes, et votre argent, s'il est investi dans des CPG, est habituellement protégé par la Société d'assurance-dépôts du Canada.

Les REER de fonds communs de placement

Ce type de REER est un investissement dans des fonds communs de placement. Il y a deux grands avantages à opter pour ce type de régime. D'abord, en utilisant les fonds commun, vous pouvez investir votre argent en actions et en obligations, dont les rendements, à long terme, battent aisément ceux des placements garantis. Deuxièmement, en souscrivant un REER auprès d'une société de fonds communs de placement, vous avez la possibilité de diversifier votre placement en mettant vos économies dans différents types de fonds gérés par la même société. Certaines sociétés de fonds communs de placement exigent des frais annuels de fiducie allant de 25 à 50 $ par année pour les comptes REER.

Les REER autogérés et les REER souscrits auprès d'un courtier

Le troisième type de REER comprend les régimes autogérés et les REER que vous souscrivez auprès d'un courtier en valeurs mobilières. Ce type de régime vous permet d'investir dans un large éventail de placements. En plus des CPG et des fonds communs, vous pouvez investir dans les actions, dans les obligations individuelles ainsi que dans de nombreuses autres valeurs mobilières.

Vous pouvez souscrire un régime autogéré auprès de la plupart des courtiers traditionnels et des courtiers à escompte. Certaines de ces sociétés perçoivent des frais annuels tournant autour des 100 $. Quelques institutions sont toutefois disposées à réduire ou à éliminer leurs honoraires pour les régimes autogérés. Les courtiers à escompte gérés par les grandes banques et sociétés de fiducie renonceront souvent aux frais pour la première année des nouveaux régimes. Si l'on vous facture des frais, assurez-vous de les payer à partir de votre épargne régulière, et non à même les fonds de votre régime.

Liquider votre REER

Vous devez encaisser ou convertir votre REER à la fin de l'année durant laquelle vous atteignez 71 ans. Vous pouvez verser une contribution finale à votre régime cette année-là, mais au lieu d'avoir jusqu'à 60 jours de l'année suivante pour le faire, votre date limite pour cette dernière cotisation est le 31 décembre.

Décider du moment de liquider votre régime et de la manière de convertir vos fonds sont deux des plus importantes décisions financières que vous aurez à prendre au cours de votre vie. En orchestrant bien vos opérations et en faisant des choix judicieux, vous vous retrouverez peut-être dans une situation plus avantageuse que vous ne l'auriez espéré. Toutefois, si vous prenez vos décisions à la dernière minute sans avoir d'abord fait vos devoirs, votre manque d'application pourrait vous valoir un niveau de vie inférieur à celui dont vous auriez pu profiter.

Alors que vous pouvez liquider votre REER avant l'année de vos 71 ans, la meilleure stratégie pour la plupart des gens consiste à laisser son REER intact le plus longtemps possible. C'est presque toujours le cas si vous décidez de le transformer en un fonds enregistré de revenu de retraite (FERR). Si vous choisissez la voie de la rente viagère, il peut alors être avisé de liquider votre régime un an ou deux avant son échéance, car si les taux d'intérêt sont relativement élevés, vous pourriez obtenir un rendement supérieur à la moyenne.

Puis-je avoir plus d'un REER ?

Vous n'êtes pas limité à un nombre précis de REER. Vous pouvez par exemple souscrire à une poignée de REER investissant chacun dans différents types de placements et dans différentes entreprises. Il y a cependant quelques inconvénients à détenir plusieurs régimes : la paperasse risque d'être pénible à gérer ; il peut se révéler difficile de suivre en même temps tous ces placements ; et si vous investissez dans un certain nombre de sociétés de fonds communs de placement, le total des frais de fiducie à payer est susceptible d'augmenter.

Transformer votre REER : vos trois options

Trois options s'offrent à vous au moment où votre REER arrive à échéance. La première consiste à encaisser vos fonds : vous retirez tout votre argent de votre REER et vous en disposez comme bon vous semble. Mais si vous le faites, le fisc considérera la somme totale de votre régime comme un revenu imposable pour l'année du retrait. La facture d'impôt qui résulterait de cette opération pourrait ainsi vous coûter le tiers ou même la moitié de votre épargne-retraite, d'un seul coup. Aïe !

Bien plus pratique, votre deuxième option est d'utiliser votre argent pour souscrire à une rente. Pour ce faire, vous transférez vos fonds de retraite dans une institution financière (une compagnie d'assurance, en général), qui vous verse ensuite des sommes régulières pour une durée prédéterminée, qui peut aller de dix ans au reste de votre vie.

La troisième option, qui est souvent la meilleure, consiste à convertir votre REER en une autre sorte de régime enregistré qui continue de jouir d'impôt différé. La seule condition de ces comptes, appelés fonds enregistrés de revenu de retraite (FERR) est de retirer un montant minimum chaque année.

Mais vous n'êtes pas limité à l'une seulement de ces trois options. Vous pouvez choisir de diviser votre REER pour recourir à deux ou même trois de ces différentes stratégies.

Pour faire le choix qui convient le mieux à votre situation particulière, vous devez tenir compte de beaucoup plus que les rentrées d'argent que vous apportera chacune des options. Chaque stratégie comporte une charge fiscale particulière et un calendrier différent en ce qui a trait aux impôts à payer. En outre, il vous faut décider si vous voulez avoir accès à vos fonds et déterminer le degré de contrôle que vous souhaitez avoir sur la manière dont vos fonds sont investis. Enfin, chaque option offre différents niveaux de protection en ce qui concerne la succession et les prestations aux survivants.

Le Fonds enregistré de revenu de retraite (FERR)

Le FERR est semblable à un REER à bien des égards. D'abord, le FERR permet à votre argent de continuer à fructifier à l'abri de l'impôt. Ensuite, vous pouvez investir vos fonds dans la plupart des placements admissibles aux REER, des fonds du marché monétaire jusqu'aux actions individuelles. De plus, comme c'est le cas avec les REER, vous pouvez avoir un, deux, ou une poignée de FERR différents.

La seule différence notable entre un FERR et un REER est que vous n'êtes pas autorisé à verser d'argent dans votre FERR. À l'inverse, vous êtes obligé de retirer un montant minimum chaque année.

Ces retraits minimum annuels doivent commencer l'année suivant l'établissement de votre FERR. Vous pouvez choisir des paiements mensuels, trimestriels, semestriels ou annuels. En outre, vous n'êtes pas tenu de prendre vos paiements en espèces : vous pouvez retirer tout placement de votre FERR sans avoir le vendre. Toutefois, il vous faudra payer de l'impôt sur la juste valeur marchande du placement au moment du retrait, comme si vous aviez reçu ce montant à titre de revenu.

Le principal avantage d'un FERR est que vous restez aux commandes de votre capital : c'est vous qui décidez comment et où investir votre argent. Ce contrôle vous donne les meilleures chances d'obtenir des rendements satisfaisants. Vous pouvez d'ailleurs investir dans les actions et les obligations.

Avec les FERR, vous décidez également du montant des revenus que vous recevez annuellement. Tant que vous retirez les minimums requis, vous pouvez prendre aussi peu ou autant que vous le souhaitez dans une année donnée. Si vous avez une rentrée d'argent imprévue, vous pouvez ne retirer que le minimum requis et laisser le capital de votre FERR continuer à fructifier à l'abri de l'impôt. En cas d'urgence médicale, par exemple, vous pouvez rapidement disposer de tout l'argent qu'il vous faut.

En règle générale, les FERR sont un bon choix si vous :

- ✔ aimez gérer votre argent.

- ✔ recevez des prestations de retraite indexées provenant d'un régime d'entreprise qui vous garantissent un niveau de revenu de base.

- ✔ n'avez pas immédiatement besoin de puiser dans vos fonds. Un autre avantage du FERR est que vous pouvez le convertir en rente à tout moment, alors que la rente est un contrat à vie (une fois que vous achetez une rente, vous ne pouvez plus revenir en arrière). De plus, avec un FERR, vous avez davantage de contrôle sur ce qui arrive à votre argent à votre décès.

Retraits minimums d'un FERR

Avant 1993, vous deviez avoir retiré tout votre argent de votre FERR dès que vous atteigniez 90 ans. Les règles ayant changé en 1992, vous pouvez maintenant conserver votre FERR aussi longtemps que vous vivez. Si vous avez ouvert un FERR avant 1993, vos retraits minimums sont établis selon les règles d'avant 1993 jusqu'à ce que vous atteigniez 78 ans ou, si vous avez une conjointe ou un conjoint ou plus jeune, jusqu'à ce qu'elle ou il atteigne 78 ans.

Vos retraits minimums correspondent à un pourcentage de la valeur marchande de votre FERR à la fin de l'année précédente. C'est votre âge au 1er janvier de cette année qui détermine ce pourcentage (voir le tableau 10-5).

Tableau 10-5 : Retraits minimums d'un FERR

Âge en début d'année	Ouvert avant 1993	Ouvert en 1993 ou après
64	3,85 %	3,85 %
65	4,00 %	4,00 %
66	4,17 %	4,17 %

Tableau 10-5 : Retraits minimums d'un FERR (suite)

Âge en début d'année	Ouvert avant 1993	Ouvert en 1993 ou après
67	4,35 %	4,35 %
68	4,55 %	4,55 %
69	4,76 %	4,76 %
70	5,00 %	5,00 %
71	5,26 %	7,38 %
72	5,56 %	7,48 %
73	5,88 %	7,59 %
74	6,25 %	7,71 %
75	6,67 %	7,85 %
76	7,14 %	7,99 %
77	7,69 %	8,15 %
78	8,33 %	8,33 %
79	8,53 %	8,53 %
80	8,75 %	8,75 %
81	8,99 %	8,99 %
82	9,27 %	9,27 %
83	9,58 %	9,58 %
84	9,93 %	9,93 %
85	10,33 %	10,33 %
86	10,79 %	10,79 %
87	11,33 %	11,33 %
88	11,96 %	11,96 %
89	12,71 %	12,71 %
90	13,62 %	13,62 %
91	14,73 %	14,73 %
92	16,12 %	16,12 %
93	17,92 %	17,92 %
94 et plus	20,00 %	20,00 %

Les rentes

Lorsque vous utilisez votre REER pour acheter une rente, vous transférez les fonds de votre REER à une institution financière (en général une compagnie d'assurance), qui vous les rend ensuite graduellement sous forme de versements mensuels. Vous ne payez pas d'impôt sur les fonds de votre REER au moment où vous les transformez en rente. Cependant les paiements réguliers de la rente sont imposables et traités par l'Agence du revenu du Canada et par Revenu Québec comme des revenus de retraite. Si ne disposez d'aucun autre revenu de retraite, vous serez admissible à un crédit d'impôt sur le revenu de retraite.

La décision la plus importante lors de l'achat d'une rente concerne la durée de l'étalement de vos paiements. Une option consiste à choisir une rente à durée fixe (ou rente certaine) qui vous verse des paiements sur un nombre précis d'années, comme 5, 10 ou 20. Une fois cette période écoulée, vos paiements cessent et votre rente est totalement épuisée. Vous pouvez aussi opter pour une rente à vie (ou rente viagère). Dans ce cas, vos paiements se poursuivent aussi longtemps que vous vivrez ou que votre conjoint vivra.

Si vous choisissez de recevoir une rente viagère, le montant de vos versements dépend de votre âge et de votre sexe. Les hommes ayant tendance à mourir un peu plus jeunes que les femmes, leurs paiements de rente viagère sont généralement plus élevés parce que les fonds devront durer moins d'années. Ensuite, plus vous êtes jeune, moins vos paiements seront élevés, parce que (nous vous le souhaitons) ils devront s'étaler sur de nombreuses années.

Il y a d'autres aspects à considérer dans le choix de votre rente. Si vous achetez une rente viagère et que vous décédez la semaine suivante, c'est la compagnie d'assurance qui garde tout votre argent. Mais en optant pour une rente garantie, vous vous assurez que si vous décédez avant qu'un certain nombre d'années ne se soient écoulées, les paiements se poursuivront et seront versés à vos bénéficiaires. Vous pouvez également choisir de faire augmenter progressivement vos paiements d'année en année. Ces rentes indexées font en sorte que votre revenu annuel suive l'inflation.

Toutes les données concernant le montant et la durée de vos paiements ainsi que les différentes options désirées sont prises en compte dans les calculs complexes effectués par les actuaires, ces mandarins du monde de la comptabilité. Une fois que vous avez choisi vos options, les calculs de vos paiements sont exécutés en utilisant les statistiques d'espérance de vie et les probabilités de votre décès à différents âges (le genre de détails qu'il n'est pas vraiment nécessaire de connaître…). Il est important de savoir qu'après avoir officiellement choisi vos options, il n'est plus possible de les changer : elles resteront les mêmes jusqu'à ce que votre contrat de rente se termine, soit à votre décès, soit au décès de votre conjoint ou conjointe, si vous avez inclus la clause du conjoint survivant.

Évidemment, les options telles que l'indexation et les garanties ont un prix. Puisque ces caractéristiques impliquent que la compagnie d'assurance devra probablement payer plus longtemps, vos mensualités seront plus basses que si vous choisissiez une rente de base, sans garantie.

La rente représente habituellement un choix approprié si :

✔ Votre famille dispose d'une épargne-retraite modeste qui doit absolument durer un certain nombre d'années, surtout si vous êtes jeune et que vos antécédents familiaux laissent croire que vous vivrez probablement longtemps.

✔ Vous avez besoin de la tranquillité d'esprit qu'apporte le fait de savoir combien d'argent vous aurez pour vivre.

✔ Vous ne voulez pas avoir à prendre des décisions périodiques concernant la façon d'investir votre argent.

Les rentes comportent également un certain nombre d'inconvénients, dont ceux-ci :

✔ Vous perdez tout contrôle de votre épargne.

✔ Votre taux de rendement est fixé lors de l'achat de votre forfait et sera probablement plus faible que ce que vous pourriez récolter en investissant dans de bons fonds communs de placement. Si de nouvelles possibilités d'investissements profitables se présentent, vous ne pourrez pas en profiter.

✔ Si vous n'acceptez des paiements plus bas en contrepartie d'une rente indexée, il est possible que vous connaissiez une diminution de votre pouvoir d'achat dans l'éventualité d'une inflation marquée.

✔ Si vous ne prenez pas de garantie ou si vous décédez après l'expiration de la période de garantie, votre famille ou vos bénéficiaires n'obtiendront rien à votre décès.

✔ Le plus grand inconvénient en ce qui concerne les rentes est que vous perdez toute influence sur la façon dont votre argent est investi et sur les rendements qu'il rapporte. De plus, si vous voulez que votre rente à augmente avec le coût de la vie, vous devez accepter une réduction de vos paiements initiaux.

✔ Une autre solution consiste à transférer l'argent directement de votre fonds de retraite d'entreprise à un fonds enregistré de revenus de retraite (FERR) particulier appelé «fonds de revenu viager» (FRV). Comme dans le cas d'un FERR, chaque année, vous devez retirer un minimum prédéterminé équivalent à un pourcentage des fonds de votre FRV. Toutefois, le FRV est assorti d'un plafond annuel de retrait, contrairement à un FERR. Quoi qu'il en soit, au plus tard le 31 décembre de l'année où vous aurez 71 ans, vous devez transférer votre CRI ou votre RERI dans un FRV.

Débloquer les REER et les comptes de retraite immobilisés

Si vous quittez une société et que vous participiez à son régime de retraite, il se peut que vous ayez droit à vos prestations de retraite. Toutefois, il se peut aussi que vous n'ayez pas accès à ces avantages en raison de la réglementation régissant les régimes de retraite. Dans ce cas, la valeur du droit à la pension que vous aviez acquise dans la caisse de retraite de votre employeur peut être transférée dans un type particulier de REER appelé « REER immobilisé » (RERI) ou dans un compte de retraite immobilisé (CRI). Les retraits d'un compte immobilisé sont généralement soumis aux mêmes règles que les régimes de retraite. Par exemple, il est possible que vous ne soyez en mesure de prendre le contrôle de cet argent que dix ans avant l'âge de retraite prévu dans le régime de pension.

Chapitre 11

Investir dans les régimes de retraite

· ·

Dans ce chapitre :

▶ Déterminer la façon d'affecter de l'argent aux REER et autres régimes de retraite

▶ Savoir quels placements éviter dans les REER et les régimes de retraite

▶ Transférer votre régime de retraite à une nouvelle société

· ·

Ce chapitre vous aide à décider comment investir l'argent que vous détenez actuellement dans un REER ou un autre régime de retraite – ou l'argent que envisagez de contribuer à de tels régimes.

Quand on les compare à l'univers souvent implacable de l'investissement à l'extérieur des comptes de retraite, les placements dans les régimes de retraite à l'abri de l'impôt – les REER, les FERR et les régimes d'entreprise – sont moins compliqués pour deux raisons :

> ✔ **La gamme des placements de retraite possibles est plus limitée.**
> Les placements directs, comme dans l'immobilier et dans les petites entreprises privées, ne sont habituellement pas disponibles ou accessibles dans la plupart des régimes de retraite.

> ✔ **Lorsque vous investissez dans un régime de retraite à l'abri de l'impôt, vos bénéfices ne sont pas imposés à mesure que vous les récoltez.**
> L'argent placé dans ces régimes, capital et intérêts, fructifie sans imposition. En général, vous ne payez des impôts sur cet argent que lorsque vous le retirez de ces comptes. (Les transferts directs à des régimes de retraite enregistrés dans une autre société n'étant pas des retraits, ils ne sont pas imposés.) Ainsi, lorsque vous choisissez un investissement pour votre régime de retraite, ne vous cassez pas la tête à propos des gains en dividendes et en capital; c'est la question de vos placements à l'extérieur des comptes de retraite qui devrait vous inquiéter.

Affecter de l'argent à des régimes de retraite

Avec raison, les gens s'inquiètent quant il s'agit d'investir l'argent de leurs régimes de retraite dans des placements dont la valeur risque de diminuer. Certains ont l'impression de jouer de l'argent destiné à leur âge d'or.

Afin d'assurer leur sécurité financière à la retraite, la plupart des travailleurs doivent faire en sorte de faire fructifier le plus possible leurs économies. Mais pour ce faire, il faut prendre certains risques, c'est inévitable. Heureusement, si vous disposez de 15 à 20 ans ou plus avant d'avoir besoin de puiser dans la majeure partie de votre patrimoine de retraite, le temps est de votre côté. Tant que la valeur de vos placements a le temps de récupérer, qu'importe si certains de vos placements baissent un peu sur une année ou deux. Plus vous avez d'années devant vous avant la retraite, plus vous pouvez vous permettre de prendre des risques.

La section du chapitre 7 portant sur la répartition de l'actif peut vous aider à décider comment distribuer votre argent entre les différentes options d'investissement en fonction de votre échéancier et de votre tolérance au risque.

Comprendre la différence entre un REER et les placements à l'intérieur d'un REER

Les placements et les types de comptes sont des questions différentes. Les gens sont parfois confus quand ils discutent des placements qu'ils effectuent dans leurs régimes de retraite, notamment les REER. Souvent, ils ne se rendent pas compte que l'on peut détenir un REER dans une variété d'institutions financières (une société de fonds communs de placement, une agence immobilière, par exemple). Dans chaque institution financière, vous choisissez parmi les possibilités d'investissement de l'entreprise celle où vous ferez fructifier l'argent de votre REER.

Les fonds communs de placement et les courtiers à escompte sans frais d'acquisition (sans commission) représentent votre meilleur choix quand il s'agit d'établir un REER. Pour de plus amples détails, voyez nos recommandations au chapitre 9.

Privilégier les cotisations retraite

Lorsque vous avez accès à différents régimes de retraite, privilégiez d'abord les comptes qui vous offrent les meilleurs rendements. Vos premières cotisations devraient aller dans un régime d'entreprise où l'employeur contribue la même somme que vous à votre régime. Ensuite, cotisez à tout régime de retraite d'entreprise où les contributions sont déductibles d'impôt ou à un REER. Après avoir cotisé les montants maximums admissibles à ces régimes déductibles d'impôt, envisagez d'investir dans une rente (voir la section portant sur les rentes plus loin dans ce chapitre).

Répartir votre argent lorsque l'employeur choisit les options de placement

Dans certains régimes parrainés par l'entreprise, vous êtes limité aux options de placement prédéterminées qu'offre l'employeur. Dans les sections suivantes, nous discutons des options typiques de placement des régimes d'entreprise par ordre de risque croissant et, donc, de rendement probable. Ensuite, nous présentons des exemples de façons de répartir votre argent entre les différents types d'options des régimes de retraite d'entreprise les plus courants.

Les comptes du marché monétaire et les comptes d'épargne

Pour ce qui est des contributions régulières qui sont prélevées sur votre chèque de paie, l'option du compte d'épargne ou du marché monétaire n'a pas beaucoup de sens. Certaines personnes qui sont frileuses à l'idée d'investir dans le marché des actions et des obligations sont attirées par le marché monétaire et les comptes d'épargne pour la raison que ces derniers ne peuvent pas baisser en valeur. Cependant, leurs rendements sont faibles. Si faibles, en fait, que vous courez le risque que votre placement ne suive pas l'inflation et qu'une fois les impôts payés (au moment du retrait de votre argent du régime de retraite), il ne vous reste plus assez d'argent pour assurer vos vieux jours.

Ne cédez pas à la tentation de stationner votre argent dans un fonds du marché monétaire jusqu'à ce que vous estimiez que les prix des actions et des obligations sont suffisamment bas pour acheter. À long terme, cela vous nuira. Comme nous le disons au chapitre 7, il est impossible de coordonner vos placements dans le but de profiter des hauts et des bas des marchés. Si vous savez comment y parvenir, vous perdez votre temps dans votre emploi actuel : vous pourriez faire une fortune en tant que gestionnaire de portefeuille professionnel !

Il se peut que vous deviez avoir recours à l'option de placement dans le marché monétaire si vous vous prévalez de la possibilité d'emprunt qu'offrent certains régimes de retraite. Vérifiez auprès du service des avantages sociaux de votre entreprise pour en apprendre davantage. À votre retraite, vous pourriez choisir d'utiliser le marché monétaire pour placer des fonds que vous avez l'intention de retirer et de dépenser au cours des deux années suivantes.

Les fonds communs d'obligations

Les fonds communs d'obligations (que nous décrivons au chapitre 9) investissent dans un mélange d'obligations de qualité généralement élevée. Les obligations payent un taux d'intérêt et des dividendes plus élevés que les fonds du marché monétaire. Selon que votre régime offre un fonds à court terme ou à long terme (peut-être propose-t-il plus d'un type), le rendement courant du fonds obligataire est probablement d'un ou deux points de pourcentage de plus que celui d'un fonds du marché monétaire.

Si les fonds d'obligations offrent des rendements supérieurs à ceux des fonds du marché monétaire, ils comportent aussi un risque plus grand, parce que leur valeur est susceptible de diminuer si les taux d'intérêt augmentent. Toutefois, les obligations ont tendance à être plus stables en valeur que les actions.

Les jeunes investisseurs audacieux devraient conserver une part relativement faible de leurs placements dans les fonds obligataires. Les investisseurs plus âgés qui veulent investir prudemment peuvent quant à eux placer une plus grande partie de leur argent dans les obligations (consultez la section qui traite de la répartition des actifs, au chapitre 7).

Les certificats de placement garanti (CPG)

Les CPG sont garantis par une banque, une société de fiducie ou compagnie d'assurance, qui vous proposeront normalement un taux de rendement projeté allant de six mois à cinq ans ou plus. Le rendement positif d'un CPG est, comme son nom l'indique, garanti. Il n'y a donc pas d'incertitude, comme c'est souvent le cas avec les placements en actions et en obligations.

L'attrait de ces placements réside dans le fait que la valeur de votre compte ne fluctue pas (du moins, rien que vous ne puissiez remarquer). Habituellement, les institutions financières investissent votre argent dans les obligations, principalement, mais parfois aussi un peu dans les actions. Le profit de l'émetteur se trouve dans la différence entre ce que ces placements génèrent et ce qu'ils paient en intérêts. Le rendement d'un CPG est en général comparable à celui d'un fonds obligataire.

Pour les personnes qui sont portées à tirer la manette d'éjection dès le moment où la valeur d'un fonds obligataire glisse un peu, les CPG sont apaisants pour les nerfs. En outre, ils offrent des rendements clairement supérieurs à ceux des comptes d'épargne et du marché monétaire.

Comme les obligations, toutefois, les CPG ne vous donnent pas d'occasion de croissance à long terme. À longue échéance, vous devriez obtenir un meilleur rendement en optant pour un mélange de placements en obligations et en actions. Avec les CPG, vous payez pour la tranquillité d'esprit d'un rendement garanti, mais plus faible à long terme.

Les fonds de placement équilibrés

Les fonds de placement équilibrés investissent surtout dans un mélange d'actions et d'obligations. Ce concept de placements diversifiés « tout-en-un » rend l'investissement plus facile et adoucit les fluctuations de la valeur de vos placements – les fonds qui investissent exclusivement en actions ou en obligations étant moins stables. Vous pouvez placer une partie importante des fonds de votre régime de retraite dans ces fonds, qui constituent un choix solide. Les fonds équilibrés comportent toutefois l'inconvénient de porter des frais de gestion relativement élevés. Veuillez vous reporter au chapitre 9 pour en apprendre davantage sur les fonds équilibrés.

Les fonds communs de placement d'actions

Les fonds communs de placement d'actions investissent dans les actions, qui offrent souvent un plus grand potentiel de croissance à long terme, mais également des fluctuations de valeur plus marquées d'année en année. Certaines entreprises proposent un certain nombre de fonds d'actions différents, y compris des fonds qui investissent à l'étranger. La plupart des investisseurs devraient détenir une bonne quantité de fonds d'actions. Voir le chapitre 9 pour une explication des différents types de fonds d'actions ainsi que pour plus de détails sur la façon d'évaluer un fonds d'actions.

Des actions de la société pour laquelle vous travaillez

Certaines entreprises offrent aux employés la possibilité d'investir dans le capital de la société. Nous préconisons généralement d'éviter cette option pour la simple raison que vos revenus futurs et autres avantages sociaux dépendent déjà du succès de la société. Dans l'éventualité où celle-ci devait décliner et disparaître, vous perdriez votre emploi et vos avantages sociaux. Il serait imprudent de faire reposer la valeur de votre régime de retraite sur les mêmes facteurs.

Souvenez-vous du brouhaha du début des années 2000, alors que des sociétés comme Enron faisaient faillite et que leurs salariés perdaient des montagnes d'argent dans leurs régimes d'épargne-retraite. La faillite d'Enron en soi n'aurait pas dû causer de problèmes directs à ceux qui avaient de l'argent dans le régime de retraite de l'entreprise. Le problème, c'est que les employés d'Enron étaient tenus de détenir des quantités importantes d'actions de la société. Ainsi, lorsque la société a coulé, les employés ont perdu leur emploi ainsi qu'une grande partie de leur épargne de retraite.

Si vous pensez que votre société est bien gérée et que ses actions sont viables, il n'y a pas de mal à y investir une partie de votre fonds de retraite – mais pas plus de 25 %. Maintenant, si votre entreprise est sur le point d'atteindre un sommet et que ses actions s'apprêtent à grimper, vous vous en voudrez peut-être de n'avoir pas acheté davantage. Or, il ne faut pas oublier que quand vous misez gros sur les actions de votre entreprise, vous devez aussi être prêt à subir les conséquences en cas de déclin. N'oubliez pas que beaucoup d'investisseurs aguerris suivent les perspectives des entreprises, alors il y a fort à parier que les actions de votre société sont évaluées à leur juste valeur.

Certains employeurs offrent aux employés la possibilité d'acheter des actions de leur société à rabais, parfois jusqu'à 15 %, par rapport à sa valeur au cours du marché. Si votre entreprise offre un rabais sur ses actions, tirez-en parti. Lorsque vous vendrez vos actions ainsi achetées, tel que le permet le régime de votre employeur (après une certaine période de détention, le plus souvent), vous devriez être en mesure de réaliser un profit appréciable.

Quelques exemples d'allocation d'actifs

En utilisant la méthode de répartition des fonds que nous exposons au chapitre 7, le tableau 11-1 montre quelques exemples des façons dont des travailleurs participant à différents régimes de retraite d'entreprise répartissent leurs placements selon les options du régime.

Sachez que le choix de la répartition de vos placements n'est pas une science exacte, mais vous pouvez utiliser les formules énoncées au chapitre 7 comme ligne directrice.

Tableau 11-1 : Allocation des placements dans un régime de retraite d'entreprise

Risque	25 ans, audacieux	45 ans, modéré	60 ans, modéré
Fonds d'obligations	10 %	35 %	50 %
Fonds équilibrés (50 % actions / 50 % obligations)	10 %	0 %	0 %
Fonds d'actions de premier ordre (grandes sociétés)	30-40 %	25-30 %	25 %
Fonds d'actions de petites entreprises	20 %	15 %	10 %
Fonds d'actions internationales	20-30 %	20-25 %	15 %

Affecter de l'argent aux REER

Grâce aux REER, vous avez la possibilité de choisir parmi les options de placement disponibles et de répartir vos fonds entre ces différentes options.

Dans les sections qui suivent, nous donnons quelques recettes spécifiques qui pourraient vous être utiles pour investir dans quelques-unes des grandes sociétés de placement. Pour établir un REER dans l'une de ces entreprises, il vous suffit de composer le numéro de téléphone sans frais de la société et de demander à un représentant de vous faire parvenir un formulaire de demande d'ouverture de compte. Vous pouvez également demander que l'on vous envoie des informations générales sur certains fonds communs de placement qui vous intéressent. (Si vous êtes moins patient et que vous êtes un adepte de l'Internet, de nombreuses entreprises d'investissement fournissent des formulaires téléchargeables d'ouverture de compte. Toutefois, le processus peut se révéler fastidieux, surtout si vous avez aussi besoin d'autres documents comme des prospectus d'investissement et des rapports annuels.)

Note : Nous recommandons un portefeuille conservateur et un portefeuille agressif pour chaque entreprise. Nous utilisons ces termes dans un sens relatif. Parce que certains des fonds que nous recommandons ne maintiennent pas des pourcentages fixes de leurs différents types de placements, le pourcentage réel des actions et des obligations avec lesquelles vous vous retrouvez peut varier légèrement par rapport aux pourcentages ciblés. Ne vous en inquiétez pas.

Lorsque vous avez plus d'un choix de fonds, vous pouvez en choisir un seul ou diviser votre investissement entre eux selon les pourcentages suggérés. Si vous ne disposez pas de suffisamment d'argent aujourd'hui pour diviser votre portefeuille tel que nous le suggérons, vous pourrez atteindre la répartition désirée au fur et à mesure que vous verserez de l'argent dans vos REER.

Voici quelques exemples de répartition de votre argent entre les différents fonds offerts par deux des sociétés de fonds que nous recommandons.

Les placements internationaux et votre REER

Jusqu'en 2005, une vieille règle limitait la portion des fonds d'un REER que l'on était autorisé à investir dans des placements étrangers. Heureusement, le gouvernement a supprimé cette restriction.

Avec ce règlement, il était difficile pour l'investisseur de maximiser l'exposition de son régime aux marchés étrangers sans dépasser la limite imposée. S'il dépassait la limite permise, il devait payer des amendes pour les sommes excédentaires. Ce règlement avait pour effet de réduire la gamme des possibilités de placements pour les Canadiens, pour des raisons quelque peu obscures d'intérêts nationaux qu'était censé servir le maintien de la plus grande partie des fonds des REER dans des titres canadiens.

Avant le changement de réglementation, de nombreuses sociétés de fonds communs de placement avaient trouvé un moyen de faire en sorte que les investisseurs restent sous la limite des contenus étrangers, tout en détenant plus que le maximum autorisé dans des placements non canadiens. Ils y sont parvenus grâce aux fonds clonés. Ces fonds avaient été conçus de manière à reproduire les performances des fonds investis dans des titres étrangers et mis en place de telle sorte que l'on pouvait y investir un pourcentage illimité de ses REER sans transgresser les règles.

Essentiellement, les sociétés de fonds choisissaient un fonds normalement considéré comme étant à contenu étranger et, en utilisant des instruments financiers sophistiqués, rendaient ce fonds admissible à titre de contenu canadien. L'investisseur obtenait un fonds qui reflétait les rendements de la version non conforme au REER du fonds, mais le fonds laissait intact les 30 % de contenus étrangers permis. On avait donc des fonds étrangers dans un emballage conforme aux règles des REER. Toutefois, ces fonds portaient généralement des frais de gestion plus élevés que la version régulière du fonds. À leur apogée, il y avait plus de 200 de ces fonds clonés sur le marché.

Avec la fin des restrictions de contenus étrangers, les sociétés de fonds ont commencé à fermer leurs fonds miroirs. Les investisseurs étaient généralement autorisés à échanger les parts qu'ils détenaient dans ces fonds contre des parts de la version non clonée du même fonds étrangers, bénéficiant du même coup des frais plus bas de la version non clonée. Si vos parts n'ont toujours pas été transférées dans un fonds non cloné, communiquez avec la société de fonds et demandez quelles mesures vous devez prendre pour que votre argent soit transféré dans des fonds communs de placement correspondants à frais inférieurs.

Alors que la fin des restrictions de contenus étrangers facilite l'administration de votre REER et vous donne accès à un éventail beaucoup plus vaste de placements potentiels, n'allez pas croire que vous devez abandonner les valeurs mobilières canadiennes. Ces dernières années, le marché boursier canadien a performé solidement. En outre, le dollar canadien a bien fait. Si vous aviez de l'argent investi dans des titres américains, vos rendements auraient été diminués par la baisse du dollar américain par rapport au huard. De plus, beaucoup de sociétés dites canadiennes ont une exposition internationale. Des entreprises comme Bombardier, par exemple, vendent à de nombreux pays à travers le monde. Enfin, de nombreuses sociétés minières, pétrolières et gazières sont établies au Canada. On a de plus en plus de raisons de croire que les matières premières devraient bien faire au cours des prochaines années, en particulier dans le domaine pétrolier, où la demande augmente et les réserves mondiales diminuent.

Les placements Franklin Templeton

Franklin Templeton : 1-800-897-7282, www.franklintempleton.ca

Les deux recommandations suivantes constituent respectivement un mélange conservateur et un mélange audacieux.

Un portefeuille conservateur avec 50 % en actions et 50 % en obligations

Si vous ne voulez pas prendre trop de risques, essayez ceci :

- ✔ Fonds d'actions canadiennes Bissett — 20 %
- ✔ Fonds d'obligations Bissett — 35 %
- ✔ Fonds canadien équilibré Bissett — 15 %
- ✔ Fonds mondial équilibré Templeton — 15 %
- ✔ Fonds de croissance Templeton — 15 %

Un portefeuille audacieux avec 80 % en actions et 20 % en obligations

Si vous pouvez vous permettre d'être audacieux, essayez ceci :

- ✔ Fonds de sociétés à grandes capitalisations Bissett — 30 %
- ✔ Fonds de sociétés à petites capitalisations Bissett — 5 %
- ✔ Fonds de revenu de dividendes Bissett — 10 %
- ✔ Fonds de croissance Templeton — 25 %
- ✔ Fonds mondial de petites sociétés Templeton — 10 %
- ✔ Fonds d'obligations Bissett — 20 %

Phillips, Hager & North

Phillips, Hager & North : 1-800-661-6141, www.phn.com

Les deux recommandations suivantes constituent respectivement un mélange conservateur et un mélange audacieux.

Un portefeuille conservateur avec 50 % en actions et 50 % en obligations

Si vous ne voulez pas prendre trop de risques, essayez ceci :

- ✔ Fonds d'actions canadiennes PH&N — 15 %
- ✔ Fonds d'obligations PH&N — 35 %
- ✔ Fonds équilibré PH&N — 30 %
- ✔ Fonds de dividendes PH&N — 10 %
- ✔ Fonds d'actions mondiales PH&N — 10 %

Un portefeuille audacieux avec 80 % en actions et 20 % en obligations

Si vous pouvez vous permettre d'être audacieux, essayez ceci :

- ✔ Fonds d'actions canadiennes PH&N — 30 %
- ✔ Fonds de croissance canadien PH&N — 10 %
- ✔ Fonds de dividendes PH&N — 10 %
- ✔ Fonds d'actions américaines — 15 %
- ✔ Fonds d'actions mondiales PH&N — 15 %
- ✔ Fonds d'obligations PH&N — 20 %

Les portefeuilles autogérés ou de courtier à escompte

Vous n'avez pas à établir votre REER auprès d'une société de fonds communs de placement en particulier. Les courtiers à escompte offrent des REER autogérés dans lesquels vous pouvez choisir parmi une vaste gamme de placements – y compris les fonds communs de placement. Lorsque vous achetez par l'entremise des maisons de courtage à escompte, vous pouvez acheter des centaines de fonds communs de placement différents sans payer de frais de transaction. Il se peut toutefois que l'on vous facture des frais pour la commutation de fonds ou la vente avant un certain délai. Voici deux suggestions de portefeuilles, l'un conservateur, l'autre audacieux, utilisant un panier de fonds provenant de différentes sociétés de fonds.

Un portefeuille conservateur avec 50 % en actions et 50 % en obligations

Si vous ne voulez pas prendre trop de risques, essayez ceci :

- ✔ Fonds d'actions canadiennes Elliot & Page, Fonds d'actions canadiennes Bissett ou Fonds d'action canadiennes RBC O'Shaughnessy — 25 %.

- ✔ Fonds Mawer World Investment — 15 %

- ✔ Valeurs internationales AGF — 10 %

- ✔ Fonds d'obligations Altamira ou Fonds d'actions canadiennes TD — 35 %

- ✔ Fonds d'obligations mondiales RBC Global — 15 %

Un portefeuille audacieux avec 80 % en actions et 20 % en obligations

Si vous pouvez vous permettre d'être audacieux, essayez ceci :

- ✔ Fonds d'actions Sceptre ou Fonds canadien de croissance Legg Mason — 30 %

- ✔ Fonds de sociétés à petites capitalisations Saxon — 10 %

- ✔ Fonds de croissance canadien GBC — 10 %

- ✔ Fidelity Growth America — 15 %

- ✔ Valeurs américaines RBC O'Shaughnessy — 15 %

- ✔ Fonds d'obligations Altamira ou Fonds d'actions canadiennes TD — 20 %

Les fonds indiciels et les fonds négociés en Bourse

N'oubliez pas que la majorité des fonds communs de placement n'atteignent pas les rendements enregistrés par l'ensemble des marchés. Si l'investissement à faible coût vous intéresse, envisagez de créer votre propre portefeuille en utilisant les fonds indiciels et les fonds indiciels négociés en Bourse (FINB). Les FINB se négocient comme des actions, mais ils sont conçus pour refléter les rendements de différents indices. C'est ainsi qu'on a des iUnits calquant la composition de l'indice S&P/TSX 60 qui se compose des actions des 60 plus importantes compagnies canadiennes.

Vous pouvez vous procurer tous ces produits par l'entremise de la plupart des firmes de courtage. Si vous les achetez en ligne, TD offre une gamme de fonds indiciels « e » avec des ratios de frais de gestion extrêmement faibles. Les FINB sont offerts par Barclays Global Investors Canada (ses FINB sont appelés « iUnits ») ainsi que par Vanguard.

Devrais-je utiliser une ou plusieurs sociétés d'investissement ?

Les sociétés que nous recommandons dans ce chapitre offrent une grande variété d'options de placement et les fonds dans lesquels elles investissent sont gérés par différents gestionnaires, c'est pourquoi vous pouvez sans crainte concentrer votre argent dans une seule des ces entreprises. L'approche ciblée présente certains avantages : vous avez moins de paperasse et de tracas administratifs à gérer et vous n'avez à explorer les nuances et les possibilités que d'une seule entreprise et non de plusieurs.

Si vous aimez l'idée de répartir largement votre argent, peut-être préférerez-vous investir dans un certain nombre d'entreprises différentes. Avec un compte de courtage à escompte (voir le chapitre 7), il vous est possible de le faire. Vous pouvez diversifier à travers diverses sociétés de fonds communs de placement par l'intermédiaire d'une seule agence de courtage. Cependant, il est possible que vous ayez à payer de légers frais de transaction sur certains de vos achats et ventes de fonds.

Les courtiers à escompte

Comme nous en discutons au chapitre 7, un compte de courtage à escompte vous permet d'effectuer des achats centralisés et vous donne la possibilité de détenir des fonds communs de placement à partir d'une variété de sociétés de fonds de premier plan. Bien que certains fonds soient disponibles sans frais, la plupart des meilleurs fonds exigent le paiement de légers frais de transaction quand vous les achetez par l'entremise d'un courtier à escompte (ou exécutant). La raison : le courtier exécutant est un intermédiaire entre vous et les sociétés de fonds. Vous devez mettre en balance la commodité d'être en mesure d'acheter et de détenir des fonds de diverses sociétés de fonds dans un seul compte, d'une part, et les économies réalisées en achetant des fonds directement de leurs fournisseurs, d'autre part. Des frais de transaction de 25 $ ou 30 $ pièce peuvent avaler une tranche non négligeable de ce que vous avez à investir, surtout si vous investissez des sommes relativement modestes.

Parmi les sociétés de courtage ou les divisions de courtage des sociétés de fonds communs de placement, nous préférons les suivantes pour leur éventail de fonds et leurs prix compétitifs : BMO Ligne d'action (1-888-776-6886, www.bmolignedaction.com), TD Waterhouse (1-800-465-5463, www.tdwaterhouse.ca), et iTrade Canada (1-888-769-3723, www.scotiaitrade.com).

Les placements inappropriés aux régimes de retraite

Certains placements sont tout simplement inappropriés pour les régimes de retraite. Le problème fondamental vient du fait que des gens par ailleurs intelligents oublient ou ne savent pas que les régimes de retraite sont à l'abri de l'impôt. Il vous faut maximiser cet avantage en choisissant des véhicules d'investissement qui, autrement, seraient imposés.

Les rentes

Les rentes sont des produits d'investissement particuliers. Ce sont des contrats qui sont garantis par une compagnie d'assurance. Si vous, le titulaire de rente (investisseur), mourez durant la phase dite d'accumulation (c'est-à-dire, avant d'avoir commencé à recevoir des paiements de la rente), votre bénéficiaire désigné est assuré de recevoir le montant de vos contributions. En ce sens, les rentes ressemblent un peu aux assurances vie.

Les rentes, comme les REER, permettent à vos capitaux de fructifier sans imposition, celle-ci étant reportée jusqu'au moment du retrait de l'argent. Contrairement à un REER, pour lequel une limite de cotisation annuelle est établie, vous pouvez déposer autant d'argent que vous le désirez dans une rente au cours d'une année – même un million de dollars, ou plus, si vous l'avez!

Bien que l'on puisse considérer les rentes comme des véhicules de retraite, elles n'ont pas leur place à l'intérieur des régimes de retraite. Les rentes permettent à vos dollars d'investissement de fructifier à l'abri de l'impôt. En comparaison à d'autres placements qui ne permettent pas de tels reports d'impôt, les rentes portent des frais d'exploitation annuels beaucoup plus élevés qui réduisent vos rendements.

Acheter une rente à l'intérieur d'un REER, c'est un peu comme de porter à la fois une ceinture et des bretelles. Soit vous possédez un sens particulier du style, soit vous passez trop de temps à vous inquiéter que votre pantalon ne tombe. Selon nos observations, beaucoup de gens qui choisissent à tort d'investir dans les rentes à l'intérieur des régimes de retraite ont été induits en erreur par des vendeurs de placements.

Contrairement aux régimes de retraite d'entreprises et aux REER, les cotisations à une rente ne sont pas déductibles d'impôt. Toutefois, dans le cas où vous avez atteint vos cotisations maximums admissibles à ses régimes, il peut être raisonnable de contribuer à une rente.

Enfin, les rentes sont plus profitables si vous prévoyez d'y laisser fructifier votre argent pendant au moins 15 ans. C'est en général le temps qu'il faut pour que les avantages de la capitalisation à imposition différée commencent à compenser les frais de rente plus élevés et le traitement de tous les revenus de rente retirés au taux d'imposition ordinaire le plus haut. Si vous êtes déjà retraité ou près de la retraite, les placements fiscalement avantageux effectués en dehors des régimes de retraite (voir le chapitre 12) sont en général préférables.

Les sociétés en commandite

Les sociétés en commandite (SC) sont des investissements dangereux, coûteux et à commissions élevées (ce qui réduit vos rendements) vendus par l'entremise de vendeurs de placements. Une partie de leur attrait supposé tient aux avantages fiscaux qu'elles génèrent. Toutefois, quand vous achetez et détenez une société en commandite dans un compte de retraite, vous perdez la possibilité de tirer profit de plusieurs des déductions fiscales. L'illiquidité des SC peut également vous empêcher d'effectuer des retraits lorsque cela vous est nécessaire. Et ce ne sont là que quelques-unes des nombreuses raisons d'éviter d'investir dans les sociétés en commandite. (Pour d'autres raisons, consultez le chapitre 8.)

Pour plus de détails concernant les autres options de placement et les meilleurs endroits où acheter des rentes, référez-vous au chapitre 12, où nous discutons des placements à l'extérieur des régimes de retraite.

Transférer un régime de retraite

À l'exception des régimes d'entreprise qui limitent vos options de placement, vous pouvez déplacer votre argent détenu dans des REER ou des FERR (fonds enregistré de revenu de retraite) à presque n'importe quelle grande entreprise d'investissement ou société de fonds communs de placement. Les transferts de fonds sont assez simples à réaliser : vous n'avez qu'à remplir un ou deux courts formulaires et à les envoyer dans une enveloppe préaffranchie à la société d'investissement à laquelle vous transférez votre compte, qui, elle, s'occupera du reste.

Transférer les comptes que vous contrôlez

Voici, étape par étape, la liste des gestes à poser pour transférer un régime d'épargne-retraite à une autre entreprise d'investissement. Même si vous travaillez avec un conseiller financier, vous devriez connaître ce processus de transfert direct entre dépositaires afin de vous assurer que votre conseiller ne vous fasse pas d'entourloupette.

1. **Décider de l'endroit où vous voulez déplacer le compte.** Nous vous recommandons plusieurs sociétés d'investissement dans ce chapitre, ainsi que quelques exemples de portefeuilles au sein de ces entreprises. Vous pourrez également consulter prochainement l'édition québécoise de L'Investissement pour les Nuls.

2. **Demander un formulaire d'ouverture de compte et de transfert d'actifs.** Appelez le numéro sans frais de l'entreprise où vous transférez l'argent et demandez un formulaire d'ouverture de compte et de transfert d'actifs pour le type de compte que vous souhaitez transférer. Vous pouvez aussi visiter le site Web de la société, mais pour ce genre de demande, la plupart des gens trouvent plus facile de parler directement avec un représentant.

Note importante : demandez le formulaire qui s'applique au même type de compte que celui vous détenez actuellement dans l'entreprise à partir de laquelle vous désirez transférer l'argent. Pour savoir de quel type de compte il s'agit, examinez un de vos relevés de compte récents ; cette information devrait se trouver dans la partie supérieure du relevé ou dans la section où sont indiqués vos nom et adresse. Si vous ne parvenez toujours pas à identifier votre type de compte, contactez la société qui gère actuellement vos fonds et posez la question à un représentant.

Autre note importante : ne transférez jamais, au grand jamais, des avoirs tels que des chèques et des certificats de sécurité à un conseiller financier, peu importe la confiance que celui-ci vous inspire. Le type pourrait disparaître avec les documents avant que vous n'ayez eu le temps de dire « Monica la mitraille ». Ce n'est pas ainsi que l'on effectue un transfert. D'ailleurs, vous verrez qu'il sera plus facile de procéder à un transfert en suivant les informations que nous fournissons dans cette section.

3. **Remplir et renvoyer le formulaire d'ouverture de compte et de transfert d'actifs.** Cette étape sert à l'ouverture de votre nouveau compte dans la nouvelle société ainsi qu'à l'autorisation du transfert.

Vous ne devriez pas prendre possession de l'argent de votre régime de retraite quand vous le déplacez vers la nouvelle entreprise. Les autorités fiscales imposent des pénalités énormes pour les transferts qui ne sont pas effectués dans les règles de l'art. Par exemple, si vous commettez l'erreur de retirer vos placements d'un REER au cours du processus de transfert, la totalité du montant sera incluse dans votre revenu imposable pour l'année en cours et c'est votre taux marginal d'imposition qui s'appliquera. Laissez l'entreprise vers laquelle vous transférez votre argent effectuer le transfert pour vous. Si vous avez des questions ou des problèmes, la société à laquelle vous transférez votre compte a des armées d'employés compétents qui ne demandent qu'à vous prêter assistance. N'oubliez pas que ces entreprises sont bien conscientes que vous transférez votre argent chez elles, alors elles dérouleront le tapis rouge.

4. **Déterminer quels titres transférer et lesquels liquider.** Transférer des placements de votre compte à une nouvelle société de placement peut parfois être un peu délicat, alors que le transfert d'actifs tels que les espèces (fonds du marché monétaire) ou de titres négociés sur les grands marchés boursiers n'est pas un problème.

Si vous détenez des titres cotés en Bourse, il est préférable de les transférer tels quels à votre nouvelle société de placement, surtout si celle-ci offre des services de courtage à escompte. Vous pouvez alors ensuite vendre vos titres à meilleur prix par le biais de cette société.

Si vous possédez des fonds communs de placement propres à l'institution que vous quittez, vérifiez auprès de votre nouvelle entreprise si elle peut les accepter. Sinon, vous devrez contacter l'entreprise qui les détient actuellement pour les vendre.

Les certificats de placement garanti (CPG) sont plus difficiles à transférer. Idéalement, vous devriez envoyer les formulaires de transfert plusieurs semaines avant l'échéance de vos CPG – ce que peu de gens font. Si vos CPG arrivent bientôt à échéance, contactez la banque et demandez qu'à l'échéance de vos CPG, ceux-ci soient placés dans un compte d'épargne ou un compte du marché monétaire auquel vous pourrez accéder sans pénalité une fois que vos formulaires seront parvenus à destination. Notez que pour les placements que vous liquidez, vous devriez laisser les produits à l'intérieur du REER afin de ne pas vous retrouver avec une grosse facture d'impôt.

5. **Informer la société d'où vous transférez l'argent de ce que vous faites.** (Cette étape est facultative.) Si l'entreprise d'où vous transférez votre argent n'attribue pas une personne en particulier à votre compte, vous pouvez certainement sauter cette étape. En revanche, lorsque vous transférez vos placements à partir d'une maison de courtage où vous traitiez avec un courtier en particulier, la décision de l'informer ou non de votre démarche peut être plus délicate à prendre.

La plupart des gens se sentent obligés de laisser savoir à leur représentant en valeurs mobilières qu'ils transfèrent leur argent. L'expérience nous a démontré qu'appeler le courtier pour lui annoncer la « mauvaise nouvelle » était le plus souvent une erreur. En effet, le courtier ou toute autre personne ayant un intérêt financier direct à vous garder comme client tentera de vous convaincre de ne pas effectuer le transfert. Certains essaieront de vous prendre par les sentiments, d'autres essaieront même de vous intimider.

Même si cela peut paraître lâche, l'envoi d'une lettre est habituellement la manière la plus facile de quitter votre courtier, tant pour vous que pour lui. Vous pouvez expliquer votre démarche dans des mots qui feront clairement passer votre message, mais en douceur. Bien que nous ne voulions pas vous inciter à mentir, il n'est peut-être pas nécessaire de dire toute la vérité. Certaines personnes choisissent d'éviter la confrontation en invoquant l'excuse qu'un membre de la famille qui s'y connaît s'est offert pour gérer gratuitement leur argent.

Cela dit, le fait de dire à une société de placement que ses frais sont trop élevés ou qu'elle vous a induit en erreur en vous faisant acheter un panier de placements sans envergure fera peut-être en sorte que l'entreprise améliore ses services à l'avenir. Ne vous inquiétez pas trop et faites ce qui est le mieux pour vous, ce avec quoi vous êtes à l'aise. Il ne faut pas oublier que les courtiers ne sont pas vos amis. Même si votre courtier connaît les noms de vos enfants, vos passe-temps favoris et votre date d'anniversaire, il demeure que vous avez une relation d'affaires avec lui.

En règle générale, le transfert de vos actifs existants devrait s'effectuer en un mois. Si au bout de ce délai le transfert n'est pas complété, contactez votre nouvelle société de placement afin de savoir où en sont les choses. Si votre ancienne société ne coopère pas, appelez un de ses gestionnaires pour faire activer la procédure.

La triste réalité est qu'une société de placement se fera une joie de vous ouvrir un nouveau compte et d'accepter votre argent à tout instant, mais souvent, elle traînera les pieds, parfois durant des mois, quand le moment sera venu de vous rendre votre argent. Pour réveiller un peu le personnel de la société de placement que vous quittez, parlez à un de ses gestionnaires et, au besoin, dites-lui que vous avez l'intention de vous plaindre auprès de l'Autorité des marchés financiers si votre transfert n'est toujours pas complété à la fin de la semaine suivante.

Transférer de l'argent d'un régime d'entreprise

Lorsque vous quittez un emploi, en particulier si vous partez à la retraite ou si vous êtes mis à pied après de nombreuses années de service, les courtiers et les planificateurs financiers se jettent sur vous comme des ours sur un pot de miel : ils veulent votre argent. Le chapitre 17 vous enseigne comment éviter d'embaucher les mauvaises personnes quand vous cherchez des conseils financiers. Prudence !

Lorsque vous quittez un emploi, vous êtes confronté à une question de transfert un peu différente. Si vous avez acquis votre droit, en tout ou en partie, à vos prestations de retraite, vous avez la possibilité de déplacer vos fonds dans un compte spécial appelé « compte de retraite immobilisé » (CRI). On les appelle aussi « REER immobilisés » (RERI). (Tant que votre ancien employeur le permet, vous pouvez laisser votre argent dans le régime de l'entreprise. Évaluez la qualité des options de placement en utilisant les informations fournies dans cette partie du livre.)

Ne prenez jamais personnellement possession de l'argent de votre régime de retraite d'entreprise. Si vous voulez transférer vos fonds de retraite, il suffit d'informer votre employeur de l'endroit où vous voulez que votre argent soit envoyé. Avant de le faire, cependant, il vous faut ouvrir un compte adapté à vos besoins auprès de la société de placement dont vous envisagez de retenir les services. Ensuite, vous informez le département des avantages sociaux de votre employeur de l'endroit où vous souhaitez que votre fonds de retraite soit transféré. Si nécessaire, vous pouvez envoyer à votre employeur les formulaires d'entente d'immobilisation du fisc qui ont été signés par le dépositaire du compte de retraite de la société de placement. Ces formulaires contiennent l'adresse postale de la société de placement ainsi que votre numéro de compte.

Chapitre 12

Investir hors des régimes de retraite

- -

Dans ce chapitre :

▶ Tirer profit d'options de placement souvent négligées

▶ Tenir compte de l'impôt dans vos décisions de placement

▶ Consolider vos réserves d'urgence

▶ Recommandations de placements à long terme

- -

Dans ce chapitre, nous discutons des options de placement en ce qui a trait à l'argent investi en dehors des régimes de retraite, et nous proposons quelques recommandations de modèles de portefeuilles. Comme vous l'avez sans doute déjà constaté, le chapitre 11 porte sur les placements à l'intérieur des régimes de retraite. Cette distinction n'étant pas celle qui est opérée dans la plupart des articles et des livres financiers, elle peut sembler quelque peu curieuse. Mais on gagne à réfléchir à ces deux types de placements dans une perspective différente.

✔ **Les placements détenus en dehors des régimes de retraite sont imposables.** Vous avez toute une gamme d'options de placements à considérer lorsque les impôts entrent en jeu.

✔ **Les sommes détenues en dehors des régimes de retraite sont davantage susceptibles d'être utilisées plus vite que les fonds détenus à l'intérieur des régimes de retraite.** Pourquoi ? Parce que l'on paie en général beaucoup plus d'impôt pour accéder à l'argent placé à l'intérieur qu'à l'extérieur des régimes de retraite.

✔ **Les fonds investis à l'intérieur des régimes de retraite ont leurs traits propres.** Par exemple, lorsque vous investissez par le biais du régime de retraite de votre employeur, vos options de placement sont généralement limitées à une poignée de choix. Et des règles particulières régissent le transfert de vos soldes de retraite.

Pour commencer

Supposons que vous ayez un peu d'argent qui dort dans un compte d'épargne ou dans un fonds du marché monétaire. Cet argent vous rapportant peu d'intérêts, vous aimeriez l'investir de façon plus rentable. Il y a deux choses à ne pas perdre de vue quant au placement de ce type d'argent :

- ✔ **Récolter un peu de bénéfices vaut mieux que perdre 20 à 50 % ou plus de votre investissement.** Il suffit de parler avec quelqu'un qui a fait un mauvais choix de placement. Soyez patient et informez-vous avant d'investir.

- ✔ **Pour obtenir un taux de rendement plus élevé, vous devez être prêt à prendre davantage de risques.** Pour être en mesure de profiter d'un meilleur taux de rendement, vous devez vous tourner vers des placements qui fluctuent en valeur. (La fluctuation s'opère dans les deux sens, évidemment.)

Vous vous approchez du vaste océan des options de placements et commencez à assembler votre canne afin d'aller pêcher quelque chose. Vous entendez des histoires de gens qui auraient sorti de grosses prises : des gains importants dans des actions et de l'immobilier achetés il y a longtemps. Même si vous n'avez pas la folie des grandeurs, la moindre des choses serait que vos placements battent le coût de la vie.

Mais avant de vous lancer dans vos choix de placements, observez les façons suivantes, souvent négligées, de mettre votre argent au travail et d'obtenir des rendements plus élevés sans trop de risques. Ces options pourraient ne pas s'avérer aussi excitantes que la chasse au gros poisson, mais elles devraient facilement améliorer votre santé financière.

Rembourser vos dettes à taux d'intérêt élevés

Beaucoup de gens ont des dettes de cartes de crédit ou d'autres dettes de consommation qui leur coûtent plus de 10 % par année – voire beaucoup plus – rien qu'en frais d'intérêt. Rembourser cette dette avec votre épargne, c'est comme de mettre votre argent dans un placement à un taux de rendement garanti qui serait égal au taux d'intérêt que vous payez sur votre dette.

Par exemple, si vous avez une dette de carte de crédit à 14 % d'intérêt, rembourser cette dette équivaut à investir de l'argent dans un placement offrant un rendement garanti de 14 % par année. Mais il ne faut pas oublier que les intérêts sur les dettes à la consommation ne sont pas déductibles d'impôt. Ainsi, il faudrait que vos investissements vous rapportent des rendements de plus de 14 % annuellement pour être en mesure d'obtenir 14 % en bénéfices après imposition. (Si vous n'êtes toujours pas convaincu, reportez-vous au chapitre 4 pour en savoir plus.)

Le remboursement de votre prêt hypothécaire, en tout ou en partie, est une autre solution envisageable. Toutefois, comme les intérêts sur ce type de dette sont plus bas que ceux qui sont appliqués aux dettes à la consommation, cette décision financière n'est pas aussi simple à prendre.

Profiter des avantages fiscaux

Assurez-vous de tirer profit des avantages fiscaux considérables qu'offrent les REER et autres régimes de retraite. Si vous travaillez pour une entreprise qui contribue le même montant que vous à votre régime d'épargne-retraite, essayez d'atteindre chaque année votre maximum de cotisations permises.

Si vous avez besoin d'économiser de l'argent en fonction d'objectifs à court terme (pour l'achat d'une voiture ou d'une maison, par exemple), alors, bien sûr, placez de l'argent en dehors des régimes de retraite. Mais rappelez-vous que l'argent investi ailleurs ne vous donne pas droit à des déductions fiscales. Cela exige également plus de réflexion et de discernement de votre part, parce que vos placements produiront des rendements imposables.

Comprendre l'impôt sur vos placements

Lorsque vous investissez de l'argent en dehors d'un régime de retraite, les sommes qui vous sont distribuées sur vos placements – notamment les intérêts, les dividendes et les gains en capital – sont assujetties à l'impôt. Beaucoup trop de gens (de même que trop de conseillers financiers) ignorent l'impact fiscal de leurs stratégies d'investissement. Vous devez évaluer les incidences fiscales de vos décisions de placement avant d'investir votre argent.

Prenons l'exemple d'une personne de revenu modeste qui se trouve dans une tranche d'imposition de 38 % (impôts fédéral et provincial combinés) et qui conserve un peu d'argent dans une obligation lui rapportant 3 % d'intérêts. Si cette personne paie 38 % de ses revenus d'intérêts en impôts, son placement ne lui rapporte en fait qu'à peine 2 %. Si cet argent lui sert de fonds d'urgence, elle pourrait envisager de l'investir dans un placement producteur de dividendes, tel qu'un fonds commun de dividendes. Les taux d'imposition effectifs sur les revenus de dividendes sont beaucoup plus faibles que ceux qui s'appliquent aux revenus d'intérêts.

Dans les sections qui suivent, nous donnons des conseils précis sur les façons d'investir votre argent tout en gardant un œil sur les impôts.

Consolider votre fonds d'urgence

Au chapitre 2, nous expliquons l'importance de conserver une quantité suffisante d'argent dans un compte à titre de fonds d'urgence. Un tel compte doit vous fournir deux choses :

- ✔ **L'accessibilité.** Lorsque vous avez besoin de mettre la main sur l'argent de votre fonds d'urgence, vous devez être en mesure de le faire rapidement et sans pénalités.

- ✔ **Un rendement aussi élevé que possible.** Il vous faut obtenir le meilleur rendement possible sans risquer votre capital. Cela ne signifie pas pour autant que vous deviez vous contenter des comptes d'épargne ou du marché monétaire offrant les meilleurs rendements, parce que d'autres questions, comme l'imposition, entrent en considération. À quoi bon obtenir un rendement légèrement supérieur si cela implique que vous deviez payer beaucoup plus d'impôts ?

Les comptes dans les banques et les caisses populaires

Lorsque vous avez au plus quelques milliers de dollars à placer, la meilleure solution est de déposer ce surplus d'économies dans une banque ou une caisse populaire. Pour commencer, regardez du côté de l'institution où vous avez un compte chèques.

En gardant cette réserve d'argent dans votre compte chèque, au lieu de le mettre dans un compte d'épargne distinct, vous faites d'une pierre deux coups si cette somme vous permet d'éviter de payer des frais de service mensuels dans les périodes, plus creuses, où votre solde se situe sous le minimum requis. Mais comparez d'abord les frais de service de votre compte chèques aux revenus d'intérêt que vous offre un compte d'épargne.

Par exemple, supposons que vous conserviez 2 000 $ dans un compte d'épargne qui vous rapporte annuellement 1 % d'intérêt, plutôt que de les garder dans votre compte chèques, où vous ne récoltez aucun intérêt. Au cours d'une année, vous gagnez 20 $ en intérêts sur ce compte d'épargne. Si votre compte-chèques vous coûte 9 $ par mois en frais de service, vous payez 108 $ par année. Ainsi, en conservant votre réserve de 2 000 $ dans votre compte chèques, vous pourriez vous éviter de payer ces frais de service en maintenant votre solde au-dessus du minimum requis. (Si toutefois vous êtes plus susceptible de dépenser le surplus d'argent de votre compte chèques, il serait préférable d'opter pour un compte d'épargne distinct.)

Les comptes d'épargne à intérêt élevé

Les comptes d'épargne à intérêt élevé sont un autre bon endroit où déposer votre épargne ou votre fonds d'urgence. Ce type de compte relativement nouveau représente une alternative valable, souvent supérieure, aux fonds du marché monétaire.

Dans de nombreux cas, les comptes d'épargne à intérêt élevé offrent des rendements similaires à ceux que vous obtiendriez avec un compte du marché monétaire. En outre, vous pouvez les utiliser de concert avec un compte chèques. Vous avez également la possibilité d'y faire déposer directement votre chèque de paye.

Contrairement aux fonds du marché monétaire, il n'y a pas de dépôt minimum nécessaire. Vous n'avez pas non plus à craindre que l'on vous facture des commissions ou des frais pour les retraits que vous effectuez, même si vous avez déposé l'argent depuis peu. Un autre grand avantage de ces comptes est que vous avez accès à votre argent à tout moment (ce qui n'est pas le cas des comptes du marché monétaire), dès lors que votre argent est resté dans votre compte durant le nombre minimum de jours requis. La plupart de ces comptes vous permettent d'accéder à votre argent simplement en utilisant une carte bancaire dans un guichet automatique.

Il y a deux raisons pour lesquelles les comptes à intérêt élevé peuvent payer un taux de rendement aussi élevé. La première est que les entreprises qui les offrent ont moins de points de service à maintenir qu'en ont les grandes institutions financières, qui possèdent de nombreuses succursales. Une grande partie de vos communications et de vos transactions avec la société qui détient votre compte à taux d'intérêt élevé s'effectue par courrier postal, par téléphone et par l'Internet. La deuxième raison est que les compagnies qui offrent des comptes à intérêt élevé les utilisent comme moyen d'attirer de nouveaux clients, pour ensuite essayer de leur vendre les autres produits qu'elles ont à offrir, tels que des CPG, des comptes chèques ou même des hypothèques. Toutefois, rien ne vous oblige à acheter d'autres produits si ceux-ci ne répondent pas à vos besoins ou s'ils ne sont pas suffisamment intéressants par rapport à vos autres possibilités.

Traiter avec une entreprise qui ne possède pas de succursale concrète dans votre quartier ou votre ville peut parfois être un peu déconcertant. Toutefois, votre argent est habituellement tout aussi protégé que s'il était placé dans un compte d'épargne traditionnel. Assurez-vous simplement que, comme la société mentionnée ci-dessous, l'institution soit membre de la SADC, un programme d'assurance qui protège votre épargne jusqu'à concurrence de 60 000 $. Voici un exemple de compte d'épargne à intérêt élevé.

ING Direct

ING Direct fait partie d'ING Group, une société financière basée à Amsterdam. Normalement, les comptes d'épargne à taux à paliers d'ING paient le même taux que celui d'un CPG d'un an, bien au-delà de ce que vous gagneriez dans un compte d'épargne ordinaire.

Il n'y a pas de solde minimum requis ni de frais de service. Comme seule restriction, vous devez attendre cinq jours après avoir effectué un dépôt avant de pouvoir retirer ces fonds. Les intérêts sont ajoutés chaque jour à vos soldes et sont composés mensuellement. Vous bénéficiez également d'une carte bancaire associée à votre compte. Bien que vous puissiez l'utiliser pour retirer de l'argent à n'importe quel guichet automatique, des frais de transaction vous sont facturés chaque fois que vous utilisez la carte. Toutefois, ING a installé ses propres guichets automatiques dans les magasins Canadian Tire et vous pouvez les utiliser sans frais.

Les fonds du marché monétaire

Les fonds du marché monétaire, un type de fonds commun de placement (voir le chapitre 10), sont comme des comptes d'épargne bancaires, mais en mieux, dans la plupart des cas. Les meilleurs fonds du marché monétaire donnent des rendements plus élevés que les comptes d'épargne bancaires.

Le montant des frais d'exploitation déduits avant le versement de dividendes est le facteur de rendement le plus important. Toutes choses étant égales par ailleurs (c'est en général le cas avec les différents fonds du marché monétaire), des frais d'exploitation réduits se traduisent par des rendements plus élevés pour vous. Avec des taux d'intérêt aussi bas qu'ils l'ont été ces dernières années, il importe plus que jamais de rechercher des fonds du marché monétaire comportant de faibles frais d'exploitation.

Les diverses options de placement dans les fonds qui sont offertes par la société de fonds où vous établissez un fonds du marché monétaire sont un autre facteur à considérer dans le choix d'un tel fonds. Faire la plus grande partie ou la totalité de vos achats de fonds (marché monétaire et autres) dans une ou deux bonnes sociétés de fonds est susceptible de réduire les complications dans votre vie d'investisseur. Parfois, courir après un rendement légèrement supérieur offert par une autre société n'en vaut pas la paperasserie et les tracas administratifs. En revanche, vous êtes tout à fait libre d'investir dans les fonds de différentes sociétés (tant que vous êtes à l'aise avec la paperasse supplémentaire) si vous désirez profiter des points forts de chacune d'entre elles.

La plupart des sociétés de fonds communs de placement n'ayant pas beaucoup de filiales locales, il se peut que vous deviez ouvrir et maintenir votre fonds de placement du marché monétaire par le biais d'une ligne téléphonique sans frais et par courrier postal. Mais la distance a ses avantages : en faisant vos affaires par la poste, par l'Internet ou par téléphone, il ne vous est plus nécessaire de vous déplacer jusqu'à une succursale pour effectuer vos dépôts et vos retraits.

Malgré la distance qui vous sépare de votre société de fonds communs de placement, vous pouvez en général demander à celle-ci de transférer de l'argent à votre banque locale n'importe quel jour ouvrable ou de vous poster un chèque. Ne vous inquiétez du risque qu'un chèque se perde dans la poste, car cela arrive rarement et, de toute façon, personne ne peut légalement encaisser un chèque payable à votre ordre. Assurez-vous seulement d'endosser le chèque avec la mention « pour dépôt seulement » sous votre signature.

Par ailleurs, il n'est jamais totalement sécuritaire de vous rendre à votre institution financière locale en voiture ou à pied. Imaginez toutes les choses qui pourraient vous arriver, à vous ou à votre argent sur le chemin de la banque. Vous pourriez glisser sur une peau de banane, échapper votre enveloppe et la perdre dans une grille d'égout, vous faire agresser ou enlever, arriver dans la banque au beau milieu d'un braquage et être pris en otage, ou encore, être renversé par un camion de boulangerie.

Dans les sections qui suivent, nous vous recommandons quelques fonds du marché monétaire.

Recommandations de fonds du marché monétaire

- Beutel Goodman (1-800-461-4551, www.beutel-can.com)

- Manuvie (1-888-588-7999, www.manuvie.ca)

- Legg Mason T-Bill Plus (1-800-565-6781, www.leggmasoncanada.com)

- Fonds de gestion de l'encaisse Mackenzie Sentinelle, série A (1-800-387-0614, www.mackenziefinancial.com)

- Marché monétaire canadien Mawer (1-800-889-6248, www.mawer.com)

- Marché monétaire McLean Budden (1-800-884-0436, www.mcleanbudden.com)

- Phillips, Hager & North (1-800-661-6141, www.phn.com)

- Marché monétaire Saxon (1-888-287-2966, www.saxonfunds.com)

- Marché monétaire Sceptre (1-800-265-1888, www.sceptre.ca)

- Marché monétaire canadien TD (1-866-567-8888, www.tdcanadatrust.com/francais/fondsmutuel)

Les bons du Trésor et marché monétaire

Les fonds de bons du Trésor canadien sont appropriés si vous préférez un fonds qui investit uniquement dans les dettes émises, et assurées, par le gouvernement. Notez que certains de ces fonds sont autorisés à investir dans d'autres titres du marché monétaire. Alors si vous voulez écarter tout doute, avant d'investir, appelez le fonds qui vous intéresse afin de vous assurer qu'il investit à 100 % dans les bons du Trésor.

- Bons du Trésor Altamira (1-800-263-2824, `www.altamira.com`)
- Bons du Trésor Franklin Templeton (1-800-387-0830, `www.templeton.ca`)
- Bons du Trésor canadien RBC (1-800-769-2599, `www.rbcga.com`)
- Bons du Trésor canadien TD (1-866-567-8888, `www.tdcanadatrust.com/francais/fondsmutuel`)

Investir de l'argent à long terme

Note importante : dans cette section (y compris ses recommandations de placements) nous supposons que vous disposez d'un fonds d'urgence suffisant et que vous tirez parti des cotisations déductibles d'impôt à des régimes de retraite enregistrés. (Veuillez vous reporter au chapitre 3 pour plus d'informations sur ces objectifs.)

Les placements à considérer doivent dépendre du degré de risque avec lequel vous êtes à l'aise, ainsi que du temps qui vous sépare du moment où vous comptez utiliser l'argent investi. Il n'est pas question ici de placements que vous ne serez pas en mesure de vendre dans un court délai si nécessaire (la plupart d'entre eux se prêtent à cette opération). Mais il faut savoir qu'investir de l'argent dans un placement plus volatil est davantage risqué, dans l'éventualité où vous auriez besoin de le liquider rapidement.

Par exemple, supposons que vous économisiez de l'argent pour un versement initial sur une maison et que dans un ou deux ans vous aurez amassé la somme requise pour faire votre entrée dans le marché immobilier. Si vous aviez placé ces économies dans le marché boursier avant une sévère correction des indices boursiers, vous auriez eu une bien mauvaise surprise : une partie importante de votre argent aurait disparu en peu de temps et votre rêve de posséder une maison ne se serait pas réalisé avant quelques années encore.

Définir vos horizons temporels

Les options de placement proposées dans le reste du présent chapitre sont organisées d'après leur durée. Toutes les recommandations de fonds de placement qui suivent supposent que vous avez un horizon de placement de plusieurs années et sont des fonds commun de placement sans frais d'acquisition (sans commission). On peut vendre un fonds commun de placement n'importe quel jour ouvrable, généralement au moyen d'un simple appel téléphonique. Comme les fonds possèdent des niveaux de risque variés, vous pouvez choisir des fonds qui correspondent à vos délais et à votre degré de tolérance au risque. (Le chapitre 10 traite des notions de base des fonds de placement.)

Les placements recommandés sont également organisés en fonction de votre situation fiscale. (Si vous ne savez pas dans quelle tranche d'imposition vous vous situez, veuillez vous reporter au chapitre 6.) Voici résumés les différents cadres temporels associés à chaque type de fonds :

 ✔ **Les placements à court terme.** Ces placements sont appropriés pour une période de quelques années seulement. Vous pouvez par exemple les utiliser pour investir l'argent destiné à l'achat d'une maison ou à la réalisation d'un autre projet important dans un proche avenir. Au moment d'investir à court terme, recherchez la liquidité et la stabilité, des caractéristiques qui excluent d'emblée l'immobilier de même que les actions. Les placements conseillés comprennent les fonds obligataires à court terme, une solution offrant des rendements supérieurs aux fonds du marché monétaire. Si les taux d'intérêt augmentent, la valeur de ces fonds baisse légèrement – à peine quelques points de pourcentage (sauf si les taux augmentent considérablement). Un peu plus loin dans ce chapitre, nous discutons des bons du Trésor et des certificats de placement garanti (CPG).

 ✔ **Les placements à moyen terme.** Ces investissements conviennent aux placements d'une durée allant de quelques années à moins de dix ans. Les placements qui répondent à ce critère sont les obligations à moyen terme et les fonds profilés bien diversifiés (qui comprennent des actions et des obligations).

 ✔ **Les placements à long terme.** Si vous avez une dizaine d'années ou plus pour investir votre argent, vous pouvez envisager des placements à rendement potentiellement plus élevé (donc plus risqués). Les actions, l'immobilier et d'autres placements de croissance sont ceux qui rapportent le plus d'argent, mais vous devez être capable de vivre avec le risque supplémentaire que cela implique.

L'allocation d'actifs à longue échéance

L'allocation d'actifs fait référence au processus par lequel vous déterminez quelles parties de votre argent vous investirez dans quels types de placements. La question de la répartition des actifs s'applique particulièrement aux comptes de retraite, car il s'agit d'investissements à long terme. Idéalement, une grande part de vos économies et de vos placements devrait être investie dans des régimes de retraite à l'abri de l'impôt. En règle générale, ces comptes constituent la meilleure façon de réduire votre fardeau fiscal à long terme (voir le chapitre 7 pour plus de détails).

Les fonds d'obligations

Les fonds obligataires versent des distributions imposables (principalement en intérêts) qui sont habituellement imposées à votre taux marginal d'imposition maximum. Tout comme pour les intérêts gagnés dans un compte d'épargne, vous devez chaque année payer l'impôt sur les intérêts générés par vos fonds obligataires, que ces intérêts vous soient versés ou qu'ils soient réinvestis dans vos fonds. En conséquence, vous avez avantage à détenir vos fonds obligataires à l'intérieur de votre REER, là où les intérêts ne sont pas imposés et où le plein montant de vos bénéfices peut être réinvesti.

Voici quelques-uns de nos fonds d'obligations favoris :

- **Court terme :** Fonds d'obligation à court terme TD ; Fonds hypothécaire TD (1-800-386-3757, www.tdwaterhouse.ca) ; Fonds d'hypothèques Banque Nationale (1-800-263-2824, www.bnc.ca) ; Fonds d'hypothèques et d'obligations à court terme Phillips, Hager & North (1-800-661-6141, www.phn.com) ; Fonds Scotia hypothécaire de revenu (1-800-268-9269, www.scotiabank.com) ; Fonds Fidelity obligations canadiennes à court terme (1-800-263-4077, www.fidelity.ca) ; Fonds indiciel d'obligations canadiennes à court terme CIBC (1-800-465-3863, www.cibc.com)

- **Long terme :** Fonds d'obligations à long terme Altamira (1-800-263-2824, www.altamira.com) ; Fonds d'obligations canadiennes TD, Fonds de revenu Beutel Goodman (1-800-461-4551, www.beutel-can.com) ; Fonds de titres à revenu fixe McLean Budden (1-800-884-0436, www.mcleanbudden.com)

Les certificats de placement garanti (CPG)

Pendant plusieurs décennies, les certificats de placement garanti ont représenté un placement populaire pour les gens disposant d'un surplus d'argent dont ils n'avaient pas besoin dans un proche avenir. Avec un CPG, vous obtenez un taux de rendement plus élevé que celui que vous donnerait un compte d'épargne. Et contrairement aux fonds obligataires, la valeur de votre capital ne fluctue pas.

Si on les compare aux obligations, cependant, les CPG présentent quelques inconvénients :

- ✔ Dans un CPG, votre argent n'est pas accessible à moins que vous n'acceptiez de payer une pénalité assez considérable – normalement, six mois d'intérêt. Avec un fonds d'obligation sans frais d'acquisition (sans commission), vous accédez à votre argent sans pénalités dans l'éventualité où vous en auriez besoin, en tout ou en partie, le mois ou l'année suivants.

- ✔ Une bonne partie de vos gains sur les CPG finit généralement dans les coffres du fisc. À moins que vous ne déteniez vos CPG à l'intérieur de votre REER, les intérêts perçus sur les CPG sont imposés à votre taux marginal d'imposition maximum, le même qui s'applique à votre salaire.

À long terme, vous devriez gagner plus – peut-être 1 à 2 % par année – et profiter d'un meilleur accès à votre argent dans les fonds obligataires que dans les CPG.

Un dernier conseil : n'achetez pas de CPG simplement parce qu'ils sont assurés par la SADC (Société d'assurance-dépôts du Canada). On parle beaucoup, en particulier les banquiers, de l'assurance de la SADC dont bénéficient les CPG des banques. L'absence de cette assurance sur les obligations de qualité supérieure ne devrait pas vous inquiéter outre mesure. Les obligations de qualité supérieure font rarement défaut ; même si un fonds détenait une obligation qui faisait défaut, cela ne représenterait probablement qu'une infime fraction (moins de 1 %) de la valeur du fonds, ce qui aurait un impact peu perceptible sur l'ensemble.

D'ailleurs, la SADC elle-même n'est pas à l'abri de tous les périls. Des banques sont déjà tombées et d'autres tomberont. Oui, vous êtes assuré si vous avez moins de 100 000 $ dans une banque. Toutefois, si la vôtre devait couler, il se pourrait que vous ayez à attendre longtemps avant d'être remboursé et que vous deviez vous contenter d'un paiement d'intérêts inférieur à celui escompté. Bref, avec ou sans la SADC, personne n'est jamais totalement à l'abri du danger.

Néanmoins, si l'assurance que vous recevez par l'intermédiaire de la SADC vous permet de mieux dormir, vous êtes libre d'investir dans des bons du Trésor (voir « Les fonds d'obligations » plus haut dans ce chapitre), qui sont des obligations garanties par les gouvernements.

Les fonds d'actions

Le choix de fonds d'actions fiscalement avantageux est approprié si vous n'avez pas besoin de revenu courant. TD (1-800-386-3757, www.tdwaterhouse.ca) offre une bonne gamme de fonds indiciels fiscalement avantageux. Sinon, vous pouvez investir dans un éventail plus large de fonds d'actions diversifiés à l'intérieur d'une rente (voir la section suivante).

Les fonds de dividendes

Les fonds de dividendes, qui procurent de grandes économies d'impôt, constituent souvent un bon choix si vous souhaitez recevoir un revenu régulier provenant d'un placement en dehors de votre REER. Ces fonds investissent principalement dans les actions privilégiées de sociétés canadiennes, ainsi que dans les actions ordinaires qui paient en général des dividendes réguliers.

Les obligations indexées sur l'inflation

À l'instar d'une poignée d'autres pays, le gouvernement canadien offre des obligations indexées sur l'inflation. Comme une grande partie du rendement de ces obligations est indexé sur le taux d'inflation, celles-ci offrent aux investisseurs un type sûr d'options de placement obligataire.

Pour comprendre les avantages relatifs d'une obligation indexée sur l'inflation, observons un instant la relation entre l'inflation et une obligation ordinaire. Quand un investisseur achète une obligation ordinaire, il s'engage à un rendement fixe sur une durée définie – par exemple, une obligation d'une échéance de 10 ans rapportant un intérêt de 6 %. Toutefois, l'évolution du coût de la vie (l'inflation) n'étant pas fixe, il est difficile d'en prévoir les changements.

Prenons l'exemple d'un investisseur qui, dans les années 1970, aurait investi 10 000 $ dans une obligation ordinaire selon les conditions précédentes. Au cours de la vie de son obligation, l'investisseur aurait constaté l'escalade de l'inflation. Durant la période où il aurait détenu son obligation, jusqu'à son échéance, il aurait assisté à l'érosion du pouvoir d'achat de ses 600 $ d'intérêts annuels et des 10 000 $ de son capital remboursé.

Voyons maintenant ce qu'il en est d'une obligation indexée sur l'inflation. Disons que vous ayez 10 000 $ à investir. Vous achetez une obligation de 10 ans indexée sur l'inflation qui vous rapporte un taux d'intérêt réel (il s'agit du taux

d'intérêt nominal corrigé de l'inflation) de 2 %, par exemple. Cette portion de votre rendement vous est payée en intérêts. L'autre partie de votre rendement provient de l'ajustement du capital investi en fonction de l'inflation. La portion du rendement qui dépend de l'inflation est réinvestie dans votre capital. Ainsi, si l'inflation est d'environ 2 %, comme elle l'a été ces dernières années, votre capital de 10 000 $ serait indexé à la hausse après un an, pour atteindre 10 200 $. Dans la deuxième année de détention de cette obligation, le taux d'intérêt réel serait calculé sur le capital ajusté (10 200 $).

Si l'inflation connaissait des sommets et grimpait à, disons, 8 % au lieu de 2 % par année, le solde de votre capital augmenterait de 8 % par année, en plus de quoi vous obtiendriez toujours votre taux d'intérêt réel de 2 %. Par conséquent, l'investisseur détenant une obligation indexée sur l'inflation ne verrait pas le pouvoir d'achat de son capital investi ou de ses gains en intérêts annuels réduits par l'effet d'une inflation imprévue.

Les obligations indexées sur l'inflation peuvent représenter un bon choix de placement pour les investisseurs obligataires conservateurs qui sont préoccupés par l'inflation, ainsi que pour les contribuables qui veulent tenir le gouvernement responsable de l'augmentation de l'inflation. L'inconvénient : les obligations indexées sur l'inflation, parce qu'elles sont moins risquées, donneront souvent des rendements légèrement inférieurs à ceux des obligations ordinaires.

Le revenu que vous recevez du fonds bénéficie du crédit d'impôt pour dividendes, ce qui signifie que vous payez un taux d'imposition plus faible sur les revenus de dividendes que sur les revenus d'intérêts réguliers.

Le seul inconvénient des fonds de dividendes est qu'ils comportent un degré de risque plus élevé que d'autres fonds à revenu fixe qui investissent dans des obligations ou des prêts hypothécaires. En outre, certains fonds élargissent leurs investissements afin d'inclure des actions ordinaires offrant des rendements plus faibles dans l'espoir d'utiliser les gains en capital pour accroître leurs performances. Le but principal d'un fonds de revenu, cependant, est d'obtenir un rendement après impôts qui soit le plus élevé possible. C'est pourquoi vous devez vous assurer de trouver un fonds qui investit presque exclusivement dans des actions privilégiées ou des actions ordinaires produisant des dividendes réguliers et substantiels.

Recommandations de fonds communs de dividendes

- ✔ Fonds de dividendes BMO (1-800-665-7700, www.bmo.com)
- ✔ Fonds de dividendes Phillips Hager & North (1-800-661.6141, www.phn.com)
- ✔ Fonds de dividendes RBC (1-800-463-3863, www.rbcga.com)
- ✔ Fonds de dividendes Scotia (1-800-268-9269, www.scotiabank.com)

Les rentes

Comme nous le voyons au chapitre 9, les rentes sont des comptes qui sont en partie de l'assurance, mais surtout de l'investissement. Vous ne devriez envisager de contribuer à une rente qu'après avoir épuisé vos cotisations à tous vos régimes de retraite disponibles. Les rentes ayant des frais d'exploitation annuels plus élevés que des fonds communs de placement équivalents, vous ne devriez considérer cette option de placement que si vous avez l'intention d'y investir de l'argent pour une échéance de 15 ans ou plus. Même si vous laissez votre argent investi pendant toutes ces années, les fonds fiscalement favorables mentionnés dans les sections précédentes de ce chapitre (ou d'autres fonds comparables) peuvent lui permettre de croître sans imposition annuelle excessive.

L'immobilier

Alors que l'investissement dans l'immobilier peut se révéler gratifiant tant financièrement que psychologiquement, il risque aussi de devenir un gouffre financier et un véritable casse-tête si vous achetez la mauvaise propriété ou que vous vous retrouvez avec des locataires épouvantables. (Nous discutons des détails de l'investissement immobilier au chapitre 9 et de la marche à suivre pour réussir l'achat d'un bien immobilier au chapitre 14.)

Les petites entreprises

En choisissant d'investir dans votre propre petite entreprise ou dans une entreprise établie par quelqu'un d'autre, vous prenez un risque considérable, mais votre potentiel de rendement est beaucoup plus grand. Les meilleures options sont celles que vous comprenez bien. Pour plus d'informations sur les investissements dans les petites entreprises, veuillez vous reporter au chapitre 9.

Chapitre 13

Investir pour les frais d'éducation

Dans ce chapitre

▶ Explorer les possibilités

▶ Savoir combien il faut épargner

▶ Connaître les meilleures et les pires façons d'épargner en prévision des études postsecondaires

▶ Se familiariser avec les REEE et les programmes de subventions

▶ Comprendre le système d'aide financière aux études

Si vous êtes comme la plupart des parents (ou futurs parents potentiels), il est probable que la question du financement des études de vos enfants vous cause une certaine inquiétude, ce qui est tout à fait compréhensible. Bien que le Québec soit aujourd'hui encore la province où les études postsecondaires coûtent le moins cher, il demeure que pour offrir à vos enfants une éducation universitaire, vous devrez plus souvent qu'autrement débourser des sommes considérables. En outre, qui sait ce qu'il adviendra du débat autour du dégel des frais de scolarité ? De toute manière, lorsqu'il s'agit d'étudier pour l'obtention d'un baccalauréat, c'est de plusieurs dizaines de milliers de dollars dont il s'agit.

Que vous soyez sur le point de commencer à investir dans un régime d'épargne-étude ou que vous le fassiez déjà, il importe de ne pas laisser vos craintes vous orienter vers des choix qui seraient financièrement désavantageux. Certes, les dépenses d'éducation peuvent être élevées, mais grâce à une bonne planification, il est possible d'y arriver sans épuiser vos ressources.

Négliger les REER : une grosse erreur

Comme la grande majorité des parents, vous voulez sans doute offrir ce qu'il y a de mieux à vos enfants. Non seulement voulez-vous être en mesure de leur procurer de bonnes occasions d'apprentissage quand ils sont jeunes, mais vous aimeriez aussi faire en sorte de faciliter leur accès aux programmes collégiaux et universitaires de leur choix.

Cela pourra vous sembler égoïste, mais avant d'économiser pour l'avenir de vos enfants, vous devez assurer votre propre sécurité financière. Pourquoi cela ? Parce qu'en veillant d'abord à cela, vous serez plus fort et plus apte à pourvoir aux besoins de vos enfants le moment venu. Pensez aux consignes de sécurité dans un avion. En cas de perte de pression d'air, les agents de bord vous enseignent à mettre d'abord votre propre masque à oxygène avant d'installer celui de votre enfant, car si vous perdez conscience, vous ne pouvez plus rien pour votre enfant.

Ainsi, il importe de commencer par vous occuper de vos propres besoins financiers à long terme, notamment en épargnant et en investissant dans un REER ou un autre régime d'épargne-retraite qui vous donne des avantages fiscaux importants. Ce faisant, vous renforcez votre santé financière, ce qui vous permet de mieux soutenir vos enfants durant leurs études. (Voir les chapitres 6 et 11 pour apprendre comment réduire vos impôts et épargner en vue de la retraite).

Comment paierez-vous les frais d'études ?

Si vous vous concentrez dès maintenant sur vos contributions à votre REER ou à un régime de retraite d'entreprise ainsi que sur le remboursement de votre prêt hypothécaire, vous disposerez d'un certain nombre de possibilités lorsque vos enfants termineront leurs études secondaires. Une fois que vous aurez payé une bonne partie ou la totalité de votre hypothèque, vous pourrez s'il le faut emprunter sur la valeur nette réelle de votre maison, habituellement à un taux d'intérêt avantageux, souvent même au taux le plus bas disponible sur le marché (le taux préférentiel).

À ce stade, si vous avez contribué à vos régimes de retraite, vos économies auront déjà passablement fructifié et vous aurez acquis l'habitude de l'épargne. Lorsque vos enfants seront sur le point d'entrer au cégep ou à l'université, vous pourrez si nécessaire utiliser les sommes que vous auriez consacrées à vos cotisations REER pour aider à payer leurs frais d'études. Et quand ils auront terminé leurs études, vous pourrez facilement reprendre vos cotisations REER.

Il vous sera d'ailleurs possible de profiter des contributions admissibles à un REER dont vous n'avez pas pu vous prévaloir, parce que vous êtes autorisé à reporter indéfiniment vos droits inutilisés de cotisation. Cela vous laissera dans une situation financière bien meilleure que si vous aviez simplement omis de cotiser à un régime de retraite lorsque vous étiez plus jeune afin de mettre de l'argent dans un compte d'épargne-études.

De plus, lorsque vos enfants seront en âge d'entreprendre leurs études postsecondaires, vos revenus annuels auront peut-être augmenté, ce qui contribuera sans doute à faciliter le financement de l'éducation de vos enfants.

Évaluer le coût des études postsecondaires

Les études postsecondaires peuvent coûter beaucoup d'argent, particulièrement au niveau universitaire. La facture totale variera selon le type de diplôme recherché et selon que votre enfant étudie dans une institution locale ou dans une autre ville. À titre d'exemple, pour un jeune qui étudie actuellement dans une ville du Québec autre que celle de ses parents, une année d'études universitaires coûtera grosso modo entre 9 000 $ et 10 000 $, tandis qu'une année d'études collégiales coûtera entre 7 000 $ et 8 000 $ (ce montant comprend l'ensemble des dépenses : frais d'admission, droits de scolarité, matériel scolaire, hébergement, transport, nourriture, etc.). Si vous avez des enfants en bas âge, vous serez peut-être étonné d'apprendre qu'autour de l'an 2025, deux années de cégep suivies d'un baccalauréat de quatre ans pourraient vous coûter plus de 150 000 $, en tenant compte de l'évolution du coût de la vie. Ouille !

De telles dépenses en valent-elles la peine ? Il est difficile de nier la valeur d'une éducation collégiale ou universitaire. Investir dans un diplôme collégial technique (trois années d'études) ou universitaire (deux années de cégep suivies d'un baccalauréat de trois ou quatre années) en vaut généralement les efforts et les coûts.

Un investissement est une dépense d'argent effectuée dans le but d'obtenir ultérieurement un profit. Contrairement à l'achat d'une voiture, qui perd de sa valeur au fil des années et des kilomètres parcourus, l'achat d'une éducation permet de récolter des bénéfices sur les plans financier, social et intellectuel. Une voiture est un bien plus tangible à court terme, mais un investissement dans l'éducation (même si cela implique un emprunt d'argent) vous en donne plus pour votre argent à longue échéance.

Se fixer des objectifs d'épargne réalistes

Si après avoir cotisé à vos régimes de retraite il vous reste un surplus d'argent, n'hésitez pas à le placer en vue de l'éducation postsecondaire de vos enfants.

Soyez cependant réaliste quant à ce que vous pouvez vous permettre d'épargner en prévision de futures dépenses d'éducation, car vous devez favoriser vos objectifs financiers premiers, en particulier l'épargne-retraite (voir le chapitre 2). Évidemment, tous les parents ne sont pas en mesure de défrayer l'ensemble des coûts d'une éducation universitaire, surtout lorsque la famille compte plus d'un enfant. Si votre ménage ne gagne pas un revenu élevé, envisagez d'essayer d'épargner suffisamment pour payer un tiers ou la moitié du coût total anticipé. Le reste de l'argent pourra provenir d'un emprunt, de l'emploi d'été ou à temps partiel de votre enfant, etc.

Comment épargner en prévision des dépenses d'éducation

Si vous avez suffisamment de fonds pour veiller à vos autres objectifs, comme votre participation à un REER, tant mieux! Vous pouvez alors commencer à mettre l'argent de côté pour les études postsecondaires de vos enfants.

Votre manière d'organiser vos efforts d'épargne est tout aussi importante que les choix de placements que vous faites. Il y a deux manières fondamentales de mettre en place un plan d'épargne efficace pour les frais d'éducation postsecondaires.

La première option consiste à souscrire un régime enregistré d'épargne-études (REEE). Pour beaucoup de gens, un REEE est un excellent moyen d'économiser, en partie grâce à de généreux programmes de subventions gouvernementaux (dont nous parlons un peu plus loin dans ce chapitre).

La deuxième option est d'ouvrir un compte en fiducie. En vertu de cet arrangement, vous mettez de l'argent dans un compte spécial et l'investissez au nom de votre enfant. S'il y a de bonnes chances que vos enfants n'entreprennent pas d'études postsecondaires, il s'agit peut-être de la meilleure solution.

Le régime enregistré d'épargne-études (REEE)

Depuis 2007, il n'y a aucune limite de contribution annuelle par bénéficiaire dans un REEE. Cependant, le plafond total cumulatif de cotisation pour chaque bénéficiaire est de 50 000 $. Vous êtes autorisé à y contribuer financièrement jusqu'à la fin de la 31e année depuis l'ouverture du régime, et celui-ci doit être fermé à la fin de l'année du 35e anniversaire de son ouverture.

L'argent que vous cotisez à un REEE n'est pas déductible d'impôts, mais les gains à l'intérieur du régime ne sont pas imposés. Lorsque votre enfant débute ses études postsecondaires, l'argent de ce régime peut être retiré sans imposition et utilisé pour diverses dépenses liées à l'éducation.

Les REEE sont disponibles chez différents fournisseurs, dont la plupart des institutions financières, les maisons de courtage, les compagnies d'assurance et les planificateurs financiers agréés. Il existe trois types de REEE : familial, individuel et collectif. Pour connaître les règles et conditions qui s'appliquent à chacun de ces types de régimes, veuillez vous informer auprès d'un fournisseur de REEE ou contacter Ressources humaines et Développement des compétences Canada (1-800-622-6232, www.rhdcc.gc.ca).

Les subventions gouvernementales à l'épargne-études

Les REEE peuvent vous aider à obtenir plus d'argent par le biais de la Subvention canadienne pour l'épargne-études, du Bon d'études canadien et de l'Incitatif québécois à l'épargne-études.

La Subvention canadienne pour l'épargne-études (SCEE)

Dans le cadre de la Subvention canadienne pour l'épargne-études, selon votre revenu net familial, le gouvernement contribue entre 100 $ et 200 $ à votre REEE pour la première tranche de 500 $ que vous versez dans un REEE. (Les montants des trois tranches du revenu familial net considérés dans le calcul sont ajustés annuellement en fonction de l'inflation.) Si vous déposez plus de 500 $ par année, le gouvernement versera jusqu'à 400 $ sur un maximum de 2 000 $ additionnels épargnés, et ce, quel que soit votre revenu familial net. Le plafond cumulatif total de la contribution gouvernementale en vertu de ce programme est de 7 200 $ par enfant. Afin d'être admissible à la subvention, le bénéficiaire du REEE doit être un résident du Canada, être âgé de 17 ans ou moins (au 31 décembre), et avoir un numéro d'assurance sociale. Notez qu'il faut parfois plusieurs semaines avant d'en obtenir un. Des règles particulières s'appliquent dans le cas des enfants de 15 à 17 ans.

Pour plus d'informations concernant la Subvention canadienne pour l'épargne-études, communiquez avec Ressources humaines et Développement des compétences Canada (1-800-622-6232, www.rhdcc.gc.ca).

Le Bon d'études canadien (BEC)

Selon votre revenu familial, vous pourriez également avoir droit au **Bon d'études canadien (BEC)** si votre enfant est né après le 31 décembre 2003 et si vous bénéficiez de la Prestation fiscale canadienne pour enfant (PFCE – communément appelée « allocation familiale ») en plus de la Prestation nationale pour enfants (PNE) et que votre revenu familial net est inférieur à 38 832 $ (ce montant est ajusté annuellement).

En vertu de ce programme, le gouvernement verse un premier bon d'études de 500 $ dans le REEE de votre enfant, puis 100 $ par année jusqu'à ce l'enfant atteigne 15 ans, pour un maximum de 2 000 $. Un supplément de 25 $ pourra aussi vous être accordé pour couvrir les frais associés à l'ouverture d'un REEE. Notez que vous recevrez cette subvention même si vous ne versez pas d'argent dans le REEE de votre enfant. Votre fournisseur de REEE demandera pour vous que le bon d'études soit directement déposé au compte REEE de votre enfant.

Pour plus d'informations à propos des Bons d'études canadiens, contactez Ressources humaines et Développement des compétences Canada (1-800-622-6232, `www.rhdcc.gc.ca`).

L'Incitatif québécois à l'épargne-études (IQÉÉ)

En 2007, le gouvernement du Québec a instauré l'Incitatif québécois à l'épargne-études (IQÉÉ) afin d'encourager les familles québécoises à épargner pour les études postsecondaires de leurs enfants. Cette mesure prend la forme d'un crédit d'impôt remboursable versé directement dans un régime enregistré d'épargne-études (REEE) ouvert dans une institution financière ou chez tout autre fournisseur de REEE offrant l'IQÉÉ. Revenu Québec versera cette contribution à votre compte à la demande du fiduciaire désigné par votre fournisseur de REEE.

Le montant annuel de l'IQÉÉ auquel vous avez droit ne s'applique qu'aux premiers 2 500 $ versés annuellement dans un REEE. Ce montant, un pourcentage de vos contributions, peut atteindre jusqu'à 250, 275 ou 300 $ par année, selon votre revenu familial net et le montant de vos contributions. Enfin, le plafond à vie de l'IQÉÉ par bénéficiaire ne pourra excéder 3 600 $. Pour être admissible à l'IQÉÉ, le bénéficiaire doit résider au Québec, avoir moins de 18 ans et posséder un numéro d'assurance sociale. D'autres conditions s'appliquent.

Afin d'en savoir d'avantage sur les règles et conditions de l'IQÉÉ, communiquez avec Revenu Québec (1-800-267-6299, `www.revenu.gouv.qc.ca`).

Le compte de fiducie

Aussi appelé « fiducie informelle », le compte de fiducie vous permet d'économiser de l'argent pour l'avenir de votre enfant tout en faisant fructifier une portion de vos revenus à l'abri de l'impôt. Le compte est en fiducie car les mineurs ne peuvent conclure des contrats financiers. Il n'y a aucune restriction sur les contributions à un compte de fiducie. Vous pouvez verser autant ou aussi peu d'argent que vous le souhaitez, n'importe quand.

Une fois que l'argent se trouve dans une fiducie, il appartient à l'enfant. Tous les profits sur les investissements à l'intérieur de la fiducie sont imposés. La personne qui contribue au compte paie des impôts sur les dividendes et les intérêts, mais l'enfant est responsable de payer les impôts sur les gains en capital. Comme la majorité des enfants ont des revenus insuffisants pour avoir à payer de l'impôt, cette partie du compte peut fructifier à l'abri de l'impôt. Pour cette raison, les meilleurs investissements pour un compte de fiducie, en particulier s'il reste de nombreuses années avant que l'enfant n'ait besoin de l'argent, sont les fonds communs d'actions, où la plupart des bénéfices sont distribués sous forme de gains en capital.

Si vous avez ouvert un compte de fiducie et n'y contribuez que les versements de la prestation fiscale canadienne pour enfants, les règles fiscales mentionnées précédemment ne s'appliquent pas ; tous les bénéfices, qu'ils soient sous forme de gains en capital, d'intérêts ou de dividendes, sont imposés à l'enfant.

Le grand inconvénient de la fiducie informelle est que lorsque l'enfant atteint 18 ans, l'argent et tous les bénéfices générés deviennent juridiquement sa propriété. Il n'existe aucune règle quant à la manière dont l'argent doit être dépensé, de sorte que votre enfant peut l'utiliser à des fins autres qu'éducatives, telles que le démarrage de sa propre petite entreprise. Et bien que vous puissiez espérer que votre enfant dépense son argent à bon escient, rien ne l'empêchera, le jour de ses 18 ans, de vider son compte pour aller s'acheter une voiture décapotable, si c'est ce qu'il désire faire.

Puiser dans votre REER pour payer des dépenses d'éducation ?

Le Régime d'encouragement à l'éducation permanente (REEP) du gouvernement fédéral vous permet de puiser dans votre REER pour financer des études ou une formation à temps plein pour vous-même ou votre conjoint. Vous pouvez retirer jusqu'à 10 000 $ de votre REER par année pendant quatre ans, pour un montant cumulatif maximum de 20 000 $.

Tout comme pour le Régime d'accession à la propriété (le RAP, que nous voyons au chapitre 15), il y a plusieurs inconvénients à l'utilisation de votre REER pour le financement de votre éducation. Alors que les retraits ne sont pas imposés, vous devez rembourser l'argent à votre REER par versements égaux échelonnés sur dix ans. Le premier paiement doit être effectué au plus tard deux ans après le dernier retrait admissible ou cinq ans après le premier retrait, selon la première date d'échéance.

Tous les paiements de remboursement qui ne sont pas effectués sont inclus dans le revenu imposable de la personne qui a retiré l'argent. En outre, vous trouverez probablement difficile de rembourser ce que vous avez retiré pour vos frais d'études tout en continuant à verser vos cotisations régulières. Dans ce cas, vous devrez être en mesure de vous débrouiller avec moins, surtout si vous comptez normalement sur la réduction d'impôts que vous procurent vos contributions régulières à votre REER, étant donné que vos remboursements ne vous valent pas de déductions. Enfin, l'emprunt d'argent à votre REER et le report de vos nouvelles contributions tandis que vous remboursez ces fonds réduiront considérablement la croissance à long terme de votre épargne-retraite.

La création d'un compte en fiducie comporte certaines étapes. Lorsque vous ouvrez le compte, vous devez définir clairement le rôle de toutes les personnes impliquées. La personne qui met de l'argent dans le compte est appelée le contributeur ou donateur. La loi exige qu'une autre personne ait la responsabilité de surveiller la façon dont l'argent est investi (le fiduciaire) au nom de l'enfant (le bénéficiaire). Lorsque vous ouvrez un compte, assurez-vous d'utiliser la formulation correcte : votre nom (si vous êtes le fiduciaire), suivie par «en fiducie pour» et ensuite le nom de votre enfant.

Pour en savoir davantage sur les comptes de fiducie, renseignez-vous auprès d'un conseiller financier digne de ce nom ou d'une institution financière.

Les prêts et bourses

Maintenant, vous vous demandez peut-être comment vous trouverez l'argent pour payer les frais d'éducation, même si vous placez de l'argent dans des régimes de retraite et que vous parvenez à contribuer certaines sommes à un REEE. Il n'existe pas une seule et unique solution à cette question, car les détails du financement des études secondaires (professionnelles), collégiales et universitaires dépendent de votre situation particulière. Cependant, même si vous disposez de certaines liquidités qui pourraient être utilisées pour le paiement des factures scolaires, vous devrez peut-être recourir à l'aide financière.

L'aide financière aux étudiants

Le gouvernement du Québec offre un programme d'aide financière aux études sous forme de prêts et de bourses. L'aide financière aux études est attribuée à l'étudiant en fonction des dépenses associées à la poursuite des études, d'une part, et des ressources financières de l'étudiant, d'autre part. La première étape consiste à déterminer la catégorie dans laquelle l'étudiant se situe. Cette distinction a un impact considérable sur le calcul et le montant de l'aide financière accordée. Notez que peu importe la catégorie à laquelle l'étudiant appartient, c'est ce dernier qui demeurera le seul responsable de la dette contractée.

Il existe trois catégories d'étudiants dont chacune dépend de critères liés à la situation familiale, aux études et à l'expérience sur le marché du travail : étudiant sans contribution des parents ou du répondant; étudiant avec contribution du conjoint; étudiant avec contribution des parents ou du répondant.

Étudiant sans contribution des parents ou du répondant

L'étudiant ou l'étudiante entre dans cette catégorie s'il ou elle :

✔ est ou a été le parent biologique ou adoptif d'un enfant, est célibataire et que ses deux parents sont décédés, est enceinte d'au moins 20 semaines, est chef de famille monoparentale et habite avec au moins un enfant, vit maritalement avec une autre personne et habite avec au moins un enfant (dont l'un des deux conjoints est le parent), est marié(e), uni(e) civilement, séparé(e), divorcé(e), veuf(ve) ;

✔ détient un baccalauréat d'une université québécoise ou un diplôme équivalent d'une institution de l'extérieur du Québec, poursuit des études universitaires de deuxième ou de troisième cycle, détient un diplôme d'études supérieures ou une attestation d'études (au terme de trois années de formation) du Conservatoire de musique et d'art dramatique du Québec, a accumulé un minimum de 90 unités après trois années d'études dans un même programme d'études universitaires ou l'équivalent de 90 unités dans un même programme d'études universitaires à l'extérieur du Québec ;

✔ a occupé un emploi rémunéré ou a reçu des prestations d'assurance emploi ou des indemnités de remplacement de revenu (CSST, SAAQ, RRQ, etc.) durant une période d'au moins 24 mois sans être en même temps aux études à temps plein, a subvenu à ses besoins tout en résidant ailleurs que chez ses parents ou son répondant durant une période d'au moins 24 mois sans être en même temps aux études à temps plein, a cessé d'étudier à temps plein pendant au moins sept années, consécutives ou non ;

✔ est une personne réfugiée ou protégée, un(e) résident(e) permanent(e) ou un(e) citoyen(ne) canadien(ne) naturalisé(e), si ses parents ne résident pas au Canada et qu'il ou elle n'a pas de répondant ; - a un conjoint introuvable ;

✔ est célibataire et se trouve dans l'une des situations suivantes : vit dans une famille d'accueil, a été confié(e) à un tuteur, est ou sera dans une maison de transition durant l'année d'attribution concernée par la demande d'aide financière, a des parents ou un répondant en résidence spécialisée, a des parents ou un répondant introuvable(s), est dans une situation familiale problématique.

Si l'étudiant ou l'étudiante se classe dans cette catégorie et qu'il ou elle n'entre pas dans la catégorie suivante, le calcul de l'aide financière qui lui sera accordée ne tient compte que de sa propre situation financière.

Étudiant avec contribution du conjoint

L'étudiant ou l'étudiante entre dans cette catégorie s'il ou elle est marié(e), est uni(e) civilement, vit maritalement avec une autre personne et habite avec un enfant (dont l'un des deux conjoints est le parent).

Si l'étudiant ou l'étudiante se classe dans cette catégorie, le calcul de l'aide financière à laquelle il ou elle aura droit tient compte de sa propre situation financière ainsi que de celle de son conjoint ou de sa conjointe.

Étudiant avec contribution des parents ou du répondant

L'étudiant ou l'étudiante entre dans cette catégorie s'il ou elle ne répond à aucun des critères des deux catégories précédentes. Dans ce cas, le calcul de l'aide financière à recevoir prendra en considération les revenus de l'étudiant ou de l'étudiante ainsi que ceux de ses parents ou de son répondant.

Le calcul et le versement de l'aide financière

Une fois que l'Aide financière aux études (AFE) a reçu tous les documents et formulaires requis, elle procède au traitement du dossier de l'étudiant et au calcul de son aide financière. Ce calcul se résume ainsi : les dépenses admises moins les contributions (celle de l'étudiant, et selon le cas, de ses parents ou de son répondant, ou de son conjoint) équivalent aux besoins financiers de l'étudiant. Le site Internet de l'AFE met à la disposition du public un simulateur de calcul qui permet d'obtenir une bonne idée de l'aide à laquelle un étudiant pourrait avoir droit : www.afe.gouv.qc.ca, sous la rubrique « simulateur de calcul ».

Si l'étudiant a droit à une aide financière, l'AFE lui fait parvenir un certificat de garantie qu'il doit ensuite présenter à son institution financière. L'aide financière accordée est versée directement dans le compte bancaire de l'étudiant par paiements égaux au début de chaque mois.

L'aide financière est accordée sous forme de prêt et, si nécessaire, de bourse. Lorsque les besoins financiers d'un étudiant excèdent le montant du prêt maximum relatif à son ordre d'enseignement (secondaire, collégial ou universitaire) et à sa situation particulière, le reste de l'aide financière consentie lui est alors attribué sous forme de bourse. (Le prêt est remboursable, alors que la bourse ne l'est pas.)

À titre d'exemple, pour l'année scolaire 2009-2010, le prêt maximum pour un étudiant (sans enfant) de premier cycle universitaire est fixé à 305 $ par mois d'études, tandis que le montant maximum de la bourse est de 15 574 $ pour l'année.

Notez que des règles particulières s'appliquent aux personnes atteintes d'une déficience fonctionnelle majeure.

Le remboursement de la dette d'études

Bien que les dettes contractées pour la poursuite d'études le soient habituellement à bon escient, il faut tout de même ensuite les rembourser. Durant les études, c'est le gouvernement qui se charge de payer les intérêts sur la dette de l'étudiant, mais au début du mois suivant la fin ou l'abandon des études, c'est l'étudiant qui en devient responsable. Celui-ci doit alors rencontrer un responsable de son établissement financier afin de convenir d'une entente de remboursement. Le taux d'intérêt qui s'applique à la dette d'études sera variable ou fixe, au choix du débiteur.

Si après la fin de ses études l'étudiant est dans l'impossibilité de commencer immédiatement à rembourser sa dette, il peut bénéficier d'une période d'exemption partielle de six mois. Durant cette période, il n'effectue aucun paiement de remboursement et les intérêts sont ajoutés au capital. De plus, si une personne se trouve en situation financière précaire après la fin de la période d'exemption partielle, elle peut bénéficier du programme de remboursement différé. En vertu de ce programme, une personne peut être exemptée du remboursement de sa dette pour un maximum de 24 mois au cours de sa vie, par périodes renouvelables de six mois. Durant ces périodes, c'est le gouvernement qui paie les intérêts sur la dette, et ces montants n'ont pas à lui être remboursés. L'admissibilité au programme dépend de la situation financière de la personne.

Vous trouverez toutes les règles et conditions concernant les différents aspects de l'aide financière aux études en visitant le site Internet de l'AFE à l'adresse : `www.afe.gouv.qc.ca`, ou en composant l'un des numéros suivants : 418-643-3750 (région de Québec), 514-864-3557 (région de Montréal), 1-877-643-3750 (ailleurs au Canada, sans frais).

Conseils pour obtenir des bourses d'études

Un certain nombre de programmes de bourses d'études sont disponibles dans les écoles et par l'entremise des gouvernements et de sources indépendantes. Des employeurs, des banques, des coopératives de crédit, des organismes communautaires et des philanthropes offrent aussi des subventions et des bourses d'études.

De nombreuses bourses et subventions ne nécessitent aucun travail supplémentaire de votre part. Il vous suffit tout simplement de demander une aide financière par le biais des universités et des cégeps. D'autres programmes exigent une certaine recherche dans les répertoires et les bases de données à votre bibliothèque locale, au département d'orientation de l'institution scolaire de votre enfant ou aux bureaux de l'aide financière des cégeps et des universités. Regardez également du côté des organisations locales, des églises, des employeurs, et ainsi de suite. Vous avez de meilleures chances d'obtenir des bourses d'études en explorant ces avenues.

Les services de recherche de bourses d'études postsecondaires sont généralement une perte d'argent et, dans certains cas, de véritables arnaques. Certains de ces services facturent jusqu'à 100 $ juste pour vous renseigner sur des bourses que vous connaissez souvent déjà ou auxquelles vous n'êtes même pas admissible.

Votre enfant peut travailler et épargner de l'argent durant ses études secondaires et postsecondaires. En fait, si votre enfant est admissible à une aide financière, il peut être tenu de contribuer une certaine somme pour ses frais d'études à partir de ses économies ou de ses revenus d'emploi à temps partiel durant l'année scolaire. En plus de responsabiliser votre enfant vis-à-vis de son propre avenir, cette façon de faire favorise l'apprentissage d'une saine gestion de ses finances personnelles.

Les étudiants qui soutiennent un conjoint ou un enfant ayant un handicap peuvent dans plusieurs cas obtenir des subventions non remboursables. Les étudiants handicapés peuvent obtenir jusqu'à plusieurs milliers de dollars par année en subventions spéciales. Informez-vous auprès du bureau de l'aide financière de votre institution scolaire ou universitaire.

L'investissement pour l'éducation

Certaines entreprises dépensent des millions de dollars en publicité pour faire connaître leurs produits de placement et d'assurance qui seraient, selon elles, la meilleure façon de faire fructifier votre argent pour l'avenir de vos enfants. Ne vous laissez pas piéger par ces annonces.

Les facteurs qui différencient habituellement un bon investissement d'un mauvais s'appliquent aussi aux placements destinés à payer les frais d'éducation. Tenez-vous-en à des placements éprouvés et à faibles coûts. (Le chapitre 8 explique ce que vous devez généralement rechercher et ce dont il faut vous méfier.) Les sections qui suivent portent sur des considérations spécifiques à l'investissement en prévision de l'éducation postsecondaire.

Les bons placements : les fonds communs sans frais d'acquisition et les fonds cotés en Bourse

Comme nous en discutons au chapitre 9, la gestion professionnelle et l'efficacité des meilleurs fonds communs de placement sans frais d'acquisition font de ceux-ci des placements difficiles à battre. Les fonds cotés en Bourse (FCB), aussi appelés fonds indiciels négociables en Bourse (FINB), dont l'objectif est de reproduire le rendement d'un indice de référence et pour lesquels les frais de gestion sont très bas, constituent également un choix d'investissement attrayant. Les chapitres 11 et 12 proposent des recommandations pour investir de l'argent dans les fonds tant à l'intérieur qu'à l'extérieur des régimes de retraite à l'abri de l'impôt.

Avec ce type d'investissement, il importe de planifier attentivement vos placements en fonction de l'échéancier propre aux besoins de votre enfant. Plus celui-ci s'approche du début de ses études postsecondaires, plus l'argent devra être investi prudemment.

Les mauvais placements

Les polices d'assurance vie avec valeur de rachat en espèces sont parmi les placements les plus vendus pour le financement des études postsecondaires. Voici l'argument habituel : «Puisque vous avez besoin d'une assurance vie pour protéger votre famille, pourquoi ne pas acheter une police sur laquelle vous pourrez emprunter pour défrayer les frais d'éducations de vos enfants ?»

Vous ne devriez pas investir dans ce type de police pour financer des études universitaires ou collégiales pour la raison qu'il vous est préférable de cotiser à un REER qui vous fait profiter d'une déduction fiscale immédiate, un avantage que n'offre pas l'épargne par le biais d'une assurance vie. En outre, comme l'assurance vie avec valeur de rachat est plus chère, les parents sont également plus susceptibles de commettre une deuxième erreur : ne pas acheter une couverture suffisante. Si vous avez besoin d'assurance vie ou si vous tenez à en avoir une, optez plutôt pour une assurance vie temporaire, qui coûte moins cher (voir le chapitre 16).

Un placement qui ne parvient pas à battre l'inflation est un autre mauvais placement pour les dépenses collégiales ou universitaires, comme c'est le cas des comptes d'épargne et du marché monétaire. Votre argent doit produire un rendement suffisamment élevé, de sorte que vous puissiez payer la plus grande partie possible des frais de scolarité le moment venu.

Des investissements négligés

Trop souvent, nous voyons des parents se tuer au travail dans le but de faire plus d'argent pour se permettre d'acheter une plus grande maison, des voitures plus chères, des vacances exotiques et pour envoyer leurs enfants dans une école privée (et supposément meilleure). Les parents désirent parfois aussi que leurs petits fréquentent des institutions préscolaires et primaires coûteuses. Il n'est pas rare que des familles contractent des prêts hypothécaires scandaleux et se donnent des conditions de vie à peine soutenables afin d'habiter dans un quartier doté d'écoles bien cotées.

Pourtant, la meilleure école au monde pour votre enfant, c'est chez lui, auprès de ses parents. Si beaucoup de gens (et nous en faisons partie) parviennent à fréquenter d'excellents établissements d'enseignement, ce n'est pas seulement parce que leurs parents ont travaillé dur, mais aussi parce qu'il ont passé du temps avec leurs petits durant leur enfance. Plutôt que de vous efforcer de gagner toujours plus d'argent (même si vous le faites avec les meilleures intentions du monde), essayez d'être plus attentif à vos enfants. À notre humble avis, vous leur rendez service en passant simplement davantage de moments de qualité avec eux.

Certains parents se tracassent à propos du manque d'intérêt et des mauvais résultats de leur enfant à l'école. Ils accuseront l'école, la télévision ou même la société au sens large. Ces facteurs sont susceptibles de contribuer au problème, certes, mais il ne faut pas oublier que l'éducation commence à la maison ; l'école ne peut pas faire tout le travail à elle seule.

Vivre selon vos moyens ne vous permet pas seulement d'économiser une plus grande partie de votre revenu, mais cela pourrait aussi libérer davantage de votre temps pour élever et éduquer vos enfants. Ne sous-estimez pas la valeur du temps et de l'attention que vous leur donnez.

Chapitre 14

Investir dans l'immobilier

● ●

Dans ce chapitre :

▶ Choisir entre l'achat et la location

▶ Déterminer comment financer votre achat immobilier

▶ Trouver une bonne propriété

▶ Savoir traiter avec un agent immobilier

▶ Faire une offre solide

▶ Gérer les problèmes après avoir acheté

● ●

L'achat d'une maison ou l'investissement dans l'immobilier peut se révéler rentable. Par contre, posséder des biens immobiliers apporte aussi parfois son lot de tracas, car l'achat et l'entretien d'une propriété exige passablement de temps, d'énergie et d'argent.

Peut-être souhaitez-vous enfin quitter votre logement loué pour acheter votre première maison. Ou peut-être êtes vous intéressé à vous attaquer au marché immobilier local pour tenter d'y faire un coup d'argent. Dans les deux cas, il y a de bonnes leçons à tirer des expériences d'autres acheteurs qui ont pris cette voie avant vous.

Remarque : bien que ce chapitre soit essentiellement axé sur la propriété dans laquelle vous allez vivre – que les gens du métier appellent «immeuble occupé par son propriétaire» – la plus grande partie des informations présentées dans ce chapitre est pertinente pour les investisseurs immobiliers. Pour plus d'informations concernant l'immobilier comme véhicule de placement, soit les immeubles locatifs, reportez-vous au chapitre 8.

Décider d'acheter ou de continuer à louer

Il se peut que vous soyez fatigué de passer d'un appartement loué à un autre, que vous en ayez assez d'avoir à demander la permission d'accrocher un cadre à un mur ou que votre propriétaire n'entretienne pas les lieux comme il le devrait. Vous avez peut-être envie de goûter à la sécurité financière et au confort associés au fait de vivre dans sa propre maison.

N'importe laquelle de ces raisons justifie le désir d'acheter une propriété. Cependant, avant de prendre la décision d'acheter, vous devriez faire le bilan de votre situation de vie et de votre santé financière. Vous serez ainsi en mesure de mieux évaluer la viabilité de votre projet et la somme que vous pouvez vous permettre d'y investir. Bref, il faut d'abord répondre à quelques questions importantes.

Évaluer votre horizon temporel

Du point de vue financier, vous ne devriez pas acheter de maison si vous ne prévoyez pas d'y vivre au moins trois ans (cinq ou plus, de préférence). Acheter et vendre un bien immobilier implique beaucoup de dépenses, dont l'obtention d'un prêt hypothécaire, les coûts d'inspection de l'immeuble, les frais de déménagement et les commissions des agents immobiliers. Pour couvrir ces coûts de transaction ainsi que les coûts additionnels reliés à la propriété, la valeur de celle-ci doit s'apprécier d'environ 10 à 15 %.

Si vous allez avoir besoin ou envie de déménager à court terme, il est risqué de compter sur une telle appréciation. Si vous avez de la chance et que vous achetez avant une forte hausse des prix des maisons, vous bénéficierez peut-être de l'appréciation nécessaire. Dans le cas contraire, vous pourriez perdre de l'argent dans la transaction.

Certaines personnes sont prêtes à investir dans l'achat d'une maison même quand elles ne prévoient pas y habiter longtemps si elles envisagent d'offrir leur résidence en location. Cela peut bien fonctionner financièrement à long terme, mais il ne faut pas sous-estimer le travail et les responsabilités qui sont à la charge d'un propriétaire locatif. De plus, afin d'avoir suffisamment d'argent pour acheter leur prochaine propriété, la plupart des gens doivent vendre leur première maison.

Déterminer ce que vous pouvez vous permettre d'acheter

Bien que l'acquisition de votre propre maison puisse constituer une mesure financière sage à longue échéance, il s'agit tout de même d'un achat important susceptible d'envoyer des ondes de choc dans le reste de vos finances personnelles. Vous aurez probablement à contracter un prêt hypothécaire – un prêt garanti par la propriété que vous achetez – où les paiements sont étalés, ou amortis (généralement sur 25 ans ou plus), pour financer votre achat. La maison que vous achetez nécessitera des travaux d'entretien au fil des ans. Posséder une maison, c'est un peu comme courir un marathon : tout comme on doit être en bonne forme physique pour participer à un marathon, on doit être en bonne santé financière au moment d'acheter une maison. Aussi longtemps que vous la posséderez, il vous faudra régulièrement payer pour une chose ou une autre.

Trop de gens tombent en amour avec une maison et précipitent leur décision d'acheter, sans prendre le temps de bien analyser les implications financières de leur projet. Faites le bilan de l'ensemble de votre santé financière (notamment votre situation en termes de planification retraite) avant d'acheter un bien immobilier ou de convenir d'un prêt hypothécaire particulier. Ne laissez pas les obligations financières associées à l'achat d'une propriété nuire à votre avenir financier.

Pour établir combien un acheteur potentiel peut emprunter pour l'achat d'une maison, les créanciers se penchent principalement sur son revenu annuel : ils s'attardent peu à la situation financière d'ensemble de l'emprunteur. Que vous ayez ou non de l'argent de placé dans des comptes d'épargne-retraite ou plusieurs enfants à vêtir, nourrir et à soutenir à l'université, vous êtes habituellement admissible au même montant de prêt que les autres personnes ayant des revenus similaires aux vôtres (en supposant un niveau d'endettement à peu près égal).

Ainsi, ne vous fiez pas au prêteur quand il vous dit ce que vous pouvez vous permettre selon quelque formule de calcul utilisée par les banques pour établir quel type de risque de crédit vous représentez. Seulement vous pouvez évaluer combien vous pouvez vous permettre d'investir, car personne ne connaît mieux que vous-même votre situation financière, vos objectifs à long terme et l'importance qu'ils revêtent à vos yeux.

Voici quelques questions financières importantes dont les prêteurs ne se préoccupent pratiquement jamais, mais que vous devriez vous poser avant d'acheter une maison :

- ✔ Épargnez-vous suffisamment d'argent chaque mois pour atteindre vos objectifs de retraite ?

- ✔ Combien dépensez-vous (et voulez-vous continuer de dépenser) pour des choses plaisantes comme le voyage et le divertissement ?

- ✔ Jusqu'où êtes-vous prêt à aller dans les restrictions de vos dépenses afin d'être capable d'effectuer vos versements hypothécaires mensuels et autres paiements liés à la propriété ?

- ✔ Quelle part des dépenses anticipées des études postsecondaires de vos enfants aimeriez-vous être en mesure de payer ?

D'autres chapitres de ce livre peuvent vous aider à répondre à ces questions essentielles. Le chapitre 2, en particulier, vous incite à réfléchir à l'épargne en vue d'objectifs financiers importants.

Beaucoup de nouveaux propriétaires rencontrent des ennuis financiers parce qu'ils ne connaissent pas leurs besoins ni leurs priorités en ce qui concerne leurs dépenses et ne savent pas comment organiser leur budget en ce sens. Certains de ces propriétaires ont du mal à restreindre leurs dépenses, en dépit du montant élevé de la dette qu'ils viennent de souscrire ; en fait, certains d'entre eux dépenseront encore plus pour l'achat de toutes sortes de meubles et de travaux de rénovations. Bon nombre de nouveaux propriétaires maintiendront leurs habitudes de consommation grâce au crédit. Pour cette raison, un pourcentage étonnamment élevé – des études indiquent environ la moitié – des personnes qui empruntent de l'argent sur la valeur nette de leur propriété le font pour payer leurs dettes à la consommation (les cartes de crédit !).

Calculer combien les prêteurs vous permettront d'emprunter

Les prêteurs hypothécaires veulent connaître votre capacité de rembourser l'argent que vous empruntez, ainsi que les probabilités que vous les remboursiez. Vous devrez passer quelques tests qui visent à établir le montant maximal que le prêteur est disposé à vous prêter. Dans le cas d'une maison dans laquelle vous résiderez, les prêteurs additionnent vos dépenses mensuelles de logement. Ils définissent vos frais de logement comme suit :

```
Mensualités hypothécaires + Impôt foncier + Assurance
```

En règle générale, la banque vous prêtera jusqu'à 30 à 32 % environ de vos revenus mensuels bruts (avant impôts) pour vos frais de logement. C'est ce qu'on appelle le « taux d'effort partiel » (TEP). Si vous êtes travailleur autonome, c'est beaucoup plus compliqué. Les prêteurs voudront souvent voir vos états financiers et vos déclarations de revenus des dernières années, et beaucoup décident au cas par cas.

Les prêteurs considèrent également vos autres dettes au moment de décider combien vous prêter. Ces autres dettes diminuent les fonds disponibles pour payer vos frais de logement. Les prêteurs ajoutent le montant que vous devez payer pour vos dettes à la consommation (prêts auto, cartes de crédit) à vos frais de logement mensuels. Le montant mensuel total de ces paiements de dettes ajouté à vos frais de logement ne doit généralement pas dépasser 40 % de vos revenus mensuels bruts. Cette évaluation est appelée « taux d'effort total » (TET).

D'une manière générale, vous pouvez emprunter jusqu'à trois fois (ou deux fois et demie), votre revenu annuel lors de l'achat d'une maison. Mais cette règle est une estimation très approximative. Le maximum que la banque consentira à vous prêter dépend également des taux d'intérêt. Si les taux sont bas (comme ils l'ont été pendant une grande partie de la dernière décennie), le paiement mensuel d'un prêt hypothécaire d'une taille donnée sera aussi relativement plus bas. Des taux d'intérêt bas rendent l'achat d'immobilier plus abordable.

Le tableau 14-1 vous donne une idée approximative du prêt maximum auquel vous pourriez être admissible. Multipliez votre revenu annuel brut par les nombres de la deuxième colonne afin de déterminer le prêt maximum approximatif qui pourrait vous être consenti. Par exemple, pour un prêt hypothécaire à un taux d'environ 7 %, si votre revenu annuel est de 50 000 $, en multipliant 3,5 par 50 000 $, vous arrivez à 175 000 $.

Tableau 14-1 : Quel est le prêt maximum approximatif que vous pourriez obtenir ?

Pour un taux d'intérêt hypothécaire de	Multipliez votre revenu annuel brut* par le nombre correspondant afin de déterminer votre prêt maximum approximatif possible
4 %	4,6
5 %	4,2
6 %	3,8
7 %	3,5
8 %	3,2
9 %	2,9
10 %	2,7
11 %	2,5

*Si vous êtes travailleur autonome, il s'agit de votre revenu net (une fois vos dépenses déduites, mais avant impôts).

Acheter ou louer ? Comparer les coûts

Les coûts associés à l'achat d'une maison constituent une considération financière majeure pour de nombreux locataires. Certains supposent qu'il revient plus cher d'être propriétaire. En réalité, posséder sa propre maison ne coûte pas nécessairement plus cher ; cela peut même parfois se révéler moins coûteux que de louer.

Au prime abord, l'achat d'une maison peut sembler beaucoup plus dispendieux que la location. Vous comparez sans doute votre loyer mensuel (de quelques centaines de dollars à mille dollars ou plus, selon les cas) au prix d'achat d'une propriété, un nombre généralement beaucoup plus important, comme 150 000 $, 500 000 $, ou plus. Lorsque vous envisagez l'achat d'une propriété, considérez vos frais de logement en un seul et gros montant, plutôt qu'en petites mensualités (comme un chèque de loyer).

Connaître l'ensemble des coûts auxquels s'expose le propriétaire peut représenter un outil efficace, et l'exercice est relativement simple à effectuer. Pour comparer équitablement les coûts d'achat et de location, vous devez établir ce qu'il en coûterait mensuellement pour acheter une propriété qui vous intéresse par rapport à ce qu'il en coûterait pour louer un logement comparable. La feuille de calcul dans le tableau 14.2 vous permet d'effectuer cette comparaison. Note : afin de réduire le nombre de variables, ces estimations supposent un prêt hypothécaire à taux fixe. (Pour plus d'informations sur les prêts hypothécaires, voir la section intitulée « Le financement de votre propriété », un peu plus loin dans ce chapitre.)

De plus, nous avons choisi de ne pas prendre en considération ce que les économistes appellent les « coûts de renonciation ». En d'autres termes, quand vous achetez, l'argent que vous mettez dans votre maison ne peut être investi ailleurs, et selon certains économistes, le rendement sur les occasions d'investissements perdues devrait être ajouté aux coûts de possession d'une propriété. Nous préférons ne pas tenir compte de ce concept ici pour deux raisons. Tout d'abord, et surtout, nous ne souscrivons pas à cette manière de voir les choses. Lorsque vous achetez une maison, vous investissez votre argent dans l'immobilier, qui a toujours offert de solides rendements à long terme (voir le chapitre 8). Et deuxièmement, ce facteur complique grandement l'analyse.

Tableau 14-2 : Dépenses mensuelles : louer vs acheter

Établir le montant	*L'inscrire ici ($/mois)*
1. Paiement hypothécaire mensuel (voir « Prêt hypothécaire »)	_____ $
2. Impôt foncier mensuel (voir « Impôt foncier »)	+ _____ $
3. Total de l'hypothèque et de l'impôt foncier mensuels	= _____ $
4. Assurance (30 à 150 $/mois, selon la valeur de la propriété)	+ _____ $
5. Entretien (1 % du coût de la propriété divisé par 12 mois)	+ _____ $
6. Coût total de possession d'une maison (lignes 3 + 4 + 5)	= _____ $

Comparez maintenant le montant de la ligne 6 du tableau 14.2 au loyer mensuel d'une résidence comparable afin de voir ce qui coûte le plus cher – louer ou acheter.

Le prêt hypothécaire

Pour déterminer le paiement mensuel de votre prêt hypothécaire, il suffit de multiplier le chiffre (ou multiplicateur) du tableau 14-3 par la taille de votre prêt hypothécaire exprimé en milliers de dollars (divisé par 1 000). Par exemple, si vous contractez un prêt de 100 000 $ dollars à 8 % d'intérêt amorti sur 25 ans, vous devez multiplier 100 par 7,63 pour arriver à un paiement mensuel 763 $.

Tableau 14-3 : Multiplicateur de paiements hypothécaires mensuels

Taux d'intérêt	Amortissement sur 15 ans	sur 25 ans
5,0 %	7,88	5,82
5,5 %	8,14	6,10
6,0 %	8,40	6,40
6,5 %	8,66	6,70
7,0 %	8,93	7,00
7,5 %	9,21	7,32
8,0 %	9,49	7,63
8,5 %	9,77	7,96
9,0 %	10,05	8,27
9,5 %	10,34	8,61
10,0 %	10,62	8,94
10,5 %	10,92	9,29
11,0 %	11,21	9,62
11,5 %	11,51	9,97
12,0 %	11,81	10,32

L'impôt foncier

Vous pouvez demander à un expert du milieu immobilier, à un prêteur hypothécaire ou à votre bureau d'évaluation local à quoi ressemblerait votre facture annuelle de taxes foncières pour une maison de même valeur à l'achat que vous envisagez. Divisez ce montant par 12 pour connaître votre facture mensuelle approximative d'impôt foncier.

Les avantages de la location

La location a ses avantages. Certains des locataires qui réussissent financièrement sont des gens qui paient un loyer modique, soit parce qu'ils ont fait des sacrifices quant au logement qu'ils habitent ou parce qu'ils vivent dans une habitation à loyer modéré. Si vous êtes toujours en mesure d'économiser 10 % ou plus de votre revenu, vous êtes probablement sur la bonne voie pour atteindre vos objectifs financiers.

En tant que locataire, vous n'avez pas à vous soucier des responsabilités d'entretien de la propriété, car c'est le propriétaire qui s'en charge. Vous disposez également d'une plus grande flexibilité financière et psychologique. Quand vous décidez de déménager, il vous est habituellement plus facile de le faire en tant que locataire qu'en tant que propriétaire.

Le fait de ne pas avoir une bonne partie de vos actifs immobilisés dans une maison est un autre avantage pour le locataire à long terme. Certaines personnes parviennent à leurs années de retraite avec une partie importante de leur richesse investie dans leur foyer. En tant que locataire, vous pouvez avoir tout votre argent dans des actifs financiers que vous pouvez exploiter plus facilement.

Les coûts à long terme de la location

Quand vous effectuez vos calculs afin d'évaluer les coûts mensuels de la possession d'une maison par rapport à la location, il se peut que vous découvriez qu'avoir une maison n'est pas aussi coûteux que vous le pensiez. Ou peut-être trouverez-vous qu'il est un peu plus cher d'acheter que de louer. Dans ce cas, vous pourriez déduire que, financièrement parlant, la location est plus avantageuse.

Mais il ne faudrait pas sauter trop vite aux conclusions. Rappelez-vous que vous comparez les coûts du propriétaire et du locataire aujourd'hui. Qu'en sera-t-il dans 5, 10 ou 30 ans ? En tant que propriétaire, votre plus grande dépense mensuelle – votre paiement hypothécaire – n'augmente pas de façon constante, elle fluctue, et seulement si les taux d'intérêt sont passés à un niveau différent au moment du renouvellement de votre prêt hypothécaire. Dans l'éventualité où les taux d'intérêt sont plus élevés ou plus bas lorsque votre terme hypothécaire expire et que vous renouvelez votre prêt, vos paiements augmenteront ou diminueront en conséquence. Votre impôt foncier, votre assurance de propriétaire occupant et vos frais d'entretien – qui sont généralement bien moindres que votre versement hypothécaire – sont les éléments qui augmentent en fonction du coût de la vie.

Lorsque vous louez, cependant, c'est tout votre loyer mensuel qui est soumis aux aléas de l'inflation. Le contrôle des loyers exercé par la Régie du logement ne supprime pas les hausses de prix, elle les limite simplement. Les logements à loyer modéré, pour lesquels la hausse annuelle admissible est très faible, échappent en grande partie à cette règle.

Disons que vous compariez le coût de possession d'une maison d'une valeur de 200 000 $ à la location de la même maison pour 1 200 $ par mois. Le tableau 14-4 compare le coût de possession de la maison à vos frais de location sur 25 ans. La comparaison suppose que vous contractiez un prêt hypothécaire correspondant à 75 % du coût de la propriété, à un taux d'intérêt fixe de 7,5 % – ce qui signifie que vos versements hypothécaires mensuels seraient de 1 097 $ (arrondis à 1 100 $) – et que le taux d'inflation des frais d'assurance habitation, d'impôt foncier, d'entretien (qui, dans l'exemple du propriétaire, commence à 450 $ par mois) et du loyer soit de 4 % par année.

Tableau 14-4 : Coûts de possession *vs* location sur 25 ans

Nombre d'années	Paiement mensuel du propriétaire	Paiement mensuel du locataire
1	1 550 $	1 200 $
5	1 626 $	1 404 $
10	1 740 $	1 708 $
20	2 048 $	2 528 $
25	2 253 $	3 076 $

Comme vous pouvez le constater dans le tableau 14.4, dans les premières années, posséder une maison coûte un peu plus que de la louer. À long terme, toutefois, être propriétaire devient moins cher, car les frais de location subissent davantage le coup de l'inflation. Et n'oubliez pas qu'au fil des années, le propriétaire voit croître la valeur nette réelle de sa propriété, et cette valeur sera très importante au moment où il aura remboursé son prêt hypothécaire.

Vous pensez peut-être que si l'inflation n'augmente pas de 4 % par année, la location pourrait en fait être la solution la moins coûteuse. Ce n'est cependant pas nécessairement le cas. Supposons que l'inflation n'existe pas : le loyer n'augmenterait pratiquement pas, mais les frais du propriétaire non plus. Et sans inflation, vous pourriez sans doute refinancer votre prêt hypothécaire à un taux inférieur à 7 %. Si vous faites le calcul, avec une inflation plus faible, la possession d'une propriété serait encore moins coûteuse à long terme. Toutefois, l'avantage d'être propriétaire est moindre durant les périodes de forte inflation.

Le financement de votre propriété

Une fois que avez évalué votre santé financière, votre horizon temporel et comparé les coûts de location aux coûts de possession d'une maison, vous devez vous attaquer à la tâche de contracter une dette pour acheter une propriété (sauf si vous êtes suffisamment fortuné). Un prêt hypothécaire, d'une banque ou d'une autre source, vient combler la différence entre la mise de fonds initiale que vous comptez verser et le prix de vente convenu du bien immobilier.

Connaître les différents types de prêts hypothécaires

Comme pour d'autres produits financiers, diverses possibilités s'offrent à vous quand il s'agit de choisir votre prêt hypothécaire. D'un prêt hypothécaire à un autre les différences sont tantôt considérables, tantôt négligeables. Nous commencerons avec les grandes différences.

Il existe trois principales caractéristiques avec lesquelles vous devez vous familiariser avant de choisir votre prêt hypothécaire. La première est le temps qu'il va vous falloir pour rembourser votre prêt. C'est ce qu'on appelle l'amortissement. La deuxième est le terme de votre contrat de prêt hypothécaire. Ceux-ci ont habituellement une échéance variant de six mois à cinq ans ou plus. La troisième caractéristique à considérer est le taux d'intérêt : sera-t-il fixe pour toute la durée du prêt ou fluctuera-t-il en fonction du niveau général des taux d'intérêt ? Nous vous aidons à comprendre ces trois paramètres dans les sections suivantes.

Idéalement, vous devriez peser les avantages et les inconvénients de chaque type de prêt hypothécaire et décider de ce qui convient le mieux à votre situation *avant* de partir à la recherche d'un bien immobilier ou de procéder au refinancement d'un prêt.

Dans le monde réel, la plupart des gens ne suivent pas ce conseil. L'excitation de l'achat d'une maison a tendance à obscurcir le jugement. Notre expérience nous a démontré que trop de gens prennent des décisions immobilières importantes sans avoir d'abord bien observé leur situation financière d'ensemble. Or, à défaut d'un minimum de précautions, vous risquez de vous retrouver avec un prêt hypothécaire qui pourrait un jour sérieusement réduire votre qualité de vie.

Nous vous invitons à examiner les questions abordées dans cette section avant de décider quel type de prêt hypothécaire vous convient.

Qu'est-ce que l'amortissement ?

Lorsque vous contractez un prêt à la consommation pour acheter une voiture, par exemple, vous devez décider combien de temps vous prendrez pour rembourser l'argent. Disons que vous choisissiez une période de quatre ans. Pendant ces quatre ans, vous devrez rembourser le montant intégral que vous avez initialement emprunté, plus les intérêts. Ainsi, une fois les quatre années écoulées, vous aurez payé à votre prêteur tout l'argent que vous lui avez emprunté et tous les intérêts sur les fonds empruntés.

Lors du calcul de vos versements hypothécaires, vous pouvez choisir le nombre d'années durant lesquelles vous souhaitez étaler le remboursement du capital. Vos frais d'intérêts sont ensuite calculés en fonction de cette période et inclus dans vos versements mensuels. Le nombre d'années d'étalement de votre prêt hypothécaire est appelé « amortissement ». Il s'agit de la période utilisée pour calculer vos mensualités, au taux d'intérêt que vous acceptez.

La plupart des prêts hypothécaires au Canada sont amortis sur 25 ans. Vous pouvez cependant choisir une période plus courte ou plus longue. Celles-ci vont généralement de 5 à 40 ans.

Comprendre votre terme hypothécaire

La durée de l'amortissement et le *terme* sont deux choses distinctes et séparées. Le terme est la période temps pour laquelle les conditions de votre emprunt hypothécaire sont négociées et convenues auprès du prêteur. Lorsque le terme vient à échéance, votre prêt vient à échéance. Vous pouvez alors choisir de souscrire un autre prêt pour la durée de votre choix, soit auprès du même prêteur, soit auprès d'une autre institution financière. À ce moment-là, il vous est possible de rembourser une partie ou la totalité de votre prêt hypothécaire si vous disposez de l'argent nécessaire, et de modifier l'amortissement, si vous le désirez.

Par exemple, vous pourriez souscrire un prêt hypothécaire dont le coût total serait étalé – amorti – sur 25 ans, alors que le contrat hypothécaire serait de deux ans seulement. Au bout de ces deux années, vous pourriez renouveler votre prêt hypothécaire en changeant les conditions du prêt. Cette fois, vous pourriez par exemple décider d'amortir sur 15 ans seulement et de vous engager pour un terme de cinq ans.

Comparer les prêts hypothécaires à court terme et à long terme

Normalement, vous avez le choix d'un terme variant de six mois ou un an à cinq ans. Certains prêteurs offrent aussi des termes de sept et dix ans. En règle générale, plus le terme est long, plus votre taux d'intérêt sera élevé. Les prêteurs procèdent ainsi afin de se protéger au cas où les taux augmenteraient, parce qu'avec un terme plus long le taux reste le même plus longtemps, ce qui signifie que le prêteur risque de perdre le profit qu'il aurait réalisé si vous aviez renouvelé votre contrat de prêt à un taux d'intérêt plus élevé.

Avec un contrat hypothécaire à court terme, sur une période de six mois ou d'un an par exemple, il vous faut renouveler beaucoup plus fréquemment, ce qui vous met à la merci des taux d'intérêt courants. Si les taux ont augmenté au moment où votre terme se termine et que vous devez renouveler, vos mensualités seront également plus élevées. Si les taux sont demeurés au même niveau, cependant, vos versements seront inférieurs à ce qu'ils auraient été avec un terme hypothécaire à plus long terme, pour lequel les taux d'intérêt sont habituellement plus élevés. Évidemment, si les taux ont baissé, vous serez encore plus avantagé.

Choisir un prêt hypothécaire à court terme ou à long terme ?

Lorsque vous choisissez votre terme, vous faites un compromis. Si vous optez pour un contrat à court terme, vous risquez que les taux augmentent entre le moment de la signature et celui de votre prochain renouvellement. Si vous optez pour le long terme et que les taux ne montent pas, vous paierez plus que ce que cela ne vous aurait coûté avec un contrat à court terme.

Le choix d'un long terme (quatre à cinq ans ou plus) garantit vos versements pour toute cette période, ce qui représente une considération importante pour les gens qui doivent contrôler étroitement leur budget. Cette approche constitue souvent une bonne solution si vous êtes dans les premières années de votre expérience de propriétaire. De cette manière, vous connaissez exactement le montant de vos paiements hypothécaires pour les années à venir. Vous n'avez pas à prendre de nouvelles décisions quant à votre prêt hypothécaire avant plusieurs années. Vous n'avez donc pas à vous inquiéter de la montée des taux d'intérêt. Mais cette tranquillité d'esprit a un prix.

Les taux quinquennaux (sur cinq ans), par exemple, sont en général de 1 à 3 % plus élevés que les taux sur six mois. Vous payez une sorte de prime d'assurance pour vous protéger contre le risque de taux plus élevés à venir. Il faut vous demander si le coût en vaut la peine. Souvent, vous vous rendrez compte que les risques financiers et sécuritaires du contrat à court terme ne sont pas aussi grands que vous le pensiez.

Les termes plus longs sont également à considérer si vous débutez dans la vie ou que vos ressources financières sont étirées à leur limite. Si une montée inattendue des taux risque d'élever vos paiements au-delà de ce que vous pouvez aisément soutenir, alors il vaut mieux établir un taux pour plusieurs années, un taux que vous savez être en mesure de payer.

Dans quels cas est-il sage d'envisager un terme plus court ? Lorsque les taux atteignent des sommets historiques. Rappelez-vous que l'on choisit un terme plus long afin de se protéger d'un renouvellement à un taux encore plus élevé. Sinon, tout le monde opterait pour le court terme. Bien sûr, il est difficile de savoir si les taux ont atteint leur point culminant, mais en y allant avec un terme plus court, vous pouvez rapidement tirer profit de la situation lorsque les taux redescendent.

Quand vous optez pour un contrat à court terme, vous devez tenter votre chance à la roulette des taux hypothécaires plus souvent. Si vous pouvez gérer l'incertitude – tant psychologiquement que financièrement – vous serez récompensé par des taux qui sont systématiquement plus bas que les taux à long terme. Le fait de prendre plus souvent des décisions vous permet également d'affiner votre stratégie et vous donne davantage d'occasions de réduire votre capital.

Sachez cependant que les taux d'intérêt fluctuent. S'ils montent vite, les taux peuvent retomber tout aussi rapidement et revenir à leur point de départ, ou même en deçà de ce niveau. La morale de cette histoire, c'est qu'il ne faut pas fonder vos décisions sur les mouvements à court terme des taux. Assurez-vous de disposer d'un coussin financier qui vous permette d'effectuer des paiements plus élevés au cas où les taux auraient augmenté au moment du renouvellement du terme de votre prêt hypothécaire.

Évaluer votre meilleure option

Votre décision dépend de votre capacité à vivre avec le risque. Un contrat à court terme signifie une plus grande incertitude, mais vous êtes aussi presque certain d'avoir des coûts hypothécaires plus faibles, à moins que les taux augmentent longtemps sans redescendre. En choisissant un long terme, vous pourrez mieux dormir, mais vous devrez payer une prime pour ces nuits sans tracas.

Si vous n'êtes toujours pas fixé quant à la route à suivre, ne vous inquiétez pas ; tout le monde passe par ce stade. La prochaine fois que vous participerez à une soirée avec des amis, demandez-leur de vous parler des choix qu'ils ont fait avec leurs prêts hypothécaires. Vous ne manquerez pas d'entendre toutes sortes d'histoires à propos de milliers de dollars perdus ou épargnés.

Les prêts hypothécaires ouverts et fermés

Lorsque vous choisissez un prêt hypothécaire fermé, vous êtes coincé avec les conditions de l'entente jusqu'à l'échéance de votre contrat de prêt. Vous pouvez refinancer uniquement si votre prêteur vous le permet et, souvent, cela peut comporter le paiement d'une pénalité considérable. L'avantage d'un prêt hypothécaire fermé est que, parce que le prêteur sait qu'il peut compter sur vos paiements périodiques, vous obtenez des taux plus faibles.

La concurrence croissante, cependant, a contraint les bailleurs de fonds à vous fournir des façons d'effectuer des paiements importants sur votre emprunt, même à l'intérieur d'un prêt hypothécaire fermé. Par exemple, il n'est pas rare qu'un débiteur ait la possibilité de payer jusqu'à 10 % du montant de son capital initial à chaque date anniversaire de son contrat.

Contrairement à un prêt hypothécaire fermé, un prêt hypothécaire ouvert vous permet de payer une partie ou la totalité du prêt en tout temps et sans pénalités. Cela peut constituer une option intéressante dans le cas où vous prévoyez recevoir une grosse somme d'argent ou vendre votre maison dans un proche avenir. En payant entièrement votre prêt hypothécaire ouvert, vous mettez fin à votre contrat avec le prêteur. Un prêt ouvert vous donne la flexibilité d'adapter votre prêt aux changements de votre situation financière ou aux conditions économiques. Il faut d'ordinaire payer environ 1 % de plus pour bénéficier de cette clause.

Si vous souhaitez profiter d'une baisse possible des taux d'intérêt, mais que vous ne voulez pas d'un taux variable (que nous décrivons dans la section suivante), envisagez de souscrire un prêt hypothécaire ouvert à taux fixe. Celui-ci vous offre un taux d'intérêt garanti, mais dans l'éventualité où les taux baissent à un niveau encore plus attrayant, il vous est possible de fixer votre taux au moment voulu, sans pénalités. Si vous désirez tirer parti d'une baisse des taux, cette solution vous permet de garder vos options ouvertes tout en vous protégeant d'une montée des taux. Toutefois, il n'est en général pas avantageux de choisir ce type de contrat en raison de la prime que les prêteurs font payer pour les prêts hypothécaires ouverts, et d'ailleurs, d'autres possibilités s'offrent à vous.

Aujourd'hui, de nombreuses options de remboursement anticipé vous permettent de rembourser des sommes importantes pendant la durée de votre prêt hypothécaire. En outre, de plus en plus de propriétaires choisissent des termes plus courts. Un simple terme de six mois, par exemple, peut constituer une stratégie judicieuse. À la fin de chaque terme, vous êtes libre de choisir chez n'importe quel prêteur le terme que vous voulez, en autant que vous répondiez aux exigences de base du prêteur.

Cependant, si vous essayez de tirer profit des taux d'intérêt faibles ou en baisse, il existe désormais une solution de rechange bien meilleure : le terme « six mois convertible ». Nous discutons des prêts hypothécaires convertibles un peu plus loin dans ce chapitre.

Les prêts hypothécaires à taux fixe et à taux variable

Quand vous choisissez un prêt hypothécaire à taux fixe, vos paiements ne changent pas au cours de votre terme hypothécaire. Votre taux d'intérêt est fixé pour toute la durée de votre terme. Avec un prêt hypothécaire à taux fixe, il n'y a rien de compliqué à suivre et il n'y a aucune incertitude. Si vous aimez que votre journal vous soit livré à la même heure tous les matins, il y a de bonnes chances que ce type de prêt vous convienne.

Contrairement au prêt hypothécaire à taux fixe, le taux d'intérêt du prêt hypothécaire à taux variable est (vous vous en doutez) variable. Habituellement lié au taux préférentiel du prêteur, il bouge, saute, s'élève et retombe. Comme un enfant agité, il ne reste pas en place.

Quel avantage y a-t-il à endurer une telle volatilité ? La plupart du temps, vous profitez du taux d'intérêt le plus bas disponible. Les taux variables sont généralement égaux, ou légèrement supérieurs, au taux préférentiel du prêteur, et ils montent et descendent en conséquence.

Certains prêteurs offrent une protection contre la flambée des taux d'intérêt en établissant un plafond absolu que votre taux ne pourra pas dépasser. Vous payez un taux légèrement plus élevé pour bénéficier d'un taux variable plafonné, normalement autour de 1 % de plus qu'un taux variable ordinaire.

Si les taux sont en montée, il est préférable d'opter pour un prêt hypothécaire à taux fixe avant qu'ils ne grimpent davantage. Et si les taux sont en baisse, vous devriez choisir un taux variable (on dit parfois aussi « taux ajustable ») et espérer pour le mieux. Alors les gens se demandent : « Dois-je me fier à la montée ou à la baisse probable des taux d'intérêt pour décider de prendre un prêt à taux fixe ou à taux variable ? »

Bonne question. Le problème est qu'il n'y a en réalité aucun moyen précis d'anticiper la direction que prendront les taux d'intérêt. Si vous croyez fermement que les taux sont susceptibles de tomber et que vous préférez l'option du taux variable, vous devez comprendre les risques encourus. Une hausse des taux d'intérêt peut signifier qu'à un certain moment, votre paiement mensuel ne couvrira plus le coût des intérêts de votre prêt. Si cela arrive, les intérêts impayés seront ajoutés à votre solde. Quand les chiffres atteignent autour de 105 à 110 % du montant initial du prêt, vous pouvez vous attendre à recevoir un coup de fil de votre prêteur. Il vous faudra sans doute alors effectuer un paiement forfaitaire sur votre capital ou passer à un taux fixe.

Si vous décidez qu'une hypothèque à taux variable est le bon choix pour vous, il vous faudra remplir quelques critères additionnels. En raison de leur volatilité, les hypothèques à taux variable ont souvent des limites de crédit inférieures. Beaucoup de prêteurs ne vous laissent pas emprunter plus de 70 % de la valeur estimative de votre propriété. Dans certains cas, vous devez également choisir une période d'amortissement de 20 ans ou moins.

Les prêts hypothécaires convertibles

Alors que les conditions des prêts hypothécaires convertibles varient d'un prêteur à l'autre, le principe de base reste le même. Vous obtenez un prêt hypothécaire d'un terme de six mois – ou parfois d'un an – habituellement au même taux d'intérêt que celui qui est disponible pour les prêts hypothécaires à taux fixe d'une durée similaire. Cela se traduit en général par le meilleur taux hypothécaire disponible.

À tout moment pendant le terme de votre prêt hypothécaire convertible, vous pouvez « convertir », ou changer, le terme de votre prêt, en plus d'avoir la possibilité de choisir un prêt ouvert ou un prêt fermé.

L'avantage d'un prêt hypothécaire convertible est qu'il vous permet d'éviter de payer la prime de taux fixe à long terme. Vous êtes également protégé contre une hausse rapide des taux, car il vous est possible de fixer votre taux à tout moment, sans avoir à attendre jusqu'à l'expiration de votre terme ou devoir payer une pénalité considérable. Si les taux devaient soudainement monter, vous pourriez simplement bloquer votre taux à plus long terme. En outre, vous vous évitez le paiement de la prime supplémentaire normalement exigée pour un prêt ouvert.

Si les taux baissent, vous pouvez fixer votre taux au moment opportun. Et dans l'éventualité où les taux continuent de descendre, il est souvent payant de simplement souscrire un autre six mois convertible.

L'important avec un prêt convertible est de bien vérifier tous les détails et toutes les conditions particulières du contrat. Une institution, par exemple, vous permet de convertir, mais uniquement pour un terme de cinq ans. Même si vous laissez les six mois s'écouler, vous êtes automatiquement inscrit pour les cinq prochaines années. Au fond, il s'agit d'un prêt hypothécaire de cinq ans et demi, assorti d'une option de conversion du taux au cours des six premiers mois.

La plupart des prêteurs vous permettent de convertir à tout moment le terme de votre prêt. La seule restriction générale concerne le fait que durant votre terme, vous ne pouvez pas convertir votre prêt en un autre six mois convertible. L'autre inconvénient des prêts hypothécaires convertibles est que si vous souhaitez renouveler à mi-chemin de votre terme de six mois, il vous est impossible de changer de prêteur. Cela implique la perte d'un certain pouvoir de négociation, ce qui peut vous coûter un quart ou un demi point de pourcentage.

De plus, les taux variables varient d'une autre manière : aucun autre type de prêt hypothécaire ne diffère autant d'un prêteur à un autre. Tous les aspects de ces prêts, des termes offerts jusqu'aux options de remboursement anticipé, varient énormément selon l'institution financière choisie. Lorsqu'il s'agit d'un prêt à taux variable, il importe de poser toutes les questions pertinentes, d'obtenir des réponses précises et de vous assurer que tous ces détails se retrouvent dans le contrat avant de le signer.

Enfin, il existe un acteur relativement peu représenté sur la scène hypothécaire qui est susceptible de vous éviter d'avoir à déterminer si le potentiel d'économie des taux inférieurs en vaut tout le tracas. Il s'agit du prêt hypothécaire convertible, l'un des secrets les mieux gardés du monde des prêts hypothécaires. Le prêt convertible offre plusieurs des avantages du prêt hypothécaire à taux variable, avec très peu d'inconvénients. Pour en savoir plus, voyez l'encadré intitulé «Les prêts hypothécaires convertibles».

Magasiner les prêts hypothécaires

Les sections suivantes discutent de ce que vous devez savoir lorsque vous magasinez les prêts hypothécaires à taux fixe.

Comprendre les différents frais des prêteurs

Les prêteurs ajoutent souvent toutes sortes d'autres frais initiaux lors du traitement de votre prêt. Il vous faut connaître l'ensemble de tous les frais d'un prêteur de sorte que vous puissiez comparer les différents prêts hypothécaires et déterminer quel sera le coût total de l'achat de votre propriété.

Les prêteurs peuvent vous facturer un certain nombre de frais différents. Voici les principaux coupables :

- **Les frais de demande et de traitement**. La plupart des prêteurs exigent plusieurs centaines de dollars pour remplir vos documents et traiter votre demande par la voie de leur département de souscription (évaluation de prêt). La justification de cette redevance est que si votre prêt est refusé ou si vous décidez de ne pas le prendre, le prêteur doit couvrir ses coûts. Certains prêteurs vous remboursent ces frais lors de la conclusion du contrat, si vous prenez leur prêt.

- **Le rapport de solvabilité**. Certains prêteurs vous facturent parfois des frais modiques pour le coût d'obtention d'une copie de votre rapport de solvabilité. Ce rapport permet au prêteur de savoir si vous avez été gentil ou méchant envers d'autres prêteurs dans le passé. Si votre rapport de crédit présente des problèmes, nettoyez le tout avant d'effectuer une demande de prêt (voir «Augmenter vos chances d'approbation», plus loin dans ce chapitre).

- **L'évaluation**. La propriété pour laquelle vous empruntez de l'argent doit être évaluée. Si vous n'effectuez pas vos paiements tel que convenu, le prêteur ne veut pas se retrouver coincé avec une propriété valant moins que le montant que vous lui devez. Pour la plupart des propriétés résidentielles, les frais d'évaluation sont habituellement de plusieurs centaines de dollars.

Obtenez le détail des frais de tous les prêteurs qui retiennent votre attention de sorte que vous puissiez ensuite comparer plus facilement les différents prêts hypothécaires et vous éviter de mauvaises surprises lors de la conclusion de votre contrat de prêt. De plus, afin de réduire le risque de perdre de l'argent avec un prêt auquel vous ne seriez pas admissible, demandez au prêteur s'il croit que votre demande pourrait ne pas être approuvée pour une quelconque raison. Mais assurez-vous de lui communiquer tout problème dont vous connaîtriez l'existence à propos de votre rapport de solvabilité ou de la propriété.

Éviter le blues du paiement d'acompte

Lorsque vous achetez une maison, l'idéal est de verser un acompte équivalant à au moins 25 % du prix d'achat de la propriété. Pourquoi ? Parce qu'en règle générale, cela vous donne de meilleures chances d'obtenir les conditions les plus favorables sur un prêt hypothécaire, en plus de vous éviter les coûts supplémentaires d'une assurance hypothécaire. L'assurance hypothécaire, qui protège les prêteurs contre les pertes d'argent d'un défaut de paiement votre prêt, peut coûter plusieurs centaines de dollars par année pour un prêt hypothécaire moyen.

Beaucoup de gens n'ont pas à leur disposition les 25 % ou plus du prix d'achat d'une propriété qui pourraient leur éviter de payer les coûts d'une assurance hypothécaire privée. Voici un certain nombre de solutions susceptibles de vous aider à trouver ces 25 % ou d'acheter avec un acompte moindre :

- **Réduire vos dépenses**. Un moyen sûr d'accumuler la somme nécessaire à votre acompte est d'augmenter votre taux d'épargne en réduisant vos dépenses. Référez-vous au chapitre 5 pour connaître des stratégies qui vous aideront à réduire vos dépenses.

- **Envisager l'achat d'une propriété moins chère**. Certains acheteurs d'une première maison ont des attentes trop grandes. Les propriétés plus petites et celles qui requièrent un certain travail coûtent habituellement moins cher à l'achat, ce qui signifie que le paiement d'acompte sera moins important.

- **Trouver des partenaires**. Vous pouvez souvent en obtenir plus pour votre argent en achetant un immeuble en partenariat avec une, deux ou plusieurs personnes. Assurez-vous de rédiger un contrat légal complet qui spécifie la marche à suivre au cas où l'un des partenaires voudrait se retirer de l'affaire.

- **Chercher un financement avec acompte réduit**. Certains prêteurs vous offriront un prêt hypothécaire même si vous n'êtes pas en mesure de verser un acompte de plus de 5 à 10 % du prix d'achat. Dans un tel cas, toutefois, vous ne pouvez pas être aussi exigeant dans votre choix d'une propriété, parce que les possibilités sont plus restreintes dans ces conditions : soit les maisons disponibles nécessiteront des réparations, soit elles n'auront pas encore été vendues pour d'autres raisons.

✔ **Demander l'aide de membres de votre famille**. Si vos parents, grands-parents ou d'autres membres de votre famille ont de l'argent qui dort quelque part dans un compte d'épargne ou un CPG, peut-être seront-ils disposés à vous prêter (ou même à vous donner) l'acompte dont vous avez besoin. Vous pourriez leur offrir un taux d'intérêt plus élevé que leur taux actuel, mais inférieur à celui que vous paieriez en empruntant la somme auprès d'une banque, une situation qui avantagerait les deux parties. Normalement, les prêteurs demandent si une partie de l'acompte est empruntée et, le cas échéant, ils réduiront en conséquence le montant maximum qu'ils acceptent de vous prêter.

✔ **Obtenir un prêt hypothécaire à quotité majorée**. Si vous avez un acompte d'au moins 5 % du prix d'achat, vous pouvez obtenir un prêt hypothécaire à quotité majorée auprès de la plupart des prêteurs. Toutefois, vous êtes tenu de souscrire une assurance hypothécaire spéciale. Si votre demande de prêt hypothécaire est approuvée, votre prêteur devrait vous aider à obtenir l'assurance. Celle-ci est fournie soit par la Société canadienne d'hypothèques et de logement (SCHL), qui est gérée par le gouvernement fédéral, soit par la société GE Capital. Cette assurance sert à protéger votre prêteur – et non pas vous – au cas où vous n'effectueriez pas vos paiements tel que convenu.

Votre acompte détermine votre prime d'assurance, dont le taux peut se situer entre 0,5 % et 2,9 %. Vous ne payez la prime qu'une seule fois, au moment où vous contractez votre prêt hypothécaire. Vous êtes tenu d'assurer la totalité du prêt, et pas seulement la différence entre votre acompte et les 25 % requis pour un prêt conventionnel. Sur une hypothèque de 100 000 $, un taux d'assurance de 2,5 % se traduit par une prime d'assurance à payer de 2 500 $. Si vous n'avez pas l'argent, vous pouvez demander à votre prêteur d'ajouter la prime d'assurance à votre prêt. Évidemment, cela signifie que vous finirez probablement par payer deux fois ou trois fois ce montant au cours de la durée de votre prêt hypothécaire, une fois tous les frais d'intérêt ajoutés.

En règle générale, votre paiement d'acompte doit provenir de votre propre poche. Mais les options de financement flexibles de la SCHL vous permettent d'obtenir l'argent pour le versement de l'acompte d'une variété de sources. L'argent peut être emprunté à des membres de la famille, obtenu à partir d'une institution financière sous forme de prêt ou par l'intermédiaire d'un programme de remise en argent. La plus grande restriction est que l'argent doit provenir d'un parti qui n'est pas lié à la transaction. Cela signifie par exemple que vous ne pouvez pas obtenir l'argent auprès du constructeur de l'immeuble. Alors que l'emprunt du montant total pourrait être un signe que vous avez établi des objectifs trop élevés compte tenu de votre capacité financière, il y a des circonstances où une telle flexibilité du financement est justifiée. Par exemple, disons que vous ayez récemment reçu votre diplôme universitaire dans un programme comme la médecine et que vous entriez sur le marché du travail. Vous n'avez probablement pas eu l'occasion de commencer à accumuler des économies, mais il est probable qu'au cours des prochaines années vous gagnerez des revenus bien au-dessus de la moyenne. Cela dit, pour être admissible, vous aurez toujours besoin de présenter un profil financier sain, y compris une bonne cote de solvabilité.

Le Régime d'accession à la propriété (RAP)

En vertu du Régime d'accession à la propriété du gouvernement fédéral, vous pouvez emprunter jusqu'à 20 000 $ de votre REER pour acheter une maison sans payer d'impôts additionnels ou de pénalités.

Pour les personnes désireuses d'acquérir une propriété, le RAP peut s'avérer utile, mais il est loin d'être parfait. Le régime comporte un certain nombre de conditions strictes, de même que certains coûts potentiellement élevés. Il est essentiel de bien en comprendre toutes les particularités, malgré leur aspect rébarbatif. En comprenant dès le départ dans quoi vous vous embarquez, vous vous éviterez des ennuis financiers plus tard.

Il y a une restriction importante : ni vous ni votre conjoint n'êtes autorisé à verser de contribution à vos REER dans l'année où vous retirez des fonds dans le cadre du RAP. Le gouvernement veut éviter que les gens ne mettent de l'argent dans leur REER et obtiennent l'allégement fiscal pour ensuite utiliser ces fonds comme acompte sur une maison. Si vous avez fait des contributions régulières à votre REER et comptez sur cette déduction fiscale dans votre budget, vous devez vous préparer à cette perte de liquidités.

Les règles de remboursement

Il existe des règles strictes qui régissent la vitesse du remboursement de l'argent que vous avez emprunté à votre REER. Vous devez rembourser l'argent dans votre REER en 15 ans au plus. Le montant minimum que vous devez rembourser chaque année à partir de la deuxième année suivant l'année de votre retrait doit équivaloir à $1/15^e$ du montant emprunté.

Gardez à l'esprit que ces paiements n'étant pas considérés comme des contributions à votre REER, vous n'obtenez pas de déductions fiscales pour eux. Et si vous manquez d'effectuer un paiement ou une partie d'un paiement, le gouvernement considèrera cet argent comme ayant été directement retiré de votre REER. La somme sera alors incluse dans votre revenu de l'année en question, ce qui augmentera votre facture d'impôt. Aïe!

S'il vous est actuellement difficile de mettre de l'argent dans votre REER, il vous sera deux fois plus difficile de le faire après avoir utilisé l'argent de votre épargne-retraite comme acompte sur une maison. Avant même de songer à faire une nouvelle contribution, vous devez chaque année effectuer le remboursement requis des fonds empruntés. Si cela vous laisse dans l'impossibilité de verser votre contribution annuelle à votre REER, vous ne pourrez pas profiter de la réduction d'impôt ni du remboursement d'impôt auxquels vous auriez normalement droit. Vous perdez également la croissance à imposition différée que vous aurait valu cette nouvelle contribution à votre REER.

La perte de potentiel de croissance de votre REER

En retirant de l'argent, vous perdez tout le potentiel de croissance de ces fonds aussi longtemps que l'argent n'est plus dans votre REER. Plus vous êtes jeune, plus vous perdez d'argent. La meilleure façon de comprendre les dangers que représente cette option pour votre REER est de comparer quelques chiffres.

Disons que vous ayez 30 ans et que vous empruntiez 18 000 $ provenant de votre REER pour acheter une maison. Cela signifie que vous devrez rembourser 1 200 $ par année, ou 100 $ par mois, durant les 15 prochaines années. Une autre solution possible serait d'emprunter de l'argent en procédant à une deuxième hypothèque. Si vous empruntez l'argent à 10 % et que vous étalez le remboursement sur 15 ans, vos paiements mensuels seront de 193,50 $. Ainsi, le coût supplémentaire d'un tel emprunt auprès d'une banque ou d'une société de fiducie, au lieu de votre REER, serait de 93,50 $ par mois.

Mais vous devez comparer ce montant mensuel aux gains que vous rapporteraient vos 18 000 $ si vous les laissiez fructifier dans votre REER. À un rendement annuel de 10 %, vos 18 000 $ vaudraient plus de 800 000 $ au bout de 40 ans, et sur 35 ans, c'est un peu plus de 500 000 $ que vous obtiendriez.

Il s'agit d'un exemple un peu extrême, certes, mais il permet de démontrer clairement le coût réel d'un emprunt supposément « gratuit » dans votre REER. Le coût réel de l'emprunt dépend de votre âge et de la vitesse à laquelle vous êtes en mesure de rembourser l'argent. Normalement, si vous avez plus de 40 ans, les conséquences seront moindres. En outre, si vous utilisez le RAP pour acheter une maison et que celle-ci s'apprécie de façon constante, la croissance de la valeur de votre maison compensera en partie la croissance perdue dans votre REER. Vous pourriez obtenir le meilleur des deux mondes en empruntant dans votre REER et en remboursant la somme le plus rapidement possible – idéalement, dans les trois ou quatre années suivant l'achat de votre nouvelle résidence.

Plus souvent qu'autrement, il est préférable d'emprunter l'argent, même si cela implique que vous deviez prendre une deuxième hypothèque ou un prêt hypothécaire à quotité majorée. Veillez simplement à vous assurer de pouvoir assumer les frais d'intérêt plus élevés ou la prime d'assurance prêt hypothécaire.

Devriez-vous projeter un remboursement rapide de votre prêt hypothécaire ?

L'idée d'un remboursement rapide de votre prêt hypothécaire est séduisante. Alors si vous pouvez vous permettre des paiements hypothécaires plus élevés, vous seriez stupide de ne pas le faire, non ? Pas si vite. Devez-vous rembourser votre prêt hypothécaire lentement ou plus rapidement ? La réponse n'est pas si simple : cela dépend.

En dépit du fait que des livres entiers ont été écrits vantant les vertus de posséder votre maison sans dette hypothécaire le plus rapidement possible, vous devez bien réfléchir à cette décision. Ces livres présentent des rangées et des colonnes interminables de chiffres censés vous aider à établir combien vous économiseriez grâce à un remboursement plus rapide.

Si vous en avez le temps et l'envie (et un bon calculateur financier), vous pouvez calculer les intérêts que vous pourriez économiser ou éviter grâce à un remboursement plus rapide. Cependant, il n'est pas nécessaire de passer toutes ces heures à compiler des chiffres et à exécuter des calculs complexes. Vous pouvez prendre cette décision en prenant en compte certains facteurs d'ordre qualitatif.

Envisagez d'autres usages de vos épargnes

Tout d'abord, pensez aux autres utilisations possibles des surplus d'argent que vous injecteriez dans le remboursement de votre prêt hypothécaire. Ce qui est le mieux pour vous dépend de l'ensemble de votre situation financière et des autres emplois possibles de cet argent. Si vous risquez de finir par dépenser vos surplus d'argent en les jouant aux courses ou en achetant une voiture de luxe, alors il vaut mieux affecter ces sommes au remboursement de votre prêt, c'est évident.

Mais supposons que vous preniez le supplément de 100 $ ou 200 $ par mois que vous songiez à verser sur votre prêt hypothécaire et que vous choisissiez plutôt de contribuer cette somme à un REER. Cette démarche serait financièrement logique. Pourquoi ? Parce que les cotisations à un REER (voir le chapitre 7) sont déductibles d'impôt.

Lorsque vous versez un supplément de 200 $ à votre dette hypothécaire afin de rembourser votre prêt plus rapidement, vous n'obtenez pas d'avantages fiscaux. Zéro ! En revanche, lorsque vous mettez 200 $ dans un REER, vous obtenez de soustraire cette somme du revenu sur lequel vous payez des impôts. Ainsi, si vous payez 40 % en impôt fédéral et provincial sur le revenu, vous effacez 80 $ (soit 200 $ multiplié par 40 %) de votre facture d'impôt.

En réalité, le choix de cotiser plus d'argent à votre REER ou de rembourser plus rapidement votre prêt hypothécaire implique un nombre considérable de calculs complexes. Les résultats dépendront de votre taux hypothécaire, du nombre d'années qu'il reste avant que votre prêt hypothécaire ne soit totalement remboursé, ainsi que des bénéfices que vous rapporte votre REER. En raison de toutes ces variables – dont certaines sont difficiles à établir – un bon compromis consiste à maximiser vos cotisations à un REER pour ensuite affecter le remboursement d'impôt que vous procurent ces cotisations au paiement de votre prêt hypothécaire.

Réduire vos coûts au moment du renouvellement

Peu importe la durée de l'amortissement de votre prêt hypothécaire, votre contrat hypothécaire avec un prêteur se termine à la fin de chaque terme. Lorsque vous renouvelez, vous négociez une toute nouvelle entente. Cela vous donne la liberté de modifier en tout ou partie les conditions de votre prêt hypothécaire, du montant des paiements à la période d'amortissement, en passant par la fréquence des versements. Vous pouvez même changer de prêteur si vous le souhaitez.

Quelques mois avant votre date de renouvellement, magasinez chez plusieurs prêteurs les offres intéressantes de taux garantis. Les garanties de soixante et même quatre-vingt-dix jours sont assez fréquentes. En obtenant d'avance la garantie de votre taux de renouvellement, vous vous protégez contre une possible hausse soudaine des taux avant votre renouvellement. Vous pouvez également utiliser cette garantie pour négocier de meilleurs tarifs auprès de votre société de prêt hypothécaire actuelle. Si cette dernière n'égale pas l'offre de la concurrence, vous êtes libre de transférer votre hypothèque à l'autre institution financière.

Trouver le meilleur prêteur

Comme pour d'autres achats financiers, il vous est possible de réaliser des économies en magasinant votre prêt hypothécaire. Peu importe que vous le fassiez par vous-même ou que vous engagiez quelqu'un pour vous aider. Mais faites-le!

Dans le cas d'un prêt hypothécaire de 150 000 $ amorti sur 25 ans, par exemple, obtenir un prêt à un taux d'intérêt qui vous coûterait 0,5 % de moins par année vous permettrait d'économiser environ 14 000 $ en intérêts sur la durée totale de votre prêt (aux taux d'intérêt actuels). C'est suffisant pour acheter une voiture! À la réflexion, oubliez la voiture et économisez plutôt le magot!

Magasiner vous-même votre prêteur

Dans la plupart des régions, on trouve de nombreux prêteurs hypothécaires. Bien que l'affluence de prêteurs soit susceptible de produire des prix concurrentiels, cela complique un peu le magasinage.

Les grandes banques dont vous entendez parler dans les publicités n'offrent habituellement pas les meilleurs taux. Assurez-vous de voir aussi ce qu'ont à offrir certaines plus petites institutions de prêts de votre région, de même que d'autres services financiers tels que ING Direct.

Les agents immobiliers peuvent vous référer à des prêteurs avec lesquels ils ont déjà eu affaire. Ces prêteurs n'offriront cependant pas nécessairement les taux les plus compétitifs – l'agent aura simplement fait des affaires avec eux dans le passé.

L'Internet est un bon endroit pour obtenir une première idée des taux qui sont offerts. Vous pouvez trouver des tableaux résumant les taux de dizaines de prêteurs sur différents sites Web, dont ceux-ci : www.cannex.com et www.canadamortgage.com. En outre, les grandes banques et les autres prêteurs affichent leurs taux sur leurs sites Web respectifs.

Vous pouvez également consulter la section immobilière des grands quotidiens pour consulter les tableaux des taux d'intérêt hypothécaires de prêteurs choisis. Toutefois, ces tableaux ne sont ni complets ni représentatifs des meilleurs taux disponibles. En fait, beaucoup d'entre eux sont envoyés gratuitement aux journaux par des entreprises qui distribuent des renseignements hypothécaires aux courtiers en crédit hypothécaire. Servez-vous de ces tableaux comme point de départ. Contactez les prêteurs qui offrent les meilleurs tarifs, mais ne limitez pas votre recherche à ceux-ci.

Embaucher un courtier en prêt hypothécaire

Les agents d'assurance vendent de l'assurance, les agents immobiliers vendent des biens immobiliers et les courtiers en crédit/prêt hypothécaire vendent des taux hypothécaires. Les conditions du prêt obtenu par l'entremise d'un courtier sont généralement les mêmes que celles que vous obtiendriez directement auprès du prêteur.

Les courtiers en crédit hypothécaire reçoivent un pourcentage du montant du prêt qu'ils vous vendent – ordinairement de 0,5 à 1 ou 2 %. Cette commission est négociable, en particulier en ce qui a trait aux prêts plus importants, qui sont plus lucratifs. Demandez au courtier quelle est sa cote. Puisque peu de gens le leur demandent, il se peut que certains courtiers soient pris de court quand vous leur poserez la question. Mais après tout, c'est de votre argent dont il s'agit !

Le principal avantage de recourir aux services d'un courtier hypothécaire est que celui-ci peut magasiner pour vous auprès des prêteurs afin de vous obtenir une bonne affaire. Si vous êtes trop occupé ou peu intéressé à rechercher le meilleur taux hypothécaire disponible, un courtier compétent sera sans doute en mesure de vous faire économiser de l'argent. Il peut aussi vous aider dans la tâche fastidieuse de remplir tous ces documents que les prêteurs exigent que vous complétiez avant de vous consentir un prêt. Et si vous avez des problèmes de solvabilité ou que la propriété qui vous intéresse présente des caractéristiques inhabituelles, le courtier arrivera peut-être à vous dénicher le prêteur qui sera disposé à vous offrir un prêt hypothécaire.

Lorsque vous évaluez un courtier hypothécaire, méfiez-vous de ceux qui sont paresseux et qui ne scrutent pas assidûment le marché à la recherche des meilleurs prêteurs. Certains courtiers font tout le temps leurs affaires avec les mêmes prêteurs, et ceux-ci n'offrent pas nécessairement les meilleurs taux. De plus, prenez garde aux vendeurs qui touchent des commissions en faisant la promotion de certains programmes de prêts qui ne sont pas dans votre meilleur intérêt. Ce genre de courtier n'est pas intéressé à prendre le temps de comprendre vos besoins et de discuter de vos options. Vérifiez soigneusement les références d'un courtier avant de faire affaire avec celui-ci.

Même si vous prévoyez magasiner vous-même votre prêt hypothécaire, discuter avec un courtier hypothécaire peut tout de même se révéler utile. À tout le moins, cela vous permettra de comparer le résultat de vos propres recherches à ce que le courtier vous proposera. Mais soyez prudent, car certains courtiers vous diront ce que vous voulez entendre, puis ils ne seront pas en mesure de livrer la marchandise le moment venu.

Quand un courtier hypothécaire vous soumet un devis intéressant, ne manquez pas de lui demander qui est le prêteur. (La plupart des courtiers refusent de révéler cette information jusqu'à ce que vous payiez les quelques centaines de dollars pour couvrir l'évaluation et le rapport de solvabilité.) Vous pouvez vérifier directement auprès du prêteur si le taux d'intérêt que vous a indiqué le courtier est le bon et si vous êtes vraiment admissible au prêt.

Augmenter vos chances d'approbation

Il peut s'écouler plusieurs semaines avant que le prêteur ne complète l'évaluation de la propriété et de votre dossier de prêt. Lorsque vous êtes sous contrat pour l'achat d'une propriété, essuyer un refus après quelques semaines d'attente peut signifier que vous perdez la propriété ainsi que l'argent dépensé pour la demande de prêt et l'inspection de la propriété. Certains vendeurs immobiliers seront disposés à vous accorder une extension, tandis que d'autres non.

Voici comment augmenter vos chances d'approbation d'un prêt hypothécaire :

✓ **Mettre de l'ordre dans vos finances avant de magasiner.** Il vous sera difficile de savoir combien vous pouvez vous permettre de payer pour une maison tant que vous n'aurez pas fait le ménage dans vos finances personnelles. Faites-le avant de commencer à faire des offres sur des propriétés. Ce livre peut vous aider à y arriver. Si vous avez une dette à la consommation, débarrassez-vous-en, car plus vous avez de telles dettes (cartes de crédit, prêt auto et autres), moins vous avez de chances d'être admissible au crédit hypothécaire. En plus des taux d'intérêt élevés de ces dettes et du fait qu'elles vous encouragent à vivre au-dessus de vos moyens, vous avez maintenant une troisième raison de vous débarrasser de l'endettement à la consommation. Accrochez-vous à votre rêve de posséder une maison et efforcez-vous de payer vos dettes de consommation.

✔ **Régler vos problèmes de cote de solvabilité.** Les retards de paiement, les paiements sautés et les dettes que vous n'avez jamais pris la peine de payer peuvent revenir vous hanter. Si vous pensez qu'il y a des taches à votre rapport de solvabilité, obtenez-en une copie avant de demander un prêt hypothécaire. Les principales agences d'évaluation du crédit sont : Equifax (1-800-465-7166, `www.equifax.ca`) et TransUnion (1-866-525-0262, `www.tuc.ca`). Ces agences d'évaluation du crédit facturent ordinairement environ 15 $ pour une copie de votre rapport.

✔ **Des erreurs peuvent apparaître à votre rapport de solvabilité.** Malheureusement, la seule façon de les rectifier est de téléphoner à l'agence de crédit et d'exiger des explications ou de vous plaindre. Si des créanciers particuliers ont rapporté des informations erronées, appelez-les aussi. Si les représentants du service à la clientèle avec qui vous parlez ne vous sont d'aucune aide, rédigez une belle lettre au président de chaque société. Si des problèmes de bonne foi apparaissent à votre rapport de solvabilité, essayez de les expliquer à votre prêteur. Si ce dernier se montre peu compatissant, contactez d'autres prêteurs. Mentionnez l'existence du problème dès le début de la discussion avec le prêteur et voyez si vous pouvez en trouver un qui soit prêt à vous accorder un prêt. Les courtiers en hypothèques (voir la section précédente) peuvent également vous aider à dénicher les prêteurs qui seront disposés à vous offrir un prêt malgré certains problèmes de solvabilité.

✔ **Obtenir une préautorisation ou une préqualification hypothécaire.** Pour obtenir une préqualification, vous discutez avec un prêteur de votre situation financière et celui-ci calcule ensuite le montant maximum qu'il est prêt à vous consentir d'après les informations que vous lui avez fournies. La pré-autorisation hypothécaire est une démarche plus poussée qui comprend un examen approfondi de vos états financiers par le prêteur. Bien qu'aucune de ces deux démarches n'oblige un prêteur à vous accorder un prêt hypothécaire, un certificat de prêt hypothécaire préautorisé augmente votre pouvoir de négociation et votre crédibilité auprès des vendeurs. Assurez-vous simplement de ne pas perdre votre temps et votre argent dans un processus de pré-autorisation si vous n'êtes pas encore certain de vouloir acheter.

✔ **Être honnête à propos de vos problèmes.** La meilleure défense contre le refus de prêt est de l'éviter en premier lieu. Vous pouvez parfois écarter un refus possible en divulguant à votre prêteur toute information qui puisse constituer un problème, et ce, avant de demander le prêt. De cette façon, vous avez plus de temps pour corriger le problème et trouver une solution de rechange.

✔ **Pallier un revenu faible ou instable.** Si vous avez souvent changé d'emploi ou si vous êtes travailleur autonome, il se peut que vos antécédents économiques récents soient aussi instables que ceux d'un pays communiste qui vient de passer à une économie de marché. Verser un acompte plus élevé est un moyen de contourner ce problème. En versant un paiement d'acompte de 30 à 45 % ou plus, vous serez peut-être en mesure d'obtenir un prêt sans vérification des revenus. Vous pourriez aussi essayer de trouver un cosignataire, comme un membre de votre famille ou un bon ami. Tant qu'ils ne sont pas endettés jusqu'au cou, ces personnes peuvent vous aider à bénéficier d'un prêt plus important que celui que vous pourriez autrement obtenir. Veillez seulement à ce que toutes les parties concernées comprennent bien les conditions de l'entente, notamment qui est responsable des paiements mensuels!

✔ **Envisager de faire une deuxième demande de prêt.** Vous devriez certainement magasiner chez différents prêteurs et vous pourriez également faire une demande de prêt hypothécaire chez plus d'un prêteur. Bien qu'une deuxième demande de prêt implique du travail et des frais supplémentaires, cela peut augmenter vos chances d'obtenir un prêt hypothécaire si vous tentez d'acheter une propriété difficile à financer ou si votre situation financière refroidit certains prêteurs. Assurez-vous également d'informer chaque prêteur de ce que vous faites : le deuxième prêteur qui demandera une copie de votre rapport de solvabilité verra qu'un autre est passé avant lui.

Trouver la bonne propriété et le bon emplacement

Magasiner pour une maison peut être amusant. Vous avez l'occasion de regarder à l'intérieur des réfrigérateurs et des placards des gens. Mais trouver la bonne maison au bon prix exige parfois beaucoup de temps. Lorsque vous achetez avec des partenaires ou votre conjoint ou conjointe (et avec les enfants, si vous choisissez de partager la prise de décisions avec eux), cela peut nécessiter un certain nombre de compromis. Un bon agent (ou plusieurs personnes spécialisées dans différents domaines) peut vous aider dans ces démarches. Les sections suivantes couvrent les principaux aspects à considérer lorsque vous magasinez en vue de l'achat de votre future résidence.

Copropriété, maison en ville, coop ou maison seule ?

L'image qu'ont certaines personnes d'une maison est celle d'une résidence unifamiliale – une maison seule entourée de pelouse et d'une clôture blanche. Dans certains coins, toutefois – particulièrement dans les quartiers à coût élevé – on trouve des copropriétés ou « condos » (vous êtes propriétaire d'une unité de logement et d'une partie du reste), des maisons en ville (mitoyennes ou en rangée), et des coopératives d'habitation (vous êtes propriétaire d'une partie de l'ensemble du bâtiment).

L'attrait principal des résidences situées dans des zones densément habitées, c'est qu'elles coûtent souvent moins cher. Dans certains cas, vous n'avez pas à vous soucier de quelques-uns des travaux d'entretien général, parce que l'association des propriétaires (pour laquelle vous payez, directement ou indirectement) s'en occupe.

Si vous n'avez pas le temps, l'énergie ou l'envie d'entretenir une propriété, la copropriété pourrait vous convenir. En général, vous obtenez plus d'espace de vie pour votre dollar et jouissez d'une plus grande sécurité que si vous habitiez dans une résidence indépendante.

Comme les placements, toutefois, la maison unifamiliale représente le plus souvent un meilleur investissement à long terme. Les copropriétés étant plus faciles à construire, il est aussi plus facile d'excéder la demande et d'accumuler les immeubles. Les maisons unifamiliales, quant à elles, sont plus difficiles à bâtir parce qu'elles nécessitent plus d'espace de terrain. Mais lorsqu'ils peuvent se le permettre, la plupart des gens préfèrent encore la résidence unifamiliale.

Cela étant dit, il faut rappeler qu'une marée montante soulève tous les bateaux. Dans un marché immobilier favorable, tous les types de logements s'apprécient, même si les maisons unifamiliales tendent à faire mieux. La valeur des copropriétés a tendance à s'accroître davantage dans les zones urbaines densément peuplées, là où les terrains à bâtir sont rares et chers.

Dans une perspective de rendement sur investissement, si vous pouvez vous permettre une plus petite maison unifamiliale au lieu d'une plus grande unité en copropriété, achetez la maison unifamiliale. Soyez particulièrement prudent en ce qui concerne l'achat d'une copropriété dans une banlieue, où les terrains à bâtir sont en général plus nombreux.

Ratisser large

Il se peut qu'avant même de commencer votre recherche vous ayez déjà une idée du type de résidence et de l'emplacement qui vous intéressent ou que vous croyez être en mesure de vous offrir. Peut-être pensez-vous, par exemple, ne pouvoir vous payer qu'un «condo» dans un voisinage que vous aimez. Mais si vous prenez le temps de visiter d'autres communautés, vous serez peut-être surpris de trouver un endroit qui réponde à la plupart de vos besoins et où des maisons unifamiliales abordables sont disponibles. Cependant, vous ne connaîtrez jamais cette communauté et ses possibilités si vous réduisez votre recherche trop rapidement.

Même si vous avez vécu dans une région pendant un certain temps et que vous pensez bien la connaître, regardez différents types de propriétés dans plusieurs autres zones avant de commencer à affiner votre recherche. Soyez ouverts d'esprit et voyez quels sont ceux parmi vos nombreux critères pour une maison auxquels vous tenez vraiment. Il est possible que vous deviez faire preuve de souplesse quant à certaines de vos préférences.

Découvrir les prix de vente réels

Ne vous contentez pas de regarder seulement quelques-unes des maisons inscrites à un prix donné, pour ensuite déprimer parce que les propriétés qui vous intéressent vraiment ne sont pas à votre portée. Avant de vous décider à renouveler le bail de location de votre logement, rappelez-vous que les propriétés se vendent souvent à un prix inférieur à celui annoncé.

Essayez de trouver à quel prix se sont vendues les propriétés qui ont retenu votre attention. Vous pourrez ainsi vous faire une meilleure idée de ce que vous pouvez vraiment vous permettre ainsi que de ce que valent concrètement ces propriétés. Demandez à l'agent ou au propriétaire à quel prix une propriété a finalement été vendue ou communiquez avec le bureau d'évaluation de la ville afin de savoir comment obtenir des renseignements sur les prix de vente des biens immobiliers.

Examiner le voisinage, le quartier, la ville

Même (et surtout) si vous avez le coup de foudre pour une maison, retournez dans le quartier à différents moments de la journée et à différents jours de la semaine. Faites le trajet entre cette maison et votre lieu de travail durant les heures de pointe afin d'établir la durée réelle de vos déplacements quotidiens. Allez rencontrer quelques-uns de vos voisins potentiels. Vous découvrirez peut-être, par exemple, qu'un de ceux-ci garde des poulets dans sa cour arrière ou que la rue et les sous-sols subissent une inondation à chaque printemps ou presque.

Et qu'en est-il des écoles? Allez y faire un tour. Ne vous fiez pas aux statistiques de performances institutionnelles; parlez plutôt aux parents et aux enseignants. Comment les choses se passent-elles dans les écoles du quartier? Même si vous n'avez pas d'enfants, la qualité des écoles locales a une incidence directe sur la valeur de votre propriété. Y a-t-il un problème de criminalité? Informez-vous auprès du service de police. A-t-on autorisé de futurs développements immobiliers? Si oui, de quel type? Contactez le département de la planification municipale. Quel sera le montant de votre impôt foncier? La propriété est-elle située dans une zone sujette à des risques majeurs tels que des inondations, des coulées de boue, des incendies ou des tremblements de terre? Tenez compte de ces questions même si elles ne sont pas très importantes pour vous, parce qu'elles peuvent affecter la valeur de revente de votre propriété.

Lorsque vous achetez une maison, vous êtes coincé avec. Assurez-vous de bien comprendre ce dans quoi vous vous embarquez *avant* d'acheter.

Travailler avec des agents immobiliers

Lorsque vous achetez ou vendez une maison, il est probable que vous ayez à traiter avec un agent immobilier. Or, ceux-ci gagnent leur vie à la commission. Cela signifie que leurs motivations, qui sont différentes des vôtres, sont susceptibles de ne pas correspondre à vos meilleurs intérêts.

Les agents immobiliers ne cachent pas le fait qu'ils obtiennent une cote sur la transaction. En général, les acheteurs et les vendeurs de propriétés comprennent le système de commission immobilière. Nous reconnaissons aux gens du domaine immobilier le mérite d'avoir opté pour l'appellation « agent immobilier » au lieu d'un titre équivoque du genre « consultant immobilier ».

Un agent immobilier de premier ordre peut vous apporter aide précieuse lorsque vous achetez ou vendez un bien immobilier. À l'inverse, un agent médiocre, incompétent ou avare peut vous nuire considérablement. Les agents immobiliers n'ont pas aussi mauvaise réputation que les vendeurs de voitures d'occasion, mais ils n'ont pas toujours bonne presse. Les sections suivantes vous aideront à trier le bon grain de l'ivraie.

Les conflits d'intérêts des agents immobiliers

Parce qu'ils travaillent à la commission, les agents immobiliers se trouvent souvent en position de conflit d'intérêts. Certains agents ne reconnaissent peut-être même pas les conflits dans ce qu'ils font. La liste suivante présente la plupart des conflits d'intérêts courants qui sont à surveiller.

✔ Comme les agents immobiliers sont payés à la commission, ils perdent de l'argent lorsqu'ils passent du temps avec vous et que vous ne finissez pas par acheter ou vendre. Ils veulent que vous complétiez une transaction et ils souhaitent conclure l'affaire le plus tôt possible – leur salaire en dépend. Il ne faut pas vous attendre à ce qu'un agent vous donne un avis objectif sur ce que vous devriez faire compte tenu de l'ensemble de votre situation financière. Alors examinez ce point-là avant d'entreprendre de travailler avec un agent.

✔ Puisqu'ils obtiennent un pourcentage du prix de vente d'une propriété, les agents immobiliers ont tout intérêt à vous inciter à dépenser davantage. Les prêts hypothécaires à taux variables (voir « Le financement de votre propriété », plus haut dans ce chapitre) vous permettent de dépenser davantage, parce que les taux d'intérêt commencent à un niveau inférieur à celui d'une hypothèque à taux fixe. Ainsi, les agents immobiliers sont beaucoup plus susceptibles de vous encourager à souscrire un prêt à taux variable. Mais ceux-ci étant beaucoup plus risqués, il importe que vous en connaissiez bien les implications avant d'arrêter votre choix.

✔ Les agents reçoivent souvent une commission plus élevée quand ils vendent un contrat de courtage immobilier appartenant à un autre agent de leur bureau. Méfiez-vous. Parfois, le même agent représente à la fois le propriétaire-vendeur et l'acheteur de la propriété dans la transaction – un vrai problème. Les agents qui organisent des journées portes ouvertes pour la vente de propriétés essaieront aussi à l'occasion de la vendre à un acheteur non représenté venu visiter. Il est absolument impossible qu'un agent puisse représenter les meilleurs intérêts de chacune des deux parties.

✔ Comme les agents travaillent à la commission et reçoivent un pourcentage du prix de vente du bien immobilier, beaucoup ne sont pas intéressés à travailler avec vous si vous ne pouvez pas ou ne voulez tout simplement pas dépenser beaucoup. Certains agents vous prendront à contrecœur comme client et ne vous accorderont ensuite que peu d'attention et de temps. Avant d'engager un agent, vérifiez ses références afin vous assurer qu'il se comporte bien envers les acheteurs comme vous.

✔ Les agents immobiliers exercent habituellement leurs activités sur un territoire précis. En conséquence, ils ne sont pas toujours aptes à vous parler objectivement des avantages et des inconvénients des secteurs environnants. La plupart ne voudront pas admettre que vous seriez mieux servi en cherchant dans une autre ville ou dans un autre coin de la ville qui ne fait pas partie de leur secteur habituel. Avant de faire appel à un agent ou de choisir un secteur particulier, prenez le temps d'évaluer par vous-même les avantages et les inconvénients de différents emplacements. Si vous voulez examiner sérieusement plus d'une région, trouvez des agents qui se spécialisent dans chacune de ces régions.

✔ Si votre demande de prêt hypothécaire n'est pas approuvée, toute votre transaction immobilière risque d'échouer. Dans ce cas, certains agents vous référeront à un prêteur plus cher qui est reconnu pour son taux élevé d'approbations. Ne manquez pas de faire le tour, car vous pouvez probablement obtenir un prêt à moindre coût. Méfiez-vous particulièrement des agents qui vous réfèrent aux prêteurs et courtiers hypothécaires qui leur paient des commissions d'indication. Il ne fait aucun doute que ces rétributions influencent les «conseils» d'un agent immobilier.

✔ Les inspecteurs en bâtiment sont censés être des tiers objectifs embauchés par des acheteurs potentiels afin d'évaluer l'état d'une propriété. Certains agents vous encourageront à utiliser les services d'un inspecteur en particulier ayant la réputation d'être «facile», ce qui signifie qu'il est susceptible de ne pas «trouver» tous les défauts de la maison. N'oubliez pas qu'il est dans le meilleur intérêt de l'agent de conclure l'affaire et que la découverte de problèmes pourrait compromettre cette réalisation.

✔ Certains agents immobiliers, désireux d'inscrire une maison à leur liste de propriétés à vendre, accepteront d'être complices en omettant de révéler des vices connus ou des problèmes que présente une propriété. Dans la plupart de ces cas de camouflage, il est probable que le vendeur ne demande pas explicitement à l'agent de fermer les yeux sur le problème, l'agent se contentant de regarder ailleurs et d'éviter de dire toute la vérité. N'achetez jamais une propriété sans d'abord l'avoir fait inspecter intégralement par un inspecteur en bâtiment compétent.

L'agent de l'acheteur

Un nombre croissant d'agents offrent leurs services en tant qu'« agent de l'acheteur » (ou « courtier de l'acheteur »). Ces agents sont supposés représenter exclusivement les intérêts de l'acheteur.

Juridiquement parlant, l'agent de l'acheteur peut signer un contrat stipulant qu'il représente exclusivement vos intérêts. Avant cette époque éclairée, tous les agents travaillaient contractuellement pour le propriétaire-vendeur.

Le titre d'« agent de l'acheteur » sonne mieux que ce qu'il est dans les faits. L'agent qui vous représente à titre d'agent de l'acheteur n'est encore payé que si vous achetez et sa rémunération est toujours fonction du prix d'achat de la propriété. Ainsi, l'agent de l'acheteur a toujours intérêt à ce que vous achetiez un bien immobilier, et plus vous paierez cher, plus sa commission sera élevée.

Les qualités requises chez un agent immobilier

Lorsque vous engagez un agent immobilier, il vous faut quelqu'un de compétent avec qui vous pourrez vous entendre. Travailler avec un agent coûte assez cher, alors assurez-vous d'en avoir pour votre argent.

Interviewez plusieurs agents et vérifiez leurs références. Demandez aux agents de vous donner les noms et numéros de téléphone d'au moins trois clients avec lesquels ils ont travaillé au cours des six derniers mois (dans la zone géographique qui vous intéresse). Vous devriez rechercher les caractéristiques suivantes chez n'importe quel agent avec qui vous travaillez :

- **Le temps plein.** Pour certains agents, l'immobilier est un deuxième ou même un troisième emploi. Or, l'information dans ce domaine change constamment. Les meilleurs agents sont ceux qui travaillent à temps plein et qui se tiennent au fait des changements et des mouvements du marché.

- **L'expérience.** Embaucher un agent d'expérience ne signifie pas nécessairement trouver quelqu'un qui fait ce travail depuis des dizaines d'années. Bon nombre des meilleurs agents immobiliers ont préalablement exercé d'autres professions, comme les affaires ou l'enseignement. Certaines compétences acquises dans la vente, le marketing, la négociation et les communications, par exemple, sont susceptibles de servir dans d'autres domaines. Néanmoins, l'expérience dans l'achat et la vente de biens immobiliers est essentielle.

- **L'honnêteté et l'intégrité.** Vous confiez une grande responsabilité à votre agent. S'il ne partage pas toutes les informations pertinentes avec vous quant aux points forts et aux points faibles d'un quartier ou d'une propriété, c'est vous qui en subissez ensuite les conséquences.

- **Des habiletés interpersonnelles.** Un agent doit être capable de s'entendre non seulement avec vous, mais également avec une foule d'autres personnes qui sont habituellement impliquées dans une transaction immobilière : d'autres agents, des propriétaires-vendeurs, des inspecteurs, des prêteurs hypothécaires et ainsi de suite. Évidemment, il n'est pas nécessaire que votre agent immobilier soit lauréat d'un concours de popularité, mais il ou elle devrait être capable de promouvoir vos intérêts sans froisser les gens.

- **Des compétences en négociation.** Réaliser une transaction immobilière implique des négociations. Votre agent explorera-t-il toutes les possibilités pour vous obtenir la meilleure affaire possible ? N'oubliez pas de demander aux personnes que l'agent vous aura fournies en références dans quelle mesure l'agent en question a négocié pour eux.

- **Des normes de qualité élevées.** Un travail peu soigné peut par la suite conduire à de gros problèmes juridiques ou logistiques. Si par exemple un agent néglige de recommander une inspection, vous pourriez vous retrouver avec des vices cachés après que l'affaire a été conclue.

Les agents se qualifient parfois eux-mêmes de « meilleurs vendeurs » (*top producers*), ce qui signifie qu'ils vendent une quantité relativement importante de biens immobiliers. Ce détail ne devrait pas impressionner outre mesure l'acheteur que vous êtes. Cela peut être une indication qu'un agent s'intéresse avant tout au volume de ses ventes. Lorsque vous achetez une maison, vous avez besoin d'un agent qui possède les caractéristiques additionnelles suivantes :

- ✔ **La patience.** Lorsque vous achetez une maison, la dernière chose dont vous avez besoin, c'est un agent qui essaie de vous pousser à faire une transaction. Il vous faut un agent qui soit patient et disposé à vous laisser le temps nécessaire pour étudier la proposition et prendre la meilleure décision pour vous-même.

- ✔ **Une connaissance du marché et des communautés locales.** Lorsque vous cherchez à acheter une maison dans une zone autre que celle où vous vivez actuellement, un agent bien renseigné peut avoir un gros impact sur votre décision.

- ✔ **Une connaissance du financement.** En tant qu'acheteur (en particulier un premier acheteur ou quelqu'un ayant des problèmes de crédit), vous devriez chercher un agent qui connaît les prêteurs qui peuvent le mieux gérer votre type de situation.

L'achat d'immobilier requiert des compétences quelque peu différentes de celles qu'exige la vente d'immobilier. Or, peu d'agents arrivent à effectuer efficacement l'une et l'autre de ces opérations. Aucune loi ni règle ne dit que vous devez utiliser le même agent lorsque vous vendez une propriété que lorsque vous en achetez une. Ne vous sentez pas obligé de vendre par l'entremise de l'agent qui a travaillé avec vous quand vous étiez acheteur simplement parce qu'il vous envoie des cartes de Noël chaque année. N'oubliez pas qu'il travaille à la commission.

Effectuer votre achat immobilier

Après avoir fait vos devoirs et examiné vos finances personnelles, appris comment choisir un prêt hypothécaire et recherché les quartiers et les prix des propriétés, vous devriez être prêt à entrer dans le processus d'achat. Cependant, une fois que vous aurez trouvé une maison que vous aimeriez acheter, ne faites pas votre première offre avant d'avoir compris toute l'importance des négociations, des inspections et des autres éléments d'une transaction immobilière.

La négociation 101

Lorsque vous travaillez avec un agent, celui-ci s'occupe habituellement du processus de négociation. Mais vous devez tout de même avoir une stratégie en tête, sinon vous risquez de payer trop cher pour votre maison. Voici quelques recommandations pour réaliser une bonne affaire :

✔ **Ne tombez jamais en amour avec une propriété.** Si vous avez de l'argent à gaspiller et que vous ne pouvez pas imaginer la vie sans la maison que vous venez de découvrir, allez-y et payez ce que vous voulez. Sinon, il ne faut pas oublier qu'il y a d'autres propriétés à vendre. Il est toujours bon d'avoir déjà une autre propriété en vue.

✔ **Renseignez-vous sur la propriété et le propriétaire avant de faire votre offre.** Depuis combien de temps la propriété est-elle sur le marché ? Quelles sont ses failles ? Pourquoi le propriétaire désire-t-il vendre ? Par exemple, si le vendeur doit déménager parce qu'il a obtenu un emploi dans une autre ville où il s'apprête à conclure un achat, il se peut qu'il ait besoin d'utiliser l'argent de la vente de sa propriété, et pour cette raison, il pourrait accepter de réduire son prix. Plus vous comprendrez le contexte de la propriété que vous souhaitez acheter et les motivations du vendeur, mieux vous serez en mesure de rédiger une offre qui réponde aux besoins des deux parties.

✔ **Obtenez des données de ventes comparables pour appuyer votre prix.** Si le montant que vous offrez ne repose sur rien de tangible, le vendeur ne sera guère persuadé de baisser son prix. En attirant l'attention du vendeur sur les ventes récentes de maisons comparables pour justifier le montant de votre offre, vous renforcerez votre position.

✔ **N'oubliez pas que le prix n'est qu'un des éléments négociables.** Parfois, les vendeurs sont inflexibles quant au prix de vente de leur maison. Peut-être veulent-ils obtenir au moins ce qu'ils ont initialement payé pour la propriété. Vous pourriez être en mesure d'obtenir d'un vendeur qu'il effectue certaines réparations ou améliorations, ou encore, qu'il vous fasse une offre avantageuse de prêt sans tous les frais supplémentaires que facturent les banques. Enfin, la commission de l'agent immobilier est négociable elle aussi.

Faire inspecter avant d'acheter

Quand vous achetez une maison, vous réalisez peut-être l'achat le plus important de votre vie. À moins que vous ne soyez un entrepreneur ou un ouvrier spécialisé, vous n'avez probablement aucune idée de ce dans quoi vous vous embarquez quand il s'agit de chauffe-eau et de termites.

Consacrez le temps et l'argent qu'il faut pour trouver et embaucher des inspecteurs et autres experts compétents pour évaluer les installations principales et les vices potentiels de la maison. Les points à inspecter comprennent :

L'état général de la propriété

✔ L'installation électrique, le chauffage et la plomberie

✔ les fondations

> ✔ Le toit
>
> ✔ L'isolation (efficacité et innocuité)
>
> ✔ Les insectes et la pourriture sèche
>
> ✔ Les risques d'inondation, de secousses sismiques et d'éboulements

Les frais d'inspection se paient souvent d'eux-mêmes. Lorsque des problèmes dont vous ignoriez l'existence sont découverts, les rapports d'inspection vous fournissent l'information dont vous avez besoin pour retourner voir le vendeur de la propriété et lui demander de résoudre le problème ou de réduire son prix de vente afin de vous dédommager pour les réparations dont vous devrez vous charger vous-même.

Comme pour les autres professionnels auxquels vous faites appel, vous devez magasiner la compagnie d'inspection que vous embaucherez. Informez-vous des installations qui seront inspectées et des détails du rapport qui vous sera remis (demandez une copie du modèle). Demandez également les noms et numéros de téléphone de trois clients ayant utilisé les services de la compagnie au cours des six derniers mois.

N'acceptez jamais le rapport d'inspection d'un vendeur comme seule source d'information. Quand un vendeur engage un inspecteur, il se peut qu'il choisisse une personne qui ne sera pas aussi diligente et critique de la propriété. Que faire si l'inspecteur est un ami du propriétaire-vendeur ou de l'agent qui vend la propriété? Évidemment, examinez les rapports d'inspection du vendeur s'ils sont disponibles, mais obtenez aussi les vôtres.

Enfin, effectuez une dernière inspection : le jour précédant la conclusion de votre achat, faites une brève visite de la propriété afin de vous assurer que tout est encore en bon état et que tous les accessoires, les appareils électroménagers, les rideaux et tous les autres éléments inclus dans le contrat sont toujours là. Parfois, les vendeurs (et leurs déménageurs) «oublient» ce qu'ils sont censés laisser sur place, ou bien ils essayent de tester vos habiletés d'observation.

Les ruses des agents avides de profit

L'appât du gain fait naître le pire chez certains agents. Ils vous mentiront pour vous inciter à acheter aux conditions du vendeur. Ils vous diront par exemple que d'autres offres ont été déposées sur la propriété qui vous intéresse. Ou encore, ils diront que le vendeur a déjà décliné une offre de tel montant parce qu'il attend une offre plus élevée.

L'astuce du concessionnaire automobile – blâmer le chef de bureau pour son refus de lui permettre de réduire sa commission – est une autre tactique. Soyez sûr d'investir le temps qu'il faut pour trouver un bon agent immobilier et pour comprendre ses conflits d'intérêts potentiels (voir la section sur les agents immobiliers dans ce chapitre).

Après avoir acheté

Une fois que vous achetez une maison, vous devrez prendre un certain nombre de décisions importantes concernant votre propriété au cours des mois et des années à venir. Cette section aborde les questions essentielles auxquelles vous serez confronté en tant que propriétaire et vous indique ce qu'il faut savoir pour prendre les décisions appropriées aux différentes éventualités.

Refinancer votre prêt hypothécaire

Trois raisons incitent les gens à refinancer, c'est-à-dire à obtenir un nouveau prêt hypothécaire pour remplacer l'ancien. L'une de ces raisons est évidente : pour économiser de l'argent parce que les taux d'intérêt ont baissé. On peut aussi chercher à refinancer dans le but de mobiliser des capitaux à d'autres fins. Enfin, on recourt également au refinancement pour passer d'un type de prêt à un autre. Les sections qui suivent peuvent vous aider à décider de la meilleure solution dans chaque cas.

Les options de refinancement

Les taux d'intérêt inférieurs sont très attrayants quand vous songez à l'argent qu'il vous serait possible d'épargner chaque mois en réduisant vos versements hypothécaires. Vous pourriez utiliser ces sommes pour rembourser votre capital ou l'employer à d'autres fins.

Si vous avez un prêt hypothécaire ouvert, vous pouvez bien sûr renouveler dès que les taux du moment sont plus avantageux. Il vous suffit de trouver un nouveau terme qui vous convient et de compter vos économies. Mieux encore, vous laissez vos paiements au même niveau et vous utilisez la baisse des taux pour réduire la durée de votre prêt hypothécaire. Et rappelez-vous : lorsque vous refinancez, vous mettez fin à votre entente avec votre prêteur actuel, ce qui vous laisse alors libre de magasiner votre prêt hypothécaire auprès d'autres prêteurs. Vous pourriez aussi voir ce que d'autres prêteurs sont prêts à vous offrir, pour ensuite essayer d'obtenir de votre prêteur actuel qu'il réduise ses taux en fonction de ce que vous propose la concurrence.

Toutefois, la plupart des prêts hypothécaires sont fermés. Et bien que votre prêteur puisse être ouvert à l'idée d'un refinancement anticipé, il voudra être indemnisé en partie ou en totalité pour ses pertes. Après tout, si vous voulez refinancer dans le but de réduire votre taux de 11 à 8 %, par exemple, il ne faut pas vous attendre à ce que votre prêteur saute de joie à l'idée de perdre 3 % sur votre prêt.

La première étape est de sortir votre contrat de prêt hypothécaire et de lire les petits caractères. En raison de la concurrence croissante, certains prêteurs accepteront de vous laisser sortir de votre prêt actuel. Mais comme il s'agit en fait d'une stratégie commerciale, ils ne souhaitent pas vraiment vous en parler à moins d'y être obligé. Après tout, si vous ne lisez pas votre contrat et supposez simplement que vous êtes coincé à payer des taux plus élevés que vous ne le devriez, il ne faut pas compter sur les banques et les sociétés de fiducie pour porter ce détail à votre attention.

La pénalité des trois mois d'intérêt

Il se peut que votre contrat de prêt hypothécaire vous permette de refinancer votre prêt en versant l'équivalent de trois mois d'intérêt sur votre solde. En outre, selon la loi, tout prêt hypothécaire d'un terme supérieur à cinq ans devient ouvert à son cinquième anniversaire, et la même pénalité de trois mois s'applique.

Bien qu'elles soient plutôt discrètes sur le sujet, plusieurs grandes banques vous permettent à présent de refinancer aux mêmes conditions à tout moment après le troisième anniversaire de votre contrat en cours. Mais rappelez-vous, il est peu probable que votre prêteur vous appelle pour vous informer des économies que vous pourriez réaliser.

Le paiement de ces trois mois de pénalité en vaut-il la peine ? La réponse est fonction de chaque cas particulier. Cela dépend de la différence entre votre taux actuel et les taux disponibles ainsi que du solde de votre capital. La meilleure chose à faire est de demander à votre prêteur de faire le calcul pour vous. Il ne sera peut-être pas très heureux de le faire, mais vous devriez tout de même obtenir les réponses dont vous avez besoin.

La pénalité de la différence des taux d'intérêt

La pénalité la plus fréquente est celle de la différence du taux d'intérêt (DTI). La DTI est la valeur actuelle du revenu auquel le prêteur renonce en vous permettant de refinancer.

Disons que vous payez 10 % d'intérêt et qu'il reste deux ans à votre terme hypothécaire. Votre prêteur calcule combien il pourrait faire en prêtant ailleurs le solde de votre emprunt. Ensuite, il vous demande de combler la différence de sorte qu'il puisse se retirer du contrat sans perte. Le problème est qu'en payant la DTI, vous perdez l'argent que vous auriez économisé grâce aux taux inférieurs que vous recherchiez.

Une autre difficulté potentielle est que personne ne peut dire avec certitude de quel côté le vent soufflera. Ainsi, vous êtes perdant si les taux baissent et qu'ils atteignent un niveau inférieur à la fin de votre terme actuel. Si cela se produit, vous vous serez encombré d'un tas de paperasserie fastidieuse pour vous retrouver bloqué à un taux plus élevé que celui que vous auriez payé si vous n'aviez rien changé.

L'assurance vie hypothécaire

Peu de temps après avoir acheté une maison ou conclu un prêt hypothécaire, vous commencez à recevoir des lettres de toutes sortes de compagnies qui recueillent les informations accessibles au public sur les hypothèques. La plupart de ces entreprises veulent vous vendre quelque chose et elles n'ont pas l'habitude de tourner autour du pot.

« Que feront les personnes à votre charge si vous décédez prématurément et qu'ils se retrouvent avec une dette hypothécaire gargantuesque ? », demandent-elles. Il s'agit en fait d'une bonne question de planification financière. Si votre famille dépend de votre revenu, pourra-t-elle survivre financièrement si vous disparaissez du tableau ?

Ne gaspillez pas votre argent dans de l'assurance vie hypothécaire. Il est possible que vous ayez besoin d'une assurance vie afin de soutenir votre famille et de répondre à des obligations importantes comme les versements hypothécaires ou les frais d'études de vos enfants. Mais l'assurance vie hypothécaire est en général terriblement surévaluée. (Consultez le chapitre 16 pour des conseils sur l'assurance vie temporaire.) Vous ne devriez envisager une assurance vie hypothécaire que si vous avez un problème de santé et que l'assureur n'exige pas d'examen physique. Assurez-vous aussi de comparer cette option à celle d'une assurance vie temporaire.

Le prêt hypothécaire inversé est-il une bonne idée ?

Un nombre croissant de propriétaires s'aperçoivent à un certain moment, en particulier dans les dernières années de leur retraite, qu'ils manquent de liquidités. La maison dans laquelle ils vivent est souvent leur plus grand actif. Contrairement à d'autres placements, tels que les comptes bancaires, les obligations ou les actions, une maison ne fournit pas de revenu au propriétaire-occupant, sauf s'il ou elle décide de louer une chambre ou deux.

Un prêt (ou emprunt) hypothécaire inversé permet à un propriétaire ayant peu de liquidités de puiser dans la valeur nette de sa propriété. Pour un propriétaire âgé, cette opération peut se révéler difficile à faire sur le plan psychologique. La plupart des gens travaillent dur pour acquitter leurs paiements hypothécaires mois après mois, année après année, jusqu'à ce que tout soit finalement remboursé. Quel exploit et quel soulagement après toutes ces années !

Souscrire un prêt hypothécaire inversé renverse ce processus. Chaque mois, le prêteur qui vous consent un prêt hypothécaire inversé vous envoie un chèque que vous pouvez consacrer à l'alimentation, à l'habillement, au voyage ou à ce qui convient à vos différents besoins. L'argent que vous recevez chaque mois est en réalité un prêt de la banque sur la valeur de votre maison, ce qui veut dire que le chèque mensuel est exempt d'impôt. Un prêt hypothécaire inversé vous donne la possibilité de demeurer dans votre maison tout en utilisant des fonds provenant de sa valeur nette pour compléter vos revenus mensuels.

Le principal inconvénient du prêt hypothécaire inversé est qu'il peut diminuer le patrimoine que vous désirez transmettre à vos héritiers ou utiliser à d'autres fins. De plus, certains prêts exigent d'être remboursés à l'intérieur d'un certain nombre d'années. Les frais et le taux d'intérêt qui s'appliquent à cet emprunt peuvent être assez élevés.

Certains de ces prêts vous seront accordés parce que le prêteur suppose que vivrez de nombreuses années dans la maison et qu'ainsi, il ne perdra pas d'argent sur ce prêt. Si vous mettez fin à l'emprunt après seulement quelques années parce que vous déménagez, par exemple, le coût du prêt est extrêmement élevé.

Il est parfois possible d'obtenir un prêt hypothécaire inversé au sein de votre propre réseau familial. Cette technique ne peut fonctionner que si des membres de votre famille sont financièrement en mesure de vous procurer un revenu mensuel en échange de la propriété de la maison si et quand vous décédez.

Quelques autres possibilités s'offrent à vous pour exploiter la valeur nette de votre maison. Vous pourriez par exemple vendre votre maison et acheter (ou louer) une propriété moins chère. En général, les profits provenant de la vente de la maison dans laquelle vous vivez ne sont pas imposables.

Vendre votre maison

Il est probable qu'un jour viendra où vous voudrez vendre votre maison. Si vous choisissez de vendre, assurez-vous d'avoir les moyens d'acheter la prochaine maison que vous désirerez. Soyez particulièrement prudent si vous êtes un acheteur de maison à un cran supérieur, autrement dit, si vous achetez une maison encore plus chère. Toutes les questions d'abordabilité discutées au début du présent chapitre s'appliquent ici. Les points suivants méritent toute votre attention.

Vendre par l'intermédiaire d'un agent

Lorsque vous vendez un bien immobilier, il vous faut trouver un agent qui effectuera efficacement le travail et qui vous obtiendra le prix le plus élevé possible. En tant que vendeur, vous devez rechercher des agents qui possèdent une expertise en mise en marché ainsi qu'en vente et qui sont prêts à investir le temps et l'argent qu'il faudra pour vendre votre maison. Ne vous laissez pas impressionner outre mesure par les agents qui travaillent pour une grande entreprise. Ce qui importe le plus, c'est la stratégie que l'agent mettra en œuvre pour réaliser la vente de votre propriété.

En mettant votre maison en vente par l'intermédiaire d'un agent, vous signez un contrat avec l'agent contractant qui contient des spécifications sur la commission qui devra lui être versée s'il parvient à vendre votre bien. Dans certaines régions, les agents peuvent demander une commission de 4 à 6 %. Dans les secteurs où l'immobilier est moins cher, ils demanderont parfois 7 %.

Peu importent les arguments que vous présentera un agent, souvenez-vous toujours que les commissions sont négociables. Puisque que la commission est un pourcentage, vous avez de meilleures chances d'obtenir de payer une commission moindre sur une maison dont le prix de vente est plus élevé. Si un agent obtient 6 % de commission sur la vente d'une maison de 200 000 $ et le même 6 % sur une maison de 100 000 $, la vente de la maison de 200 000 $ lui rapporte deux fois plus. Pourtant, la vente d'une maison plus chère ne requiert pas deux fois plus de travail. (Vendre une propriété de 400 000 $ n'exige certainement pas quatre fois plus d'efforts et de temps que n'en exige la vente d'une propriété de 100 000 $.)

Si vous vivez dans un secteur où les prix de l'immobilier sont relativement élevés, (plus de 250 000 $), vous n'avez aucune raison de payer une commission supérieure à 5 %. Dans le cas des propriétés de plus de 500 000 $, une commission de 4 % peut suffire. Toutefois, il vous sera sans doute plus facile de négocier une réduction de la commission quand une offre est sur la table. Comme vous ne voulez pas donner de raisons à d'autres agents (ceux qui travaillent avec les acheteurs) de ne pas vendre votre maison, demandez à votre agent contractant d'accepter une commission moindre au lieu de réduire la commission que vous êtes prêt à payer à l'agent qui vous trouvera un acheteur.

En termes de durée du contrat de courtage immobilier que vous signez avec un agent, une période de trois mois est raisonnable. Avec une convention d'inscription trop longue (6 à 12 mois), vous risquez que l'agent place simplement votre fiche descriptive dans le répertoire (Internet et papier) du service inter-agences et qu'il déploie peu d'efforts pour vendre votre propriété. Pratiquement parlant, vous pouvez congédier votre agent quand vous voulez, quelle que soit la durée de la convention d'inscription. Mais avec une convention plus courte, l'agent sera souvent plus motivé à vendre.

Vendre sans l'aide d'un agent immobilier

Vous pourriez être tenté de vendre votre propriété sans recourir aux services d'un agent de manière à vous éviter le paiement d'une commission. Si vous en avez le temps et l'énergie et que vous possédez des compétences dans la vente, vous pourriez vendre vous-même votre maison et peut-être ainsi réaliser des économies.

Quand vous essayez de vendre votre propriété par vous-même, le plus grand inconvénient est que vous ne pouvez habituellement pas l'inscrire dans le service inter-agences (SIA). Même si vous êtes libre de consulter les annonces du SIA sur papier et sur le Web (www.sia.ca), seuls les agents et les courtiers peuvent l'utiliser pour annoncer les propriétés à vendre. Certaines personnes sont d'avis (et nous sommes d'accord) que le SIA fonctionne comme un quasi-monopole dans la vente de propriétés. Et si vous n'êtes pas répertorié dans le SIA, beaucoup d'acheteurs potentiels ne sauront jamais que votre maison est à vendre. Normalement, les agents qui travaillent avec les acheteurs ne s'occupent pas et ne parlent pas à leurs clients des maisons mises en vente directement par leur propriétaire.

En plus de vous économiser du temps, un bon agent peut aider à éviter d'être poursuivi pour avoir omis de divulguer des défauts connus de votre propriété. Si vous décidez de vendre votre maison par vous-même, veillez à retenir les services d'un conseiller juridique qui pourra vérifier les contrats.

Devriez-vous garder votre maison jusqu'à ce que les prix montent ?

Beaucoup de propriétaires sont tentés de conserver leurs propriétés (quand ils doivent déménager) si la valeur actuelle de leur immeuble est inférieure à ce qu'ils ont payé ou si le marché immobilier n'est pas avantageux. Mais la location de votre propriété n'en vaut probablement pas les tracas et en retarder la vente n'en vaut sans doute pas le pari financier. Dans la majorité des cas, quand vous devez déménager, il est préférable de vendre votre propriété.

Vous vous dites peut-être que dans quelques années, l'immobilier reprendra de la vigueur et que vous serez alors en mesure de vendre à meilleur prix. Voici trois risques associés à cette façon de voir les choses :

✔ Il vous est impossible de prévoir ce qui adviendra des prix de l'immobilier dans les années à venir. Ils pourraient monter, mais ils pourraient aussi rester au même niveau, ou même baisser davantage. Une propriété doit en général s'apprécier d'au moins quelques points de pourcentage par année afin de compenser les différentes dépenses qu'elle engendre.

✔ Si vous n'avez jamais été un propriétaire-locateur, ne sous-estimez pas les tracas et les maux de tête associés à ce travail.

✔ Si vous convertissez votre maison en un immeuble locatif et qu'elle prend de la valeur, vous aurez à payer des impôts sur vos gains en capital lorsque vous vendrez la propriété. Cet impôt éliminera une grande partie du profit que vous aviez recherché en conservant la propriété jusqu'au redressement des prix de l'immobilier.

> ✔ Si la vente de votre maison vous rapporte peu et que vous allez manquer d'argent pour payer l'acompte de votre prochaine propriété, vous avez alors de bonnes raisons de vous accrocher à une maison dont la valeur a baissé.

Devriez-vous conserver votre maison en tant qu'investissement immobilier si vous déménagez ?

La conversion de votre maison en immeuble locatif est envisageable si vous déménagez. Cependant, ne considérez de le faire que si vous entrevoyez le projet à long terme (dix ans ou plus). Tel que discuté dans la section précédente, la vente d'immeubles locatifs a des incidences fiscales.

Si vous souhaitez convertir votre maison en un immeuble à revenus, vous avez un avantage sur quelqu'un qui cherche à acheter de l'immobilier pour investir, parce que vous possédez déjà votre maison. Rechercher et acheter des immeubles à revenus nécessite du temps et de l'argent. En outre, vous savez ce que vous avez entre les mains avec votre maison actuelle, alors que si vous entreprenez d'acheter une propriété dans le but de la louer, vous repartez à zéro.

Si votre propriété est en bon état, pensez aux dommages que des locataires seront susceptibles de lui faire subir, car peu de gens prendront soin de votre maison comme vous le feriez. Enfin, demandez-vous si vous êtes fait pour être propriétaire-locateur. Pour plus d'informations, voyez la section sur l'immobilier comme véhicule d'investissement au chapitre 8.

Quatrième partie

L'assurance : protéger vos avoirs

« En toute franchise, monsieur, compte tenu du nombre
d'accidents dans lesquels vous avez été impliqué, je ne vois
pas comment je pourrais vous vendre une police d'assurance auto
à un prix raisonnable. »

Dans cette partie...

*N*ous vous indiquons comment vous procurer le bon type d'assurance pour vous éviter de vous retrouver face à d'importantes dépenses inattendues et préserver vos actifs ainsi que vos revenus futurs. Les questions d'assurance sont souvent ennuyeuses, certes, mais vous ne devez pas négliger cet aspect de votre vie financière pour autant. Nous vous expliquons ici quels sont les types d'assurance qui en valent la peine et ceux dont vous pouvez vous passer, les clauses importantes de votre police d'assurance et celles qui le sont moins, et le montant de la couverture à acheter pour vos différents biens.

Chapitre 15

L'assurance : ce dont vous avez besoin, au meilleur prix

· ·

Dans ce chapitre :

▶ Connaître les trois règles d'achat d'assurance

▶ Que faire si l'on vous refuse une couverture

▶ Obtenir le paiement de votre réclamation

· ·

À moins de travailler dans l'industrie (par choix), il y a des chances que l'assurance soit un sujet terriblement ennuyeux pour vous. La plupart des gens associent l'assurance à la maladie, à la mort et aux tragédies et préfèreraient ne pas avoir à s'occuper de cette question. Mais comme vous ne voulez pas vous retrouver confronté à des problèmes d'argent quand surviendra un accident ou un désastre – la maladie, l'invalidité, un décès, un incendie, une inondation, un tremblement de terre, et ainsi de suite – vous devez prévoir une protection bien avant qu'un événement de cette nature ne se produise.

L'assurance est probablement le moins compris et le moins contrôlé des domaines de la finance personnelle. Des études menées par la National Insurance Consumer Organization, une ONG américaine sans but lucratif, indiquent que plus de neuf personnes sur dix se dotent d'une assurance qui n'est pas pleinement adaptée à leur besoins et pour laquelle ils paient trop cher. Et les résultats de nos propres observations confirment ces statistiques. La plupart des gens sont dépassés par tout le jargon des ventes et des formulations utilisées dans les contrats. En conséquence, ils s'assurent souvent auprès des mauvaises compagnies, dont certaines sont pourtant reconnues pour la piètre qualité de leur service à la clientèle, et paient plus qu'il ne leur faudrait pour leurs polices.

Nos trois règles d'achat d'assurance

Il est possible que votre patience et votre intérêt vis-à-vis de l'assurance soient limités, c'est pourquoi nous avons réduit le sujet à trois grands principes assez simples mais efficaces qui pourront facilement vous permettre d'économiser des milliers de dollars sur les assurances que vous achèterez au cours du reste de votre vie. En plus de réaliser des économies, vous bénéficierez d'une couverture adaptée à vos besoins grâce à laquelle vous vous éviterez une éventuelle débâcle financière.

Règle 1 : n'assurer que ce qui en vaut vraiment la peine

Imaginez un instant que l'on vous offre l'occasion de souscrire une assurance qui vous rembourserait le coût d'un abonnement à un magazine au cas où celui-ci cesserait d'être publié et que vous ne receviez pas tous les numéros pour lesquels vous avez payé. Étant donné le coût relativement faible d'un abonnement à un magazine, il est peu probable que vous achèteriez cette assurance.

Et si vous pouviez souscrire une assurance qui vous dédommagerait pour le coût d'un repas au restaurant dans l'éventualité où vous seriez victime d'une intoxication alimentaire ? Même quand il s'agit d'un restaurant huppé, la somme dépensée pour un repas n'étant tout de même pas très élevée, vous déclineriez sans doute aussi cette offre.

Le but d'une assurance est de vous protéger contre les pertes qui seraient financièrement désastreuses pour vous, non pas de remédier aux petites tribulations de la vie quotidienne. Les exemples précédents sont un peu exagérés, certes, mais certaines personnes achètent pourtant des couvertures ridicules sans le savoir. Dans les sections suivantes, nous vous expliquons comment obtenir au meilleur prix possible une couverture d'assurance qui soit adaptée à votre situation. Nous commençons avec les gros morceaux, ceux qui valent chaque dollar payé en prime, avant de poursuivre avec d'autres options d'assurance moins dignes de vos dollars.

Acheter de l'assurance pour couvrir les catastrophes financières

Vous devriez vous assurer contre ce qui serait susceptible de constituer une perte financière énorme pour vous ou vos ayants droit. Le coût de l'assurance est assez élevé, mais il est relativement faible par rapport au montant total des pertes potentielles que risque d'entraîner une catastrophe financière.

La beauté de l'assurance, c'est qu'elle répartit le risque sur des millions d'autres personnes. Si votre maison devait être réduite en cendres par un incendie, il vous serait sans doute impossible (comme pour la plupart des gens) d'assumer de votre propre poche les coûts de reconstruction. Si par contre vous êtes assuré, les primes payées par vous-même et tous les autres propriétaires collectivement peuvent facilement payer les factures.

Pensez un peu à vos biens les plus précieux (il ne s'agit pas ici de votre esprit fin et de votre personnalité charmante) et à ce qui risquerait d'entraîner d'éventuels frais importants.

- Durant vos années de travail, votre atout le plus précieux est sans doute votre revenu futur. Si vous deveniez handicapé et inapte au travail, que feriez-vous pour vivre? L'assurance invalidité de longue durée est là pour vous aider à gérer ce type de situation. Si vous avez une famille qui dépend financièrement de vos revenus, comment s'en sortirait-elle si vous mourriez? L'assurance vie peut combler le vide financier créé par un décès prématuré.

- Si vous êtes propriétaire d'une entreprise, que se passerait-il si vous étiez poursuivi pour un million de dollars pour négligence dans l'exécution de certains travaux? L'assurance responsabilité sert à vous prémunir contre de telles poursuites.

- En cette époque où les frais médicaux augmentent sans cesse, vous pourriez facilement accumuler des factures en peu de temps. Peut-être auriez-vous besoin d'une couverture médicale supplémentaire qui comblerait les dépenses qui ne sont pas prises en charge par la Régie de l'assurance maladie. (Voir le chapitre 16 pour plus d'informations sur l'assurance maladie.)

Psychologiquement, il est tentant de se procurer une couverture d'assurance pour les petites choses qui risquent davantage de se produire. Vous ne voulez pas avoir l'impression de perdre vos dollars d'assurance et peut-être aimeriez-vous obtenir le retour d'une partie de votre argent. D'accord, il est plus probable que survienne un accrochage avec votre voiture ou qu'un de vos colis soit égaré dans la poste que de perdre votre maison dans un incendie ou de souffrir d'une invalidité à long terme. Mais si l'accrochage coûte 500 $ (que vous finissez par payer de votre poche parce que vous avez suivi notre conseil et pris une franchise élevée), on est loin d'un désastre financier.

En revanche, si vous perdez votre capacité de gagner un revenu en raison d'une invalidité ou si vous êtes poursuivi pour un million de dollars et que vous n'êtes pas assuré contre de tels événements, vous pourriez non seulement être extrêmement malheureux, mais également ruiné sur le plan financier. «Oui, mais quelles sont les probabilités que je me retrouve handicapé à long terme ou que je sois poursuivi pour un million de dollars?» demandez-vous, comme bon nombre de personnes. Eh bien, les chances sont assez faibles, certes, mais le risque est tout de même présent. Le problème, c'est que vous ne savez pas si et quand vous subirez un accident ou un quelconque malheur.

Et n'allez pas croire que vos calculs de probabilités sont meilleurs que ceux des compagnies d'assurance. Celles-ci sont capables d'évaluer les probabilités que vous leur fassiez une réclamation, grande ou petite, avec une étonnante précision. Elles emploient des armées d'actuaires pour calculer les probabilités que des événements funestes se produisent et la fréquence de tel ou tel autre type de réclamation par leurs titulaires de polices. Les compagnies établissent ensuite les primes de leurs polices en fonction des résultats de ces calculs.

Ainsi, il est déraisonnable d'acheter (ou ne pas acheter) une assurance en vous fondant sur votre perception des probabilités que vous soyez victime d'un événement tragique. Les compagnies d'assurance ne sont pas stupides ; à vrai dire, elles sont impitoyablement intelligentes ! Lorsqu'elles établissent les prix de leurs primes, ces compagnies analysent un certain nombre de facteurs afin déterminer les probabilités que vous déposiez une réclamation. Prenons l'exemple de l'assurance automobile. Selon vous, qui des deux individus suivants paiera la prime la plus élevée ? Un homme célibataire âgé de 20 ans qui vit dans une ville où la criminalité est omniprésente, qui conduit une voiture sport turbo et qui a reçu deux contraventions pour excès de vitesse au cours de la dernière année, ou un homme marié, dans la quarantaine, qui habite dans une zone où la criminalité est faible, conduit une berline quatre portes et possède un dossier de conduite irréprochable ?

Choisissez la franchise la plus élevée que vous pouvez vous permettre

La plupart des polices d'assurance comportent une franchise – le montant maximum que vous devez payer, en cas de perte, avant que votre couverture d'assurance n'entre en jeu. Dans de nombreuses polices, comme pour l'assurance automobile ou résidentielle, la plupart des gens optent pour une franchise de 100 $ à 250 $.

Voici deux des avantages de prendre une franchise plus élevée :

- ✔ **Vous économisez de l'argent sur votre prime.** Vous pouvez en effet profiter d'une baisse du coût d'une police d'assurance en choisissant une franchise élevée. Cela peut vous valoir une réduction de 15 à 20 % du coût de votre police. Disons par exemple que vous pouvez en réduire le coût de 150 $ par année en faisant passer votre franchise de 250 $ à 1 000 $. Dans ce cas de figure, avec une réclamation de 1 000 $ ou plus tous les cinq ans – ce qui est peu probable – vous sortez gagnant. Et si vous êtes sujet aux accidents ? L'assureur augmentera simplement votre prime.

- ✔ **Vous n'avez pas les tracas des dépôts de réclamations de petites créances.** Si vous avez une perte de 300 $ sur une police dont la franchise est de 100 $, vous devez déposer une demande pour obtenir les 200 $ restants (le montant de votre couverture après votre franchise). Mais le dépôt d'une réclamation d'assurance peut être une expérience exaspérante qui prend parfois des heures. Dans certains cas, votre réclamation peut vous être refusée, même après avoir fourni tous les documents nécessaires.

Lorsque votre franchise est basse, vous pouvez déposer plus de réclamations (bien que cela ne signifie pas nécessairement que vous aurez plus d'argent). Or, quand vous faites trop de réclamations, les compagnies haussent vos primes. Le dépôt d'un trop grand nombre de réclamations risque aussi d'entraîner l'annulation de votre couverture!

Éviter d'assurer les bagatelles

Une bonne police d'assurance peut paraître chère. En revanche, une police peu chère peut vous tromper en vous laissant croire que vous obtenez quelque chose pour presque rien. Mais les polices à faible coût offrent aussi une faible protection – leur prix est bas parce qu'elles ne couvrent pas de grandes pertes potentielles.

Dans les paragraphes qui suivent, nous vous présentons des exemples de polices d'assurance pour des bagatelles parmi les plus courantes, lesquelles représentent habituellement un gaspillage de vos précieux dollars. En parcourant cette liste, il se peut que vous trouviez des polices que vous avez déjà achetées et qui vous ont paru être une bonne affaire. « Mais j'ai obtenu une indemnité avec cette police que vous me déconseillez d'acheter! » direz-vous peut-être. Bien sûr, il est rassurant d'être « remboursé » pour des complications découlant d'une perte ou d'un événement fâcheux. Mais pensez à toutes les polices de ce genre que vous avez contractées au cours de votre vie. Au total, vous n'êtes certainement pas sorti gagnant, sinon les compagnies d'assurance auraient perdu de l'argent, ce qu'elles n'ont pas l'habitude de faire. Ces polices ne valent pas leur coût par rapport aux faibles bénéfices potentiels qu'elles offrent. En moyenne, les compagnies d'assurance ne paient que 0,60 $ en indemnités sur chaque dollar encaissé. Bon nombre des polices suivantes vous paient encore moins en indemnités, soit autour de 0,20 $ pour chaque dollar dépensé en prime d'assurance.

✔ **Les programmes de réparation et de garantie prolongée.** N'est-il pas ironique qu'un vendeur qui vient tout juste de vous persuader d'acheter un téléviseur, un ordinateur ou une voiture – souvent en vous en vantant la fiabilité – essaie ensuite de vous convaincre de dépenser encore plus d'argent dans le but de vous prémunir contre une défaillance du produit en question? Si le produit est si bon, pourquoi auriez-vous besoin d'une telle assurance?

Les programmes de réparation et de garantie prolongée sont des polices d'assurance coûteuses et inutiles. Les garanties des manufacturiers de produits couvrent d'ordinaire tous les problèmes qui surviennent dans les trois premiers mois, et parfois même jusqu'à un an, après la date de l'achat. Une fois ce délai écoulé, si vous devez payer de votre propre poche pour une réparation, vous ne vous retrouverez pas à la rue. Les fabricants de bonne réputation répareront souvent les produits défectueux ou les remplaceront sans frais après la fin de la période de garantie (dans un délai raisonnable).

✔ **L'assurance dentaire.** Si votre employeur vous paie une assurance dentaire, profitez-en. Mais règle générale, vous ne devriez pas payer vous-même pour cette couverture. L'assurance soins dentaires couvre généralement un ou deux nettoyages dentaires par année et comporte des limites en ce qui concerne les travaux plus coûteux.

✔ **L'assurance vie de crédit et l'assurance invalidité de crédit.** Les polices d'assurance vie de crédit payent une petite indemnité à votre décès si vous avez un emprunt en cours. Les polices d'assurance invalidité de crédit versent une petite prestation mensuelle en cas d'invalidité. En général, les banques et leurs divisions de cartes de crédit vendent ces polices. Certaines sociétés vous vendent de l'assurance destinée à payer vos factures de carte de crédit en cas de décès ou d'invalidité.

Si le coût de cette assurance peut sembler faible, c'est parce que ses bénéfices potentiels sont relativement faibles. En fait, étant donné la modeste couverture que vous obtenez, ces polices sont plus souvent qu'autrement très dispendieuses. Si vous avez besoin d'une assurance vie ou invalidité, achetez-en une, mais procurez-vous une couverture adéquate et achetez-la dans le cadre d'une police distincte et rentable (voir le chapitre 16 pour plus de détails).

Si votre santé est mauvaise et qu'il vous est possible de souscrire une police d'assurance sans évaluation médicale, vous représentez une exception à la présente règle. Dans un tel cas, ces polices sont peut-être les seules auxquelles vous avez accès – une autre raison de leurs prix élevés. Si vous êtes en bonne santé, vous payez pour les personnes en mauvaise santé qui peuvent contracter la même police sans examen médical et qui déposent vraisemblablement plus de réclamations.

✔ **L'assurance pour envois postaux.** Vous achetez un cadeau d'une valeur de 40 $ pour un ami et quand vous allez au bureau de poste pour le lui envoyer, le sympathique postier vous demande si vous souhaitez assurer le colis. Pour quelques dollars de plus, pensez-vous, pourquoi pas ? Postes Canada perd ou endommage rarement des colis et des lettres. Dépensez plutôt votre argent sur autre chose, ou mieux, investissez-le !

✔ **L'assurance pour lentilles cornéennes.** Les gens gaspillent parfois leur argent de manière franchement renversante. Il est vraiment possible d'assurer vos lentilles cornéennes ! L'argent dépensé sert à remplacer vos lentilles si vous les perdez ou les abîmez. Mais les lentilles sont relativement bon marché, alors ne perdez pas votre argent sur ce type d'assurance.

✔ **Les avenants superflus.** Beaucoup de polices qui valent la peine d'être achetées, comme pour l'automobile ou l'invalidité, sont offertes avec toutes sortes d'avenants. Ceux-ci sont des accessoires que les agents d'assurance et les compagnies aiment vous vendre en raison de la marge bénéficiaire élevée qu'ils leur fournissent. Dans le cas des polices d'assurance automobile, par exemple, pour quelques dollars de plus par année, vous pouvez acheter un avenant qui vous paie 25 $ environ chaque fois que votre voiture a besoin d'être remorquée. Mais comme un remorquage n'est pas censé vous mettre en faillite, il n'est pas la peine de vous assurer pour cela.

De même, les petites polices d'assurance qui sont vendues en tant que suppléments à des polices d'assurance plus importantes sont habituellement inutiles et trop chères. Par exemple, vous pouvez acheter des polices d'assurance invalidité avec en supplément une petite assurance vie. Toutefois, si vous avez besoin d'une assurance vie, il est plus avantageux d'acheter séparément une couverture adéquate.

Règle 2 : acheter une couverture étendue

Souscrire une assurance trop limitée est une autre grave erreur que commettent les gens. Ces polices semblent souvent constituer une manière d'évacuer les craintes à peu de frais. Par exemple, au lieu de souscrire une assurance vie, certaines personnes achètent une assurance aérienne à l'aéroport. Ces gens donnent l'impression de se soucier davantage de mourir lors d'un transport aérien qu'en utilisant leur voiture. S'ils meurent au cours du vol, leurs bénéficiaires touchent la prestation. Mais si une personne devait mourir le lendemain de son voyage aérien dans un accident de voiture ou d'un problème de santé foudroyant – ce qui, statistiquement, est beaucoup plus probable que de périr dans un accident d'avion – les bénéficiaires ne percevraient rien de l'assurance aérienne. Procurez-vous une assurance vie (une couverture étendue qui protège financièrement vos proches au cas où vous mourriez dans quelque circonstance que ce soit), non pas une assurance aérienne (une couverture limitée).

L'équivalent médical d'une assurance aérienne serait une assurance contre le cancer. Les personnes âgées, qui craignent de voir toutes leurs économies épuisées par une longue bataille contre cette terrible maladie, représentent une proie facile pour les vendeurs d'assurance peu scrupuleux qui leur proposent cette couverture limitée. Si vous développez un cancer, votre assurance contre le cancer paie les factures. Mais que faire si vous êtes affecté par une maladie cardiaque, le diabète, le SIDA ou une autre maladie ? Votre assurance contre le cancer ne paiera pas vos frais.

Une perception erronée des risques

Quels sont vos risques de mourir prématurément si vous êtes exposé à des déchets toxiques ou des pesticides, ou si vous habitez dans une zone dangereuse où le taux d'homicides est élevé ? Eh bien, en réalité, ces risques sont très faibles par rapport à ceux auxquels vous vous exposez lorsque vous prenez le volant de votre voiture ou que vous allumez une cigarette de plus.

Le journaliste John Stossel (ABC) a eu la gentillesse de partager les résultats d'une étude réalisée pour lui par le physicien Bernard Cohen. Dans cette étude, Cohen compare différents risques. Ses recherches ont révélé que nos comportements les plus risqués concernent le tabagisme et la conduite automobile. Les fumeurs auraient en moyenne une espérance de vie de sept années de moins que les non fumeurs, tandis que la conduite automobile réduirait l'espérance de vie d'un peu plus de six mois. Quand à l'exposition à des déchets toxiques, elle diminuerait l'espérance de vie des Américains d'une semaine en moyenne.

Pour acheter l'assurance adéquate, vous vous devez de savoir ce qui est risqué et ce qui l'est pas. Malheureusement, il ne vous est pas possible de souscrire une police d'assurance qui soit expressément conçue pour vous protéger contre tous les grands dangers et risques de la vie. Mais vous n'êtes pas non plus obligé de faire face à ces dangers comme une victime impuissante. Quelques simples changements de vos comportements sont susceptibles de vous aider à améliorer votre sécurité.

Les habitudes personnelles de santé sont un bon exemple des types de comportement que vous pouvez changer. Si vous êtes une personne obèse et que vous consommez des aliments riches en gras et en cholestérol, que vous buvez avec excès et que vous ne faites pas d'exercice, vous cherchez les ennuis, surtout à partir de la cinquantaine. En vivant de cette façon, vous augmentez considérablement vos risques de maladies cardiaques et de cancers.

Cela ne signifie pas pour autant que nous devions tous nous nourrir de fèves germées et nous tenir loin de la circulation routière. Néanmoins, il importe de connaître les conséquences possibles ou prévisibles de nos comportements avant de les adopter et de minimiser les risques en conséquence.

Vous pourriez vous procurer tous les types d'assurances traditionnelles que nous recommandons dans ce livre sans jamais être entièrement protégé, pour la simple raison que certains risques ne sont pas assurables. Mais le fait qu'il ne vous soit pas possible de vous assurer formellement contre certains dangers ne vous empêche pas de réduire sensiblement votre exposition à ceux-ci en modifiant vos comportements. Par exemple, vous ne pouvez pas contracter une police d'assurance automobile qui protégerait votre sécurité personnelle contre les dangers que représentent les conducteurs ivres, qui sont responsables de milliers de décès et de blessures chaque année. Toutefois, vous pouvez choisir de conduire une voiture fiable, de pratiquer des habitudes de conduite sécuritaire et de minimiser votre exposition à ce risque en évitant de circuler sur les routes durant les heures de fin de soirée et les jours fériés, où l'alcool est davantage présent.

Nos craintes dans la vie sont naturelles et inévitables, mais souvent aussi elles sont arbitraires et irrationnelles. Bien qu'il soit difficile de contrôler les émotions que suscitent nos craintes, pour être en mesure de faire des choix d'assurance rationnels, il vaut mieux faire abstraction de ces émotions. En d'autres termes, être nerveux lors de vos voyages aériens est une chose, mais laisser votre peur de l'avion vous amener à prendre des décisions d'assurance médiocres en est une autre, surtout lorsque ces décisions risquent d'affecter la vie de vos proches.

Puisqu'il vous est impossible de prédire ce qui vous arrivera, optez pour la couverture la plus étendue disponible.

Règle 3 : magasiner et envisager d'acheter directement

Que vous recherchiez une assurance auto, résidentielle, vie, invalidité ou autre, certaines compagnies vous vendront une couverture pour le double ou le triple du tarif que vous pourriez payer ailleurs. Les compagnies d'assurance qui ont les tarifs les plus élevés ne sont pas nécessairement celles qui sont les plus diligentes dans le paiement des réclamations. Vous pourriez même vous retrouver avec le pire des deux mondes : une prime élevée et un service minable.

La plupart des assurances sont vendues par des agents et des courtiers qui gagnent des commissions en fonction de ce qu'ils vendent. Évidemment, les commissions ont tendance à influencer leurs recommandations d'achats. Une étude réalisée par Cummins et Weisbart, citée dans le livre *Invisible Bankers*, d'Andrew Tobias, confirme cette tendance : « 48 % du temps, la décision d'un agent d'offrir à un client le produit de telle ou telle autre compagnie d'assurance reposait sur le montant de la commission à recevoir ».

Il n'est pas surprenant que les polices qui rapportent aux agents les plus grandes commissions soient souvent aussi les plus coûteuses. En fait, les compagnies d'assurance se font concurrence pour attirer l'attention des agents en offrant des commissions plus importantes. Si vous feuilletez des publications destinées aux agents d'assurance, vous apercevrez souvent des publicités dans lesquelles les caractères les plus gros portent sur le pourcentage de commission offert aux agents qui vendent les produits de l'annonceur.

Outre l'attrait des polices qui paient des commissions plus élevées, les agents deviennent aussi « accros », financièrement parlant, aux compagnies dont ils vendent fréquemment les polices. Une fois qu'un agent a vendu une certaine quantité de polices pour une même compagnie d'assurance, il ou elle est récompensé par le moyen de pourcentages de commission plus élevés sur ses ventes futures. Tout comme les compagnies aériennes récompensent leurs passagers réguliers avec des redevances pour les distances parcourues, les assureurs « corrompent » les agents au moyen de commissions plus généreuses, une autre forme de fidélisation.

Choisir soigneusement votre assureur

En plus du prix des polices et de la réputation de l'assureur en ce qui a trait au paiement des réclamations, la santé financière d'un assureur est un élément important à considérer lors du choix d'une entreprise. Si vous payez fidèlement vos primes année après année, vous risquez d'être contrarié si votre assureur fait faillite juste avant que vous ne déposiez une réclamation majeure.

Les compagnies d'assurance peuvent s'écrouler, comme n'importe quelle autre société, et des dizaines le font chaque année. Un certain nombre d'organisations évaluent et notent, par l'attribution d'une lettre, la viabilité et la stabilité financières des sociétés d'assurance. Au nombre des grandes agences de notation, on trouve AM Best Canada, Dominion Bond Rating Service, Moody's et Weiss.

Le système de notation par lettre des agences d'évaluation du crédit fonctionne exactement comme la notation des étudiants à l'université : A est meilleur que B ou C. Chaque compagnie utilise une échelle différente. Certaines entreprises ont AAA comme meilleure note, puis AA, A, BBB, BB, et ainsi de suite. D'autres utilisent A, A-, B+, B, B-, et ainsi de suite. Comme certains enseignants plus généreux dans leur attribution de notes, certaines entreprises, telles que AM Best, ont la réputation de donner un plus grand nombre de notes élevées. D'autres entreprises, telles que Weiss, sont plus exigeantes. Contrairement à l'école, cependant, vous devez rechercher la critique la plus sévère lorsqu'il s'agit de choisir entre quelles mains vous mettrez votre argent et votre sécurité future.

Tout comme il est sage d'obtenir plus d'une opinion médicale, obtenir deux ou trois notations financières peut vous aider à vous faire une meilleure idée de la fiabilité d'une compagnie d'assurance. Tenez-vous-en aux entreprises qui sont dans les deux ou trois mieux évaluées sur des échelles de notation différentes.

Vous pouvez obtenir des informations sur les notations les plus récentes des compagnies d'assurance, sans frais, en demandant à votre agent de vous fournir une liste des notations actuelles. Si vous êtes intéressé par une police vendue sans l'intermédiaire d'un agent, vous pouvez demander les notations actuelles à l'assureur lui-même.

Même si la santé financière d'une compagnie d'assurance est importante, elle n'est pas aussi cruciale que certains assureurs (généralement ceux qui ont les cotes les plus élevées) et agents aiment à le laisser entendre. De la même manière que les banques financièrement précaires sont prises en charge et fusionnées avec des institutions solides, les assureurs qui battent de l'aile passent habituellement par un processus similaire sous la direction de la Chambre de l'assurance de dommages ou de l'Autorité des marchés financiers.

Dans la plupart des cas de faillite de compagnies d'assurance, les réclamations sont éventuellement payées. Les gens qui perdent sont en général ceux qui avaient de l'argent investi dans une assurance vie ou dans une rente auprès de l'assureur en faillite. Même alors, vous récupérez normalement de 80 à 90 cents par dollar sur la valeur de votre placement chez l'assureur, mais il faut parfois attendre des années avant d'être remboursé.

Le magasinage de vos produits d'assurance constitue un défi non seulement parce que la plupart des assurances sont vendues par des agents travaillant à la commission mais aussi parce que les assureurs établissent leurs tarifs de façon mystérieuse. Chaque entreprise a une manière différente d'analyser le degré de risque que vous représentez ; pour une même couverture, une société pourra offrir des tarifs bas à vous, mais pas à votre cousin, et vice versa.

Malgré les obstacles, plusieurs stratégies existent pour obtenir des polices de qualité à faible coût. Les conseils suivants vous aideront à magasiner intelligemment vos produits d'assurance.

Les régimes collectifs et d'entreprise

Lorsque vous achetez l'assurance dans le cadre d'un régime collectif, vous obtenez généralement un prix inférieur en raison du pouvoir d'achat du groupe. La plupart des assurances santé et invalidité auxquelles vous avez accès par l'intermédiaire de votre employeur sont moins coûteuses que les polices équivalentes que vous pouvez vous procurer individuellement.

De plus, de nombreuses professions ont des associations professionnelles par l'entremise desquelles vous êtes en mesure d'obtenir des polices d'assurance à moindre coût. Cependant, ce ne sont pas toutes les associations qui offrent de meilleures occasions d'assurance, c'est pourquoi vous devez comparer leurs couvertures et leurs tarifs à vos autres possibilités.

L'assurance vie est la seule exception à la règle selon laquelle les régimes collectifs offrent une meilleure valeur que les polices individuelles. Ces régimes ne sont ordinairement pas moins chers que les meilleures polices d'assurance vie que vous pouvez acheter individuellement. Toutefois, la commodité des régimes collectifs est attrayante : il est facile d'y adhérer et vous n'avez pas à traiter avec les vendeurs d'assurance et leur baratin. Les régimes d'assurance vie collective qui ne requièrent pas d'évaluation médicale sont souvent plus chers, car ils attirent davantage de personnes ayant des problèmes de santé et pour qui il est plus difficile d'obtenir une couverture de leur propre chef. Si vous êtes en bonne santé, vous devriez vraiment magasiner votre assurance vie (voir le chapitre 16 pour apprendre comment faire).

Les agents d'assurance qui veulent vous vendre une police individuelle tenteront parfois par tous les moyens de vous convaincre que vous serez mieux servi en achetant leur police qu'en passant par votre employeur ou un autre groupe. Dans la plupart des cas, les arguments de ces agents sont fondés sur leur intérêt personnel à vous vendre leur produit. À certaines occasions, ils iront jusqu'à vous mentir pour arriver à leurs fins, ce qui n'est pas toujours facile à détecter pour qui possède une connaissance limitée du domaine de l'assurance.

L'un des arguments, valable, celui-là, que pourra vous soumettre un agent est que si vous quittez votre emploi, vous perdrez votre assurance collective, ce qui peut parfois être vrai. Par exemple, si vous savez que vous allez bientôt quitter votre emploi pour devenir travailleur autonome, vous feriez bien de vous procurer une police d'assurance invalidité individuelle avant de quitter votre emploi. De plus, la société qui gère le régime d'assurance de votre employeur pourrait vous permettre d'acheter une police individuelle lorsque vous quittez votre emploi. Dans le prochain chapitre, nous vous expliquons comment évaluer les caractéristiques d'une police d'assurance afin d'être à même de déterminer si un régime collectif répond à vos besoins. Dans la plupart des cas, les régimes collectifs, notamment par le biais d'un employeur, offrent de bons avantages sociaux. Ainsi, en autant qu'un régime collectif soit moins cher qu'une police individuelle comparable, vous économiserez de l'argent en achetant par son intermédiaire.

L'assurance sans commission de vente

L'achat de polices d'assurance chez un nombre croissant d'entreprises qui vendent directement au public, sans le concours d'un agent d'assurance ni paiement de commission de vente, constitue votre meilleur pari pour obtenir une bonne assurance à bon prix. Tout comme vous pouvez vous procurer des fonds communs de placement sans frais d'acquisition (sans commission) directement auprès d'une société d'investissement (voir le chapitre 10), vous pouvez acheter une assurance sans payer de commission. N'oubliez pas de lire le chapitre 16 pour apprendre plus sur l'achat direct d'assurance.

La commission, c'est combien ?

La commission versée à un agent d'assurance n'est jamais divulguée dans les documents que vous recevez lors de l'achat d'assurance. Cette information devrait pourtant être fournie par les assureurs et les agents, de la même manière que les fonds communs de placement affichent leurs différents frais dans leurs prospectus.

Votre unique façon de savoir quelle est la commission sur une police en particulier et comment elle se compare à celles d'autres polices est de le demander à l'agent. Il n'y a rien de mal à poser la question; après tout, c'est votre argent qui paie cette commission. Il vous faut déterminer si telle ou telle autre police est davantage poussée par le vendeur en raison de la commission plus élevée qu'elle lui rapporte.

En général, les commissions payées représentent un pourcentage de la prime de première année d'une police d'assurance. (Beaucoup de polices paient des commissions plus faibles sur les primes des années suivantes.) Dans le cas des polices d'assurance vie et invalidité, par exemple, il n'est pas rare que la commission corresponde à 50 % de la prime de la première année. Avec les polices d'assurance vie avec valeur de rachat, des commissions de 80 à 100 % de la prime de la première année sont possibles. Les commissions sur l'assurance maladie sont plus faibles, mais généralement pas autant que celles qui sont appliquées aux assurances auto et résidentielle.

Les rentes, un produit de placement traditionnellement vendu par l'intermédiaire des agents d'assurance, sont également désormais directement accessibles au client, sans commission de vente.

Gérer les problèmes d'assurance

Lorsque vous désirez vous procurer de l'assurance ou que vous détenez une police d'assurance, tôt ou tard, vous vous buterez à un obstacle. Et les problèmes d'assurance sont souvent très frustrants. Dans les sections suivantes, nous discutons des manières de surmonter les obstacles les plus couramment rencontrés.

Savoir quoi faire si l'on vous refuse une couverture

De la même manière que l'on peut vous refuser une demande de prêt, on peut vous refuser une couverture d'assurance. Dans le cas de l'assurance médicale, vie ou invalidité, une compagnie peut vous refuser si vous avez un problème de santé (une maladie préexistante), car elle suppose que vous êtes alors plus susceptible de déposer une réclamation. En ce qui concerne l'assurance des biens, comme une maison, si vous habitez dans un secteur connu pour présenter des risques élevés, il est parfois plus difficile de vous procurer une couverture.

Voici quelques stratégies à employer si l'on vous refuse une couverture :

- ✔ **Demandez à l'assureur pourquoi vous avez été refusé.** Il est possible que la compagnie ait commis une erreur ou mal interprété certaines des informations que vous avez fournies dans votre demande. Si l'on vous refuse la couverture en raison d'un état de santé, essayez de trouver quelles sont les informations que l'entreprise possède sur vous et voyez si elles sont exactes.

- ✔ **Demandez une copie de votre dossier médical.** Vous pouvez demander un exemplaire à jour de votre dossier médical à votre clinique médicale ou à votre hôpital moyennant des frais raisonnables. Si vous trouvez une erreur dans votre dossier, vous avez le droit de demander qu'elle soit corrigée. Cependant, c'est à vous qu'il revient de démontrer qu'une information est incorrecte.

- ✔ **Adressez-vous à d'autres compagnies.** Le fait qu'une entreprise vous refuse une couverture ne signifie pas que toutes les compagnies d'assurance le feront. Il y a des assureurs qui comprennent mieux certains problèmes médicaux et qui sont plus enclins à accepter les clients qui en sont affectés. La plupart des assureurs, toutefois, ont des tarifs plus élevés pour les personnes ayant des maladies ou des antécédents médicaux que pour celles qui sont en parfaite santé, mais certaines compagnies vous pénaliseront moins que d'autres. Un agent qui vend les polices de plusieurs assureurs peut vous être utile, car il peut magasiner votre police auprès de plusieurs compagnies différentes.

✔ **Vérifiez la disponibilité de la couverture avant d'acheter.** Si vous envisagez d'acheter une maison, par exemple, et que vous n'arrivez pas à trouver une couverture, les compagnies d'assurance essaient de vous dire quelque chose. Leur message est celui-ci : «Nous pensons que la propriété présente un risque si élevé que nous ne sommes pas disposés à l'assurer même si vous payez une prime élevée.»

Obtenir le paiement de vos réclamations

Si après avoir subi une perte vous déposez une réclamation d'assurance, vous vous attendez peut-être à ce que votre compagnie d'assurance vous dédommage dans un délai relativement rapide. Étant donné tout l'argent que vous avez déboursé pour votre police et toutes les démarches que vous avez effectuées pour obtenir votre couverture en premier lieu, c'est une attente raisonnable.

Toutefois, pour diverses raisons, votre réclamation pourrait ne pas être couverte par les conditions de la police. L'assureur vous demandera, à tout le moins, de lui fournir des preuves de votre perte. D'autres personnes avant vous ont triché, c'est pourquoi les assureurs ne se contentent pas simplement de vous croire sur parole, peu importe à quel point vous êtes honnête et intègre.

Dans d'autres cas, une compagnie d'assurance pourrait vous compliquer les choses. Certaines entreprises considèrent le règlement de réclamations comme une situation conflictuelle et choisissent de négocier à la dure. Si vous pensez que toutes les compagnies d'assurance vont vous payer un montant juste et raisonnable sans que vous ayez à vous faire entendre, vous vous méprenez.

Les conseils que nous vous proposons dans la section suivante vous aideront à faire en sorte d'obtenir le dédommagement auquel votre police vous donne droit.

Documenter vos avoirs et les événements préjudiciables

Lorsque vous assurez vos biens, tels que votre maison et son contenu, il peut se révéler très utile d'adopter une stratégie de préparation à une éventuelle réclamation. Si vous conservez des dossiers détaillant vos objets de valeur ainsi que les preuves de leurs coûts, vous devriez être en bonne position.

L'enregistrement vidéo est la meilleure façon de documenter vos avoirs, mais des photos et une liste écrite énumérant vos possessions sont également valables. Veillez cependant à conserver ces dossiers ailleurs que dans votre maison, car si celle-ci disparaît dans un incendie, vous perdrez aussi vos documents !

Si vous êtes victime d'un vol ou d'un accident, recueillez les noms, adresses et numéros de téléphone des témoins. Prenez des photos des dommages à la propriété et sollicitez des devis pour le coût des réparations ou du remplacement de tout ce qui a été perdu ou endommagé. Selon le cas, obtenez un rapport de police dans le but d'étoffer votre dossier pour les fins de votre réclamation d'assurance.

Préparer votre cause

Le dépôt d'une réclamation doit être considéré de la même manière qu'une préparation en vue d'un règlement judiciaire ou d'un contrôle fiscal. Toute information que vous fournissez oralement ou par écrit peut être et sera éventuellement utilisée contre vous pour le refus votre demande. Tout d'abord, vous devez établir dans quelle mesure votre police couvre votre réclamation (c'est pourquoi il est préférable de vous procurer la couverture la plus étendue possible). Malheureusement, la seule façon de savoir si votre police couvre votre réclamation est de lire le contrat. Et comme les polices d'assurance sont rédigées dans un langage juridique, elles ne sont pas d'une lecture facile.

Une solution de rechange à la lecture de votre police est d'appeler le service des réclamations de la compagnie, sans vous identifier, et de demander à un représentant si un préjudice particulier (tel que celui que vous venez subir) est couvert par ce type de police. Vous n'avez pas besoin de mentir à l'entreprise, mais vous n'avez pas non plus à dire au représentant qui vous êtes ni à lui mentionner que vous êtes sur le point de déposer une réclamation. Votre appel vise à vous informer afin de mieux comprendre l'étendue de votre police. Toutefois, certaines compagnies ne sont disposées à fournir des informations détaillées que lorsqu'un cas précis leur est soumis.

Dès le début du processus de demande d'indemnisation, assurez le suivi de l'affaire en conservant des notes de toutes vos communications avec l'assureur et des copies de tous les documents que vous lui avez fournis. Si vous rencontrez des problèmes en cours de route, ces « preuves » pourront vous être utiles.

En ce qui concerne les dommages matériels, vous devriez obtenir au moins deux devis d'entrepreneurs de bonne réputation. Démontrez à la compagnie d'assurance que vous essayez de trouver l'entrepreneur qui effectuera les réparations au meilleur prix possible, mais que vous n'êtes pas prêt à embaucher un entrepreneur à faible coût sans savoir s'il pourra exécuter des travaux de qualité.

Considérer votre réclamation comme une négociation

Pour obtenir ce à quoi vous avez droit lors d'une réclamation d'assurance, vous devez considérer le dépôt d'une réclamation pour ce que c'est, c'est-à-dire une négociation où les deux parties ne coopèrent pas toujours. Et plus le montant de la réclamation est élevé, plus votre assureur jouera le rôle d'adversaire.

Il y a de cela quelques années, quand Eric a déposé une réclamation d'assurance propriétaire occupant, alors qu'un puissant orage avait sérieusement endommagé la clôture de sa cour, il a reçu la visite d'une experte en sinistres très souriante. Lorsque cette dernière est entrée dans la cour et a commencé à examiner les dégâts, son comportement a radicalement changé. Elle a adopté l'attitude des négociateurs combatifs et impitoyables qu'Eric avait rencontrés à l'époque où il travaillait comme consultant dans le domaine des négociations syndicales-patronales.

L'experte en sinistres, qui se tenait sur le balcon arrière à bonne distance des clôtures renversées par le vent et écrasées par deux grands arbres, a expliqué que l'assureur préférait réparer la clôture endommagée plutôt que de la remplacer. « Avec une franchise de 1 000 $, a-t-elle ajouté, je doute qu'il vaille la peine de déposer une réclamation. »

Selon elle, la clôture avait simplement été jetée au sol, il suffisait donc de poser de nouveaux encrages de ciment et de redresser le tout. Or, Eric, qui avait déjà commencé le nettoyage des lieux pour des raisons de sécurité, lui a montré des photos de ce à quoi ressemblait la cour après l'orage ; elle a refusé de les prendre. Elle a pris ensuite quelques mesures et lui a dit qu'elle lui ferait parvenir un chèque dans les prochains jours. Le règlement qu'Eric a reçu par télécopieur a été établi à 1 119 $, ce qui était loin de couvrir les frais de réparation des dégâts.

Pratiquer la persévérance

Quand vous acceptez la première offre de règlement d'une compagnie d'assurance sans vous battre pour ce à quoi vous avez droit, il se peut que vous perdiez beaucoup d'argent. Pour résumer la suite de l'histoire de la clôture d'Eric, après cinq rondes de marchandage avec les experts, les superviseurs et les gestionnaires, il a finalement reçu un paiement pour le remplacement de sa clôture et le nettoyage de la plupart des dommages. Même si tous les entrepreneurs contactés recommandaient que le travail soit exécuté de cette façon, l'experte en sinistre discréditait leurs recommandations en affirmant : « Les entrepreneurs essayent de faire grimper le prix et l'ampleur des travaux dès qu'ils savent qu'un assureur paiera la facture. »

Son règlement total final a été de 4 888 $, soit 3 700 $ de plus que l'offre initiale de l'assureur. Fait intéressant, son assureur est revenu sur sa préférence de faire réparer la clôture lorsque les estimations de l'entrepreneur pour faire ce travail ont dépassé le coût de l'installation d'une clôture neuve.

Eric a été déçu par le comportement de sa compagnie d'assurance. Mais la stratégie de confrontation adoptée par cette compagnie n'est pas une pratique inhabituelle. Il faut aussi savoir que cet assureur avait à l'époque l'une des meilleures réputations en termes de règlement des réclamations !

Solliciter des appuis

Si vous faites vos devoirs et que vous ne réalisez pas de progrès dans vos échanges avec l'expert en sinistres de l'assureur, demandez à parler avec les superviseurs et les gestionnaires. C'est la stratégie qu'Eric a employée pour obtenir le montant supplémentaire de 3 700 $ nécessaire pour remettre les choses dans l'état où elles étaient avant l'orage.

L'agent qui vous a vendu la police peut vous être utile dans la préparation et le dépôt de la réclamation. Un bon agent peut vous aider à augmenter vos chances d'être payé – et plus rapidement. Si vous rencontrez des difficultés avec une réclamation ayant trait à une police d'assurance collective ou d'entreprise, communiquez avec la personne responsable des interactions avec l'assureur dans votre entreprise ou dans le groupe en question. Ces personnes ont beaucoup d'influence, car l'agent et/ou l'assureur ne veulent pas perdre la totalité du compte.

Si vous avez du mal à obtenir un règlement équitable de l'assureur concernant une police que vous avez souscrite individuellement, contactez l'Autorité des marché financiers (1-877-525-0337, www.lautorite.qc.ca), qui s'occupe des règlements des différends dans l'assurance.

Une autre solution consiste à faire appel aux services d'un expert d'assurance indépendant, qui, moyennant un pourcentage du montant de l'indemnité (en général de 5 à 10 %), pourra négocier en votre nom avec l'assureur.

Quand tout le reste a échoué et qu'une réclamation considérable est en jeu, vous pouvez embaucher un avocat spécialisé dans les questions d'assurance. Vous en trouverez un en consultant les pages jaunes, les ressources Internet ou en communiquant avec le Barreau du Québec. Attendez-vous à payer environ 150 $ ou plus l'heure. Cherchez un avocat qui soit disposé à négocier en votre nom, à vous aider à rédiger des lettres et à effectuer diverses autres tâches sur une base horaire, sans engager de poursuites.

Les différents problèmes qu'est susceptible d'engendrer le dépôt d'une réclamation constituent une raison de plus de prendre une franchise d'assurance avec laquelle vous êtes à l'aise. N'oubliez pas que vous achetez une assurance pour vous protéger contre les pertes importantes, non pas contre les dommages minimes. Avec une franchise élevée, quand vous subissez une perte relativement faible, vous vous épargnez d'éventuelles négociations laborieuses.

Chapitre 16

L'assurance vie, invalidité et maladie

• •

Dans ce chapitre :

▶ Comprendre l'assurance vie

▶ Examiner l'assurance invalidité

▶ Envisager une forme négligée d'assurance

• •

Multipliez votre revenu annuel moyen par le nombre d'années durant lesquelles vous avez l'intention de continuer à travailler. Vous obtiendrez sans doute un nombre assez important, à moins que vous ne soyez près de la retraite. Ce montant correspond à ce qui est probablement votre bien le plus précieux : votre capacité de gagner un revenu. Il vous faut protéger cet actif en vous procurant certains produits d'assurance pour vous-même.

Ce chapitre discute des tenants et des aboutissants de l'achat d'une assurance destinée à protéger votre revenu : une assurance vie, en cas de décès, une assurance invalidité, en cas d'accident ou de maladie grave qui vous empêcherait de travailler. Nous vous expliquons ce que vous devriez rechercher comme couverture, où la trouver, et ce qu'il vous faut éviter.

En plus de protéger vos revenus, vous devez également vous assurer contre d'éventuels frais financièrement dommageables. Il ne s'agit pas ici de vos factures de cartes de crédit de décembre – c'est à vous qu'il revient de contrôler vos dépenses – mais plutôt des dépenses que sont susceptibles d'entraîner certains soins médicaux et de longues maladies. Pour vous protéger des effets potentiellement nuisibles sur le plan financier de factures liées à des soins de santé, il vous faut évaluer si vous avez besoin de vous procurer une assurance maladie complémentaire pour pallier les limites de la couverture offerte par la Régie de l'assurance maladie du Québec.

Assurer l'avenir de vos êtres chers : l'assurance vie

En règle générale, vous ne devez souscrire une assurance vie que lorsque d'autres personnes dépendent de votre revenu. Les personnes qui répondent à un ou plusieurs des critères suivants n'ont ordinairement pas besoin d'une assurance vie pour protéger leurs revenus :

- Les personnes célibataires
- Les couples où les deux personnes travaillent et parviendraient à maintenir un niveau de vie suffisant si l'un des deux revenus disparaissait
- Les personnes suffisamment fortunées pour qu'il ne leur soit pas nécessaire de travailler
- Les personnes retraitées qui vivent de leur épargne retraite
- Les enfants mineurs (êtes-vous financièrement dépendant de vos enfants ?)

Si des personnes dépendent partiellement ou entièrement de vos revenus (généralement un conjoint et/ou des enfants), vous devriez souscrire une assurance vie, surtout si vous avez des engagements financiers importants tels qu'un prêt hypothécaire ou de probables frais d'éducation à payer le moment venu pour vos enfants. Vous pourriez aussi songer à vous procurer une assurance vie si un membre de votre famille élargie est actuellement dépendant de vos revenus futurs ou s'il est susceptible de le devenir.

Évaluer le montant de l'assurance vie dont vous avez besoin

Le montant de l'assurance vie dont vous avez besoin dépend de critères à la fois subjectifs et quantitatifs. Cette évaluation n'a pas à se transformer en un exercice incroyablement long et fastidieux. Il vous est possible d'évaluer le montant d'assurance vie qui convient à votre situation sans vous compliquer inutilement les choses.

L'objectif principal de l'assurance vie est de fournir un paiement forfaitaire en remplacement du revenu de la personne décédée. Il faut vous demander combien d'années de revenu que vous souhaitez remplacer. Le tableau 16-1 fournit un moyen simple d'établir le montant de l'assurance vie que vous pouvez envisager d'acheter. Pour remplacer un certain nombre d'années de revenu, il suffit de multiplier le nombre correspondant dans le tableau par votre revenu annuel net (après imposition).

Tableau 16-1 : Calcul de l'assurance vie

Années de revenu à remplacer	Multiplier le revenu annuel net par*
5	4,5
10	8,5
20	15
30	20

* Vous pouvez connaître votre revenu annuel net en consultant votre plus récente déclaration de revenus. Si vos revenus annuels ont tendance à fluctuer, établissez une moyenne des récentes années.

Une autre façon de déterminer le montant de l'assurance vie à acheter est d'évaluer le total des dépenses anticipées pour couvrir des obligations importantes : emprunt hypothécaire ou autre, frais d'éducation pour vos enfants, etc. Par exemple, disons que vous vouliez que votre conjoint dispose de suffisamment de prestations de décès pour être en mesure de rembourser votre prêt hypothécaire et la moitié des frais d'études de vos enfants. Il suffit d'additionner le montant du solde de votre prêt hypothécaire à la moitié des frais d'études anticipés pour obtenir le montant de la couverture d'assurance vie à vous procurer.

Les prestations de survivants offertes par la RRQ

Le Régime des rentes du Québec offre une aide financière de base aux proches de la personne décédée. Les prestations sont versées si le travailleur décédé a suffisamment cotisé au Régime. Pour satisfaire à cette condition, soit le travailleur aura cotisé pour le tiers des années durant lesquelles il devait cotiser (la période entre son 18e et son 70e anniversaire de naissance ou le début de sa retraite ou le jour de son décès) et pour au moins trois années, soit il aura cotisé pour dix années ou plus. Cette protection financière peut prendre trois formes :

- ✔ La prestation de décès
- ✔ La rente de conjoint survivant
- ✔ La rente d'orphelin

La prestation de décès

La prestation de décès consiste en un versement unique de 2 500 $. Ce montant est payé à la personne ou à l'organisme qui a défrayé les coûts funéraires, ou aux héritiers. La demande de prestation de décès doit parvenir à la Régie dans les cinq années suivant le décès. Certaines règles s'appliquent.

La rente de conjoint survivant

Cette rente procure un revenu de base au conjoint ou à la conjointe de la personne décédée. Différentes conditions s'appliquent au statut et à la situation du couple pour les fins d'admissibilité. Le montant de la rente, qui est versée mensuellement, dépend de plusieurs facteurs, dont le montant des cotisations, l'âge du conjoint et le nombre d'enfants à charge de la personne décédée. En 2009, les montants maximums des versements mensuels variaient de 449,47 $ à 765,18 $, selon les cas.

La rente d'orphelin

La personne qui prend à sa charge un enfant de la personne décédée a droit, à certaines conditions, à une rente d'orphelin jusqu'à ce que cet enfant atteigne 18 ans. Par «enfant de la personne décédée», on entend : un enfant lié à cette personne par le sang ou par adoption; un beau-fils ou une belle-fille qui résidait sous le même toit (soit l'enfant du conjoint qui était marié avec la personne décédée); un enfant dont la personne décédée assurait la subsistance; un enfant qui résidait avec la personne décédée au moment du décès. Pour l'année 2009, le montant de cette rente était de 67,95 $ par mois par enfant.

Pour connaître les différentes règles et conditions qui s'appliquent aux prestations de survivants, téléphonez à la Régie des rentes du Québec (1-800-463-5185) ou visitez son site Internet (www.rrq.gouv.qc.ca).

Enfin, vous devriez tenir compte de cette prestation dans le calcul du montant de l'assurance vie à laquelle vous devriez souscrire (tableau 16-1). Par exemple, supposons que votre revenu annuel net soit de 20 000 $ et que la prestation de survivant anticipée soit de 5 000 $ par année. Pour les fins du calcul du tableau 16-1, il vous faudrait établir le montant d'assurance vie nécessaire à remplacer à 15 000 $ annuellement (20 000 $ - 5 000 $), non pas à 20 000 $.

Comparer l'assurance vie temporaire à l'assurance vie avec valeur de rachat

Nous allons maintenant vous dire comment vous pouvez vous épargner du temps et des milliers de dollars. Vous êtes prêt? Achetez une assurance vie temporaire. (La seule exception à cette recommandation concerne les personnes dont la valeur nette est très élevée – des millions de dollars. Si c'est votre cas, vous devriez soigneusement planifier votre succession. Voir l'encadré «Au-delà de l'assurance vie»). Si vous avez déjà calculé le montant de l'assurance vie qu'il vous faut, et que c'est tout ce dont vous aviez besoin pour aller de l'avant, vous pouvez sauter le reste de cette section et poursuivre votre lecture à la section suivante : «Acheter de l'assurance temporaire».

Au-delà de l'assurance vie

L'idée d'un décès prématuré n'a rien de réjouissant. Il est probable que l'achat d'une assurance vie qui pourvoirait aux besoins des personnes à votre charge vous procure une certaine tranquillité d'esprit.

Essayons cependant de voir un peu plus loin. Supposons que vous (ou votre conjoint) mouriez. Pensez-vous que le simple achat d'une assurance vie constituera une «aide» suffisante pour les êtres chers que vous laisserez derrière vous? Probablement pas. Votre contribution à votre ménage implique beaucoup plus qu'un soutien financier.

Pour commencer, vous devez voir à ce que tous vos documents financiers importants – comptes de placement, relevés de REER et de FERR, polices d'assurance, papiers d'avantages sociaux d'employé, dossiers comptables d'entreprise, et ainsi de suite – soient conservés dans un lieu sûr (un tiroir de classeur, par exemple) connu de vos proches.

Vous ne devez absolument pas négliger de préparer un testament en bonne et due forme (que vous tiendrez à jour!) et de planifier votre succession.

La planification successorale est le processus consistant à déterminer ce qu'il adviendra de vos biens après votre décès. Le temps et les coûts des diverses opérations que requiert la planification successorale en vaut la peine : vous vous assurez qu'après votre décès, toute votre succession se déroulera comme vous le souhaitez et que les impôts sur vos actifs seront réduits au minimum. Vous pourriez entre autres préparer une liste de contacts clés, soit vos recommandations de personnes à contacter (ou de documents à consulter) en cas de dilemme juridique, financier ou fiscal.

La plupart des stratégies de planification successorale que vous pouvez établir ne nécessitent pas l'embauche d'un professionnel. Toutefois, si votre situation est complexe, si la valeur de vos actifs est considérable ou si vous n'êtes pas à l'aise avec le processus de planification, vous pourriez éventuellement recourir aux services d'un avocat ou d'un conseiller financier honnête et compétent se spécialisant dans les questions de planification successorale.

Ainsi, en plus de veiller à subvenir financièrement aux besoins futurs des personnes à votre charge, il vous faut prendre le temps de réfléchir à ce que vous pourriez faire pour les orienter dans la bonne direction quant aux questions dont vous vous occupez normalement. Dans la plupart des couples, il est naturel que l'un des deux conjoints prenne davantage de responsabilités sur un aspect particulier des affaires communes du couple, notamment en ce qui a trait à la gestion de l'argent. Lorsque c'est le cas, il importe de discuter ensemble de ce qui se fait de sorte que si l'époux responsable devait décéder subitement, la personne survivante puisse passer dans le siège du conducteur le plus aisément possible.

Enfin, peut-être voudriez-vous aussi laisser à vos proches un document de nature plus philosophique. Quelque chose comme une lettre ou une note leur disant combien ils comptent pour vous et comment vous aimeriez qu'ils se souviennent de vous.

Si vous voulez connaître les raisons qui sous-tendent notre recommandation ou si vous avez déjà entendu le boniment des agents d'assurance vie, dont la plupart tentent de vous vendre de l'assurance vie avec valeur de rachat en raison des énormes commissions qu'elle leur rapporte, prenez connaissance des informations qui suivent.

Commençons par une mise en contexte. Malgré la diversité des noms que les départements de marketing ont concoctés pour les polices, il existe en fait deux types d'assurance vie de base :

- ✔ **L'assurance temporaire.** Cette assurance est purement et simplement une assurance vie. Vous payez une prime annuelle pour laquelle vous recevez un montant prédéterminé de protection d'assurance vie. Si l'assuré décède, les bénéficiaires récoltent le montant de la protection ; si l'assuré est toujours vivant au terme du contrat, la prime est perdue.

- ✔ **L'assurance avec valeur de rachat.** Toutes les autres polices d'assurance vie (entière, universelle, variable, etc.) combinent une assurance vie à une supposée composante d'épargne. Vos primes ne paient pas seulement pour l'assurance vie, certains de vos dollars étant également crédités à un compte qui croît en valeur au fil du temps, en supposant que vous continuiez de payer vos primes. En apparence, cela semble potentiellement intéressant. Les gens n'aiment pas l'idée que tous leurs dollars de prime soient perdus.

 Toutefois, l'assurance vie avec valeur de rachat comporte une attrape. Pour une protection de même valeur (par exemple, pour 100 000 $ de prestations d'assurance vie), les polices avec valeur de rachat vous coûtent de quatre à dix fois (oui, 1 000 %) de plus que les polices temporaires comparables.

Les vendeurs d'assurance savent sur quels boutons appuyer pour vous intéresser à acheter le mauvais type d'assurance vie. Nous vous présentons ci-après quelques-uns des arguments typiques que certains vendeurs vous soumettent pour vous inciter à acheter des polices d'assurance vie avec valeur de rachat, ainsi que notre point de vue sur chacun de ces arguments.

« Les polices avec valeur de rachat sont entièrement payées après x années. Vous ne voudriez pas payer des primes d'assurance vie pour le reste de votre vie, n'est-ce pas ? »

Les agents qui essaient de vous vendre une assurance vie avec valeur de rachat vous présentent des projections qui supposent qu'après avoir payé vos cotisations pendant une dizaine d'années, vous n'aurez plus besoin de payer de primes pour maintenir votre assurance vie en vigueur. La seule façon dont vous pourriez être en mesure de cesser de payer des primes serait de verser des sommes supplémentaires au cours des premières années de paiement. Il ne faut pas oublier que l'assurance vie avec valeur de rachat coûte déjà de quatre à dix fois plus que l'assurance temporaire.

Imaginez que vous payiez actuellement 500 $ par année pour votre assurance automobile et qu'une compagnie d'assurance vienne vous proposer une police à 4 000 $ par année. Le représentant vous explique qu'après 10 ans, vous pourrez cesser de payer tout en continuant à bénéficier de votre protection. Il est probable que vous ne tomberiez pas dans le panneau. Or, beaucoup de gens se font duper par ce type de stratégie de vente et achètent une assurance vie avec valeur de rachat.

Il faut aussi vous méfier des prévisions, car elles comportent souvent des suppositions irréalistes à la hausse sur le rendement que pourrait vous procurer le solde de votre compte. Lorsque vous cessez de verser des primes dans une police avec valeur de rachat, le coût annuel de l'assurance vie est déduit de la valeur en espèces restante. Si le taux de rendement sur le solde du compte ne suffit pas à payer le coût annuel de l'assurance, le solde décline, avant que vous ne receviez éventuellement un avis vous informant que vous devez verser des fonds dans votre police afin que votre assurance vie soit maintenue en vigueur.

« Vous ne pourrez pas vous permettre l'achat d'une assurance temporaire quand vous serez plus vieux. »

Au fur et à mesure que vous avancez en âge, le coût de l'assurance temporaire augmente parce que le risque de décès augmente. Mais vous n'avez pas besoin d'une assurance vie toute votre vie ! Les gens en ont en général davantage besoin lorsqu'ils sont relativement jeunes, alors que leurs responsabilités et obligations financières dépassent leurs actifs financiers. Normalement, la situation est inversée au bout de vingt ou trente ans.

Au moment de prendre votre retraite, vous n'avez plus besoin d'une assurance vie pour protéger vos futurs revenus d'emploi, parce que vous ne travaillez plus ! Il vous faut une assurance vie lorsque vous élevez une famille ou que vous avez un emprunt hypothécaire substantiel à rembourser. Mais à votre retraite, vos enfants devraient déjà voler de leurs propres ailes (enfin, c'est à espérer !), et votre maison devrait être payée.

Dans l'intervalle, l'assurance temporaire vous permet d'épargner énormément d'argent. Pour la plupart des gens, il faut de 20 à 30 ans pour que la prime qu'ils paient sur une police d'assurance temporaire finisse par égaler la prime qu'ils auraient payée pour une protection comparable avec une police d'assurance vie avec valeur de rachat.

«Vous pouvez emprunter sur la valeur de rachat à un faible taux d'intérêt. »

Quelle affaire ! C'est votre argent qu'il y a dans votre police, ne l'oubliez pas ! Si vous aviez déposé cet argent dans un compte d'épargne ou du marché monétaire, apprécieriez-vous de payer pour avoir le privilège d'emprunter votre propre argent ? D'ailleurs, emprunter sur la valeur de rachat de votre police est potentiellement dangereux : vous augmentez les chances que votre police vous explose dans les mains, vous laissant dans l'obligation de recommencer à payer vos primes ou de les payer beaucoup plus longtemps.

« Votre valeur de rachat fructifie à l'abri de l'impôt. »

Ah, enfin une lueur de vérité ! La valeur de rachat de votre police fructifie sans imposition jusqu'à ce que vous retiriez l'argent, mais si vous recherchez une imposition différée sur la valeur de vos soldes de placements, vous devriez d'abord profiter de votre REER. Un REER vous donne une déduction fiscale immédiate pour vos contributions, en plus de vous faire bénéficier d'une croissance sans imposition jusqu'au retrait de l'argent. En contrepartie, l'argent que vous versez dans une police d'assurance vie avec valeur de rachat ne vous donne pas de déduction fiscale immédiate. (Voir le chapitre 10 pour plus de détails sur les régimes de retraite.)

Plus souvent qu'autrement, l'assurance vie représente un investissement médiocre. La compagnie d'assurance vous propose un taux d'intérêt pour la première année seulement, après quoi, la plupart des compagnies vous payent ce qu'elles veulent. Si vous n'êtes pas satisfait des taux subséquents et que vous annulez la police, vous vous exposez à des pénalités dans bien des cas. Investiriez-vous votre argent dans un compte bancaire qui vous proposerait un taux d'intérêt pour la première année seulement et qui vous pénaliserait si vous retiriez votre argent dans les sept à dix prochaines années ?

« Les polices avec valeur de rachat vous forcent à épargner. »

De nombreux agents d'assurance font valoir que l'une des vertus d'une police avec valeur de rachat est de vous forcer à épargner. Cet argument ne vaut pas grand-chose, car beaucoup de gens se retirent de ces polices d'assurance vie après quelques années seulement en raison de leur coût élevé.

D'autre part, vous n'avez pas besoin d'une assurance vie pour vous « forcer » à épargner. Il vous suffit par exemple de demander qu'une somme d'argent soit transférée mensuellement de votre compte bancaire à votre REER. En outre, il se peut que votre employeur vous offre la possibilité de faire des contributions à un REER ou à un régime de retraite d'entreprise directement à partir de votre chèque de paie – et vous n'avez pas à payer de commission pour cela ! Enfin, vous pouvez également vous organiser pour que des transferts électroniques mensuels soient effectués automatiquement de votre compte bancaire à des fonds communs de placement (voir les chapitres 7 et 9).

Prendre votre décision

Les vendeurs d'assurance poussent fortement la vente de polices avec valeur de rachat en raison des commissions élevées que les compagnies d'assurance leur payent. Les commissions sur les assurances vie avec valeur de rachat varient de 50 à 100 % de la prime de votre première année. Un vendeur d'assurance peut ainsi faire de quatre à dix fois plus d'argent (oui, vous avez bien lu) en vous vendant une police avec valeur de rachat qu'en vous vendant une assurance temporaire.

En fin de compte, lorsque vous souscrivez une assurance vie avec valeur de rachat, vous payez les commissions élevées qui sont intégrées dans le coût de ces polices. Comme l'indiquent les tableaux des valeurs de rachat de ces polices, vous ne pouvez récupérer aucune des sommes versées dans la police au cours des deux ou trois premières années. La compagnie d'assurance ne peut pas se permettre de vous rendre quelque portion que ce soit de cet argent, parce qu'une grande partie de celui-ci a été versée en commission à l'agent de vente. C'est pourquoi ces polices vous pénalisent infailliblement lorsque vous effectuez des retraits de votre solde au cours des sept à dix premières années du contrat.

En raison du coût élevé des polices avec valeur de rachat, vous êtes plus susceptible d'obtenir une couverture d'une valeur inférieure à celle dont vous avez réellement besoin – et c'est là la conséquence la plus triste de cette pratique de vente de l'industrie de l'assurance. *La grande majorité des acheteurs d'assurance vie ont besoin d'une meilleure couverture pour ce qu'ils peuvent se permettre de payer que celle que leur offrent les polices d'assurance vie avec valeur de rachat.*

L'assurance vie avec valeur de rachat est le produit financier le plus agressivement vendu de l'histoire de l'industrie des services financiers. Or, ce type d'assurance vie ne constitue un choix sensé que pour un faible pourcentage de gens, comme pour le propriétaire d'une entreprise valant plusieurs millions de dollars qui ne veut pas que ses héritiers soient forcés de vendre son entreprise pour payer les droits de succession à sa mort. (Voir «Considérer l'achat d'une assurance vie avec valeur de rachat», plus loin dans ce chapitre.)

Procurez-vous plutôt une assurance temporaire et faites vos placements séparément. Il est rare que l'assurance vie soit une nécessité permanente; au fur et à mesure que vos obligations financières diminueront et que vos actifs s'accumuleront, vous pourrez réduire le montant de l'assurance temporaire que vous achetez.

Acheter de l'assurance temporaire

Les polices d'assurance temporaire présentent plusieurs caractéristiques qu'il convient d'évaluer avant de faire vos choix. Dans cette section, nous présentons les principaux éléments de l'assurance temporaire afin de vous aider à prendre des décisions d'achat éclairées.

La fréquence d'ajustement de votre prime

Le risque de décès s'accroît avec l'âge, et le coût de votre assurance suit la même pente. Il vous est possible d'acheter une assurance temporaire dont la prime est ajustée (augmentée) annuellement ou tous les 5, 10, 15 ou 20 ans. Moins les ajustements sont fréquents, plus votre prime initiale et les ajustements successifs seront élevés.

L'avantage d'une prime établie pour une période de 15 ans, par exemple, est que vous savez combien vous aurez à payer chaque année durant les 15 prochaines années. De plus, cela implique que vous avez moins d'évaluations médicales à passer pour être admissible au taux le plus bas possible.

L'inconvénient d'une police d'assurance temporaire dont la prime est fixée à long terme est que vous payez davantage pendant les premières années que vous le feriez pour une police dont la prime est ajustée plus fréquemment. De plus, il se peut que vous souhaitiez modifier le montant de votre couverture d'assurance si des changements surviennent dans votre situation. Mais si vous annulez une police avec prime uniforme de longue durée avant la date prévue de l'ajustement du taux, vous perdez de l'argent.

Les polices à taux ajustable tous les 5 à 10 ans offrent un juste milieu entre le prix et la prévisibilité.

Le renouvellement garanti : un incontournable

Les meilleures polices vous offrent l'option de la garantie de renouvellement. Celle-ci vous garantit que votre police ne peut être annulée en raison de votre mauvaise santé. N'achetez pas une police d'assurance vie qui ne présente pas cette caractéristique à moins que vous ne prévoyiez ne plus avoir besoin de votre assurance vie au moment de son renouvellement.

Les taux de renouvellement garantis

Quand vous évaluez le coût des différentes polices d'assurance, ce qui importe le plus, c'est le montant total que vous paierez en primes pour l'ensemble des années où vous aurez besoin de votre assurance vie. Assurez-vous que les primes que vous paierez à chaque renouvellement soient garanties et que ces conditions soient bien stipulées dans votre contrat. Pour évaluer différentes polices, demandez à l'agent d'effectuer une comparaison (en valeur actuelle) des montants totaux que vous auriez à payer en prime pour les polices qui vous intéressent en fonction du nombre d'années durant lesquelles vous prévoyez avoir besoin d'une assurance vie. Ce montant représente ce qu'il vous en coûterait pour une police particulière si vous deviez payer aujourd'hui toutes vos années de couverture en un seul versement.

Où acheter une assurance temporaire

Il existe un certain nombre de moyens sûrs de vous procurer une assurance temporaire de qualité à faible coût. Vous pouvez choisir d'acheter par l'intermédiaire d'un agent local, parce que vous le connaissez ou que vous préférez faire affaire avec une agence située près de votre domicile. Toutefois, vous auriez avantage à obtenir des devis de quelques-unes des sources suivantes afin d'être en mesure de vous faire une idée de ce qui est disponible sur le marché de l'assurance. En vous familiarisant avec ce marché, vous pourrez éviter de vous faire avoir par un agent qui essaie de vous vendre une police trop chère à commission élevée.

Voici quelques fournisseurs d'assurance temporaire bon marché de haute qualité (s'il y a lieu, informez-vous également sur les possibilités d'assurance temporaire à bon prix auprès de vos associations professionnelles ou de votre entreprise) :

- ✔ **Croix Bleue du Québec** (1-877-909-7686, www.qc.croixbleue.ca)
- ✔ **CAA Québec** (1-866-315-6434, www.caaquebec.com)
- ✔ **RBC Assurances** (1-866-223-7113, www.rbcassurances.com)
- ✔ **TD Assurances** (1-888-983-7070, www.tdcanadatrust.com/francais)

Les services de devis de ces agences d'assurance fournissent les propositions des compagnies les mieux cotées offrant les tarifs les plus bas. Comme d'autres agences, ces services reçoivent une commission si vous achetez une police chez eux, mais rien ne vous oblige à le faire. On vous demandera votre date de naissance, si vous êtes fumeur et quel est le montant de la couverture recherchée. (Voir le chapitre 19 pour savoir comment votre ordinateur peut vous être utile dans vos prises de décision d'assurance vie.)

Voici quelques ressources Internet pour obtenir des devis en ligne d'une variété de fournisseurs d'assurance :

- ✔ www.insurancehotline.com
- ✔ www.kanetix.ca/assurance vie
- ✔ www.assuranceviequebec.com
- ✔ www.term10quotes.com
- ✔ www.termcanada.ca
- ✔ www.infoprimes.com/assurance vie

Se débarrasser de l'assurance vie avec valeur de rachat

Si l'on vous a convaincu de souscrire une assurance vie avec valeur de rachat et que vous souhaitez maintenant vous en débarrasser, faites-le. Cependant, n'annulez pas votre police avant d'avoir contracté une nouvelle assurance. Lorsque vous avez besoin d'assurance vie, il est imprudent de ne pas être couvert en tout temps (la loi de Murphy dit que c'est dans ces moments que le malheur risque de frapper).

En mettant fin à un contrat d'assurance vie, vous vous exposez à des conséquences fiscales. Dans la plupart des cas, vous devrez payer de l'impôt sur le montant que vous recevrez en sus des primes payées pendant la durée de la police. Si vous voulez retirer le solde de votre police d'assurance vie, informez-vous des conséquences fiscales possibles auprès de l'assureur ou d'un conseiller fiscal.

Considérer l'achat d'une assurance vie avec valeur de rachat

Il ne faut pas vous attendre à obtenir des informations objectives de quiconque vend de l'assurance avec valeur de rachat. Méfiez-vous également des vendeurs d'assurance qui se font appeler experts en planification successorale ou conseillers financiers.

Comme nous le mentionnons plus tôt dans ce chapitre, l'achat d'une assurance vie avec valeur de rachat se justifie si vous estimez qu'à votre décès, vos héritiers se retrouveront avec une facture d'impôt considérable à payer. Cependant, l'assurance vie avec valeur de rachat n'est qu'une des nombreuses façons de réduire la note d'impôt que vous laisserez derrière vous.

Si vous choisissez de prendre une assurance vie avec valeur de rachat, assurez-vous d'éviter les agents d'assurance locaux, surtout si vous n'êtes pas encore familier avec le domaine. Les agents sont moins intéressés à vous éduquer qu'ils ne le sont à vous vendre leurs produits (désolé de vous l'apprendre!). D'ailleurs, les meilleures assurances vie avec valeur de rachat s'obtiennent en payant une très faible commission de vente, ou même aucune, quand vous les achetez directement auprès du fournisseur. L'argent économisé sur les commissions se traduit par une valeur de rachat beaucoup plus élevée pour vous – parfois des milliers de dollars.

Parer à l'imprévisible : l'assurance invalidité

Comme pour l'assurance vie, le but de l'assurance invalidité est de protéger votre revenu. La seule différence est qu'avec l'assurance invalidité, vous protégez le revenu pour vous-même (et peut-être aussi pour les personnes à votre charge). Si vous vous retrouvez sérieusement handicapé et dans l'impossibilité de gagner un revenu d'emploi, vous bénéficiez encore de frais de subsistance.

Nous parlons ici des incapacités de longue durée. Si vous vous blessez au dos en tentant de revivre vos jours de gloire sportive et que vous vous retrouvez au lit durant quelques semaines à peine, la situation affectera sans doute davantage votre ego que vos finances ! En revanche, un événement qui vous laisserait incapable de travailler pendant plusieurs années constituerait un désastre financier.

La plupart des grands employeurs offrent de l'assurance invalidité à leurs employés. Toutefois, de nombreux employés de petites entreprises ainsi que tous les travailleurs autonomes sont laissés à eux-mêmes, sans couverture invalidité. Or, ne pas être couvert, c'est courir un risque considérable, surtout si, comme la plupart des gens qui travaillent, vous avez besoin de votre revenu d'emploi pour vivre.

Si vous vivez en couple et que votre partenaire gagne un revenu suffisamment élevé pour subvenir à vos besoins au cas où vous seriez dans l'impossibilité de travailler, vous pourriez envisager de vous passer d'une assurance invalidité. Le même raisonnement s'applique si vous avez accumulé suffisamment d'argent pour les années à venir (autrement dit, si vous êtes financièrement indépendant). Cependant, gardez à l'esprit que vos dépenses seront susceptibles d'augmenter si votre état nécessite des soins spécialisés.

Pour la plupart des gens, il est facile de rejeter l'idée de l'achat d'une assurance invalidité ; les chances de souffrir d'une invalidité de longue durée semblent si faibles – et elles le sont. Néanmoins, si le malheur devait vous frapper, ce type de couverture pourrait vous soulager (ainsi que votre famille) d'un important fardeau financier.

La plupart des incapacités sont causées par des problèmes médicaux tels que l'arthrite, les affections cardiaques, l'hypertension et les douleurs ou lésions au dos, à la colonne vertébrale, aux hanches et aux jambes. Certaines de ces affections surviennent avec l'âge, mais les personnes de moins de 45 ans se partagent plus du tiers de toutes les incapacités physiques. Et la grande majorité de ces problèmes médicaux ne peuvent être prédits, en particulier ceux causés par des accidents aléatoires.

Si vous pensez disposer d'une bonne couverture invalidité grâce à des programmes gouvernementaux, vous feriez mieux d'y réfléchir à nouveau :

✔ **La rente d'invalidité de la Régie des rentes du Québec (RRQ).** La RRQ offre une protection financière de base aux travailleurs en cas d'invalidité, mais sous diverses conditions. Pour être admissible à la rente d'invalidité, vous devez : être atteint d'une invalidité grave et permanente telle que définie par la RRQ ; avoir suffisamment cotisé au régime ; avoir moins de 65 ans ; ne pas recevoir d'indemnités de remplacement du revenu de la CSST obtenues après le 31 décembre 1985. Le montant de la rente dépend de vos cotisations et du nombre d'années où vous avez participé au régime. Pour l'année 2009, le montant mensuel de la rente d'invalidité variait de 424,40 $ à 1 105,96 $, selon les cas.

Pour en savoir plus sur les différentes règles relatives aux prestations d'invalidité et sur les conditions d'admissibilité, contactez la RRQ en composant le 1-800-463-5185 ou visitez son site Internet à l'adresse `www.rrq.gouv.qc.ca`.

✔ **Les indemnités de la Commission de la santé et de la sécurité du travail (CSST).** La CSST verse des indemnités aux travailleurs admissibles qui ont été victimes d'un accident de travail, mais elle ne vous versera aucune prestation si vous subissez un accident à l'extérieur du travail. Vous devriez donc détenir une couverture qui vous indemnisera quelles que soient les raisons de votre invalidité.

Pour plus d'informations concernant les indemnités qu'offre la CSST, composez le 1-866-302-2778 ou visitez l'adresse Internet `www.csst.qc.ca`.

Quel devrait être le montant de votre couverture invalidité ?

Il vous faut une couverture qui vous permette de vivre jusqu'à ce que d'autres ressources financières soient disponibles. Si vous n'avez pas accumulé beaucoup d'actifs financiers et que vous voulez conserver le mode de vie que vous procure votre revenu actuel dans l'éventualité où vous deviendriez inapte à travailler, achetez une couverture invalidité suffisante pour remplacer entièrement votre revenu mensuel net (après impôts).

Dans les polices d'assurance invalidité, les montants des prestations à recevoir en cas d'invalidité sont indiqués en dollars par mois. Si par exemple votre emploi vous rapporte mensuellement 2 000 $ net, vous devriez vous procurer une police qui vous fournira 2 000 $ par mois en prestations d'invalidité.

Si vous payez vous-même vos primes d'assurance invalidité, les prestations sont ne sont pas imposables. Mais si c'est votre employeur qui paye vos primes, vos prestations sont alors assujetties à l'impôt. Dans ce cas, le montant de vos prestations mensuelles devrait être plus élevé.

En plus d'établir le montant de votre couverture mensuelle, il vous faut également choisir la durée pendant laquelle vous souhaitez que votre police vous verse des prestations. Idéalement, vous devriez recevoir des prestations jusqu'à l'âge où vous deviendrez financièrement autonome. Pour la plupart des gens, c'est vers 65 ans. Si vous prévoyez avoir besoin de votre revenu d'emploi au-delà, il vous suffit de souscrire une police invalidité en fonction de l'âge ciblé.

D'autre part, si après avoir effectué vos calculs (voir le chapitre 3), vous prévoyez être financièrement indépendant à 55 ans, vous pouvez contracter une police invalidité qui vous versera des prestations jusqu'à cet âge – ainsi, il vous en coûtera moins qu'avec une police qui vous indemniserait jusqu'à l'âge de 65 ans. En outre, si vous êtes à cinq ans de devenir financièrement indépendant ou de prendre votre retraite, des polices invalidité d'un terme de cinq ans sont aussi disponibles. Vous pourriez également envisager de telles polices à court terme quand vous êtes certain que quelqu'un (un membre de la famille, par exemple) pourra vous soutenir financièrement à longue échéance.

D'autres éléments à surveiller dans votre assurance invalidité

Les polices d'assurance invalidité comportent de nombreuses caractéristiques susceptibles de porter à confusion. Voici ce qu'il faut rechercher – et ce qu'il faut éviter – au moment de souscrire une assurance invalidité :

✔ **La définition d'invalidité.** Une police «invalidité occupationnelle» prévoit le paiement des prestations si vous ne pouvez pas effectuer le travail que vous faites normalement. Certaines polices vous ne vous paieront que si vous êtes incapable d'exercer un emploi pour lequel vous êtes raisonnablement préparé en termes de formation et d'expérience. Certaines polices adopteront cette dernière définition après quelques années de police invalidité occupationnelle : votre blessure au dos vous empêche d'exercer le travail de déménageur que vous faisiez avant votre accident, mais votre baccalauréat en enseignement de l'anglais (vous aviez envie de changer d'air!) pourrait vous procurer un travail que vous seriez capable d'effectuer.

Les polices invalidité occupationnelles sont les plus coûteuses, parce que l'assureur court un plus grand risque d'avoir à payer. Mais le coût supplémentaire n'en vaut pas vraiment la peine, à moins que vous n'exerciez une profession spécialisée à salaire très élevé et que tout autre emploi que votre état de santé vous permettrait d'occuper impliquerait une baisse de salaire importante (dont vous ne voudriez probablement pas).

✔ **Une police non résiliable avec renouvellement garanti.** Ces caractéristiques garantissent que votre police ne peut être annulée en raison d'un mauvais état de santé et que vous aurez le droit de la renouveler. Avec une police qui exige des examens médicaux périodiques, vous risquez de perdre votre couverture au moment où vous êtes le plus susceptible d'en avoir besoin.

✔ **La période d'attente.** C'est en quelque sorte la « franchise » de l'assurance invalidité – le délai entre le début de votre invalidité et le moment où vous commencez à recevoir les prestations. Comme pour les autres types d'assurance, vous devriez opter pour la franchise la plus élevée (la plus longue période d'attente) possible que vous permet votre situation financière. Le délai d'attente réduit considérablement le coût de l'assurance et élimine les tracas de dépôt d'une réclamation pour une invalidité à court terme. La période d'attente minimum sur la plupart des polices est de 30 jours, tandis que le délai maximal d'attente peut aller jusqu'à un ou même deux ans. Essayez de prendre une période d'attente de trois à six mois si vous disposez d'un fonds d'urgence suffisant.

✔ **La prestation d'appoint.** Avec cette option vous recevez une prestation partielle si vous êtes atteint d'une invalidité qui vous empêche de travailler à temps plein.

✔ **L'ajustement au coût de la vie.** Cette option augmente automatiquement le montant de votre prestation d'un pourcentage préétabli ou en fonction de l'évolution de l'inflation. L'avantage de l'ajustement au coût de la vie est qu'il maintient le pouvoir d'achat de vos prestations. Un ajustement, même modeste – de 4 % par exemple – se prend toujours bien.

✔ **L'assurabilité future.** Il s'agit d'un avenant que de nombreux agents vous encourageront à acheter. L'assurabilité future vous permet d'acheter une couverture supplémentaire, indépendamment de votre état de santé. Pour la plupart des gens, il n'est pas la peine de payer pour cette option si votre revenu actuel reflète assez fidèlement vos revenus à long terme (en tenant compte de la hausse du coût de la vie). L'assurance invalidité est vendue uniquement en proportion de vos revenus, mais l'option d'assurabilité future se justifie si vos revenus sont artificiellement bas au moment de l'achat de l'assurance et si vous avez de bonnes raisons de croire qu'ils seront significativement plus élevés dans l'avenir. (Par exemple, vous venez de sortir de l'école de médecine et votre salaire de résident est relativement faible en comparaison de celui que vous recevrez dans quelques années.)

✔ **La stabilité financière de l'assureur.** Comme nous en discutons au chapitre 15, vous avez avantage à choisir des assureurs qui seront encore là demain pour payer vos réclamations. Mais n'accordez pas non plus une importance démesurée à la stabilité. Même si un assureur fait faillite, ce qui est rare, Assuris, une société à but non lucratif financée par l'industrie, offre aux assurés canadiens une protection, sous réserve de certains plafonds, contre la perte de leurs droits en cas de débâcle financière d'un assureur de personnes.

Où acheter une assurance invalidité

La meilleure façon d'acheter de l'assurance invalidité, c'est par l'entremise de votre employeur ou de votre association professionnelle. À moins que les gestionnaires du groupe n'aient effectué un choix de couverture médiocre, les régimes collectifs offrent le plus souvent une meilleure valeur que l'assurance invalidité que vous pourriez vous procurer individuellement. Assurez-vous simplement que le régime du groupe satisfasse aux critères exposés dans la section précédente.

Ne vous attendez pas à ce qu'un agent démontre de l'enthousiasme (pas même de l'honnêteté) quant à la qualité d'une police proposée par votre employeur ou un autre groupe auquel vous appartenez. Les agents sont en sérieux conflit d'intérêts quand ils critiquent ces possibilités, car si vous optez pour une assurance collective, ils ne pourront rien vous vendre.

D'autres types d'« assurances » pour protéger votre revenu

L'assurance vie et l'assurance invalidité remplaceront votre revenu si vous mourez ou souffrez d'un handicap. Mais vous risquez aussi d'être privé de votre revenu ou d'être contraint d'accepter un revenu moindre si vous perdez votre emploi. Toutefois, bien qu'il n'existe aucune assurance formelle qui puisse vous protéger contre les forces susceptibles de vous faire perdre votre emploi, vous pouvez prendre certaines mesures qui vous permettront de réduire votre exposition à ce type de risque :

✔ Assurez-vous de disposer d'un fonds d'urgence suffisant dans lequel vous pourrez puiser si vous perdez votre emploi. (Le chapitre 2 propose des lignes directrices qui vous aideront à établir quel montant convient à votre situation.)

✔ Continuez à vous perfectionner (lorsqu'il vous est possible de le faire) et acquérez de nouvelles compétences. Non seulement vous sera-t-il – le cas échéant – plus facile de trouver un nouvel emploi, mais cela pourrait aussi vous permettre de conserver votre poste actuel ou d'obtenir un salaire plus élevé.

Faites preuve de prudence lors de l'achat d'une assurance invalidité par le biais d'un agent. Certains agents essayent d'ajouter toutes sortes de suppléments à votre police dans le but de gonfler la prime et, par le fait même, leur commission.

Si vous achetez une assurance invalidité par l'intermédiaire d'un agent, essayez d'utiliser le procédé dit de «facturation groupée». Avec la facturation groupée, vous et plusieurs autres personnes souscrivez à une police en même temps et vous êtes facturés ensemble pour votre couverture. Ce mode de souscription peut vous permettre d'épargner jusqu'à 15 % sur les tarifs standards d'un assureur. Demandez à votre agent d'assurance de vous expliquer les détails du fonctionnement de la facturation groupée.

Des soins pour la route : l'assurance maladie-voyage

Lorsque vous partez en voyage à l'étranger, la salle d'attente d'un hôpital ne fait sans doute pas partie de votre liste de sites intéressants à découvrir. Mais vous ne pouvez pas savoir d'avance si une visite dans une clinique ou un hôpital finira par s'immiscer dans votre itinéraire de voyage.

Si vous quittez temporairement le Canada pour prendre des vacances, pour affaires ou simplement pour une journée de magasinage chez nos voisins du sud, vous devez veiller à être correctement assuré contre les frais médicaux imprévus. Sans une assurance maladie-voyage adéquate, un accident ou une maladie qui vous frapperait alors que vous êtes à l'extérieur du Canada risquerait d'affecter sérieusement votre santé financière.

Tant que vous êtes dûment inscrit à la Régie de l'assurance maladie du Québec, vous bénéficiez déjà d'une certaine couverture à l'extérieur du Canada. Cependant, les frais remboursés par la Régie comportent des plafonds, et ceux-ci varient selon les différents actes et services médicaux. Lorsque le montant de vos factures médicales dépasse ces modestes limites, c'est vous qui devez assumer le paiement de la balance ; vos économies pourraient ainsi rapidement y passer !

N'allez pas simplement présumer que vous profitez d'une couverture suffisante parce que vous possédez une carte de crédit haut de gamme. Les conditions d'admissibilité peuvent être très trompeuses et les règles sont régulièrement modifiées. Avec certaines cartes haut de gamme, par exemple, vous n'êtes couvert que durant un certain nombre de jours pour chaque voyage que vous faites. Si par exemple vous bénéficiez d'une couverture d'une durée de 21 jours et que vous êtes blessé au 22e jour de votre voyage, la compagnie émettrice de votre carte ne paiera pas un sou de votre facture médicale.

Enfin, quand vous partez en voyage d'affaires, il est sage de vous renseigner auprès du service des avantages sociaux de votre société avant votre départ. Bien que la plupart des sociétés fournissent une assurance médicale à leurs employés qui voyagent pour affaires, les polices peuvent comporter différentes conditions et vous laisser sans protection à certains égards. Par exemple, vous pourriez être couvert au cours de la semaine, alors que vous représentez l'entreprise, mais peut-être pas pendant le week-end. Disons par exemple qu'après une semaine de travail à l'étranger, vous décidiez de retarder votre départ afin de profiter de l'occasion pour aller dévaler les pentes d'un centre de ski local, et que vous vous cassiez une jambe sur les pistes. Si la police de votre employeur ne couvre pas les blessures subies durant vos jours de congé, vous devrez assumer vous-même vos factures médicales.

Acheter de l'assurance maladie-voyage

Assurez-vous d'abord de bien analyser les besoins de votre famille. De nombreux fournisseurs proposent maintenant des couvertures familiales. Si vous voyagez beaucoup, renseignez-vous sur les polices annuelles, qui vous offrent un nombre de jours de couverture prédéterminé au cours d'une période de 12 mois.

Voici quelques fournisseurs d'assurance maladie-voyage à bas prix :

- ✔ **CAA Québec** (1-866-315-6434, www.caaquebec.com)
- ✔ **Ingle Health** (1-800-360-3234, www.ingle-health.com)
- ✔ **TD Assurances** (1-800-293-4941, www.tdcanadatrust.com/tdinsurance)
- ✔ **T.I.C. Trent Health** (1-800-379-9628, www.trenthealth.com)
- ✔ **Croix Bleue du Québec** (1-877-909-7686, www.qc.croixbleue.ca)

L'assurance soins de longue durée (ASLD)

Les agents d'assurance qui sont désireux de gagner les commissions les plus élevées possibles vous diront souvent que l'assurance soins de longue durée (ASLD) est la solution à vos préoccupations en ce qui a trait au frais pour des soins reçus dans un centre d'hébergement et de soins de longue durée (CHSLD) ou à domicile sur une longue période. Mais ne comptez pas trop là-dessus. Ces polices sont complexes et comportent toutes sortes d'exclusions et de restrictions. En plus de cela, elles coûtent cher.

La décision d'acheter une ASLD implique un compromis. Voulez-vous payer plusieurs milliers de dollars par année pour vous protéger dans l'éventualité d'un séjour dans un centre d'hébergement et de soins de longue durée ? Si vous vivez jusqu'à l'âge de 80 ans ou plus, il pourrait vous en coûter entre 50 000 et 100 000 $ ou même plus en primes d'assurance SLD (sans parler des revenus de placement perdus sur cet argent).

Les gens qui passeront plusieurs années dans un CHSLD sont ceux pour qui ce type d'assurance pourrait finalement s'avérer avantageux. Mais de nombreuses personnes séjourneront moins d'un an dans ces établissements : soit elles obtiendront leur congé, soit elles décéderont. La durée moyenne de séjour dans un CHSLD est évaluée à moins de trois ans.

Par ailleurs, il faut savoir que la plus grande partie des soins médicaux prodigués dans les CHSLD ou au domicile du patient sont couverts par la Régie de l'assurance maladie du Québec. Cependant, en vertu du Programme de contribution financière des adultes hébergés, ces derniers sont tenus de payer au gouvernement un certain montant pour aider à couvrir leurs frais d'hébergement dans un établissement de santé au Québec. Ainsi, les personnes hébergées doivent assumer les frais relatifs au gîte et à la nourriture, par équité envers les personnes qui vivent à leur domicile. La contribution de la personne hébergée dépend de deux facteurs principaux : la catégorie de la chambre (individuelle, à occupation double ou triple) et la capacité de payer du patient. Sur son site Internet, la RAMQ offre un outil de simulation du calcul de la contribution financière. Diverses autres règles et conditions s'appliquent également. Pour en savoir plus sur la couverture offerte par la Régie de l'assurance maladie et sur le Programme de contribution financière des adultes hébergés, consultez le site de la RAMQ (www.ramq.gouv.qc.ca, sous l'onglet «Services aux citoyens») ou composez le 1-800-561-9749.

De plus, si votre conjoint ou un membre de votre famille est susceptible de vous prendre en charge en cas de maladie grave, il ne vous est sans doute pas nécessaire de gaspiller votre argent dans une assurance soins de longue durée. Vous pouvez également vous passer de cette protection si vous envisagez d'utiliser vos actifs de retraite pour payer les frais occasionnés par d'éventuels soins de longue durée.

Il peut toutefois être raisonnable d'acheter une ASLD dans le cas où vous souhaitez conserver et protéger vos actifs et avoir la certitude qu'un long séjour dans un établissement de soins de longue durée ne représentera aucun problème financier pour vous. Mais ne manquez pas de faire vos devoirs. Il faut magasiner et comparer les différentes primes et couvertures disponibles, sans oublier de voir à ce que la police choisie prévoie le versement de prestations à long terme, puisqu'une ou deux années seulement de prestations risqueraient de ne pas suffire à protéger vos actifs. Votre police devrait aussi ajuster le montant de votre allocation quotidienne en fonction de la hausse du coût de la vie et ne pas comporter de restrictions quant aux types d'établissements et aux conditions de vie. En outre, veillez à ce que votre ASLD ne requière pas que vous ayez été hospitalisé avant d'avoir droit à vos prestations. Enfin, envisagez d'opter pour une période d'attente relativement longue – trois mois, six mois ou une année – avant le début du versement des prestations, afin de réduire le montant de vos primes.

La forme d'assurance la plus négligée

Vous achetez de l'assurance santé pour couvrir les frais médicaux importants, de l'assurance invalidité pour remplacer votre salaire en cas d'invalidité à long terme, et peut-être de l'assurance vie dans le but d'assurer l'avenir financier des personnes à votre charge dans l'éventualité de votre décès. Beaucoup de personnes achètent tous les bons types d'assurance et dépensent ainsi une petite fortune au cours de leur vie. Pourtant, bon nombre d'entre elles négligent la forme de prévention la plus accessible et la moins chère : un mode de vie sain.

Vous connaissez sans doute les principes clés d'un mode de vie sain, mais (pour des raisons bien à vous) peut-être ne les appliquez-vous pas, ou pas suffisamment, dans votre vie quotidienne. Souvenez-vous que si vous faites les efforts qu'il faut pour prendre soin de vous, vous en récolterez les bénéfices aujourd'hui comme demain.

Voici donc sept conseils à suivre pour augmenter votre qualité de vie et votre longévité :

- Évitez le tabac.
- Si vous buvez de l'alcool, consommez avec modération.
- Prenez tout le repos dont vous avez besoin.
- Faites régulièrement de l'exercice.
- Mangez sainement (voir le chapitre 5 pour des suggestions alimentaires qui pourraient vous faire économiser de l'argent et améliorer votre santé).
- Faites des bilans de santé réguliers afin de détecter d'éventuels problèmes médicaux, dentaires ou de la vue.
- Prenez le temps de sentir les roses !

Chapitre 17

Assurer vos avoirs

· ·

Dans ce chapitre :

▶ Examiner l'assurance locataire et propriétaire occupant

▶ Comprendre l'assurance automobile

▶ Connaître l'assurance « umbrella »

· ·

Au chapitre 16, nous traitons de l'importance de protéger vos revenus futurs de l'éventualité d'une invalidité, d'un décès ou d'importantes dépenses médicales imprévues. Mais il vous faut également assurer les principaux avoirs que vous avez acquis au fil des années : votre maison, votre voiture et vos biens personnels.

Vous devez protéger ces avoirs pour deux raisons :

✔ **Vos biens sont précieux.** Si vous deviez subir une perte, payer de votre poche pour le remplacement des biens perdus pourrait se révéler catastrophique sur le plan financier.

✔ **Une action en justice pourrait épuiser vos ressources financières.** Cette raison est moins bien connue. Si une poursuite judiciaire était engagée contre vous en raison de blessures subies par une personne à votre domicile ou à cause de dégâts matériels causés par votre véhicule, cela risquerait d'être encore plus dévastateur financièrement que la perte pure et simple de vos biens.

Assurer votre domicile

Il faut savoir qu'au Québec, vous n'êtes pas légalement tenu de souscrire une assurance habitation. Cependant, compte tenu des conséquences financières potentiellement désastreuses des pertes que vous risquez de subir, le bon sens le plus élémentaire veut que vous vous procuriez une couverture. Selon le Bureau d'assurance du Canada (BAC), 98 % des propriétaires et 76 % des locataires détiennent une assurance habitation.

Lorsque vous achetez une maison, les prêteurs hypothécaires exigent que vous souscriviez une assurance habitation. On comprend facilement pourquoi : le prêteur veut s'assurer de récupérer son argent au cas où votre maison serait détruite dans un sinistre. Mais même lorsque votre maison est payée, vous avez tout intérêt à vous procurer une telle assurance, parce que votre maison et les biens qu'elle contient vous coûteraient une fortune à remplacer.

En tant que locataire, vous n'avez pas le souci de protéger l'investissement que représente une maison. Toutefois, vous devez savoir que vous êtes responsable des dommages que vous pourriez causer par votre négligence à l'immeuble dans lequel vous habitez ainsi qu'aux autres (visiteurs, voisins) et à leurs biens. Pour cette raison, vous devriez détenir une couverture responsabilité civile (dont nous traitons un peu plus loin dans ce chapitre). Au-delà de ces considérations, vous possédez des biens personnels que vous avez avantage à protéger. Les effets psychologiques d'un sinistre sont parfois considérables, mais c'est encore pire quand, faute d'avoir souscrit une assurance habitation, vous devez repartir à zéro.

Au moment de magasiner une assurance locataire ou propriétaire occupant, vous devriez tenir compte des caractéristiques importantes que nous exposons dans les sections suivantes.

L'assurance habitation : les coûts de reconstruction

Combien vous coûterait-il de faire reconstruire votre maison si elle était complètement détruite dans un incendie ? L'estimation des coûts doit dépendre de la superficie (en pieds carrés) de votre maison. La valeur de votre couverture habitation ne doit donc pas être établie en fonction du prix d'achat de votre maison ni du montant de votre prêt hypothécaire.

Veillez à ce que votre assurance propriétaire occupant comprenne une clause de garantie du coût de remplacement. Grâce à celle-ci, vous serez certain que l'assureur paiera intégralement les frais de reconstruction de votre maison même si le coût total est plus élevé que la valeur de la couverture. Ainsi, dans l'hypothèse où la compagnie d'assurance sous-estimerait la valeur de votre propriété, elle devra défrayer la différence.

Malheureusement, les termes de la clause de garantie du coût de remplacement diffèrent parfois d'un assureur à un autre. Certaines paient la totalité du coût de remplacement de la maison, tandis que d'autres établiront des limites. Vérifiez ces détails auprès de votre assureur.

En ce qui a trait à l'assurance habitation pour une copropriété, la police d'assurance du syndicat des copropriétaires vous offre habituellement une couverture adéquate. Cependant, vous pourriez considérer la possibilité de souscrire une assurance complémentaire au cas où l'assurance des copropriétaires s'avérerait insuffisante. Renseignez-vous auprès de votre assureur sur les détails et la pertinence d'une telle assurance.

L'assurance habitation des maisons « anciennes » présente un certain nombre de conditions et de critères particuliers. La définition de maison ancienne varie selon les sources de référence. On considère néanmoins que ces habitations représentent environ 15 % du parc immobilier québécois. L'assureur considérera différents critères avant d'accorder une couverture pour les maisons qui entrent dans cette catégorie.

Si vous possédez une propriété plus ancienne qui ne répond pas aux normes de construction actuelles, vous devrez le plus souvent ajouter un avenant à votre police (une couverture complémentaire à votre police d'assurance principale pour laquelle vous payez un supplément) pour les mises aux normes. Cet avenant couvre les frais de reconstruction de votre maison en conformité avec les codes du bâtiment actuels qui sont peut-être plus stricts que lorsque votre maison a été construite. Souvent, l'assureur voudra connaître l'état du système électrique, du chauffage, de la plomberie et de la toiture. Discutez avec votre assureur des particularités de votre situation et assurez-vous d'obtenir une couverture à la mesure de vos besoins. Voyez également ce que d'autres assureurs ont à proposer.

Assurer vos biens personnels

Dans les polices pour propriétaires occupants, le montant de la couverture des biens personnels (le contenu de la maison) est habituellement établi en fonction du montant de la couverture de la maison. En général, la valeur de la couverture de vos biens personnels équivaut à 50 à 75 % du montant assuré pour la maison, ce qui, d'ordinaire, est plus que suffisant.

Votre assurance prévoit des plafonds pour les sommes que vous pouvez réclamer pour certains articles comme les bijoux, l'équipement informatique, les fourrures et d'autres biens relativement peu coûteux qui ne seraient pas entièrement couverts par une police. Si vous ne voulez pas payer de votre poche pour la portion non couverte du remplacement de ces biens, vous pouvez ajouter un avenant à votre police, moyennant un supplément à votre prime, qui vous garantira une couverture complète des articles visés.

Vous avez le choix d'assurer vos biens pour leur valeur au jour du sinistre, en tenant compte de la dépréciation, ou pour leur valeur à neuf, qui signifie que les biens perdus, volés ou endommagés seront remplacés par des articles neufs de qualité et de valeur similaires. À moins que votre police ne stipule le contraire, la partie de votre assurance habitation qui concerne vos biens personnels couvre ces derniers selon leur valeur au jour du sinistre. Dans un tel cas, vous pourriez envisager d'ajouter l'avenant valeur à neuf à votre police.

En tant que locataire, il vous faut établir le montant de la couverture des biens personnels que vous désirez assurer. N'hésitez pas à effectuer vos calculs, car le coût du remplacement de vos possessions pourrait vous surprendre.

Que vous soyez locataire ou propriétaire, vous devriez dresser une liste (étayée de photos ou d'une vidéo, si possible) de vos biens avec une estimation de leur valeur. Gardez cette liste à jour, car elle vous sera utile dans l'éventualité où vous deviez un jour déposer une réclamation. Vous pourriez aussi aider votre cause en conservant les reçus de vos achats importants. Mais peu importe comment vous documentez vos possessions, veiller à ranger votre dossier à l'extérieur de votre domicile, afin d'éviter de le perdre dans un sinistre que subirait votre immeuble.

L'assurance responsabilité civile

L'assurance responsabilité civile vous protège contre les dommages corporels, matériels et financiers que vous pourriez causer à une autre personne ou à ses biens, y compris l'immeuble dans lequel vous habitez.

Cette assurance vous protège financièrement contre des poursuites que pourrait intenter contre vous une personne qui se serait blessée à votre domicile ou sur votre propriété. Votre assurance responsabilité civile devrait à tout le moins couvrir vos actifs financiers, mais le double serait encore mieux. L'achat d'une couverture supplémentaire est peu coûteux et en vaut largement la dépense.

La probabilité d'être poursuivi est faible, mais si vous l'étiez et que vous perdiez votre cause, vous risqueriez de vous retrouver avec une somme énorme à payer. Si vous avez des actifs substantiels à protéger, vous pourriez envisager l'achat d'une assurance responsabilité civile complémentaire, aussi appelée assurance «umbrella». (Voir la section intitulée : «L'assurance umbrella : une protection accrue», plus loin dans ce chapitre.)

La couverture responsabilité civile est l'un des avantages secondaires de l'achat d'une police locataire : vous protégez vos biens personnels tout en vous assurant contre d'éventuelles poursuites judiciaires. (Mais cela ne veut pas dire que vous pouvez laisser traîner vos peaux de banane dans l'escalier!)

Les catastrophes naturelles

La majorité des polices d'assurance habitation peuvent vous assurer contre presque toutes les catastrophes naturelles, dont les tempêtes de grêle, de vent, de verglas, les tremblements de terre, la foudre, les tornades. Dans plusieurs cas, c'est la formule «tous risques» qui vous protégera contre les soubresauts de mère nature. Les deux seules exceptions concernent les débordements de cours d'eau et les mouvements de sol : les inondations et les glissements de terrain ne font pas partie des risques assurables.

Si vous vivez dans une zone reconnue pour la fréquence ou la force des tremblements de terre, assurez-vous de voir la mention appropriée dans la liste des risques contre lesquels vous êtes assurés. Au besoin, ajoutez l'avenant relatif aux tremblements de terre à votre police. Votre agent d'assurance pourra vous renseigner quant aux probabilités de séismes dans votre région.

La franchise : ce que vous coûte une réclamation

Comme nous le voyons au chapitre 15, le but de l'assurance est de vous protéger contre les pertes potentiellement catastrophiques, non pas contre les petites pertes. En optant pour la franchise la plus élevée qu'il vous est possible d'assumer, vous pouvez économiser sur vos primes d'assurance année après année, en plus de vous éviter les tracas liés aux dépôts de réclamations minimes.

Les réductions de prime

Dans certaines conditions, vous pourriez être admissible à une réduction de votre prime d'assurance. Les compagnies et les agents d'assurance habitation ne vérifient pas toujours si vous êtes admissible à des rabais. Après tout, plus vous payez une prime élevée, plus ils font d'argent. Si par exemple votre propriété est équipée d'un système d'alarme, si vous êtes âgé ou si vous avez souscrit d'autres polices auprès du même assureur, vous pourriez profiter d'une réduction de prix. N'oubliez pas de soulever la question au moment de l'achat.

Acheter de l'assurance habitation

Chaque compagnie d'assurance établit les tarifs de ses polices propriétaires ou locataires en fonction de ses propres critères. Ainsi, peut-être trouverez-vous le tarif le plus bas pour votre assurance habitation chez un assureur, alors qu'un ami à vous l'obtiendra chez un autre. Vous devez comparer les prix de plusieurs assureurs afin de trouver le meilleur tarif possible selon votre situation. Les compagnies suivantes sont reconnues pour offrir des polices à des tarifs parmi les plus bas à la plupart des gens et possèdent une bonne réputation en ce qui concerne la qualité de leur service à la clientèle et le paiement des réclamations :

✔ BelairDirect (1-888-270-9732 ou `www.belairdirect.com`)

✔ Desjardins Assurances Générales (1-888-277-8726 ou `www.desjardinsassurancesgenerales.com`)

✔ RBC Assurances (1-877-749-7224 ou `www.rbcassurances.com`)

✔ TD Assurances (1-888-791-5346 ou `www.tdcanadatrust.com`)

Au Québec, c'est l'Autorité des marchés financiers qui veille à l'application des lois et des règlements qui régissent le secteur de l'assurance. Pour obtenir des informations sur un assureur ou un distributeur en particulier, communiquez avec le centre de renseignements de l'Autorité en composant le 1-877-525-0337 ou visitez son site Internet : `www.lautorite.qc.ca`.

L'assurance automobile

Le régime d'assurance automobile au Québec est mixte (public et privé) : il distingue les dommages corporels et les dommages matériels. C'est la Société d'assurance automobile du Québec (SAAQ), un organisme gouvernemental, qui traite les demandes d'indemnisation en ce qui a trait aux blessures corporelles. Le traitement des demandes d'indemnisation pour les dommages matériels relève quant à lui des assureurs privés.

Le régime public d'assurance automobile est financé par les contributions d'assurance qui sont perçues sur les permis de conduire et l'immatriculation des véhicules. Cette assurance couvre tous les Québécois (même ceux qui ne contribuent pas au régime) qui seraient tués ou blessés dans un accident de la route ou par un véhicule automobile.

Environ 130 assureurs (qui sont membres du GAA, le Groupement des assureurs automobiles) sont autorisés à vendre de l'assurance automobile au Québec et tous utilisent un contrat standard approuvé par l'Autorité des marchés financiers.

Ce contrat comprend deux parties : la responsabilité civile (le chapitre A) et les dommages matériels au véhicule assuré (le chapitre B).

✔ **La responsabilité civile.** Cette garantie s'applique aux dommages matériels (au Québec, ailleurs au Canada et aux États-Unis) ainsi qu'aux blessures corporelles (à l'extérieur du Québec) occasionnées par un véhicule automobile.

Il est important de préciser que la Loi sur l'assurance automobile oblige le propriétaire de tout véhicule automobile circulant au Québec à détenir un contrat d'assurance responsabilité d'un montant minimal de 50 000 $. Mais étant donné qu'il vous est impossible de prévoir le montant de la facture pour des dommages que vous pourriez éventuellement causer, il est plus sage de souscrire une protection de 1 000 000 $ ou plus, particulièrement si vous voyagez aux États-Unis, où les règlements de réclamations sont souvent plus élevés.

✔ **Les dommages éprouvés par le véhicule assuré.** Cette garantie protège votre véhicule contre les dommages qu'il pourrait subir. Cette protection, qui est optionnelle, couvre votre véhicule en cas de collision responsable, de vol, de vandalisme, de bris de vitre, d'incendie, etc.).

Si par exemple vous étiez victime d'un vol de biens personnels dans votre voiture, votre assurance automobile privée vous dédommagerait pour les dégâts causés à votre voiture, tels que le bris de vitre, alors que votre assurance habitation couvrirait la perte de vos biens volés, tels qu'un appareil photo, un ordinateur portable, des vêtements, etc.

La franchise

Le choix d'une franchise plus élevée vous permet de réduire votre prime d'assurance automobile et vous évite d'avoir à déposer des réclamations pour les pertes minimes. Dans une police d'assurance automobile, deux types de franchise existent : la franchise collision et celle sans collision ni versement. La franchise collision s'applique aux sinistres résultant – vous l'aurez deviné – d'une collision. La franchise sans collision ni versement concerne les dommages attribuables au feu, au vol, au vandalisme et ainsi de suite. La plupart des gens devraient opter pour une franchise collision de 500 $ à 1 000 $ et une franchise sans collision de 250 $ à 500 $.

Au fur et à mesure que votre voiture prend de l'âge et perd de sa valeur, vous pouvez éventuellement éliminer vos couvertures collision et sans collision. Le moment où vous décidez de faire ce choix dépend de vous. Les assureurs ne paieront pas plus que la valeur du prix de liste de votre voiture, peu importent les réparations et les améliorations apportées à la voiture et ce qu'il en coûterait pour la réparer ou la remplacer. N'oubliez pas que le but de l'assurance est de vous dédommager pour les pertes qui risqueraient d'être financièrement désastreuses pour vous. Pour certaines personnes, ce montant sera aussi élevée que 5 000 $ ou plus, tandis que pour d'autres, ce seuil ne dépassera pas 1 000 $.

Les réductions de prime

Il est souvent possible d'obtenir des réductions de prime sur votre assurance automobile. Si par exemple votre voiture est équipée d'un système antivol, d'un dispositif de freins antiblocage, de coussins de sécurité gonflables, ne manquez pas d'en informer votre agent ou votre assureur. Si vous êtes âgé, que votre kilométrage annuel est bas ou que vous détenez d'autres polices auprès du même assureur, vous pourriez également être admissible à des réductions. En outre, assurez-vous de bénéficier de la réduction relative à votre bon dossier de conducteur, s'il y a lieu.

D'autre part, avant d'acheter votre prochaine voiture, contactez différents assureurs et demandez des devis d'assurance pour les différents modèles que vous envisagez d'acheter. Votre décision d'acheter tel ou tel autre type de véhicule devrait tenir compte de ce qu'il vous en coûtera pour assurer le véhicule, parce que les frais d'assurance représentent une part importante des dépenses associées à l'utilisation de votre voiture.

La conduite prudente : l'affaire de tous

Une bombe artisanale explose dans un parc bondé et tue une personne. Un avion s'écrase et plusieurs dizaines de personne perdent la vie.

De tels événements tragiques, régulièrement rapportés par les médias, interpellent la plupart des gens, en partie à cause de leur nature dramatique. Pourtant les 557 personnes tuées, sans compter les nombreux blessés, sur les routes du Québec en 2008 (Bilan routier, SAAQ) représentent une réalité tout aussi tragique, sinon plus, compte tenu du nombre.

Mais quand on observe de plus près la question des accidents routiers mortels, on comprend que l'explication ne réside pas dans le qui ou le quoi, mais dans les circonstances d'un accident, qui, dans bien des cas aurait pu être évité.

Peu importe quel genre de voiture vous conduisez, vous pouvez et devez conduire de façon sécuritaire. Respectez les limites de vitesse et ne conduisez jamais lorsque vous avez les facultés affaiblies par l'alcool, la drogue ou la fatigue, ou dans des conditions météorologiques défavorables. Portez toujours votre ceinture de sécurité et insistez pour que vos passagers en fassent autant, car de nombreux décès pourraient être évités grâce au simple port de la ceinture de sécurité. Enfin, il va sans dire que le conducteur qui, un café entre les jambes, parle au téléphone cellulaire tout en s'efforçant de prendre des notes constitue un danger pour lui-même comme pour les autres !

Acheter de l'assurance auto

Vous pouvez contacter les compagnies d'assurance habitation de la liste que nous vous avons soumise plus haut pour obtenir des devis pour votre assurance automobile. Il n'est pas rare que l'on vous propose une petite réduction lorsque vous souscrivez vos assurances habitation et automobile chez un même assureur. De plus, les associations de diplômés universitaires ainsi que des organisations comme le CAA offrent souvent des tarifs concurrentiels tant pour l'assurance automobile qu'habitation. Enfin, évitez d'acheter des avenants qui n'en valent pas la dépense ou qui ne vous seront pas vraiment utiles. Recherchez la prime, la couverture et la franchise qui vous conviennent. Encore une fois, magasinez!

Protéger vos placements

Les compagnies d'assurance ne vendent pas de polices qui couvrent la valeur de vos placements, mais vous pouvez protéger votre portefeuille de bon nombre des dangers d'un marché instable grâce à la diversification.

Si tout votre argent est investi dans des comptes bancaires ou des obligations, vous êtes exposé aux risques de l'inflation, ce qui peut éroder le pouvoir d'achat de votre argent. Inversement, si le gros de votre argent est investi dans les actions à haut risque d'une

seule société, votre avenir financier pourrait s'envoler en fumée si ces titres devaient dégringoler.

Le chapitre 9 traite des avantages de la diversification et vous indique comment choisir des placements qui se comportent bien dans des différentes conditions. Le chapitre 10 explique en quoi les fonds communs de placement sont des véhicules de placement efficaces qui rendent la diversification facile et rentable.

L'assurance umbrella : une protection accrue

L'assurance umbrella est une assurance responsabilité civile complémentaire qui se superpose à la protection de responsabilité civile de vos polices habitation et automobile. Si, par exemple, votre résidence et votre voiture sont chacune couvertes à hauteur d'un million de dollars en responsabilité, vous pourriez acheter une assurance umbrella de deux millions de dollars pour environ 200 $ par année qui s'ajouterait à vos polices habitation et automobile de première ligne. Il s'agit d'un faible coût compte tenu de l'importance de la protection. Chaque année, des centaines de personnes sont poursuivies en justice pour plus d'un million de dollars dans des affaires liées à leurs voitures et à leurs maisons.

L'assurance umbrella se vend normalement par tranches d'un million de dollars. Alors, comment déterminez-vous le montant de la protection dont vous avez besoin? Comme avec d'autres couvertures d'assurance, il vous faut une assurance responsabilité civile suffisante pour protéger vos actifs, et de préférence, en couvrir deux fois la valeur.

En règle générale, vous devez vous procurer votre assurance umbrella auprès de votre assureur habitation ou automobile.

Cinquième partie

Où trouver de l'aide supplémentaire

« Ce logiciel est vraiment divertissant. C'est bourré d'action délirante, de suspense et d'intrigues, et les résultats dépendent des stratégies employées. Et dire que j'avais peur de m'ennuyer en faisant la gestion de notre budget ! »

Dans cette partie...

Nous vous aidons à vous y retrouver dans le dédale des différentes sources de conseils financiers disponibles. Beaucoup de gens se font appeler planificateurs financiers et prétendent être en mesure de vous rendre riche. Nous vous expliquons pourquoi vous risquez de finir plus pauvre si vous ne choisissez pas judicieusement votre conseiller. Nous examinons également les caractéristiques des logiciels financiers et ce que l'on peut trouver sur l'Internet, et nous vous proposons des noms et des adresses pertinentes à consulter. Enfin, nous discutons des articles et des reportages financiers en version imprimée et sur les ondes, ainsi que des manières de distinguer les bons conseils des mauvais dans les médias de masse.

Chapitre 18

Travailler avec les planificateurs financiers

Dans ce chapitre :

▶ Connaître les planificateurs financiers

▶ Examiner vos possibilités de gestion financière

▶ Embaucher un planificateur financier ou non?

▶ Pourquoi il est difficile d'obtenir de bons conseils financiers

▶ Comment trouver un bon planificateur financier

▶ Interviewer un planificateur financier

Le domaine de la planification financière a deux problèmes. Le premier en est un de crédibilité, le second, de confit d'intérêt.

— *Fortune*

Les planificateurs financiers se révèlent souvent être des loups déguisés en brebis, dont l'intention cachée est de vendre des fonds communs de placement, par exemple, ou de l'assurance vie.

— *Consumer Reports*

L'embauche d'un conseiller ou d'un planificateur financier compétent, éthique et impartial pour vous aider à prendre et à appliquer des décisions financières peut s'avérer rentable. Cependant, si vous choisissez un mauvais conseiller ou un vendeur qui se fait passer pour un planificateur financier, votre situation financière risque de s'aggraver au lieu de s'améliorer. Donc, avant de parler des différents types d'experts à considérer, nous allons faire ensemble un petit voyage avec Alice pour vous donner une idée de ce qui pourrait vous attendre dans le monde des planificateurs financiers.

Alice au pays des... planificateurs financiers

Cette histoire vraie raconte la triste aventure d'Alice qui, en quête de conseils financiers judicieux, échoua dans ses quatre premières tentatives d'obtenir l'aide recherchée. Son histoire illustre plusieurs des difficultés auxquelles vous pourriez être confronté dans votre recherche d'un bon planificateur financier.

Les (més)aventures d'Alice

Alice désirait obtenir de l'aide pour la gestion de son argent. Sur la recommandation de son comptable, elle entra en contact avec un conseiller financier. Celui-ci, qui portait le titre de planificateur financier agréé (PFA), travaillait pour le compte d'une société de placement immobilier bien connue. Alice lui expliqua qu'elle recherchait un placement prudent, mais le courtier lui vendit un fonds commun de placement qui, à l'insu d'Alice, investissait principalement dans des titres de croissance agressifs (donc volatiles).

Après avoir acheté le fonds et reçu son premier relevé de compte quelques jours plus tard, Alice remarqua que son fonds commun contenait plusieurs milliers de dollars de moins que ce qu'elle y avait investi. Le courtier lui dit alors qu'il touchait une commission de 4 % et lui assura qu'elle ne devait pas s'inquiéter parce qu'il était payé par le fonds et que cela n'aurait aucune incidence sur son investissement.

Sceptique, Alice mena sa petite enquête et découvrit que le fonds avait en fait payé le courtier à même son investissement – une très généreuse commission de 6,5 %. Ainsi, non seulement le courtier lui avait-il menti sur la provenance de sa commission (toutes ces commissions proviennent de l'argent des investisseurs), mais il avait aussi minoré l'importance de la somme qu'il disait avoir touchée.

Alice, qui, on le comprendra, était dans tous ses états, contacta l'organisme de réglementation. Et ce n'est qu'après avoir fait des pieds et des mains qu'elle reçut de la société de placement un paiement de près de 2 000 $ en dédommagement du mensonge du courtier.

Se disant qu'il y avait peut-être un problème de communication entre les hommes et les femmes, Alice se tourna vers une planificatrice financière recommandée par un ami. La planificatrice dit à Alice que les femmes devaient « se serrer les coudes », avant de tenter de lui vendre une société en commandite qui, au dire de la planificatrice, lui rapporterait assurément un rendement de 20 à 40 % par année.

Alice jeta un coup d'œil au prospectus – un texte délicieusement long, rédigé par des avocats, présentant des informations détaillées sur un placement et l'entreprise qui l'offrait. À la page 2 du document, elle vit, noir sur blanc, que la société versait au courtier qui réalisait une vente une commission de 10 % (qui, elle le savait maintenant, serait déduite de son investissement).

Comme Alice était une investisseuse consciencieuse, elle poursuivit sa recherche en consultant différents livres et magazines financiers, pour découvrir que les sociétés en commandite étaient, elles aussi, handicapées par des frais d'exploitation élevés. Alice ne retourna pas la douzaine d'appels de suivi de la planificatrice financière amicale et, évidemment, elle laissa tomber son offre.

Alice voulait en savoir davantage sur les placements avant de continuer à chercher des conseils, aussi s'inscrivit-elle à un cours pour adultes d'un établissement local. Étudiante studieuse, Alice assistait à tous les cours, mais elle était de plus en plus perplexe. Son enseignant disait à la classe que le monde de la finance et de l'investissement était très, très compliqué, à moins, bien sûr, d'être expert financier.

L' « enseignant » déclara enfin qu'il était lui-même un tel expert. Il offrit d'ailleurs une consultation gratuite d'une heure à chaque étudiant à la fin de son « cours ». Durant sa consultation gratuite, il conseilla à Alice d'investir dans une rente. Encore une fois, celle-ci mena sa petite enquête, qui lui permit d'apprendre que (vous l'aurez deviné) là aussi, les commissions de vente et les frais de gestion étaient élevés.

Sa rencontre avec ce troisième planificateur avait laissé Alice quelque peu amère, car celui-ci ne s'était pas informé des différents aspects de sa situation et n'avait semblé intéressé qu'à lui vendre une rente. Elle comprit par la suite qu'investir dans une rente n'avait aucun sens pour elle puisqu'elle était située dans une tranche d'imposition basse et qu'elle était près de la retraite.

À ce stade, la plupart des gens se seraient probablement procuré un bon livre sur la finance ou ils auraient préféré cacher leur argent dans leur matelas ou le mettre à la banque. Mais Alice voulait vraiment discuter avec quelqu'un de ses questions et de ses idées concernant l'investissement de son argent.

Après avoir entendu un planificateur financier parler dans une tribune téléphonique, Alice lui écrivit pour lui demander de lui envoyer des renseignements sur ses antécédents professionnels. Il se trouva qu'en plus de son titre de planificateur financier agréé, l'homme possédait plusieurs diplômes, dont un baccalauréat en sciences, une licence en droit ainsi qu'une maîtrise en administration des affaires.

Alice, qui se méfiait à présent des commissions de vente, était également satisfaite du tarif demandé par le planificateur : 350 $ pour une consultation de deux heures au cours de laquelle il la conseillerait dans ses décisions financières et répondrait à ses questions. Au milieu de la rencontre, toutefois, le planificateur numéro quatre essaya de convaincre Alice de l'embaucher comme gestionnaire permanent de son argent. Pour seulement 2 000 $ par année (commissions et frais de gestion en sus), il investirait son argent en se fondant sur ses analyses économiques et son expertise en pronostics.

Cela représentait beaucoup d'argent pour Alice (elle avait 150 000 $ à investir) qui n'aimait pas non plus l'idée de mettre son argent entre les mains de quelqu'un qui pourrait le transférer d'un investissement à un autre sans son approbation. De plus, elle aurait voulu en savoir davantage sur la finance, mais le « planificateur » lui répétait combien il est compliqué de faire des choix de placement et de prendre des décisions financières. Alice refusa l'offre du planificateur numéro quatre qui, mécontent, sortit de la maison en se plaignant d'avoir perdu son temps (pour lequel il avait empoché 350 $!).

Les leçons à tirer de l'histoire d'Alice

Le cas d'Alice met en lumière quatre grands problèmes auxquels les gens se heurtent souvent lorsqu'ils recourent à des services de conseils financiers :

✔ Premièrement, vous devez absolument faire vos devoirs avant d'embaucher un conseiller financier. Malgré les recommandations enthousiastes de son ami, Alice a été mal conseillée par un professionnel intéressé.

✔ Deuxièmement, les domaines de la planification financière et du courtage immobilier sont de véritables champs de mines pour les consommateurs. Le problème fondamental réside dans l'énorme conflit d'intérêt qui survient quand des « conseillers » proposent et vendent des produits sur lesquels ils touchent une commission de vente. La vente de services de gestion permanente de portefeuilles suscite, elle aussi, un conflit d'intérêt, comme Alice l'a compris en rencontrant son dernier « conseiller ».

Prenons l'analogie des symptômes grippaux. Souhaiteriez-vous avoir un médecin qui ne vous facturerait pas la consultation et qui ne tirerait son salaire que de la vente de médicaments ? Peut-être n'avez-vous pas besoin de médicaments – ou de médicaments aussi chers que ceux qu'il veut vous faire acheter. Peut-être avez-vous simplement besoin d'un bon bouillon de poulet et de dix heures de sommeil.

Ce qui est renversant dans l'histoire d'Alice, c'est qu'aucun des soi-disant planificateurs financiers rencontrés n'ait cherché à savoir si elle avait de l'assurance et quel était son niveau d'endettement. En réalité, Alice ne détenait pas de police habitation adéquate en tant que propriétaire occupant, en plus d'avoir quelques dettes à intérêts relativement élevés, des questions auxquelles ces «professionnels» n'ont pas jugé bon de s'intéresser. Pourquoi? En partie sans doute parce que le remboursement de sa dette aurait diminué les fonds qu'Alice avait à investir.

✔ Troisièmement, certains conseillers financiers aiment rendre les choses beaucoup plus compliquées qu'elles ne le sont en fait et ils ne sont habituellement pas intéressés à vous informer. Comme d'autres l'ont fait remarquer, le domaine de la planification financière n'est pas le seul où ces pratiques ont cours. L'auteur George Bernard Shaw l'a exprimé par ces mots : «Toutes les professions sont des conspirations contre les profanes».

Plus vous en saurez, plus vous comprendrez que l'investissement et d'autres décisions financières n'ont pas à être compliquées, et plus vous réaliserez qu'il ne vous est pas nécessaire de dépenser des tas d'argent (ou pas même un seul dollar) pour les services de conseillers et de planificateurs financiers. La personne que vous voyez dans le miroir est celle qui est la mieux placée pour surveiller vos intérêts et vous conseiller.

✔ Quatrièmement, n'accordez pas trop d'importance aux titres professionnels ; certains sont insignifiants. Alors que tel ou tel titre est susceptible de vous rassurer, cela n'empêche pas que vous devez quand même faire vos devoirs. Souvent, vous pouvez poser des questions directes afin de déterminer si un conseiller cherche vraiment à protéger vos intérêts ou s'il ne pense pas plutôt aux siens.

Enfin, au cas où vous vous poseriez la question, Alice a heureusement fini par investir son argent dans un portefeuille de fonds communs de placement sans frais d'acquisition (voir le chapitre 9) dont elle a obtenu d'excellents rendements au fil des années.

Vos options de gestion financière

Trois options s'offrent à vous lorsqu'il s'agit de gérer votre argent : ne rien faire, le faire vous-même ou embaucher quelqu'un pour vous aider.

Ne rien faire

L'approche du laisser-aller compte de nombreux adeptes (et vous qui pensiez être le seul!). Les gens de cette catégorie mènent peut-être une vie terriblement excitante et intéressante qui ne leur laisse pas le temps de s'occuper de choses aussi banales que la gestion de leurs finances personnelles. Ou peut-être leur vie est-elle si ordinaire qu'ils préfèrent imaginer des façons plus captivantes d'occuper leur temps. Pour ce type de personnes, peu d'activités sont aussi répulsives que la gestion de leurs finances personnelles.

Mais en ne faisant rien, vous vous exposez à plusieurs dangers. Les petits problèmes que vous négligez de régler risquent de s'aggraver avec le temps. L'épargne retraite que vous remettez à plus tard et les dettes que vous laissez s'accumuler reviennent forcément vous hanter. En outre, si vous n'êtes pas adéquatement assuré, les événements funestes peuvent être financièrement dévastateurs. Et personne ne sait quand le malheur frappera.

Si vous avez jusqu'ici été de ceux qui laissent aller, il ne tient maintenant qu'à vous de changer les choses. Vous avez ouvert ce livre pour en savoir plus sur les finances personnelles et apporter des changements à votre façon de gérer votre argent, non ? Alors, prenez la situation en main et poursuivez votre lecture !

Le faire vous-même

Les gens qui choisissent de s'occuper eux-mêmes de leurs affaires d'argent doivent en apprendre suffisamment sur les questions financières pour être en mesure de prendre des décisions judicieuses. Évidemment, cela implique que vous investissiez le temps qu'il faut pour acquérir les concepts de base et vous tenir à jour. Certaines personnes développent un véritable intérêt pour la gestion de leurs finances personnelles, tandis que d'autres se concentrent sur l'essentiel et s'efforcent simplement d'effectuer le travail le plus efficacement possible.

L'idée qui veut que l'on doive passer des heures interminables à travailler sur ses finances personnelles si l'on veut les gérer soi-même est un mythe. Pour la plupart des gens, la partie la plus difficile de cet exercice de gestion consiste à redresser leur situation et à corriger les erreurs du passé. Une fois que vous aurez remis de l'ordre dans vos finances, ce que ce livre vous aidera à faire, vous ne devriez pas avoir à travailler plus d'une heure par mois en moyenne sur vos dossiers financiers (à moins d'un événement spécial, comme l'achat d'un bien immobilier).

Certaines personnes du milieu des conseils financiers aiment donner l'impression que leur travail est très compliqué, le comparant parfois à une chirurgie du cerveau ! Leur argument est celui-ci : « Vous n'effectueriez pas une opération chirurgicale à votre propre cerveau, n'est-ce pas ? Alors pourquoi voudriez-vous gérer vous-même votre argent ? » Eh bien, la vérité est que la gestion des finances personnelles n'a rien à voir avec la neurochirurgie : vous êtes capable de le faire vous-même. En fait, vous pouvez faire un meilleur travail que la plupart des conseillers. Pourquoi ? Parce que vous n'êtes pas soumis à leurs conflits d'intérêt et que personne ne se soucie plus que vous de votre santé financière.

Embaucher un professionnel

Le fait de réaliser que vous avez besoin d'aide dans la prise et l'application de vos décisions financières peut constituer une indication précieuse. Quelques heures et quelques centaines de dollars pour l'embauche d'un professionnel compétent pourraient être du temps et de l'argent bien dépensés, même si vous disposez d'un revenu et d'actifs modestes. Mais vous devez savoir ce que vous obtiendrez pour votre argent.

Les planificateurs et les conseillers financiers sont payés selon l'un des trois modes suivants :

- ✔ Ils touchent des commissions sur les produits financiers qu'ils vendent.
- ✔ Ils perçoivent un pourcentage des actifs qu'ils gèrent.
- ✔ Ils facturent à l'heure.

Comme vous avez pu le constater à la lecture des déboires d'Alice dans ce domaine (au début du présent chapitre), trouver un professionnel fiable pour vous conseiller en matière financière n'a rien d'une sinécure. Les prochaines sections vous aideront à différencier les trois principaux types de planificateurs financiers.

Les planificateurs payés à la commission

La plupart des planificateurs financiers qui sont rémunérés à la commission n'agissent pas vraiment comme des conseillers ou des planificateurs – ils font en réalité de la vente. De nombreux courtiers en valeurs mobilières et agents d'assurance se font désormais appeler «consultants financiers» ou «représentants en services financiers» afin de valoriser la profession et de faire oublier leur mode de rémunération. Idem pour les vendeurs d'assurance qui se disent spécialistes en planification successorale.

Un courtier en valeurs mobilières qui se fait appeler consultant financier, c'est comme un concessionnaire Honda qui se dirait consultant en transport automobile. Mais un concessionnaire Honda est un vendeur qui gagne sa vie en vendant des véhicules Honda. Il n'a sûrement rien de très positif à vous dire à propos des voitures Ford, Volkswagen et Toyota, à moins qu'il ne vende aussi ces marques. En outre, il est clair qu'il n'a aucun intérêt à vous sensibiliser aux économies réalisées en utilisant le transport en commun !

Comme nous en discutons plus haut dans ce chapitre, les vendeurs et les courtiers peuvent avoir un intérêt personnel énorme à pousser certains produits, notamment ceux qui leur rapportent des commissions généreuses. Le fait d'être payé à la commission tend à biaiser leurs recommandations en les incitant à vous orienter vers certaines stratégies (comme l'achat de placements ou de produits d'assurance vie) et en les amenant à ignorer ou à faire peu de cas d'autres aspects de vos finances. Ils se feront par exemple un plaisir de vous vendre un placement plutôt que de vous suggérer de commencer par rembourser vos dettes à taux d'intérêt élevés.

Le tableau 18-1 donne une idée des commissions qu'un planificateur financier/vendeur peut gagner en vendant certains produits financiers.

Tableau 18-1 : Commissions sur les produits financiers

Produits	Commissions
Assurance vie (250 000 $, 45 ans) :	
Assurance vie temporaire	150 $ à 600 $
Assurance vie entière/universelle	1 000 $ à 2 500 $
Assurance invalidité :	
Prestations de 4 000 $/mois, 35 ans	350 $ à 1 300 $
Placements (20 000 $) :	
Fonds communs de placement	200 $ à 1 200 $
Sociétés en commandite simple	1 400 $ à 2 000 $
Rentes	1 000 $ à 1 800 $

Les planificateurs payés au pourcentage des actifs gérés

Ce système de rémunération supprime l'intérêt de vous vendre des produits à commissions élevées et d'effectuer de nombreuses transactions (qui génèrent ces commissions).

La rémunération au pourcentage des actifs gérés est souvent plus avantageuse pour le consommateur que la méthode de vente à la commission, mais cela ne garantit pas pour autant l'impartialité de votre planificateur financier. Tout d'abord, supposons que vous soyez en train de réfléchir à la possibilité d'investir dans des actions, des obligations ou dans l'immobilier. Un planificateur qui gagne sa vie en gérant votre argent pourrait préférer ne pas vous conseiller d'aller vers l'immobilier, parce que cela épuiserait votre capital d'investissement. Pour la même raison, il pourrait ne pas vous recommander de rembourser votre emprunt hypothécaire en soutenant que vous pourriez gagner plus en investissant votre argent (avec son aide, bien sûr) que ce que ne vous coûte votre emprunt.

Les planificateurs payés au pourcentage ne sont souvent intéressés qu'à gérer l'argent des personnes qui en possèdent déjà passablement, ce qui exclut une bonne partie des gens.

Les planificateurs rémunérés à l'heure

Dans de nombreux cas, votre meilleur pari quand il s'agit d'obtenir l'aide d'un professionnel pour vos finances personnelles est de recourir à un conseiller qui facture selon un taux horaire. Comme il ne vend pas de produits financiers et ne gère pas votre argent, il sera davantage objectif et pourra vous aider à prendre des décisions financières complètes quant aux prêts, à la planification retraite et à la sélection de bons placements, notamment dans l'immobilier, les fonds communs de placement et les petites entreprises.

La plus grande difficulté rencontrée lors de l'embauche d'un planificateur rémunéré à l'heure est de trouver quelqu'un de compétent. C'est pourquoi vous devez bien vérifier les références de la personne et vous assurer d'en apprendre suffisamment sur la finance pour être en mesure de faire la différence entre un bon et un mauvais conseil financier. De plus, il vous faut veiller à établir clairement les objectifs de travail du planificateur et connaître le coût total approximatif de ses services, et ce, avant de débuter la consultation. Vous devriez également revoir certaines des questions clés que nous proposons dans la section « Interviewer un conseiller financier : les bonnes questions à poser », plus loin dans ce chapitre.

Un inconvénient d'un tout autre ordre survient dès lors que vous ne suivez pas les conseils obtenus : payer pour les recommandations d'un planificateur sans les appliquer par la suite, c'est gaspiller votre argent. Si vous faites appel aux services d'un professionnel en partie parce que vous êtes trop occupé ou trop peu intéressé à gérer vous-même votre argent, alors vous devriez rechercher des solutions qui tiennent compte de ces contraintes quand vous embauchez un planificateur.

Si vous cherchez quelqu'un pour vous aider à réfléchir aux questions qui vous intéressent et vous recommander des stratégies ou des produits précis, vous pouvez engager un planificateur à tarif horaire pour une ou deux séances de consultation. Vous vous épargnerez ainsi le travail de fond et de planification que vous auriez eu à faire par vous-même de toute façon. Veillez simplement à ce que le planificateur soit disposé à vous donner des conseils précis afin que vous puissiez ensuite sans problème mettre en œuvre la stratégie élaborée.

La gestion privée de portefeuille

Si vous avez une quantité substantielle d'argent à investir – en général 250 000 $ ou plus – une option parfois négligée mais souvent profitable est la gestion privée de portefeuille (aussi appelée « gestion privée d'actifs »). Lorsque vous choisissez de recourir à ce type de gestion de votre argent, la société d'investissement retenue évalue vos objectifs, puis elle répartit habituellement votre argent entre ses différents fonds maison. Vous ne payez pas de frais de gestion sur chaque fonds. Au lieu de cela, on vous facture un pourcentage établi d'après le montant total de vos investissements dans la société.

De nombreuses entreprises offrent ce service. Certaines d'entre elles proposent également des fonds aux investisseurs individuels par le biais de courtiers de plein exercice et de courtiers à escompte. (Les investisseurs individuels qui investissent dans ces fonds payent les frais de gestion qui s'appliquent à chacun des fonds auxquels ils participent.)

Votre première rencontre avec ces sociétés ne vous coûte rien et, normalement, on vous assignera un conseiller avec qui vous pourrez discuter de vos objectifs et qui vous renseignera sur les différentes approches d'investissement qui s'offrent à vous. Étant donné que la plupart de ces sociétés ne commercialisent pas agressivement leurs services et qu'elles n'essaient pas non plus d'offrir une gamme de produits d'investissement qui satisfasse les besoins de tous les types possibles d'investisseurs, le nombre de fonds qu'elles offrent est d'ordinaire assez réduit – de cinq à vingt fonds, normalement. Bien que ce nombre soit souvent éclipsé par les dizaines, voire les centaines, de fonds gérés par les grandes sociétés de fonds, vous devriez néanmoins avoir accès aux principaux secteurs du marché (des obligations et des actions canadiennes, ainsi que des titres américains et étrangers).

L'un des avantages d'utiliser les services d'un gestionnaire de fonds privé est l'attention que l'on vous porte. Au minimum, on vous assignera un conseiller possédant souvent une formation et une expérience supérieures à celles du représentant typique des sociétés de fonds communs de placement ordinaires. Le conseiller vous rencontrera probablement une ou deux fois par année et vous pourrez le joindre si vous avez des questions. Une fois que vous aurez ensemble déterminé votre plan de match, votre argent sera réparti entre les différents fonds de l'entreprise en fonction de vos objectifs et de vos besoins de revenus.

Au-delà de cette attention personnelle, l'un des principaux attraits des sociétés de gestion privée de portefeuille est leur faible coût, surtout lorsque comparé aux fonds communs de placement standards. Les frais que vous payez représentent habituellement un pourcentage fixe de l'argent que vous investissez dans la société, peu importe comment vous y répartissez vos fonds. En règle générale, les frais commencent à environ 1,5 %. Et les gestionnaires de fonds privés fonctionnent selon une échelle mobile : plus vous leur donnez d'argent à gérer, moins vos frais sont élevés.

Embaucher un planificateur financier ou non ?

Si vous êtes comme la plupart des gens, vous n'avez pas besoin de faire appel à un planificateur financier, mais cela ne signifie pas pour autant que vous n'ayez aucun avantage à tirer de l'aide d'un professionnel compétent.

Les bonnes raisons d'embaucher un planificateur financier peuvent ressembler aux raisons que vous auriez d'embaucher quelqu'un pour nettoyer votre maison ou pour remplir votre déclaration d'impôt. Si vous êtes trop occupé, que vous n'aimez pas le faire ou que vous êtes terriblement mal à l'aise avec les décisions financières, ou encore, si vous êtes malhabile avec les chiffres et que l'idée d'exécuter de longs calculs vous horripile, recourir à l'avis d'un professionnel constitue un choix raisonnable, car un bon planificateur peut vous aider.

En quoi un bon planificateur financier peut-il vous aider ?

La liste suivante résume l'essentiel des points importants sur lesquels un planificateur financier compétent peut vous assister.

Un bon planificateur financier peut vous aider :

- ✔ **à identifier les problèmes et établir des objectifs.** Beaucoup de gens par ailleurs intelligents ont de la difficulté à être objectifs en ce qui concerne leurs problèmes financiers. Ils préféreront parfois ignorer leurs dettes ou ils auront des objectifs et des attentes irréalistes compte tenu de leur situation financière et de leurs comportements. Certaines personnes sont tellement absorbées par d'autres aspects de leur vie qu'elles ne prennent jamais le temps de réfléchir à leurs objectifs financiers. Un bon planificateur financier peut vous donner le point de vue objectif dont vous avez besoin.

  Il arrive que des personnes découvrent qu'elles sont dans une meilleure situation financière qu'elles ne l'avaient cru par rapport à leurs objectifs. Les bons conseillers apprécient vraiment cet aspect de leur travail : il est toujours plus facile et agréable d'annoncer de bonnes nouvelles.

- ✔ **à mettre au point des stratégies pour atteindre vos objectifs financiers.** Il se peut que vous ayez dans la tête un mélange confus d'idées, de préoccupations et de projets. Un bon conseiller peut vous aider à mettre de l'ordre dans vos pensées et vous proposer des stratégies susceptibles de vous permettre de réaliser vos objectifs financiers.

- ✔ **à définir vos priorités.** Vous faites peut-être des tas de choses pour améliorer votre situation financière, mais en opérant quelques changements clés, vos efforts devraient vous rapporter plus. Il est important d'identifier les modifications qui conviennent à l'ensemble de votre situation et avec lesquelles vous serez à l'aise. Les bons planificateurs vous aident à établir vos priorités.

- ✔ **à épargner le temps et les tracas de la recherche.** Même si vous savez quelles sont les plus importantes décisions financières pour vous, mener le travail de recherche peut prendre beaucoup de temps et devenir frustrant si vous ne savez pas où vous tourner pour obtenir des conseils judicieux et des informations pertinentes. Un bon planificateur effectue ses recherches en fonction de vos besoins, auxquels il s'efforcera de faire correspondre les meilleures stratégies et les meilleurs produits disponibles. Il y a tant d'informations erronées et inadéquates qui circulent dans le monde de la finance que vous pourriez facilement vous décourager, vous perdre ou vous faire escroquer. Un bon conseiller peut vous éviter de prendre de mauvaises décisions fondées sur des renseignements inexacts ou incomplets.

✔ **à acheter des produits financiers sans commission de vente.** Lorsque vous embauchez un planificateur qui facture à l'heure, vous pouvez économiser des centaines, voire des milliers de dollars en évitant de payer des commissions sur les produits financiers que vous achetez, en particulier quand il s'agit de placements et d'assurance.

✔ **en vous offrant un avis objectif dans la prise de décisions cruciales.** Lorsque vous essayez de déterminer quand prendre votre retraite, combien dépenser pour un achat immobilier ou comment investir votre argent, vous êtes confrontés à des décisions importantes, et les émotions risquent alors d'embrouiller votre perspective et d'affaiblir votre objectivité. Un conseiller compétent et perspicace peut vous aider à y voir clair et vous fournir une opinion avisée.

✔ **en vous incitant à agir.** Décider de ce que vous avez à faire ne suffit pas, il faut aussi passer aux actes. Même si vous pouvez obtenir les recommandations d'un planificateur et effectuer ensuite vous-même toutes les modifications requises, un bon conseiller peut aussi vous aider à appliquer votre stratégie. Après tout, si vous avez engagé le planificateur, c'est sans doute en partie parce que vous êtes trop occupé pour gérer vous-même vos finances ou trop peu intéressé ou doué pour le faire.

✔ **en vous servant de médiateur.** Pour les personnes qui vivent en couple, les décisions financières peuvent produire de véritables feux d'artifice, notamment celles qui concernent la famille élargie. Bien qu'il ne soit pas un thérapeute, un bon conseiller financier peut être sensible aux différents besoins et préoccupations de chaque partie et essayer de trouver un terrain d'entente quant aux problèmes financiers que vous devez régler.

✔ **en vous faisant gagner de l'argent et en vous offrant la tranquillité d'esprit.** Le but de la planification financière professionnelle est de vous aider à tirer le meilleur parti de votre argent ainsi qu'à établir et à atteindre vos objectifs financiers et personnels. Au cours du processus, le planificateur financier doit vous montrer comment améliorer les rendements sur vos investissements, réduire vos dépenses, vos impôts et vos frais d'assurance, accroître vos économies, améliorer votre couverture d'assurance pour les catastrophes et réaliser vos objectifs d'indépendance financière. Le fait de mettre de l'ordre dans votre vie financière devrait vous enlever un poids des épaules.

Les planificateurs financiers ne conviennent pas à tout le monde

Trouver un bon planificateur financier n'est pas chose facile, alors avant d'entreprendre vos recherches, vous devriez vous assurez de vraiment vouloir embaucher un conseiller.

Votre décision d'engager un professionnel devrait également tenir compte de votre type de personnalité. Croyez-le ou non, certaines personnes se plaisent à effectuer leurs recherches et leurs calculs. Si cela vous ressemble ou si vous n'êtes pas à l'aise à l'idée d'accepter des conseils, mieux vaut faire vos devoirs et élaborer vous-même votre stratégie.

De plus, si vous êtes confronté à un problème fiscal ou légal pointu, vous devriez embaucher un bon expert spécialisé dans ce domaine plutôt qu'un planificateur financier.

Trouver un bon planificateur financier, une tâche difficile

Les consommateurs qui, comme Alice, cherchent de l'aide (voir «Alice au pays des… planificateurs financiers», plus haut dans ce chapitre), particulièrement ceux dont les revenus sont faibles ou moyens, ont peu d'options attrayantes en ce qui a trait à l'embauche d'un professionnel. La grande majorité des gens qui se font appeler planificateurs, conseillers ou consultants financiers vendent des produits et travaillent à la commission, ce qui, comme Alice l'a découvert, engendre souvent de sérieux conflits d'intérêt. Ceux-ci naissent du fait que le courtier a tout intérêt à vous recommander des stratégies et des produits qui lui rapporteront les commissions les plus généreuses et à ignorer les stratégies et les produits qui lui rapporteraient moins.

Les conseillers financiers qui offrent des services tarifés payés uniquement par le client (c'est-à-dire qu'ils ne reçoivent aucune rétribution ni commission d'une tierce partie) tirent parfois la plus grande partie de leurs gains de la gestion de portefeuilles (ils reçoivent alors habituellement un pourcentage des actifs gérés). Pour cette raison, ils sont susceptibles de s'intéresser davantage aux clients déjà fortunés. Cela peut également les amener à favoriser des stratégies et des recommandations qui impliquent leurs services de gestion permanente de votre argent et les inciter à ignorer ou à rejeter les approches qui risqueraient de diminuer la quantité de votre argent à investir, car plus la somme gérée est importante, plus votre argent leur rapporte en frais de gestion permanente.

Les sections suivantes décrivent quelques-uns des problèmes liés à la recherche d'un bon planificateur.

Les problèmes de surveillance

Au Québec, un peu plus de 4 700 professionnels portent actuellement le titre de planificateur financier. Ceux-ci sont encadrés par trois organismes : l'Autorité des marchés financiers (AMF), qui émet les permis d'exercice ; l'Institut québécois de planification financière (IQPF), qui supervise la formation, prépare et administre l'examen obligatoire dont la réussite est préalable à l'obtention du titre de planificateur financier, en plus d'offrir un certain nombre d'heures de formation continue à ses membres ; enfin, la Chambre de sécurité financière, qui se charge des questions déontologiques.

Malgré cette structure, le contrôle est minime. (Mais peut-être les récents scandales financiers et l'encre qu'ils ont fait couler contribueront-ils à initier un renforcement de la surveillance.) Ces organismes assurent peut-être un certain encadrement, toutefois, rien n'empêche un planificateur de fournir à son client les informations les plus complètes et les recommandations financières les plus avantageuses pour lui. La dure réalité est celle-ci : la majorité des planificateurs financiers sont des vendeurs qui vivent des commissions et autres rétributions obtenues par la vente de certains produits et services, ce qui signifie que bon nombre d'entre eux font passer leurs intérêts avant ceux de leurs clients. En conséquence, ceux-ci obtiennent rarement tous les conseils pertinents et impartiaux qui pourraient leur permettre de tirer le meilleur parti de leurs économies.

Avant de commencer à travailler avec un client, le planificateur financier devrait être tenu de divulguer, par écrit, ses modes de rémunération. Il serait ainsi plus facile pour le consommateur de déterminer s'il y a risque de conflit d'intérêts ou non. À vous de poser les bonnes questions !

Les conflits d'intérêts des planificateurs financiers

Toutes les professions comportent des conflits d'intérêt, mais certains domaines plus que d'autres, et c'est le cas de la planification financière. Savoir où se trouvent les pièges peut certainement aider. Alors voici les raisons les plus courantes pour lesquelles les planificateurs sont susceptibles de ne pas vous offrir les conseils les mieux adaptés à votre situation.

Les planificateurs financiers sont portés à :

Vendre et promouvoir les produits qui leur rapportent des commissions

Si un planificateur financier ne vous facture pas ses services selon un taux horaire, vous pouvez être assuré qu'il touche des commissions sur les produits qu'il essaie de vous vendre. Pour être en droit de vous vendre des produits financiers, un planificateur doit détenir un permis de courtier. Les gens qui vendent des produits financiers et qui reçoivent ensuite des commissions sur leurs ventes fonctionnent comme des vendeurs, et non comme des planificateurs financiers. En principe, le travail du planificateur financier consiste à porter un regard neutre sur l'ensemble de la situation financière et des objectifs de son client afin d'être en mesure d'établir la meilleure stratégie possible à utiliser en fonction des intérêts de ce dernier – une tâche à laquelle les courtiers ne sont pas formés et pour laquelle ils n'ont aucune motivation financière.

Comme si cela n'était pas déjà suffisamment compliqué, vous ne pouvez pas simplement supposer que parce qu'un planificateur facture ses services à l'heure, il ne reçoit pas en plus des commissions sur les produits qu'il vend, car cette façon de faire est répandue.

Le fait de vendre des produits qui lui rapportent une commission peut fausser les recommandations d'un planificateur. Étant donné qu'il ne reçoit une commission que s'il vend un produit, il voit un intérêt à vous vendre certains produits ou services même lorsque d'autres solutions pourraient être plus avantageuses pour vous. Prenons le cas d'un planificateur qui vendrait une couverture d'assurance invalidité que vous pourriez obtenir à un coût inférieur par l'entremise de l'assurance collective de votre employeur ou de votre association professionnelle (voir le chapitre 16). Il pourrait être tenté d'ignorer ou de critiquer l'option la plus profitable pour vous (souscrire l'assurance collective) et se concentrer sur l'option la plus intéressante pour lui, celle de vous vendre une police invalidité plus chère sur laquelle il touchera une commission.

Un autre danger de vous fier aux recommandations d'un planificateur payé à la commission est qu'il pourrait vous orienter vers des produits qui lui permettront d'obtenir les commissions les plus élevées. Ces produits sont parmi les pires que vous puissiez acheter, parce qu'ils impliquent dès le départ le paiement d'une commission. Souvent aussi, ces produits financiers sont parmi les plus coûteux et les plus risqués disponibles sur le marché.

Les planificateurs qui sont axés sur les commissions de vente sont également susceptibles de vous inciter à effectuer de nombreuses transactions sur vos placements. Ils vous encouragent à acheter et à vendre à la première occasion, en invoquant des changements dans l'économie ou dans les sociétés où vous avez investi. Plus d'opérations dans vos comptes signifient plus de commissions pour le courtier.

La « planification financière » dans les banques

Au cours des dernières décennies, les banques ont connu une diminution des réserves d'argent dans leurs coffres, car un nombre croissant d'investisseurs ont réalisé qu'en général, les banques ne sont pas le meilleur endroit pour faire fructifier leur argent. Les comptes d'épargne bancaires offrant les plus hauts rendements et les CPG arrivent à peine à suivre l'inflation. Lorsque l'on tient compte de l'inflation et des impôts, ces « placements » bancaires n'offrent à peu près pas de croissance réelle sur vos dollars d'investissement.

De plus en plus, les banques emploient des « représentants des services financiers » et des « experts en placements » qui sont prêts à bondir sur les clients dont les comptes affichent des soldes élevés. Dans certaines banques, ces « planificateurs financiers » sont tout simplement des courtiers qui sont là pour vendre des placements qui leur rapportent (ainsi qu'à la banque) de généreuses commissions de vente.

Bien que les gens s'attendent à ce que les soldes de leurs comptes bancaires soient traités dans la confidentialité et que ces informations ne soient pas accessibles aux avides vendeurs de placements des banques, de nombreuses études ont démontré que les banques trahissent souvent la confiance de leurs clients sur ce plan.

Ceux-ci n'ont souvent aucune idée des commissions que gagnent les représentants bancaires et ils se doutent rarement que ces commissions sont puisées à même leurs dollars d'investissement. En outre, de nombreux clients (insuffisamment informés par les vendeurs et par les banques) croient à tort que leurs placements, comme leurs comptes d'épargne bancaires, sont assurés par la SADC et qu'ils ne peuvent donc pas perdre de leur valeur.

Adopter une perspective étroite

En raison de leur mode de rémunération, de nombreux planificateurs sont enclins à favoriser certains produits et stratégies. En conséquence, ils n'auront souvent pas le « réflexe » de considérer votre situation financière globale. Si, par exemple, vous avez accumulé une dette à la consommation, certains planificateurs pourraient ne pas s'en apercevoir (ou ne pas s'en soucier) tellement ils sont désireux de vous vendre un produit d'investissement. De la même manière, un planificateur qui vend beaucoup d'assurance vie aura tendance à élaborer des recommandations qui impliquent que vous en achetiez.

Ne pas vous recommander d'investir dans votre régime de retraite d'entreprise

L'épargne par l'entremise de votre régime de retraite d'entreprise constitue l'une de vos meilleures options financières. Bien que cette forme d'épargne ne soit peut-être pas aussi excitante que l'investissement dans les options de contrats à terme de bovins vivants, elle est plus intéressante que de regarder sécher de la peinture et, surtout, vos cotisations sont habituellement déductibles d'impôt. Certains planificateurs sont réticents à vous recommander de profiter pleinement de cette option, car cela vous laisse moins d'argent pour l'achat des produits qui leur rapportent des commissions.

Ne pas tenir compte de vos dettes

Parfois, le remboursement de vos dettes – telles que les cartes de crédit, les prêts auto ou même un emprunt hypothécaire – représente votre meilleure option d'investissement. Mais la plupart des planificateurs financiers ne recommanderont pas cette stratégie, parce que le remboursement de vos dettes épuise le capital qui pourrait par ailleurs vous servir à acheter des placements, ceux que le courtier aimerait vous vendre pour gagner une commission ou que le conseiller souhaiterait gérer pour vous moyennant des frais de gestion permanents.

Ne pas recommander l'investissement dans l'immobilier et dans les petites entreprises

Investir dans l'immobilier et dans les petites entreprises, comme payer vos dettes, réduit votre intérêt et votre capacité d'investir ailleurs. La plupart des planificateurs ne vous orienteront pas dans ces choix. Certains essaieront même de vous en dissuader en vous racontant des histoires de désastres qui se seraient produits dans ces secteurs.

La valeur d'un bien immobilier peut baisser tout comme celle de n'importe quel autre investissement. Mais à longue échéance, posséder des biens immobiliers constitue un choix financier rentable pour la plupart des gens. Avec les petites entreprises, les risques sont plus élevés, mais les gains potentiels le sont également. Ne laissez pas un planificateur financier vous convaincre que ces options sont insensées, car si vous faites vos devoirs et que vous êtes vigilant, vous pouvez récolter des taux de rendement supérieurs en investissant dans l'immobilier et dans les petites entreprises à ceux que vous obtiendriez avec des titres traditionnels comme des actions et des obligations. Consultez la troisième partie pour en savoir plus sur vos options de placements.

Vendre des services de gestion permanente de portefeuille

La grande majorité des planificateurs financiers qui ne travaillent pas à la commission tirent leurs revenus de la gestion de votre argent, un service pour lequel ils reçoivent un pourcentage des fonds gérés (en général, de 1 à 3 % par année).

Ces frais de gestion permanente risquent de créer un conflit d'intérêt, le planificateur financier ayant avantage à vous éloigner de stratégies financières bénéfiques pour vous qui auraient pour effet de réduire le panier d'actifs dont il tire son pourcentage. Même si des stratégies financières comme la maximisation de vos contributions à votre régime de retraite d'entreprise, le remboursement de vos dettes (votre emprunt hypothécaire, par exemple), l'investissement dans l'immobilier ou les petites entreprises et ainsi de suite pourraient se révéler plus rentables pour vous, les conseillers qui travaillent au pourcentage des actifs gérés n'ont rien à gagner à vous proposer ces types de solutions financières.

Vendre des services juridiques

Certains planificateurs s'occupent de l'établissement de fiducies et fournissent des services de planification successorale à leurs clients. Bien qu'il soit possible que des documents légaux de cette nature conviennent à vos besoins, les questions juridiques sont souvent si complexes que la compétence d'une personne qui n'est pas un expert légal à plein temps mérite d'être soigneusement examinée. Il se peut aussi que d'autres solutions à meilleur coût s'offrent à vous si votre situation n'est pas trop compliquée.

Afin de déterminer si vous avez vraiment besoin de ces documents juridiques, prenez le temps de vous renseigner. Faites quelques lectures complémentaires ou consultez un autre conseiller à qui vous ne demanderez pas d'effectuer le travail en question. Si vous finissez par embaucher quelqu'un pour effectuer des tâches de planification successorale pour vous, assurez-vous que la personne soit spécialisée dans ce domaine et qu'elle y travaille à temps plein.

Vous inquiéter inutilement

Certains planificateurs préparent des projections informatisées qui vous montrent que vous aurez besoin de millions de dollars pour maintenir votre niveau de vie au moment où vous prendrez votre retraite ou que les frais de scolarité coûteront des dizaines de milliers de dollars le jour où votre enfant sera prêt à entrer à l'université.

Éveiller un client à la réalité de sa situation financière est une tâche importante et délicate pour les bons planificateurs financiers. Mais certains planificateurs peu scrupuleux mèneront cette tâche à l'extrême en cherchant délibérément à vous inquiéter dans le but de vous faire acheter ce qu'ils ont à vendre. Ils brosseront un tableau sombre de votre situation et essaieront de vous convaincre que vous pourrez résoudre votre problème en appliquant leur stratégie. Ne les laissez pas vous faire peur! Lisez plutôt ce livre et mettez de l'ordre dans votre vie financière.

Créer une dépendance

Bon nombre de planificateurs financiers créent une dépendance en faisant paraître les choses si compliquées que leurs clients ont l'impression qu'ils ne pourront jamais gérer leurs finances de façon autonome. Si votre conseiller est réticent à vous indiquer comment en apprendre plus sur la gestion de vos finances personnelles ou s'il vous dit par exemple que vous feriez mieux d'occuper vos temps libres en faisant du yoga, vous avez probablement affaire à un consultant qui essaie de vous rendre dépendant de ses services.

Comment dénicher un bon planificateur financier

Trouver un bon planificateur financier prêt à travailler avec des clients qui n'ont pas encore accumulé beaucoup d'actifs et qui ne se place pas en situation de conflit d'intérêts peut se révéler une entreprise ardue. Les références personnelles et les associations sont deux méthodes qui peuvent servir de bons points de départ.

Demander des références personnelles

Obtenir une référence personnelle positive d'un client satisfait en qui vous avez confiance est l'une des meilleures façons de trouver un bon planificateur financier. Les références fournies par un comptable ou un avocat dont vous respectez le sens critique méritent aussi votre attention.

Les meilleurs planificateurs financiers établissent leur réputation par le biais du bouche à oreille. Les clients satisfaits constituent la publicité la plus efficace et la moins coûteuse que puisse s'offrir un professionnel.

Cependant, vous ne devriez jamais considérer une référence personnelle comme une parole d'évangile. Peu importe qui vous a recommandé le professionnel, vous devez faire vos devoirs : posez au planificateur les questions d'entrevue que nous vous proposons dans la section «Interviewer un conseiller financier : les bonnes questions à poser», plus loin dans ce chapitre. Nous avons déjà vu des gens avoir des ennuis parce qu'ils s'étaient aveuglément fiés à une référence qu'on leur avait donnée. Rappelez-vous que la personne qui fait la recommandation n'est (probablement) pas un expert financier. Elle peut avoir été satisfaite des services reçus mais ne pas posséder les connaissances suffisantes en finance pour bien évaluer le travail et les résultats.

On pourrait vous référer à un planificateur ou à un courtier qui retourne la faveur en envoyant des clients à l'expert fiscal, légal ou immobilier qui vous a fourni la référence. Les bons professionnels ne renvoient pas ainsi la pareille. Engagez quelqu'un qui fonde ses recommandations sur des critères de compétence et d'éthique.

Trouver un conseiller par l'entremise de l'IQPF

Au Québec, l'Institut québécois de planification financière est l'unique organisme autorisé à accorder le diplôme de planificateur financier. Il s'agit également du seul organisme strictement réservé aux planificateurs financiers. En choisissant un planificateur membre de l'IQPF, vous êtes certain d'obtenir les services d'un professionnel dûment enregistré qui possède la formation adéquate.

Maintenant, cela ne supprime pas pour autant la possibilité de conflits d'intérêts. Il est de votre devoir de vérifier les références et les antécédents du planificateur choisi, d'une part, en lui demandant de vous fournir les coordonnées de quelques-uns de ses clients récents (qui ne soient pas des membres de sa famille ni des amis) et, d'autre part, en communiquant avec l'Autorité des marchés financiers (1-877-525-0337, `www.lautorite.qc.ca`), afin de savoir s'il possède un permis valide et si des plaintes ont déjà été déposées contre lui. N'oubliez pas que la majorité des planificateurs financiers sont des vendeurs. Alors posez les bonnes questions !

Pour joindre l'IQPF, composez le 1-800-640-4050. Pour consulter le répertoire des membres de l'IQPF, visitez son site Internet : `www.iqpf.org`.

Interviewer un conseiller financier : les bonnes questions à poser

N'entreprenez pas d'embaucher un conseiller financier avant d'avoir complété la lecture de ce livre. Si vos connaissances en finances personnelles sont limitées, comment pourrez-vous éventuellement évaluer la compétence de quelqu'un que vous embauchez dans le but de vous aider à prendre d'importantes décisions financières ?

Nous croyons fermement que votre meilleur conseiller financier, c'est vous-même. Cependant, nous savons que certaines personnes ne veulent pas prendre certaines décisions liées aux finances sans obtenir d'assistance. Peut-être êtes-vous trop occupé ou n'êtes-vous simplement pas à l'aise dans ce domaine.

Vous devez connaître l'importance des enjeux lorsque vous faites appel à un planificateur financier. À part le coût de ses services, qui ne sont généralement pas donnés, vous placez une grande confiance en ses recommandations. Plus vous en saurez, plus vous serez en mesure de bien choisir votre conseiller, ce qui pourra contribuer à réduire les services que vous aurez besoin d'acheter et à augmenter vos chances d'obtenir de bons résultats.

Les questions suivantes vous aideront à estimer la compétence et l'intégrité professionnelle d'un conseiller. Obtenez des réponses à ces questions avant d'embaucher quelqu'un.

Quel pourcentage de vos revenus provient de frais facturés au client?

Si la réponse du conseiller à cette question n'est pas « 100 % », cela signifie qu'au moins une partie de ses revenus provient de commissions touchées sur la vente de produits financiers et, donc, qu'il a intérêt à vous recommander certains produits et stratégies.

Malheureusement, il semble que les conseillers financiers ne disent pas tous la vérité. Dans une enquête d'infiltration réalisée par le magazine *Money*, près d'un tiers des conseillers qui disaient être payés uniquement selon un tarif horaire s'avéraient en fait être des courtiers qui vendaient également des produits d'assurance et de placement sur lesquels ils touchaient des commissions.

Comment éviter cette éventualité? La façon la plus simple consiste à demander au conseiller de vous fournir une déclaration écrite datée et signée détaillant clairement son mode de rémunération.

Quels pourcentages des frais payés par vos clients portent respectivement sur la gestion permanente de portefeuilles et les services tarifés à l'heure?

La réponse à cette question vous aidera à établir s'il y a un risque que le conseiller essaie de vous convaincre de l'engager pour gérer votre argent (moyennant un pourcentage des actifs gérés). Si vous désirez obtenir des recommandations de planification financière objectives et précises, il est en général plus sage d'opter pour un conseiller rémunéré exclusivement à l'heure.

Vous avez accès aux services des meilleurs gestionnaires de portefeuille par le biais des fonds communs de placement. Si vous possédez des actifs considérables, vous pouvez envisager d'embaucher un gestionnaire de portefeuille bien établi (voir le chapitre 9).

Quel est votre tarif horaire ?

Les tarifs varient grandement d'un conseiller financier à un autre (comme c'est le cas avec les conseillers juridiques et fiscaux). On peut trouver des professionnels qui facturent aussi peu que 50 ou 60 $ l'heure, tandis que d'autres travailleront à des taux horaire pouvant aller jusqu'à plusieurs centaines de dollars. Si vous magasinez, vous pourrez trouver d'excellents planificateurs qui offrent leurs services pour 125 à 225 $ l'heure.

Les bons planificateurs passent une partie considérable de leur temps à faire des recherches, à préparer des dossiers et à gérer leur entreprise, alors il ne faut pas croire que ces professionnels s'enrichissent à vos dépens en vous facturant des tarifs horaire de 125 à 225 $. Cela dit, vous ne devriez pas payer plusieurs centaines de dollars de l'heure, sauf si vous êtes riche et que vous préférez embaucher un conseiller qui travaille uniquement avec des personnes comme vous. Il faut aussi savoir qu'un certain nombre de planificateurs qui gèrent des portefeuilles ou qui vendent des produits financiers facturent des taux horaire très élevés parce qu'ils ne désirent pas vraiment être rémunérés à l'heure pour leur travail.

Quelle formation et quelles expériences de travail vous qualifient comme planificateur financier ?

En ce qui concerne la formation, au Québec, les seuls professionnels autorisés à porter le titre de planificateur financier doivent être diplômés de l'Institut québécois de planification financière (IQPF) et posséder un permis d'exercice émis par l'Autorité des marchés financiers (AMF) ou être autorisé à porter le titre par un ordre professionnel ayant conclu une entente avec l'AMF. Pour obtenir son diplôme de l'IQPF, le futur planificateur, après avoir suivi une formation universitaire dans une discipline connexe à la finance (administration, comptabilité, etc.) comprenant un cheminement en planification financière, doit réussir le cours de formation professionnelle et l'examen de l'IQPF.

Pour ce qui est de l'expérience, certaines personnes croient que l'on devrait choisir un planificateur qui possède au moins cinq ou même dix années d'expérience. On peut cependant se demander comment les planificateurs feraient pour acquérir ces cinq premières années d'expérience si personne ne les embauchait avant qu'ils aient atteint ce seuil ! L'expérience compte, mais d'autres critères méritent aussi d'être considérés. Ainsi, un bon planificateur doit savoir y faire avec les chiffres, s'exprimer clairement et posséder de bonnes aptitudes interpersonnelles.

Avez-vous déjà vendu des sociétés en commandite ? Des options ? Des contrats à terme ? Des matières premières ?

Les bonnes réponses sont à ces questions sont : non, non, non et non. Si vous ne connaissez pas les dangers de ces produits financiers, reportez-vous aux chapitres 7, 8 et 9. Dans une certaine mesure, il faut aussi vous méfier des conseillers financiers qui ont déjà vendu ces produits et qui prétendent avoir désormais abandonné cette pratique.

Il est possible qu'un professionnel qui a commis des erreurs de jugement dans le passé ne répète plus les mêmes fautes, mais il serait dommage qu'il en fasse de nouvelles à vos frais. L'expérience nous a appris que les conseillers qui ont corrigé cet aspect de leur pratique sont peu susceptibles de travailler à l'heure. La plupart d'entre eux travaillent à la commission ou souhaitent gérer votre argent moyennant des frais de gestion substantiels.

Pouvez-vous me fournir des références de clients ayant eu des besoins similaires aux miens ?

Prenez le temps de parler à d'autres personnes qui ont utilisé les services du planificateur. Demandez-leur ce que le planificateur a fait pour elles et informez-vous de ses forces et de ses faiblesses. Vous pourrez ainsi en apprendre un peu plus sur ses antécédents et sur son style de travail. Le fait de mieux connaître votre planificateur contribuera à améliorer la productivité de votre relation de travail avec lui si vous l'embauchez.

Certains conseillers financiers offrent une « consultation » gratuite d'introduction. Si un conseiller vous propose une rencontre gratuite et que cela vous convient, d'accord. Mais soyez prudent : la plupart de ces consultations tournent en argumentaire de vente de certains produits ou services qu'offre le conseiller.

Le fait qu'un planificateur n'offre pas de consultation gratuite peut être un bon signe. Les conseillers qui sont occupés et qui travaillent strictement à l'heure ne peuvent pas se permettre de perdre une heure de leur temps pour une consultation gratuite en personne. Ils doivent aussi se méfier des gens qui cherchent à obtenir des conseils gratuits. Ces conseillers sont généralement disposés à passer quelques minutes au téléphone à répondre à des questions de fond. Ils devraient également être en mesure d'envoyer des documents d'information par courrier ainsi que des références.

Me fournirez-vous des recommandations précises de stratégies et de produits que je pourrai appliquer moi-même si je le souhaite ?

Il s'agit d'une question importante. Il se peut qu'un conseiller qui accepte de travailler à l'heure ne vous donne que des conseils relativement généraux, sans précisions suffisantes. Certains planificateurs essaient de jouer sur deux plans : ils vous facturent d'abord un tarif horaire pour ne pas vous donner l'impression que vous travaillez avec un vendeur, puis ils tentent de vous vendre des produits à la commission. Méfiez-vous également des conseillers qui vous disent que vous pourrez appliquer leurs recommandations par vous-même si vous le désirez et qui vous recommandent ensuite des produits financiers sur lesquels ils touchent une commission.

Qu'en est-il de l'application des recommandations ?

Idéalement, vous devriez trouver un conseiller qui vous permette de choisir d'appliquer avec ou sans son aide les recommandations qu'il vous fournira. Si vous savez que vous y arriverez par vous-même et que vous n'aurez pas besoin de conseils supplémentaires, alors ne l'embauchez pas pour vous assister dans la mise en œuvre de ses recommandations.

Si toutefois vous faites appel aux services d'un planificateur financier (en partie) parce que le temps, le désir ou les aptitudes vous manquent pour gérer votre vie financière, il serait logique d'utiliser ses services dans l'application des stratégies proposées.

Chapitre 19

La gestion financière assistée par ordinateur

● ●

Dans ce chapitre :

▶ Évaluer les différents types de logiciels et les sites Web

▶ Effectuer des tâches financières à l'aide de votre ordinateur

● ●

De nos jours, la majorité des gens disposent d'un ordinateur et d'une connexion Internet. Alors, si ce n'est déjà fait, devriez-vous suivre le courant et commencer à gérer votre vie – y compris vos finances personnelles – dans le cyberespace ?

La réponse courte est celle-ci : pas nécessairement. Beaucoup de gens qui ne possèdent pas d'ordinateur ou qui l'utilisent à l'occasion seulement arrivent à gérer efficacement leurs finances.

Bien que l'ordinateur puisse vous aider dans la gestion de vos finances personnelles, il n'est qu'un outil parmi d'autres. Cet outil est surtout utile pour l'exécution rapide de tâches séquentielles (comme le traitement des factures et les opérations de calcul) et de recherches.

Évaluer les logiciels et les sites Web

Vous pouvez accéder à deux sources principales d'information sur les finances personnelles en utilisant votre ordinateur : les logiciels et l'Internet, bien que la distinction soit parfois un peu floue entre ces deux catégories. Si vous êtes familier avec les ordinateurs, vous pouvez sauter les deux prochains paragraphes. Mais dans le cas où vous ne seriez pas à l'aise avec le jargon informatique, voici quelle est la différence entre un logiciel et l'Internet :

✔ **Un logiciel** est un programme informatique. Vous pouvez vous le procurer dans un magasin sous forme de CD-ROM ou l'acheter (ou l'obtenir gratuitement, dans certains cas) en le téléchargeant d'une source Internet jusqu'à votre ordinateur. Si vous avez déjà effectué du traitement de texte avec Word ou WordPerfect, ou employé un tableur comme Excel, vous avez utilisé un logiciel. La plupart des logiciels financiers de grande diffusion se vendent autour de 100 $.

✔ **L'Internet,** parfois appelé le «cyberespace», est un vaste océan d'informations auquel vous pouvez accéder à l'aide d'un ordinateur et d'une connexion Internet (que vous obtenez en vous abonnant à un fournisseur d'accès Internet). Afin d'être en mesure de «naviguer» sur l'Internet, certains programmes (logiciels) de base doivent d'abord être installés dans votre ordinateur : un système d'exploitation, tel que Windows, ainsi qu'un navigateur Internet, tel que Windows Explorer.

Notez que l'expression «en ligne» signifie tantôt «connecté» (à l'Internet), tantôt «par l'intermédiaire du réseau Internet».

Les avantages des logiciels financiers

Alors que le nombre de logiciels financiers disponibles continue de croître, la qualité n'est pas toujours là. Les meilleurs logiciels peuvent :

✔ vous guider dans une organisation et une gestion plus efficace de vos finances personnelles.

✔ vous aider à effectuer plus rapidement et plus facilement des tâches courantes ou des opérations de calculs complexes et vous fournir des conseils de base en territoire inconnu.

✔ vous procurer un sentiment de maîtrise sur votre vie.

En revanche, les logiciels mal conçus ou de piètre qualité sont susceptibles de vous faire sentir stupide ou, à tout le moins, de vous donner envie de vous arracher les cheveux. Ces programmes se retrouvent d'ailleurs habituellement assez vite au cimetière des logiciels.

Ayant passé en revue un grand nombre de logiciels financiers disponibles sur le marché, nous pouvons vous assurer que si vous avez de la difficulté avec certains programmes (et parfois même avec des logiciels parmi les plus utiles), il est fort probable que le problème ne vient pas de vous. De trop nombreux logiciels supposent que vous êtes déjà familier avec des concepts tels que le taux d'imposition, les hypothèques, les actions et les fonds communs de placement. Une grande partie des produits offerts sont trop techniques et pas suffisamment conviviaux. Certains comportent même des erreurs sur le plan des données financières.

Un bon logiciel, comme un bon conseiller financier ou fiscal, devrait vous aider à mieux gérer vos finances. Il devrait vous expliquer de manière simple et concise la terminologie financière et vous aider à prendre des décisions en vous offrant des choix et des conseils, vous permettant ainsi de comparer différentes possibilités avant d'opter pour une orientation particulière.

De plus en plus, les logiciels financiers sont conçus pour effectuer des tâches multiples dans plusieurs domaines des finances personnelles. Mais rappelez-vous qu'aucun logiciel ne couvre toute la gamme des questions qui touchent votre vie financière. Plus loin dans ce chapitre, nous vous recommandons quelques-uns de nos logiciels financiers préférés.

Utiliser l'Internet avec prudence

Comme pour les informations que vous obtenez sur papier, vous devez différencier le bon du mauvais quand vous cherchez de l'aide ou des informations financières en ligne. Si vous naviguez sur l'Internet à l'aveuglette en croyant naïvement que tous les renseignements que vous y trouvez sont valables ou objectifs, vous risquez un réveil brutal.

La plupart des sites Internet portant sur la finance personnelle sont gratuits, ce qui signifie que ces sites sont essentiellement des plateformes publicitaires. À tout le moins, ils sont le plus souvent soumis à l'influence des annonceurs et la publicité y est omniprésente. Si vous cherchez des informations écrites par des experts ou des auteurs impartiaux, vous en trouverez sur le Web (ou la «toile»). Toutefois, vous y verrez davantage de textes intéressés ou mal informés.

Examiner les sources

Un rapport publié sur l'Internet par une société bancaire d'investissement de premier plan propose une liste de sites financiers «cool». Dans la liste se trouve le site Web d'une grande banque. Quand on a quitté l'école secondaire depuis longtemps, on ne sait plus trop ce que «cool» signifie. Si le terme peut être utilisé pour qualifier un site Internet bien organisé et graphiquement agréable, alors on peut dire que le site de la banque en question est cool.

En revanche, si l'on cherche des informations et des conseils fiables, alors le site de la banque n'est décidément pas «cool». Les renseignements qu'on y trouve sont structurés de manière à orienter les choix financiers de l'internaute (l'utilisateur d'Internet!) dans une direction avantageuse pour la banque, non pas pour l'internaute. Par exemple, dans la section immobilière, on invite l'utilisateur à inscrire dans les espaces prévus son revenu mensuel brut et le versement initial désiré. L'information est ensuite traitée et l'utilisateur obtient en un clic le montant qu'il peut supposément «se permettre» de dépenser pour l'achat d'une maison. Or, le calcul ne tient pas compte des autres responsabilités et objectifs financiers de la personne, comme l'épargne retraite, qui influent sur sa capacité de dépenser une somme d'argent particulière sur une maison.

Dans la section du site réservée aux prêts, on donne ce conseil : «Il se peut que vous n'ayez pas à attendre pour avoir ce que vous désirez. Si vous ne disposez pas des liquidités pour effectuer des achats importants, nous pouvons vous aider à emprunter ce dont vous avez besoin. Qu'il s'agisse d'une nouvelle voiture, des vacances dont vous avez toujours eu envie ou de nouveaux appareils ménagers, vous pouvez réaliser vos rêves dès maintenant.» Vous n'avez qu'à cliquer sur un bouton au bas de l'écran et vous voilà parti sur la voie de l'endettement à la consommation. Pourquoi s'embêter à différer ses envies, à vivre selon ses moyens ou à acheter dans l'usagé quand on peut si facilement obtenir un prêt et que celui-ci est en plus assorti de «privilèges spéciaux»?

Repérer les contenus commandités

Le contenu commandité, un euphémisme pour «publicité sous couvert de contenu éditorial», est un autre problème à surveiller dans les sites Web. En cherchant un peu, vous trouverez une note ou avis de non responsabilité quelque part sur la page Web, en petits caractères, qui mentionne que l'article est «commandité par...», ce qui revient à dire qu'il s'agit d'une publicité payée par telle ou telle autre entreprise ou organisation.

Par exemple, dans son site Internet, une société de fonds commun de placement déclare que son objectif premier est de «fournir aux visiteurs un guide indépendant offrant des informations et des articles qu'ils ne peuvent obtenir nulle part ailleurs.» Mais le contenu du site laisse penser le contraire. En effet, dans la section «Le coin des experts», un texte reproduit un passage tiré d'une lettre financière qui préconise les opérations fréquentes de vente et d'achat afin de profiter des mouvements des marchés. Or, les petits caractères nous apprennent que l'article est «commandité par» l'expert en vedette. En d'autres termes, le texte est une publicité payée. Il n'est pas surprenant que le site passe sous silence les résultats médiocres des recommandations antérieures de la lettre financière.

Éviter les conseils financiers intéressés

Nous vous suggérons aussi de passer outre aux conseils de planification financière offerts par la plupart des sociétés financières qui ont des produits financiers à vendre. Plus souvent qu'autrement, ces sociétés sont incapables d'adopter la perspective objective et holistique requise pour donner des conseils pleinement profitables.

Par exemple, sur le site Web d'une grande société de fonds communs de placement, vous trouverez beaucoup d'informations sur les fonds communs de placement de la société. Le conseil de planification financière du site est, malheureusement, loin d'être idéal. Il invite le lecteur à penser qu'investir, c'est mettre de l'argent dans des instruments financiers, avant de poursuivre avec – vous l'aurez deviné – les avantages des fonds communs de placement. On ne fait aucune mention du fait que le paiement des dettes à la consommation à taux d'intérêt élevé offre habituellement le meilleur rendement et que l'investissement dans l'immobilier et dans les petites entreprises est également à considérer. Mais si faites cela, vous aurez moins d'argent à investir dans des fonds communs de placement, ce que cette section du site vous incite à faire.

Ne pas penser à court terme

De nombreuses compagnies fournissent des cotes boursières en temps réel insérées dans des sites Web encombrés de publicités. Nous sommes d'avis que plus l'investisseur individuel pense à court terme, moins il réussit. Et nul doute que la surveillance des cotes boursières au quotidien favorise la vision à court terme.

Soyez particulièrement méfiant des conseils proposés sur les babillards électroniques. Comme dans le monde réel, il n'y a rien de mal à bavarder et à échanger des idées avec des étrangers. Toutefois, si vous ne connaissez pas l'identité et les compétences de l'auteur d'un message ou d'un participant à un forum ou à une discussion en ligne, pourquoi suivriez-vous ses conseils financiers ou ses «tuyaux» boursiers? Il est toujours possible de recueillir des idées provenant de diverses sources, mais ne manquez pas de vous renseigner et de faire vos devoirs avant de prendre des décisions financières personnelles.

Si vous souhaitez mieux gérer vos finances personnelles et en apprendre plus, n'oubliez pas que le vieil adage «la qualité se paie» contient au moins une once de vérité. Les informations gratuites sur l'Internet, en particulier les informations fournies par les entreprises du secteur des services financiers, sont souvent intéressées. Vous devriez vous en tenir aux fournisseurs d'information qui ont fait leurs preuves hors ligne ou qui n'ont rien d'autre à vendre que des informations objectives et des conseils.

Accomplir des tâches financières avec votre ordinateur

Dans le reste de ce chapitre, nous énumérons les principales tâches financières personnelles qu'il vous est possible d'accomplir à l'aide de votre ordinateur. Nous discutons de l'utilisation de l'Internet pour vos opérations bancaires, ainsi que des services de gestion et de paiement de factures en ligne. Nous offrons également nos recommandations de logiciels et de sites Web qui pourront vous aider à exécuter vos tâches financières.

Les opérations bancaires en ligne

Les services bancaires en ligne vous permettent d'effectuer différentes opérations dans vos comptes à partir de n'importe quel ordinateur connecté à Internet. Pour accéder au service, il vous faut d'abord vous inscrire auprès de votre institution financière. Vous pourrez dès après accéder à votre compte 24 heures par jour, 7 jours par semaine pour y consulter votre solde et la liste de vos transactions, y effectuer des virements ou payer vos factures.

Vous pouvez éviter d'avoir à faire des chèques papier, écrits ou imprimés, en payant vos factures en ligne. Vous économiserez ainsi sur les timbres et les enveloppes, et le coût du service en ligne est souvent comparable à ce que vous dépensez pour ces fournitures. Afin de ne pas payer à la pièce, vous devriez vous assurer que votre forfait de compte bancaire couvre le nombre de transactions que vous ferez mensuellement.

La façon la plus simple de payer vos factures est de faire en sorte que vos paiements mensuels soient automatiquement prélevés de votre compte chèques. Vous accédez à votre compte sur l'Internet et configurez vous-même les paramètres : nom de l'entreprise, numéro de compte client, fréquence et montant des paiements, etc. Le service de paiement en ligne fonctionne avec la plupart des entreprises qui vous envoient régulièrement une facture (comme les fournisseurs de services téléphoniques, de câblodistribution, d'Internet, d'électricité), ainsi qu'avec d'autres entreprises ou organismes, tels que la SAAQ et le CAA, et même avec certains grands magasins.

Les services de réception et de paiement des factures en ligne

Il vous est possible d'utiliser les services d'une société par l'intermédiaire de laquelle vous recevrez et vous paierez vos factures en ligne. À notre avis, postel, un service offert par Postes Canada, constitue le meilleur choix – et son utilisation est gratuite pour les consommateurs. Convivial et bien organisé, le site de postel vous permet de recevoir, consulter, gérer, archiver et payer vos factures en un même endroit sécurisé, en plus de vous offrir plusieurs autres fonctionnalités intéressantes. Vous pouvez entre autres accéder à votre boîte aux lettres postel à partir de votre compte bancaire en ligne (si vous détenez un compte dans une institution participante) et recevoir des avis de réception dans votre boîte de courrier électronique (Hotmail, Gmail, etc.). Pour en apprendre davantage sur le service ou pour créer votre propre boîte postale avec postel, visitez le site à l'adresse : www.postel.ca.

Les outils de planification retraite

Les bons logiciels et autres outils en ligne de planification retraite peuvent vous aider à planifier votre retraite en faisant les calculs pour vous. Ils peuvent également vous apprendre comment certains changements – comme le rendement de vos placements, le taux d'inflation, ou votre taux d'épargne – sont susceptibles d'influer sur le moment et les conditions de votre retraite. Ces logiciels et sites Web vous permettent notamment de sauver du temps en accélérant les opérations de calculs que vous effectuez selon les différents cas de figure envisagés.

Certaines des grandes institutions dont nous discutons dans la troisième partie de ce livre fournissent des outils de planification retraite de grande qualité à faible coût. En voici quelques-unes à considérer :

✔ Le site Desjardins Sécurité Financière (`www.dsf-dfs.com`) peut vous aider à préparer votre retraite, planifier un voyage ou financer les études de vos enfants.

✔ Le site de la Banque Nationale (`www.bnc.ca`) offre différents outils pour vous aider à voir plus clair dans la préparation de votre retraite et de vos projets financiers.

✔ Le site de la Banque Scotia (`www.scotiabank.com`) propose plusieurs outils qui peuvent vous aider à déterminer où vous en êtes dans vos objectifs de retraite. Ces outils facilitent entre autres le calcul de votre épargne en fonction de la retraite, la saisie d'informations sur les placements et les régimes de retraite privés non enregistrés et la mise à l'essai de différents scénarios de simulation.

✔ Le site de la Banque de Montréal, BMO Ligne d'action (`www.bmolignedaction.com`), offre plusieurs outils utiles et complets grâce auxquels vous pouvez notamment créer un portrait de votre situation actuelle ainsi que de votre profil d'investisseur, effectuer des projections annuelles, affecter des placements, analyser vos résultats, et corriger et mettre à jour votre plan d'après les éventuels changements à votre situation.

✔ Le site de Credential Direct (`www.credentialdirect.com` – certains produits et services ne sont offerts qu'en anglais, mais le service à la clientèle est bilingue : 1-877-742-2900) propose des outils financiers bien conçus, dont le Life Events Financial Planner, qui peut par exemple vous assister dans l'évaluation de votre situation financière, l'établissement de vos objectifs personnels et la planification retraite et successorale.

Préparer votre déclaration de revenus

Lorsqu'utilisé correctement, un bon logiciel de préparation de déclaration de revenus peut vous faire économiser temps et argent. Quelques-uns des meilleurs programmes utilisent la méthode de l'entrevue (ils vous « questionnent ») pour recueillir les informations nécessaires et choisir les formulaires appropriés en fonction de vos réponses. Bien sûr, c'est toujours à vous qu'il revient de réunir tous les renseignements qu'il vous faut pour remplir votre déclaration. Le contribuable plus expérimenté peut contourner l'entrevue et passer directement aux formulaires qu'il sait devoir remplir. Ces programmes vous aident également à identifier des déductions moins courantes ainsi que d'autres stratégies de réductions fiscales.

ImpôtRapide, ImpôtExpert et TaxTron sont parmi les meilleurs logiciels de préparation de déclaration de revenus que nous avons passés en revue. ImpôtRapide (`www.impotrapide.ca`) et ImpôtExpert (`www.impotexpert.ca`) fonctionnent sur plateforme Windows seulement, mais la version Internet de ces logiciels est utilisable à partir des plateformes Windows et Mac. Pour ce qui est de Taxtron (`www.taxtron.ca`), on peut l'installer sur Windows aussi bien que sur Mac.

Si vous recherchez avant tout des guides ou des trousses de déclaration de revenus, vous pouvez les obtenir sans frais en communiquant avec l'Agence de revenu du Canada (**1-800-959-7383,** `www.cra-arc.gc.ca`) ou Revenu Québec (1-800-567-4692, `www.revenu.gouv.qc.ca`).

Le suivi des rendements de vos investissements n'en vaut souvent pas la peine

Le suivi précis des rendements de vos investissements peut se révéler extrêmement complexe, fastidieux et long à effectuer – exactement le type de tâches pour lesquelles les ordinateurs ont été conçus. On pourrait penser qu'il existe aujourd'hui d'excellents logiciels de suivi des investissements, mais malheureusement les produits disponibles sont trop souvent… compliqués, ennuyeux et prenants. Certains programmes ne sont pas plus efficaces que la méthode du papier, crayon et calculatrice.

Le principal problème avec les logiciels de suivi des investissements est que la plupart d'entre eux ne vous permettent pas de déterminer le rendement total de votre investissement, et les programmes qui vous permettent de le faire exigent d'y passer beaucoup de temps. Votre taux de rendement effectif, qui compare les montants initialement investis à leur valeur marchande actuelle, est la meilleure façon de mesurer le succès de vos placements au fil du temps.

La plupart des autres logiciels calculent votre coût de revient, qui correspond au montant de votre placement initial, plus les dividendes réinvestis et les gains en capital, pour lesquels vous avez déjà payé des impôts dans un compte d'investissement ordinaire (par opposition aux placements dans un REER ou un autre régime à l'abri de l'impôt). Lorsque vous vendez un placement détenu en dehors d'un régime fiscalement avantageux, vous avez besoin de connaître le prix de revient à des fins fiscales (voir le chapitre 6). L'évaluation des actifs au prix de revient donne l'impression de rendements moins généreux parce que les distributions réinvesties sont ajoutées à votre placement initial. Il n'est pas rare que des investisseurs consultent les évaluations des actifs au prix de revient – parfois abusivement appelés « rendements des investissements » ou « analyse des investissements » – et supposent que ceux-ci leur indiquent les rendements totaux des placements. Comme la plupart des entreprises d'investissement vous fournissent une évaluation des prix de revient sur demande ou lorsque vous vendez un investissement, l'utilisation de logiciels pour le calcul du prix de revient n'en vaut généralement pas la peine.

Pour analyser l'historique de vos rendements, vous devez rassembler tous vos états de compte (si vous parvenez à les trouver) et inscrire le montant de chacun des placements que vous avez effectués, de même que tous les dividendes réinvestis, les intérêts et les distributions de gains en capital.

Pour les investisseurs qui achètent et conservent longtemps des parts dans les fonds communs de placement, les logiciels de suivi des investissements offrent peu d'avantages compte tenu du temps requis pour la saisie des données. Les fonds communs et de nombreuses autres ressources publiées vous indiquant le rendement total du fonds pour la dernière année, vous n'avez donc pas à calculer les dividendes et les gains en capital vous-même.

En ce qui concerne le calcul du rendement total de votre portefeuille par la vieille méthode du papier-crayon, il suffit de comparer le rendement de chaque placement selon la portion de votre portefeuille qu'il représente. Par exemple, dans le cas d'un portefeuille simple partagé également entre deux placements ayant respectivement rapporté des rendements de 10 % et 0 %, le rendement total de votre portefeuille serait de 5 %.

Les logiciels de suivi des investissements peuvent être plus utiles aux investisseurs actifs. L'expérience nous a appris qu'habituellement, ceux-ci ne calculent pas leur rendement total. S'ils utilisaient un de ces programmes, ils pourraient au moins voir comment le nombre de leurs transactions abaisse leurs rendements.

La recherche de placements

Au lieu de vous rendre à la bibliothèque afin d'essayer de mettre la main sur le manuel de référence sur les placements le plus populaire, de dépenser des centaines de dollars pour l'achat de publications ou de vous buter aux systèmes de messagerie vocale quand vous appelez les agences gouvernementales, vous pouvez accéder à une variété de sources à l'aide de votre ordinateur. Souvent aussi, vous pouvez ne payer que pour ce dont vous avez besoin :

✔ **Sedar.com** : ce site offre un accès gratuit aux divers documents déposés par les sociétés ouvertes canadiennes et les fonds mutuels auprès des Autorités canadiennes en valeurs mobilières (ACVM). Vous y trouverez de nombreux renseignements, des rapports annuels aux états financiers, en passant par les nouveaux communiqués et les prospectus. Le site est également rempli de matériel gratuit et non promotionnel sur les fonds communs de placement. Vous pouvez obtenir des informations sur les rendements de la plupart des fonds, ainsi que des états financiers et des rapports annuels offrant une ventilation des titres particuliers détenus par chaque fonds. SEDAR constitue de plus un bon point de départ si vous avez déjà des titres spécifiques en tête et que vous souhaitez en savoir plus sur les affaires et les finances de ces sociétés.

✔ **FreeEdgar.com** : ce site est l'équivalent de Sedar aux États-Unis.

✔ **Lapresseaffaires.com** est le site financier du quotidien La Presse. Vous y trouvez tous les articles financiers publiés par le journal, de même que certains textes qui ne se paraissent pas dans la version papier du journal. Le site est mis à jour en temps réel et contient des sections spéciales pour la Bourse et les finances personnelles. Des blogues, des chroniques, des clips vidéo, les cotes boursières et plus encore se trouvent sur le site.

✔ **Morningstar.ca** : ce site se spécialise dans les fonds communs de placement et les actions. Il propose également des informations sur les finances personnelles, des rapports d'analyse, des calculatrices et de nombreux articles.

Les transactions en ligne

Si vous faites vos devoirs d'investissement, la transaction de vos titres en ligne pourrait vous faire économiser de l'argent et peut-être aussi du temps. En éliminant les frais généraux des succursales et en traitant les transactions par ordinateur, les courtiers en ligne sont en mesure de maintenir leurs dépenses et leurs frais de courtage à un minimum. Toutefois, certains de ces courtiers offrent une gamme limitée de produits et de services. Il faut également noter que l'attente est parfois plus longue lorsque l'on essaie de joindre par téléphone un représentant du service à la clientèle chez certains courtiers en ligne.

Bien que les opérations boursières sur Internet vous permettent d'économiser sur les frais de transaction, cette façon de faire peut également vous encourager à effectuer plus de transactions que vous ne le devriez, ce qui risque d'entraîner alors des frais de transactions totaux plus élevés, une baisse des rendements de vos placements et une augmentation de vos factures d'impôt sur le revenu. En outre, le suivi de vos placements sur une base quotidienne vous incite à penser à court terme. N'oubliez pas que les meilleurs placements sont ceux que vous détenez à longue échéance (voir la troisième partie pour plus d'informations).

Les commissions constituent un élément clé de l'évaluation des courtiers en ligne. La réduction des coûts est votre compensation pour l'aide et les conseils personnalisés que vous n'obtenez pas. Mais cela ne signifie pas pour autant que vous deviez accepter un mauvais service et des sites Web de qualité inférieure. Les meilleurs courtiers en ligne proposent à leurs clients des rapports de qualité sur les actions et les fonds communs de placement. Le site Web lui-même devrait être convivial, simple et suffisamment souple pour que vous puissiez aisément effectuer vos transactions. Les meilleurs courtiers en ligne offrent également un large éventail d'obligations gouvernementales et d'entreprises à des prix concurrentiels.

Voici quelques-uns des meilleurs courtiers en ligne disponibles :

- ✔ BMO Ligne d'action (www.bmolignedaction.com, 1-888-776-6886)
- ✔ iTrade (www.scotiaitrade.com, 1-888-872-3388)
- ✔ Courtage en ligne Disnat (www.disnat.com, 1-866-873-7103)
- ✔ Courtage direct Banque Nationale (http://w3.cdbn.ca/, 1-800-363-3511)
- ✔ RBC Placements en direct (www.rbcplacementsendirect.com, 1-800-769-2560)
- ✔ Pro-Investisseurs (www.investorsedge.cibc.com, 1-800-567-3343)
- ✔ TD Waterhouse (www.tdwaterhouse.ca, 1-800-667-6299)

La lecture et la recherche de périodiques

De nombreuses publications d'affaires et de finances se tournent vers l'Internet pour offrir aux investisseurs des nouvelles et des données sur les marchés financiers. *La Presse* offre gratuitement tous ses articles à l'adresse www.lapresseaffaires.com. Le *Globe and Mail* offre gratuitement la plupart de ses articles récents (en anglais) à l'adresse www.globeandmail.com. Si vous êtes abonnés à son service *Insider Edition*, vous pouvez vous créer une édition personnalisée du journal, obtenir des alertes par courriel pour des articles qui vous intéressent et accéder à d'autres archives du journal et à des fonctionnalités de qualité supérieure, ainsi qu'à des articles du *Wall Street Journal*.

Pour suivre les actualités des entreprises américaines, le *Wall Street Journal* vous permet de personnaliser une édition en ligne du journal en fonction de vos besoins, pour un peu plus de 100 $ par année.

Les principales publications d'affaires, telles que *Report on Business* (www.theglobeandmail.com/robmagazine), *La Presse Affaires Magazine* (www.lapresseaffaires.com), *Forbes* (www.forbes.com) et *BusinessWeek* (www.businessweek.com) mettent les contenus de leurs magazines sur Internet, et certaines vous permettent d'effectuer des recherches d'articles sur des sujets précis qui vous intéressent. Assurez-vous cependant de ne pas prendre au pied de la lettre toutes les informations que vous lisez et que vous entendez dans les médias de masse (voir le chapitre 20). Une grande partie des contenus s'articule autour des angoisses des gens et s'attarde sur les crises et les tendances les plus récentes.

L'achat d'assurance vie

Si vous avez des proches qui dépendent financièrement de vous, vous savez probablement qu'il vous faut une assurance vie. Mais si vous ajoutez la crainte des vendeurs d'assurance vie à la peur de la mort, vous obtenez une recette parfaite pour la temporisation. Bien que votre ordinateur ne puisse pas conjurer la Faucheuse, il peut vous aider à dénicher une police d'assurance de qualité à faible coût grâce à laquelle vous pourriez économiser jusqu'à 80 % par rapport aux options les plus coûteuses, et ce, sans avoir à subir de tactiques de vente sous pression.

La meilleure façon de magasiner une assurance vie temporaire en ligne est de passer par l'un des services de devis dont nous discutons au chapitre 16. Sur chacun de ces sites, vous inscrivez votre date de naissance, vous indiquez si vous êtes fumeur ou non ainsi que le montant de la couverture recherchée et la durée de la prime initiale. Une fois cette étape complétée, vous verrez s'afficher sur une nouvelle page une liste de devis d'assurance à faible coût (les prix supposent une bonne santé) offerts par des compagnies d'assurance très bien cotées (en termes de stabilité financière).

Les devis sont invariablement classés en fonction de leur prix. Bien que le coût soit sans contredit un facteur crucial, plusieurs de ces services omettent d'offrir des explications complètes en ce qui a trait aux autres facteurs importants à considérer lorsque vous comparez les prix. Par exemple, les taux prévus et maximums qui s'appliquent après la période initiale ne sont pas toujours commentés. Alors assurez-vous de vous informer de ces autres taux avant de souscrire une police en particulier.

Enfin, si vous décidez d'acheter une police d'assurance vie auprès d'une agence en ligne, vous pourrez le faire en remplissant un formulaire de demande sur Internet. L'agence vous fera ensuite parvenir une description détaillée de la police et de l'assureur ainsi que votre formulaire de demande dûment rempli. Il est probable que vous receviez ensuite la visite d'un expert médical qui passera chez vous pour vérifier votre état de santé. Qui sait, un jour peut-être un génie de l'informatique mettra au point un moyen de fournir des échantillons de sang et d'urine en ligne !

Chapitre 20

Sur les ondes et sur papier

- -

Dans ce chapitre :

▶ Reconnaître l'impact des médias de masse sur les investisseurs

▶ Savoir ce que valent les émissions radio et télé sur l'investissement

▶ Surfer prudemment sur les sites Web consacrés à l'investissement

▶ Évaluer les journaux et les magazines

▶ Trouver les meilleurs livres sur l'investissement

- -

*V*ous ne manquerez pas d'occasions de trouver des nouvelles à la radio et à la télé, des sites Web, des journaux, des magazines et des livres où l'on parle d'argent et où l'on dit vouloir vous aider à devenir riche. Laisser tomber les sources peu fiables et se concentrer sur celles qui sont dignes d'intérêt constitue un défi en soi.

Comme vous n'êtes sans doute pas un expert financier, plus souvent qu'autrement, vous aurez du mal à savoir qui écouter et qui croire. Le présent chapitre a pour but de vous aider à résoudre ce problème.

L'impact des médias de masse

Pour le meilleur et pour le pire, les médias de masse ont une profonde influence sur notre culture. Sur le plan positif, on peut dire que grâce à ceux-ci, les nouvelles sont largement diffusées de nos jours. Ainsi, si un produit est rappelé ou qu'un dangereux virus apparaît dans votre région, vous en entendrez probablement parler – peut-être même plus que vous ne le souhaiteriez – par l'entremise des médias.

Cependant, les pratiques des médias de masse comportent de nombreux inconvénients.

Alarmer ou informer ?

Assis devant la télé à regarder les informations du soir, vous entendez cette nouvelle :

> « *Sur Bay Street aujourd'hui, le cours des actions a baissé d'un peu moins de 1 %, poursuivant ainsi la baisse entamée plus tôt cette semaine. Cela s'explique par le fait qu'il y a eu plus de gens qui voulaient vendre que de gens qui voulaient acheter. Pour l'ensemble de l'année, le marché canadien est toujours en hausse de 15 %, ce qui est largement supérieur au rendement historique moyen annuel de 10 %.* »

Maintenant, comparez avec cette autre nouvelle diffusée le même jour :

> «*Les actions ont plongé aujourd'hui alors que le S&P/TSX perdait plus de 100 points pour clôturer à son plus bas niveau des quatre derniers mois. Les valeurs bancaires ont chuté encore une fois, si bien que le secteur accuse à présent une baisse de plus de 20 % par rapport à son niveau record du printemps dernier. Les actions minières ont également diminué pour un troisième jour consécutif.* »

Le second bulletin de nouvelles, qui entre plus dans le détail, est conçu pour provoquer l'anxiété. La plupart des communiqués boursiers quotidiens que nous présentent les médias sonnent davantage comme le deuxième texte de nouvelles, et rarement comme le premier, plus positif, voire même rassurant. C'est que dans leur quête de cotes d'écoute et de revenus publicitaires, les rédacteurs de nouvelles essayent d'être alarmants. Plus vous regardez ce genre de nouvelles, plus vous vous inquiétez des événements négatifs à court terme. Il faut éviter de vous laisser manipuler ainsi.

Quelles sont les valeurs véhiculées ?

Les médias de masse – et toute la publicité qui les accompagne – nous transmettent essentiellement les messages suivants :

- ✔ Votre valeur est directement liée à votre apparence physique (y compris la qualité des vêtements et des bijoux que vous portez) et aux biens matériels que vous possédez – voitures, maisons, appareils électroniques et autres gadgets.
- ✔ Plus vous gagnez d'argent, plus il est clair que vous avez «réussi».
- ✔ Plus vous êtes célèbre (en particulier dans les domaines du cinéma, de la musique et du sport), plus vous êtes digne d'être écouté et admiré.
- ✔ Vous n'avez pas à vous soucier des conséquences prévisibles de vos actes avant de vous engager dans des comportements négatifs.

✔ La gratification différée et les sacrifices ne sont que pour les perdants et les ringards.

En vous immergeant constamment dans des messages aussi médiocres, vous risquez d'adopter des comportements qui porteront atteinte, à longue échéance, à votre bonheur et à votre réussite financière. Ne contribuez pas au pouvoir des sources médiatiques qui ne reflètent pas vos valeurs et votre morale en les écoutant et en y prêtant attention.

Des tribunes pour les gourous ?

Citer et interviewer des experts est peut-être la seule chose que les médias aiment encore plus faire que rapporter des informations à court terme. Comment se comportera l'économie au cours du prochain trimestre ? Qu'adviendra-t-il des actions de la société XYZ le mois prochain ? Comment le marché boursier fera-t-il dans l'heure qui suit ? Non, nous ne plaisantons pas sur ce dernier point : des chaînes boursières diffusent régulièrement des entrevues avec des investisseurs directement sur le parquet de la Bourse à l'approche de la fin des séances quotidiennes afin d'obtenir leur avis sur ce que fera le marché dans l'heure précédant la fermeture !

Les gourous pronostiqueurs tiennent de nombreuses personnes en alerte parce que leurs conseils, qui sont en constante évolution (et en ce sens, ils divertissent et produisent de l'anxiété), portent les investisseurs à croire que l'on peut prévoir les prochains mouvements des marchés financiers et manœuvrer ses placements en conséquence juste au bon moment. Le bon sens suggère cependant que personne ne dispose d'une boule de cristal et que si quelqu'un en avait une, il est peu probable que cette personne ferait part de ses prédictions aux médias de masse, encore moins gratuitement. (Pour plus d'informations sur les experts qui prétendent prédire l'avenir, référez-vous au chapitre 7.)

Évaluer les émissions de radio et de télévision sur la finance

Au fil des années, les questions d'argent reçoivent une couverture grandissante à la radio et à la télévision. Est-il beaucoup plus compliqué de gérer son argent aujourd'hui que cela ne l'était il y a une génération ? Pas vraiment. Alors que les produits et les services offerts sont plus nombreux de nos jours, les meilleures de ces ressources ont un impact positif sur la vie financière des gens. Par exemple, bien que la variété de fonds communs de placement soit beaucoup plus grande actuellement qu'elle ne l'était il y a quelques décennies, bon nombre des meilleures sociétés de fonds offrent des fonds de fonds (voir le chapitre 9) qui permettent de simplifier le processus de constitution d'un portefeuille.

Certains sujets obtiennent une couverture médiatique plus importante à la radio et à la télévision en raison des revenus publicitaires qu'ils génèrent. Lorsque vous allumez la radio ou la télé, vous n'avez pas à payer de frais pour accéder à une chaîne particulière (à l'exception des chaînes payantes). Si la publicité n'empêche pas nécessairement un média d'offrir des émissions objectives et profitables à l'auditoire, elle n'est certainement pas de nature à favoriser ce genre de contenus.

Imaginez par exemple un reporter financier d'une station de radio ou de télévision qui dirait :

> « Nous avons décidé de cesser de fournir des mises à jour sur les marchés financiers toutes les cinq minutes car nous avons constaté que certains investisseurs devenaient accros au suivi des mouvements à court terme et perdaient leur vue d'ensemble. Nous ne voulons pas encourager les gens à réagir impulsivement à ce type d'événements. »

Les formules courtes et accrocheuses sont un autre problème avec ces deux médias. En effet, les producteurs et les dirigeants des réseaux estiment que si l'on va trop dans le détail, les téléspectateurs et les auditeurs changeront de chaîne.

Cela dit, la radio et la télévision sont loin d'être les seuls médias qui offrent de mauvais conseils et brouillent la perspective des investisseurs : l'Internet est peut être encore pire, et nous avons repéré beaucoup de mauvais livres sur la finance au fil des ans.

Surfer sur l'Internet

Oui, l'Internet est en train de changer le monde, mais certainement pas toujours pour le mieux et pas toujours autant qu'on pourrait le croire. Prenons les achats. Bien sûr, vous pouvez maintenant acheter des choses en ligne que vous n'auriez pas pu acheter ainsi dans le passé. La belle affaire! Quelle est la différence entre acheter quelque chose par commande postale ou en appelant un numéro sans frais (ce qui était courant avant l'arrivée de l'Internet) et le faire en cliquant sur votre souris d'ordinateur? Au fond, acheter en ligne constitue simplement une autre manière de dépenser de l'argent. Mais il est plus facile de dépenser excessivement lorsque l'on passe beaucoup de temps à naviguer sur l'Internet : les publicités de toutes sortes y sont omniprésentes… et les achats se font presque toujours par carte de crédit!

Certains des meilleurs sites Web vous permettent d'accéder à l'information plus efficacement, ce qui est susceptible de vous aider à prendre des décisions d'investissement importantes. Toutefois, cela ne signifie pas que votre ordinateur vous permet de concourir au même niveau qu'un gestionnaire de portefeuille professionnel. Non, le terrain de jeu n'est pas égal pour tous. Les meilleurs pros pratiquent leur art à temps plein et possèdent une expertise et une expérience beaucoup plus vastes que le reste d'entre nous. Certains non professionnels font l'erreur de croire qu'en opérant leurs placements en ligne, ils augmentent leurs chances en tant qu'investisseurs. L'expérience nous a montré que la plupart des gens qui suivent leurs placements en ligne chaque jour ont tendance à réagir davantage aux mouvements à court terme des marchés, en plus d'avoir du mal à garder leur vue d'ensemble et à maintenir le cap sur leurs besoins et objectifs à long terme.

Si vous savez où regarder, vous pouvez accéder plus facilement à certains types d'informations. Cependant, vous trouverez souvent beaucoup de déchets en ligne – comme c'est le cas avec d'autres médias dominés par les annonceurs tels que la télévision et la radio. Au chapitre 19, nous expliquons comment naviguer en ligne en toute sécurité pour trouver le meilleur de ce qui est disponible.

Parcourir les journaux et les magazines

Comparativement à la radio et la télévision, les publications imprimées discutent habituellement plus longuement des sujets. Et dans les revues financières plus spécialisées, les rédacteurs qui préparent les articles possèdent en général des connaissances plus poussées sur leur sujet.

Mais même dans les meilleures publications, la qualité des différents articles n'est pas toujours uniforme. Ainsi, si vous lisez un texte dans une publication que vous respectez, vous devez garder votre sens critique et ne pas croire instantanément ce que vous y apprenez. De nombreuses publications ont connu des réductions budgétaires au cours des deux dernières décennies. Dans certains cas, les auteurs reçoivent à peu près le même salaire qu'il y a vingt ans. Cela en dit long sur l'engagement de ces publications sur le plan de la qualité, sans parler de leur capacité d'embaucher des chroniqueurs chevronnés et bien informés capables de présenter les choses dans la perspective appropriée.

Voici comment faire pour tirer le maximum des périodiques financiers :

    ✔ **Lisez quelques anciens numéros.** Allez à votre bibliothèque locale (ou visitez le site Web de la publication, si disponible) et lisez quelques-uns des numéros publiés au cours des 12 à 24 derniers mois. Alors qu'il peut sembler absurde ou inutile de lire d'anciens numéros, cet exercice est pourtant susceptible de se révéler instructif. En passant en revue un certain nombre de ces numéros, vous obtiendrez une bonne idée du style d'une publication ainsi que de ses priorités et de sa philosophie. Et plus souvent qu'autrement, les anciens numéros sont accessibles gratuitement.

✔ **Recherchez des informations et des perspectives solides.** Les manchettes, les titres et sous-titres en disent long sur la façon dont une publication perçoit son rôle. Celles dont les gros titres proclament : «Dix titres gagnants à acheter maintenant!», par exemple, ou : «Les fonds qui vous permettront de doubler votre valeur au cours des trois prochaines années!» ne sont probablement pas parmi les meilleures à consulter. Recherchez plutôt les articles qui visent à fournir des informations pertinentes et objectives, non pas des prédictions.

✔ **Portez attention à la signature d'un article.** Au fur et à mesure de vos lectures, commencez à prendre des notes sur les auteurs des articles que vous lisez. Vous pourrez ainsi arriver à savoir qui sont les meilleurs auteurs, ce qui vous permettra par la suite de sauver du temps en évitant ceux qui n'en valent pas la peine et en passant directement aux articles rédigés par les journalistes dont vous estimez le travail.

✔ **N'agissez pas impulsivement.** Voici un exemple classique de ce qu'il ne faut pas faire des informations et des conseils glanés dans des publications. Disons que vous ayez un peu d'argent à investir. Vous lisez un article élogieux sur l'investissement dans les fiducies de placement immobilier, et la semaine suivante, vous achetez plusieurs de ces titres. Peu après, vous tombez sur un article où l'on mentionne que certains titres technologiques reprennent de la vigueur, et vous décidez de placer un peu d'argent dans les actions de ces sociétés. Ensuite, vous apercevez quelques gros titres qui disent que la Chine est le nouveau Klondike des investisseurs, alors vous achetez plusieurs fonds communs de placement concentrés sur la Chine.

Suivez cette approche et votre portefeuille deviendra éventuellement un ramassis de placements reflétant davantage l'historique de vos lectures que le résultat d'une stratégie bien orchestrée de placements réfléchis.

Miser sur les livres

Lire un bon livre est une excellente façon d'obtenir un cours accéléré sur un sujet financier donné. Cependant, comme pour les autres types de ressources discutées dans ce chapitre, vous avez tout avantage à choisir soigneusement vos lectures, car il y a beaucoup de livres médiocres dans les rayons des librairies et des bibliothèques (voir l'encadré «Les éditeurs n'exercent-ils pas leur sens critique?»).

Les bons livres peuvent traiter d'un sujet en long et en large, ce qu'il est difficile de faire avec d'autres sources d'information. En outre, les livres ne sont pas encombrés de publicités et des conflits d'intérêts qui viennent avec.

Voici une liste de livres susceptibles de vous apporter des informations et des perspectives judicieuses sur la finance :

- *Un barbier riche : le bon sens appliqué à la planification financière*, David Chilton, Éditions du Trécarré.

- *L'Investisseur intelligent*, Benjamin Graham, Valor Éditions.

- *Et si vous en saviez assez pour gagner en Bourse*, Peter Lynch, Valor Éditions.

- *Warren Buffett : 24 leçons pour gagner en Bourse*, J. Pardoe, Éditions Maxima.

- *Votre retraite crie au secours*, Hélène Gagné, Éditions Transcontinental.

- *Finance au volant*, Éric Brassard, Éric Brassard Éditeur.

- *Acheter sans se faire rouler*, Stéphanie Grammond, Éditions La Presse.

Les éditeurs n'exercent-ils pas leur sens critique ?

Les maisons d'édition sont avant tout des entreprises. Et comme la plupart des entreprises, leurs pratiques commerciales varient de l'une à l'autre. Certaines sont reconnues pour le soin et la qualité des ouvrages qu'elles publient, tandis que d'autres veulent simplement pousser un produit avec un maximum de publicité et un minimum d'effort.

Par exemple, vous pensez peut-être que les éditeurs de livres vérifient les antécédents d'un auteur avant de signer un contrat avec lui ? Eh bien, sachez que les éditeurs ne font pas tous leurs devoirs.

Le premier souci de la plupart des éditeurs concerne l'aspect commercial d'un ouvrage. Certains auteurs sont commercialisables en raison de la réputation solide qu'ils ont acquise grâce à leurs conseils judicieux. D'autres sont commercialisables au moyen de campagnes publicitaires éblouissantes mais sans fondements réels. D'autres encore possèdent un potentiel de commercialisation susceptible de se réaliser seulement si une maison d'édition est disposée à prendre une chance avec eux – mais la plupart des éditeurs préfèrent les valeurs sures.

Les auteurs écrivent des livres pour de nombreuses raisons autres que celles d'éduquer et d'informer. La motivation la plus courante, pour un auteur qui écrit un livre sur la finance, est de promouvoir ses propres intérêts économiques. Veiller à ses intérêts financiers n'est pas une mauvaise chose en soi, mais dans certains cas, cela risque de nuire au lecteur qui désire s'informer afin d'apprendre à mieux gérer ses finances personnelles. C'est par exemple souvent ce qui se produit quand un livre sur l'investissement est écrit par des vendeurs de lettres financières sur l'investissement. Au lieu de vous apprendre à effectuer de bons placements, ces auteurs vous amènent à penser que le monde de l'investissement est plus compliqué qu'il ne l'est en réalité, afin que vous soyez davantage enclin à vous abonner à leur lettre financière.

Sixième partie

La partie des Dix

« ... et ne me dis pas que je ne suis pas assez économe. J'ai engagé un type la semaine dernière rien que pour détacher les coupons ! »

Dans cette partie...

Nous vous soumettons ici des idées et des informations utiles à l'aide desquelles vous pourrez mettre en œuvre des stratégies financières en fonction de dix changements majeurs susceptibles d'affecter votre vie. Et pour terminer, nous discutons de dix choses qui sont plus importantes que l'argent. Pourquoi « dix »? Et pourquoi pas?

Chapitre 21

Guide de survie
pour dix grands changements

· ·

Dans ce chapitre :

▶ Gérer les problèmes financiers qui surviennent lors des grands changements

▶ Minimiser les soucis financiers pour mieux vous concentrer sur votre vie

· ·

Certains événements se produisent sans prévenir, comme les tremblements de terre. Il y en a d'autres que l'on peut souvent voir venir de loin, comme un orage violent à l'horizon. Qu'un changement dans votre vie soit prévisible ou non, votre habileté à manœuvrer efficacement pour surmonter les obstacles et vous adapter rapidement aux nouvelles situations dépend grandement de votre degré de préparation.

Peut-être trouvez-vous un peu négatif de comparer les grands changements de la vie à des séismes et à des tempêtes. Après tout, certains des changements dont nous discutons dans ce chapitre devraient être des occasions de se réjouir, et voici que nous les comparons à des catastrophes naturelles. Mais comprenez que ce que l'on définit comme une « catastrophe » a tout à voir avec l'état de préparation de chacun dans une situation donnée. Pour la personne qui n'a pas de provisions d'urgence stockées dans son sous-sol, la méga tempête de neige qui la retient à la maison risque d'occasionner des problèmes et, dans les pires cas, d'avoir des effets « catastrophiques ». Mais pour la personne préparée qui dispose de beaucoup d'eau et de nourriture, et peut-être aussi d'une génératrice, la même tempête peut simplement signifier un congé de travail et quelques jours de détente dans un décor hivernal.

Avant de discuter des questions financières cruciales avec lesquelles vous devez composer avant et durant des changements de vie majeurs, voici quelques conseils généraux qui s'appliquent à tous les types de changements de vie :

✔ **Restez en forme financière.** Un athlète est en mesure de mieux résister à l'adversité physique durant la compétition lorsqu'il s'est préalablement bien entraîné et alimenté. De la même manière, plus vos finances personnelles seront saines, mieux vous affronterez les changements dans votre vie.

✔ **Les changements nécessitent des changements.** Même si vos finances sont en ordre, un changement de vie majeur – la fondation d'une famille, l'achat d'une maison, le démarrage d'une entreprise, un divorce, la retraite – devrait vous inciter à revoir vos stratégies financières personnelles. Pourquoi ? Parce que les changements de vie affectent souvent vos revenus, vos dépenses, vos besoins en assurances et votre capacité de prendre des risques financiers.

✔ **Évitez de temporiser.** Lorsqu'un important changement de vie se profile, la temporisation peut s'avérer coûteuse. Si vous tardez à réagir, vous (et votre famille) risquez d'avoir à dépenser excessivement, d'accumuler des dettes à intérêts élevés, de vous retrouver avec une couverture d'assurance inadéquate, et ainsi de suite. En prenant à l'avance les dispositions nécessaires, vous avez de meilleures chances d'éviter ces écueils.

✔ **Gérez votre stress et vos émotions.** Les changements de vie sont souvent accompagnés de stress et d'autres bouleversements émotionnels. Ne prenez pas de décisions précipitées dans ces moments-là. Prenez plutôt le temps de bien analyser toutes les informations, y compris vos sentiments. La clé, c'est de vous éduquer, de vous informer. Vous êtes libre d'engager des experts pour vous aider (voir le chapitre 18), mais vous ne devriez pas remettre vos décisions et vos responsabilités entre les mains de ces conseillers et planificateurs, car ceux-ci n'ont pas nécessairement vos meilleurs intérêts à cœur et ne comprennent peut-être pas pleinement vos besoins.

Voici donc quelques événements majeurs susceptibles de se produire à un moment ou un autre de votre vie. Nous espérons pour vous que les changements positifs seront les plus nombreux.

Commencer dans la vie : votre premier emploi

Si vous entrez dans la population active, peut-être après avoir complété un diplôme universitaire ou quelque autre programme de formation, l'accroissement de vos revenus et la fin de vos dépenses éducatives sont sans doute les bienvenus. On pourrait ainsi penser que bon nombre de jeunes adultes sont en bonne position d'éviter les difficultés financières. Or, ce n'est vraiment pas toujours le cas. Les jeunes éprouveront souvent des ennuis, en grande partie à cause des mauvaises habitudes financières qu'ils auront acquises à la maison ou dans la société au sens large. Voici comment faire pour prendre le chemin de la réussite financière :

🖙 **Ne recourez pas au crédit à la consommation.** L'utilisation et l'abus du crédit à la consommation risquent d'entraîner des problèmes financiers chroniques. Vous désirez des meubles, un nouveau téléviseur et beaucoup de plaisirs de vacances, mais toutes ces choses coûtent de l'argent. Pour partir du bon pied, les jeunes travailleurs doivent se débarrasser de l'habitude de faire des achats par cartes de crédit s'ils ne sont pas en mesure de payer la totalité de leur solde mensuel avant que les intérêts n'y soient ajoutés. La solution la plus efficace d'éviter les dépenses excessives et les dettes de crédit à la consommation consiste à ne pas posséder de carte de crédit ou, tout au moins, à ne pas en apporter avec vous quand vous allez magasiner. Vous avez tout à gagner à ne dépenser que l'argent dont vous disposez réellement, et pour ce faire, il faut payer comptant ou par carte de débit (voir le chapitre 4).

🖙 **Prenez l'habitude d'épargner et d'investir.** Si vous espérez posséder un jour une maison et cesser de travailler à temps plein, il vous faudra épargner durant de nombreuses années. Idéalement, votre épargne devrait être dirigée dans les comptes de retraite offrant des avantages fiscaux, sauf si vous voulez amasser le paiement initial pour l'achat d'une maison ou le démarrage d'une petite entreprise (voir le chapitre 2). Les questions relatives à la retraite et à l'achat d'une maison ne font normalement pas partie des préoccupations des personnes en quête de leur premier emploi. On nous demande souvent : « À quel âge devrait-on commencer à épargner ? » La question est bonne, mais c'est un peu comme se demander à quel âge on devrait commencer à se brosser les dents : dès que l'on a des dents à brosser ! Ainsi, on devrait commencer à mettre de l'argent de côté et à investir dès son premier chèque de paye. Au début, essayez d'épargner 5 % de chaque paie, puis augmentez à 10 % dès que possible. Si vous éprouvez des difficultés à économiser de l'argent, surveillez vos dépenses et effectuez les compressions budgétaires qui s'imposent (voir les chapitres 3 et 5).

🖙 **Procurez-vous une assurance.** Beaucoup de gens qui commencent dans la vie sont portés à rationaliser le fait de ne pas acheter d'assurance. Quand on est jeune et en bonne santé, il est difficile de s'imaginer malade ou handicapé. Si bien que bon nombre de gens dans la vingtaine ne se soucient guère des dépenses que pourrait entraîner un accident ou une maladie. Or, comme ceux-ci surviennent habituellement sans prévenir et à tout âge, ne pas se procurer de couverture d'assurance adéquate équivaut en quelque sorte à jouer avec le feu. L'achat d'une assurance invalidité – qui sert à combler la perte de vos revenus dans l'éventualité d'une incapacité à long terme – dès votre premier emploi à temps plein est un choix sensé. Et tandis que vous commencez à vous constituer un patrimoine, songez à rédiger un testament ; vous vous assurerez ainsi de ce qu'il adviendra de vos actifs si vous deviez mourir prématurément et vous éviterez une foule de problèmes de succession à vos survivants.

✔ **Poursuivez votre éducation.** Une fois sur le marché du travail, il se peut que – comme beaucoup d'autres personnes – vous ayez l'impression que ce que vous avez appris à l'école n'est pas toujours utile dans la vraie vie. Ce constat pourrait vous donner envie d'apprendre certaines choses que l'école ne vous a pas enseignées, comme la gestion financière personnelle. Lisez et continuez à vous informer. L'éducation permanente peut vous aider à progresser dans votre carrière tout en vous permettant de mieux apprécier le monde qui vous entoure.

Changer d'emploi ou de carrière

Au cours de votre vie d'adulte, il y a de fortes chances que vous changiez d'emploi, et peut-être même souvent. Idéalement, ces changements dépendront de votre volonté. Mais soyons réalistes : la sécurité d'emploi est un concept en voie d'extinction. Les réductions d'effectifs des entreprises continuent de faire des victimes, même parmi les travailleurs les plus talentueux.

Vous devriez toujours être prêt à l'éventualité d'un changement d'emploi. Peu importe combien vous êtes heureux dans votre situation actuelle, savoir que votre monde ne s'écroulera pas le jour où vous perdrez votre emploi vous procurera un sentiment accru de sécurité et vous ouvrira à de nouvelles occasions et possibilités. Que ceci arrive par choix ou malgré vous, les manœuvres financières suivantes aideront à faciliter la transition :

✔ **Structurez vos finances de manière à survivre à une baisse de revenus.** Il est toujours financièrement judicieux de dépenser moins d'argent que vous n'en gagnez, mais à l'approche d'un changement d'emploi, il est encore plus important de le faire. C'est particulièrement vrai si vous vous lancez dans un nouveau domaine ou si vous démarrez votre propre entreprise et anticipez une baisse à court terme de votre revenu. Beaucoup de gens trouvent contraignant d'adopter des habitudes économes ; pourtant, celles-ci peuvent vous donner plus de liberté pour faire ce dont vous avez envie. Dans la même optique, il vous faut veiller à conserver un fonds d'urgence suffisant (voir les chapitres 2 et 12).

Si vous perdez votre travail, fermez les écoutilles. En règle générale, on obtient peu de préavis avant d'être mis à pied. L'évaluation et la réduction de votre niveau de dépenses pourraient se révéler nécessaires. Évidemment, cela ne signifie pas pour autant que vous deviez vous contenter de pain et d'eau. Il suffit de réduire les factures là où il est possible de le faire : le coût du loyer, les sorties, l'épicerie, les produits de luxe, les achats d'articles superflus, etc. Il est essentiel de ne pas succomber à la tentation de maintenir votre niveau de vie (donc de dépenses) habituel en accumulant des dettes à la consommation.

✔ **Évaluez l'ensemble des conséquences financières d'un transfert (déménagement).** À un certain moment dans votre carrière, il est possible que vous ayez l'occasion d'être muté dans une autre ville. Mais avant de contacter la compagnie de déménagement, assurez-vous d'avoir bien compris les conséquences financières d'un tel choix. Il ne suffit pas de comparer les salaires et les avantages sociaux de deux emplois. Vous devez également considérer le coût de la vie dans les localités en question : le logement, les déplacements, l'impôt foncier et l'impôt sur le revenu, l'alimentation, les services publics, et toutes les autres grandes catégories de dépenses énumérées au chapitre 3.

Se marier

Vous êtes prêt à faire le grand saut avec la personne que vous aimez ? Félicitations ! Nous vous souhaitons une vie heureuse ensemble. Maintenant, il ne faut pas oublier qu'en plus de prendre des engagements affectifs et moraux l'un envers l'autre, les époux partagent habituellement leurs ressources et leurs décisions financières. Il y a de bonnes chances que vos visions respectives sur l'argent soient différentes ; après tout, les contraires s'attirent souvent ! Même si vous êtes d'accord sur l'ensemble de vos stratégies et objectifs financiers, gérer ses finances à deux comporte certaines particularités.

✔ **Passez un test de compatibilité.** Beaucoup de couples négligent de discuter de leurs objectifs financiers avant le mariage, une omission qui est malheureusement à l'origine de trop de ruptures. Les finances ne sont qu'un des nombreux sujets dont les partenaires doivent parler ensemble, au même titre que les enfants, les relations avec la belle-famille, les objectifs de carrière, et ainsi de suite. En sachant bien dans quoi vous vous embarquez, vous diminuez les risques de mésentente et de séparation. Des prêtres, des révérends, des rabbins et des thérapeutes offrent des séances de consultation prénuptiale afin d'aider à identifier de possibles problèmes et divergences. Ne laissez pas vos sentiments vous aveugler quant aux questions susceptibles d'influer sur la santé à long terme de votre mariage et de votre couple.

✔ **Réfléchissez à l'impôt.** De nombreux couples tiennent compte de leurs charges fiscales conjointes au moment de songer au mariage. La seule façon de savoir ce qu'il adviendra de vos factures d'impôt une fois mariés est de sortir vos déclarations d'impôt respectives et de procéder aux calculs pertinents – avec l'aide de votre comptable, au besoin. Les couples ont tout avantage à mettre en œuvre des stratégies de réduction de la facture d'impôt totale du ménage. Essayez de faire en sorte que le conjoint au revenu le plus élevé se charge de toutes les dépenses du ménage, cela laissera à l'autre conjoint plus d'argent pour effectuer des placements, qui seront ensuite imposés à un taux inférieur. Envisagez d'ouvrir un REER de conjoint (voir le chapitre 10 pour plus de détails). Assurez-vous aussi de préparer vos déclarations d'impôt en même temps afin de tirer le meilleur parti des crédits et des déductions applicables à votre ménage. (Reportez-vous au chapitre 6 pour plus d'informations.)

✔ **Fixez-vous des objectifs communs et revoyez-les périodiquement.** Une fois mariés, vous et votre conjoint(e) devriez prendre un moment une fois par année ou tous les deux ou trois ans pour parler de vos objectifs personnels et financiers des années à venir. Le fait de discuter de vos orientations communes vous permet de vous assurer que vous ramez tous les deux dans la même direction.

✔ **Décidez s'il convient de gérer vos finances séparément ou conjointement.** Certains couples choisissent de tenir des comptes financiers distincts, alors que d'autres décident de mettre leurs ressources en commun. Sur le plan philosophique, l'idée de la mise en commun est sans doute plus séduisante. Après tout, le mariage est un partenariat, alors pourquoi devrait-on vivre séparément cet aspect de la relation ? Eh bien, il y a des mariages où les conjoints préfèrent gérer une partie de leur argent individuellement, notamment pour leurs dépenses personnelles, afin de ne pas se sentir surveillé ou jugé par leur partenaire, qui pourrait avoir des dispositions différentes. Il arrive aussi qu'au moment de se remarier, des gens qui ont vécu un divorce choisissent de garder à part les actifs qu'ils possèdent déjà (ou une partie de ceux-ci), et ce, dans le but de se protéger dans l'éventualité d'un autre divorce. Tant que vous accomplissez conjointement l'essentiel de votre vie financière et que vous et votre partenaire êtes d'accord sur le principe, il n'y a pas vraiment de mal à gérer indépendamment une partie de vos actifs. Cependant, pour la santé de votre mariage, évitez de mentir à votre conjoint à propos de vos finances personnelles. Et si vous êtes le conjoint au revenu le plus élevé, cela ne vous donne pas le droit de vous arroger le contrôle des finances de votre couple.

✔ **Coordonnez et optimisez vos avantages sociaux.** Si l'un de vous a accès à un ensemble d'avantages sociaux offerts par son employeur ou si vous bénéficiez tous les deux de ces avantages, vous devez comprendre comment tirer le meilleur parti de ceux-ci. Coordonner et utiliser au mieux les avantages sociaux disponibles équivaut en quelque sorte à vous offrir une augmentation salariale. Par exemple, si vous profitez tous les deux d'une assurance maladie collective, comparez les régimes et voyez lequel vous donne les prestations les plus généreuses. Il se peut en outre que l'un de vous bénéficie d'un meilleur régime de retraite d'entreprise. À moins qu'il vous soit possible d'atteindre votre plafond de cotisations dans chacun des deux régimes, vous pourrez augmenter vos actifs combinés en contribuant plus d'argent dans le régime le plus avantageux. (Remarque : si vous êtes préoccupé par ce qui se passera si vous épargnez davantage dans un de vos régimes de retraite conjoints et que vous divorcez par la suite, sachez qu'au Québec, la valeur accumulée est le plus souvent divisée en parts égales entre les conjoints, à moins que ceux-ci ne s'entendent sur des modalités de partage différentes ou que des facteurs particuliers entrent en compte.)

✔ **Discutez de vos besoins d'assurances vie et invalidité.** Si vous et votre conjoint êtes en mesure de vous passer de vos revenus respectifs, vous n'avez peut-être pas besoin d'une assurance revenu. Toutefois, si comme beaucoup de couples vous dépendez tous deux du revenu de l'autre ou si l'un de vous dépend totalement ou en partie du revenu de son conjoint, vous devriez probablement détenir chacun une police d'assurance invalidité de longue durée et une police d'assurance vie temporaire (voir le chapitre 16).

✔ **Effectuez des mises à jour de vos testaments.** Lorsque vous vous mariez, vous et votre conjoint(e) devriez mettre à jour vos testaments. En effet, il est encore plus important d'en rédiger un (en bonne et due forme) quand vous êtes marié, en particulier si vous souhaitez laisser de l'argent à d'autres personnes que votre conjoint ou si vous avez des enfants pour lesquels il vous faut prévoir un tuteur.

✔ **Reconsidérez les bénéficiaires de vos placements et de votre assurance vie.** Avec les régimes de retraite et d'assurance vie, vous nommez les personnes qui bénéficieront de l'argent ou de la valeur de ces comptes dans l'éventualité de votre décès. Si vous vous mariez, vous voudrez sans doute revoir les noms de ces bénéficiaires.

Acheter une maison

Beaucoup de Québécois finissent par acheter une maison. Bien que cela ne soit pas nécessaire pour réussir financièrement, posséder sa propre résidence offre des avantages indéniables sur le plan financier. D'abord, il est probable que la valeur de votre propriété s'appréciera au cours des années. Ensuite, une fois que vous aurez remboursé la totalité de votre prêt hypothécaire, vos coûts de logement seront grandement réduits, alors qu'habituellement les dépenses de logement du locataire augmentent au fil du temps avec l'inflation.

Si vous songez à acheter une maison :

✔ **Mettez de l'ordre dans vos finances.** Avant d'acheter, il est indispensable que vous analysiez votre budget actuel, votre capacité de contracter une dette, ainsi que vos objectifs financiers. Il ne faut pas acheter une maison en fonction du montant que les prêteurs sont disposés à vous prêter. Vous devez veiller à ce que l'ensemble des dépenses anticipées ne nuise pas à votre épargne retraite ni à vos autres objectifs financiers à court et à long terme. Lisez et assimilez les sections pertinentes de ce livre afin d'être en mesure d'assainir vos finances personnelles avant de procéder à l'achat d'une maison.

✔ **Voyez si le moment est propice.** Il n'est pas financièrement logique d'acheter une maison quand vous ne vous voyez pas rester en place pendant au moins trois à cinq ans, surtout lorsqu'il s'agit de votre premier achat immobilier. Compte tenu de ce que coûtent l'achat et la vente d'une maison en frais de transaction, vous aurez de la chance si vous parvenez à récupérer ces coûts à brève échéance, même sur une période de cinq ans. En outre, si vos revenus sont susceptibles de diminuer ou si vous avez d'autres objectifs pressants, tel que le démarrage d'une entreprise, vous devriez peut-être songer à attendre avant d'acheter.

Pour en savoir plus sur l'achat d'une propriété, reportez-vous au chapitre 14.

Avoir des enfants

Si vous pensez qu'être un adulte responsable, avoir un emploi stable, payer vos factures à temps et préparer votre avenir financier sont des tâches exigeantes, attendez que des enfants s'ajoutent à l'équation. La plupart des parents constatent qu'avec des enfants dans la famille, les précieux temps libres deviennent encore plus précieux – lorsqu'il en reste. En gérant efficacement votre temps et votre argent, vous augmenterez vos chances de réussir financièrement et de profiter d'une vie heureuse comme parent.

Voici quelques éléments clés à considérer avant et après l'arrivée des enfants :

✔ **Établissez vos priorités.** Vous ne pouvez pas tout faire ni tout avoir. Comme beaucoup d'autres décisions financières, celle de démarrer votre entreprise ou d'agrandir votre famille vous oblige à planifier à l'avance. C'est pourquoi il vous faut définir vos priorités et structurer vos finances et votre situation de vie en conséquence. Préférez-vous posséder une grosse maison dans un quartier en particulier ou ne pas devoir travailler de trop longues heures afin de passer plus de temps avec votre famille ? Gardez à l'esprit qu'en plus de vous laisser davantage de temps libre, une charge de travail équilibrée vous permet souvent aussi de réaliser des économies, car vous dépensez moins en repas à l'extérieur, en nettoyage à sec, en frais de garderie, et ainsi de suite.

🖊 **Examinez votre budget de près.** Si vous avez de la difficulté à vivre selon vos moyens avant même d'avoir des enfants, alors vous devriez vraiment porter un regard honnête sur l'impact que l'arrivée d'un bébé est susceptible d'avoir sur vos revenus et vos dépenses. En plus des changements de couches et des nuits de sommeil raccourcies, avoir un enfant se traduit inévitablement par une augmentation de vos dépenses. À tout le moins, les frais de nourriture et de vêtements augmenteront. Mais il est aussi probable que vous deviez dépenser plus pour le logement et les assurances, par exemple, sans oublier les frais de garderie et d'éducation. En plus de cela, si vous voulez être présent pour vos enfants, il est à prévoir qu'un des deux parents ne pourra pas travailler à temps plein jusqu'à ce que l'enfant aille à l'école. Ainsi, vous devriez tenir compte des dépenses supplémentaires prévisibles autant que d'une possible diminution des revenus de votre ménage.

Adapter son budget aux changements de vie

De nombreux changements surviennent au cours d'une vie : le mariage, l'achat d'une maison, l'expansion de la famille, le démarrage d'une entreprise, le divorce, la retraite, le décès d'un être cher, etc. Bien que certains événements de la vie apportent de la joie et d'autres de la tristesse, tous impliquent des bouleversements d'ordre financier. Et si vous ne vous occupez pas de ces changements, ceux-ci pourraient bien finir par « s'occuper » de vous.

On voit parfois d'excellents épargnants connaître une dégradation de leur situation financière en raison de l'onde de choc occasionnée par un événement important – même anticipé – dans leur vie. Votre planification budgétaire devrait tenir compte de ces bouleversements.

Si par exemple vous voulez quitter votre emploi à temps plein et démarrer votre propre entreprise, il vous faut d'abord déterminer si vous pouvez vous permettre de le faire et quel impact les modifications à vos dépenses et à vos revenus auront sur votre capacité d'épargner de l'argent. De la même manière, les couples qui envisagent de devenir parents doivent analyser comment l'accroissement de leurs dépenses et une possible réduction de leurs revenus affecteront leur budget mensuel.

Se livrer à un tel exercice de prévision budgétaire constitue un excellent moyen d'évaluer les conséquences qu'un changement de vie significatif, comme la venue d'un enfant, sera susceptible d'avoir sur votre situation financière. Au chapitre 3, nous fournissons une liste de catégories utiles au calcul de vos dépenses – telles que le logement, l'habillement, l'épicerie, l'automobile, le téléphone, l'assurance, et ainsi de suite. Vous pouvez bien sûr personnaliser la liste en fonction de votre situation.

Au moment de planifier en prévision du prochain changement dans votre vie, souvenez-vous que l'analyse quantitative comporte des limites. En effet, celle-ci ne peut pas prendre en compte certains facteurs non financiers : ce que vous ressentirez si vous devez travailler plus ou travailler moins en raison d'un changement de vie, par exemple. Enfin, il est également possible que les différentes opérations de calcul budgétaire que vous effectuez vous procurent une fausse impression de contrôle, alors soyez vigilant !

Il n'existe pas de règle simple qui permette d'évaluer l'incidence de la venue d'un enfant sur les revenus et les dépenses d'un ménage. Du côté des revenus, votre calcul doit tenir compte des heures de travail rémunéré qui seront supprimées et de tout autre changement prévu à vos revenus. Du coté des dépenses, les statistiques indiquent que la moyenne des ménages ayant des enfants d'âge scolaire dépense environ 20 % de plus que les couples sans enfants. Cela dit, l'approche la plus sûre consiste à revoir votre budget par catégorie de dépenses. (Pour ce faire, vous pouvez utiliser la feuille de calcul proposée au chapitre 3).

✔ **Augmentez votre couverture d'assurance avant le début de la grossesse.** Avant d'entreprendre d'avoir un bébé, les femmes devraient s'assurer qu'elles disposent d'une assurance invalidité adéquate, car la grossesse est habituellement considérée comme un état préexistant. Cela signifie qu'en règle générale, si une femme ne dispose pas déjà d'une couverture au moment où elle tombe enceinte, l'état d'incapacité (relativement au travail) qui résulte de sa grossesse ne la rendra pas éligible à recevoir des prestations. (Certaines polices prévoient une période d'attente d'une ou deux années durant laquelle la grossesse est exclue de la couverture. Renseignez-vous !) En outre, la plupart des futures familles devraient souscrire une assurance vie. Attendre la naissance de Junior avant d'acheter une assurance est une affaire risquée : si l'un des parents développe un problème de santé, on pourrait refuser de l'assurer. Vous devriez également considérer l'achat d'une assurance vie pour celui des deux parents qui reste à la maison, s'il y a lieu. Car même si celui-ci n'apporte pas de revenu, s'il ou elle devait mourir, l'embauche d'aide risquerait de grever le budget familial.

✔ **Informez-vous des congés de maternité auprès de votre employeur.** Bon nombre des plus grands employeurs offrent des congés de maternité aux femmes et, plus rarement (mais de plus en plus), des congés de paternité aux hommes. Certains employeurs offrent des congés payés, d'autres, des congés sans solde. Assurez-vous – idéalement, avant la grossesse – de comprendre vos options et leurs incidences financières prévisibles avant de décider de profiter du congé.

✔ **Effectuez une mise à jour de votre testament.** Si vous avez un testament, il faut le mettre à jour. Et si vous n'en avez pas, rédigez-en un maintenant, ou dès que vous deviendrez parent. Avec des enfants dans le tableau, vous devez nommer un tuteur qui sera responsable d'élever et d'éduquer votre progéniture dans l'éventualité où vous et votre conjoint seriez tous deux emportés par la mort. Vous vous passeriez sans doute bien de choisir un tuteur, certes, mais l'idée de laisser les tribunaux décider de qui aura la garde de vos enfants est encore moins attrayante, vous en conviendrez.

✔ **Comprenez les différentes allocations familiales.** Si vous avez des enfants âgés de moins de 18 ans, vous êtes peut-être admissible à la Prestation fiscale canadienne pour enfants (PFCE), une prestation non imposable versée mensuellement afin d'aider les familles à subvenir aux besoins de leurs enfants d'âge mineur. À la PFCE s'ajoute le Supplément de la prestation nationale pour enfants, un montant mensuel de plus pour les familles à faible revenu. Peut-être avez-vous aussi droit à la Prestation universelle pour la garde d'enfants (PUGE). La PUGE est une prestation imposable versée mensuellement aux familles admissibles afin de les aider à répondre à leurs besoins en matière de garde pour leurs enfants âgés de moins de six ans. Enfin, il est également possible que vous soyez admissible au programme appelé «Soutien aux enfants» du gouvernement du Québec, qui comporte deux volets : le Paiement de soutien aux enfants et le Supplément pour enfant handicapé.

Pour tout savoir sur la PFCE et la PUGE, contactez l'Agence du revenu du Canada (www.cra-arc.gc.ca, 1-800-387-1194). Pour de plus amples informations à propos du Soutien aux enfants du gouvernement du Québec, contactez Revenu Québec (www.rrq.gouv.qc.ca, 1-800-667-9625).

✔ **Évitez de pourrir vos enfants.** Les jouets, les cours d'art, les sports, les excursions et ainsi de suite peuvent coûter de gros billets, surtout si vous ne contrôlez pas vos dépenses. Certains parents ne parviennent pas à établir des lignes directrices ou des limites quand il est question d'offrir des activités à leurs enfants. D'autres suivent bêtement l'exemple donné par les familles des pairs de leurs enfants. Beaucoup de parents se sentent toujours obligés d'offrir ce qu'il y a de meilleur (à leurs yeux) à leurs enfants. Or, les parents – et les enfants – qui semblent être les plus heureux et réussir le mieux sont souvent ceux qui distinguent clairement le luxe matériel des nécessités familiales.

Au fur et à mesure que les enfants grandissent, ils deviennent de plus en plus conditionnés au monde de la consommation et se mettent à désirer toutes sortes d'objets et de gadgets. Envisagez de leur donner une allocation hebdomadaire et laissez-les apprendre à la dépenser et à la gérer. Et quand ils seront assez grands, encouragez-les à travailler à temps partiel, cela pourra les aider à se responsabiliser financièrement. Enfin, n'oubliez pas que les enfants sont portés à répéter les comportements financiers (et autres) de leurs parents, alors donnez l'exemple!

Démarrer une petite entreprise

Beaucoup de gens aspirent à être leur propre patron, mais moins nombreux sont ceux qui quittent effectivement leur emploi et entreprennent de réaliser ce rêve. Renoncer à l'apparente sécurité d'un emploi offrant des avantages sociaux ainsi qu'un réseau intégré de collègues de travail est difficile pour la plupart des gens, tant psychologiquement que financièrement. En effet, démarrer et opérer une petite entreprise n'est pas pour tout le monde, mais si c'est votre rêve et que vous possédez les habiletés nécessaires, ne laissez pas la peur vous paralyser. Voici quelques conseils pour vous aider à démarrer votre projet et à augmenter vos chances de réussite à long terme :

✔ **Préparez-vous à quitter votre emploi.** Vous avez dépensé tout ou presque tout ce que vous avez gagné ? Vous n'avez pas pu ou pas su accumuler d'économies ? Beaucoup de gens se trouvant dans une situation semblable ne parviennent jamais à laisser tomber leur emploi pour aller poursuivre leur rêve de créer leur propre entreprise parce qu'ils se sentent dépendants de leur chèque de paye. Afin de maximiser votre capacité à économiser de l'argent, vivez aussi frugalement que vous le pouvez tandis que vous êtes salarié, cela vous permettra du même coup de développer des habitudes économes qui vous aideront à traverser la période de baisse de revenu et d'augmentation des dépenses qui survient habituellement lors du démarrage d'une petite entreprise. Vous pourriez également envisager d'assouplir la transition en travaillant dans votre entreprise à temps partiel au début, sans quitter immédiatement votre emploi habituel.

✔ **Élaborez un plan d'affaires.** En réfléchissant bien à votre idée d'entreprise et en effectuant les recherches préalables nécessaires, non seulement vous réduirez les probabilités d'échouer dans votre projet et accroîtrez vos chances de réussite, mais vous acquerrez une confiance qui vous aidera à faire le grand saut. Un bon plan d'affaires doit être aussi complet que possible. Il doit décrire en détail la raison d'être de l'entreprise, le marché visé, les compétiteurs potentiels, la stratégie de mise en marché, les recettes et les dépenses escomptées, etc.

✔ **Remplacez votre couverture d'assurance.** Avant de quitter définitivement votre emploi, procurez-vous une couverture d'assurance adéquate. Dans le cas de l'assurance invalidité, vous devez souscrire une police avant de quitter votre emploi, alors que vous disposez d'un revenu stable grâce auquel vous serez éligible à la couverture recherchée. Si vous bénéficiez d'une assurance vie par l'entremise de votre employeur, procurez-vous une couverture individuelle dès que vous savez que vous quitterez votre emploi. (Voir le chapitre 16 pour plus de détails.)

✔ **Participez à un régime d'épargne-retraite.** Une fois que votre entreprise aura commencé à générer des profits, envisagez sérieusement l'ouverture d'un régime enregistré d'épargne-retraite (REER), dont nous expliquons les tenants et les aboutissants au chapitre 10.

S'occuper de parents âgés

Pour beaucoup d'entre nous, un jour arrive où les rôles sont inversés avec nos parents. Au fur et à mesure que ceux-ci prennent de l'âge, il est normal qu'à un certain moment, ils aient besoin de recevoir de l'aide sur une variété de questions et de tâches quotidiennes ; ceux qui se sont longtemps occupés de vous ont alors besoin que vous veilliez sur eux. Bien qu'il soit peu probable que vous ayez le temps et la capacité de tout faire vous-même, vous pourriez vous charger de la coordination des fournisseurs de services qui aideront vos parents.

Voici quelques points à considérer quand vient le temps de prendre soin de personnes âgées :

✔ **Obtenez de l'aide lorsque c'est possible.** Dans la plupart des collectivités, divers organismes sans but lucratif offrent des informations et parfois même des conseils aux familles qui s'occupent de parents âgés. Vous pouvez connaître les ressources disponibles par le biais de la Régie de l'assurance maladie du Québec (RAMQ), d'un Centre de santé et de services sociaux (CSSS) ou d'un Centre local de services communautaires (CLSC), ainsi qu'auprès d'hôpitaux ou de médecins locaux. Il est particulièrement important d'obtenir de l'information et de l'aide si vos parents ont besoin de soins ou d'assistance à domicile, ou d'être admis dans un Centre d'hébergement et de soins de longue durée (CHSLD).

✔ **Impliquez-vous dans leurs soins de santé.** Vos parents vieillissants auront sans doute de plus en plus de mal à coordonner et à gérer tous les fournisseurs de soins de santé qui leur apportent aide, médicaments et conseils. C'est pourquoi vous devriez autant que possible essayer de voir à leurs intérêts et d'être en quelque sorte leur porte-parole. Parlez avec leurs médecins afin de bien comprendre leur état de santé et l'utilité des différents médicaments qui leur sont prescrits. Assurez le suivi de la coordination des fournisseurs de soins et évaluez la qualité des services reçus. Enfin, visitez les fournisseurs de soins à domicile ou le CHSLD et discutez de la situation et des besoins de vos parents avec les personnes concernées.

✔ **Informez-vous sur les allègements fiscaux.** Si vous soutenez financièrement vos parents, vous pourriez être admissible à un certain nombre de crédits d'impôts et de déductions pour les soins aux aînés. Pour en savoir plus, contactez l'Agence du revenu du Canada (www.cra-arc.gc.ca, 1-800-387-1194) et Revenu Québec (www.revenu.gouv.qc.ca, 1-800-267-6299).

✔ **Discutez de la nécessité d'organiser la succession.** La plupart des parents âgés n'aiment pas penser à l'éventualité de leur mort, et il leur est souvent difficile d'aborder le sujet avec leurs enfants. Mais l'ouverture d'un dialogue entre vous et vos parents sur de telles questions est susceptible d'être bénéfique. Discuter de testaments, de fiducies entre vifs, de testaments euthanasiques et de stratégies de planification successorale ne vous donne pas seulement l'heure juste quant à la situation de vos parents, cela peut également permettre d'améliorer leurs plans, tant à leur profit qu'au vôtre.

✔ **Prenez un peu de temps libre.** Prendre soin d'un parent âgé, en particulier quand il ou elle souffre de problèmes de santé, peut nécessiter énormément de temps et d'énergie de votre part. Si vous êtes déjà pris par les exigences de votre travail et par vos responsabilités familiales avant de commencer à vous occuper de vos parents, il est possible que vous vous sentiez débordé(e) après un certain moment. Faites une faveur à vos parents, à votre famille et à vous-même en prenant de temps à autre quelques jours de vacances pour relaxer et reprendre le dessus.

Divorcer

Dans la plupart des mariages qui sont destinés à se terminer, si l'on peut le dire ainsi, il y a généralement des signes avant-coureurs que les deux parties peuvent reconnaître. Parfois, cependant, il arrive que l'un des conjoints surprenne l'autre avec une demande de divorce inattendue. Qu'il soit question d'une rupture prévisible ou non, voici quelques questions importantes à considérer :

✔ **Essayez de sauver votre mariage.** Certaines personnes pensent qu'il est trop facile de divorcer ; nous sommes plutôt de cet avis. Bien qu'il soit préférable pour certains couples de se quitter, d'autres abandonnent trop facilement. L'herbe a souvent l'air plus verte ailleurs, mais les apparences peuvent être trompeuses : toutes les pelouses ont des mauvaises herbes. Et tout comme le gazon qui n'est pas régulièrement arrosé et fertilisé, les relations amoureuses dépérissent quand on ne les nourrit pas suffisamment.

L'argent et les désaccords à propos de l'argent sont souvent l'une des principales sources de discorde conjugale. Malheureusement, dans de nombreuses relations, l'argent est utilisé en tant qu'instrument de pouvoir par le conjoint qui en gagne le plus. Si les circonstances le permettent, essayez d'arranger les choses entre vous, de vous expliquer calmement, peut-être en rencontrant ensemble un conseiller matrimonial. Si vous investissez dans le renforcement de votre relation, vous en récolterez probablement longtemps les dividendes.

Consultez les capsules d'informations sur la médiation familiale offertes par le ministère de la Justice du gouvernement du Québec, à l'adresse : `www.justice.gouv.qc.ca`, sous l'onglet «Publications».

✔ **Séparez vos émotions des questions financières.** Dissocier vos sentiments de vos finances est plus facile à dire qu'à faire. Pour diverses raisons, certaines personnes cherchent à se venger durant le divorce. Mais pendant que les ex-conjoints s'affrontent, les avocats se remplissent les poches. Alors si vous voulez vraiment divorcer, efforcez-vous de le faire efficacement et harmonieusement de sorte que chacun de vous puisse calmement continuer sa vie.

✔ **Détaillez vos ressources et vos priorités.** Dressez une liste de tous les actifs et toutes les dettes de votre couple. Assurez-vous d'y inclure toutes les données financières, y compris les dossiers et les relevés de comptes de placements. Une fois que vous avez le portrait complet de la situation, commencez à réfléchir à ce qui est important pour vous et ce qui ne l'est pas.

✔ **Renseignez-vous sur les finances personnelles et les questions juridiques.** Le divorce donne parfois aux personnes les moins intéressées par la finance un cours intensif sur les finances personnelles, et ce, dans une période émotionnellement difficile. Ce livre peut vous aider à vous éduquer financièrement. En ce qui concerne les questions juridiques du divorce, visitez une librairie et ramassez un bon guide juridique ou deux traitant du divorce, ou encore, visitez le site Internet du ministère de la Justice du Québec, à l'adresse : www.justice.gouv. qc.ca, sous l'onglet «Publications».

✔ **Choisissez soigneusement vos conseillers.** Il est probable que vous reteniez les services d'un ou plusieurs spécialistes pour vous aider avec la myriade de questions, de négociations et de préoccupations relatives à votre divorce. Les conseillers juridiques, fiscaux et financiers peuvent vous aider, mais assurez-vous de reconnaître leurs limites et leurs conflits d'intérêt potentiels. Plus les choses se compliquent entre vous et votre conjoint, plus vous rapportez d'argent aux avocats. Alors ne recourrez pas au vôtre pour obtenir des conseils financiers ou fiscaux – il n'en sait probablement pas beaucoup plus que vous dans ces domaines. Sachez de plus qu'au Québec, il n'est pas nécessaire d'embaucher un avocat pour un divorce. Vous et votre conjoint ou conjointe pouvez faire une «demande conjointe en divorce sur projet d'accord». Simple en apparence, cette procédure exige toutefois passablement de temps et de travail. Et si vous pensez avoir besoin d'un conseiller fiscal ou financier, reportez-vous aux chapitres 6 et 18 pour des recommandations sur les façons de trouver la bonne personne.

✔ **Analysez vos dépenses.** Bien que les dépenses de votre «ménage» seront sûrement moindres une fois que vous serez redevenu célibataire, vous devrez probablement aussi vous débrouiller avec une baisse de revenus. Certains divorcés se trouvent coincés financièrement dans les premières années suivant le divorce. En analysant vos dépenses antérieures au divorce, vous pourrez mieux adapter votre nouveau budget, et cela vous servira dans vos négociations en vue d'obtenir un règlement juste avec votre conjoint(e).

✔ **Apportez les changements nécessaires à votre assurance.** Si vous êtes couvert par le régime d'assurance collective de votre conjoint, il vous faudra souscrire votre propre assurance (voir le chapitre 16). Si vous (et/ou vos enfants) dépendrez financièrement de votre conjoint(e), veillez à ce que la convention de divorce comprenne une couverture d'assurance vie. Vous devriez également revoir votre testament. Pour plus d'informations à ce sujet, visitez le site Internet du ministère de la Justice du gouvernement du Québec, à l'adresse : `www.justice.gouv.qc.ca`, sous l'onglet « Publications ».

✔ **Revoyez entièrement votre régime de retraite.** Compte tenu des changements dans vos revenus, vos dépenses, vos actifs, vos passifs et de vos besoins futurs, votre régime de retraite aura sûrement besoin d'un remaniement après divorce (reportez-vous au chapitre 2).

Recevoir un montant imprévu

Que ce soit grâce à un héritage, à vos options sur actions, au succès de votre petite entreprise ou à un gain de loterie, il se peut que vous receviez un jour une somme d'argent inattendue. Comme beaucoup de gens qui ne sont absolument pas préparés – à la fois mentalement et dans leur organisation – à gérer une rentrée de fonds importante, vous comprendrez peut-être, le cas échéant, comment un déluge d'argent peut créer plus de problèmes que de bonheur. Vous pensez peut-être : « J'aimerais bien avoir ce genre de problèmes ». D'accord, les gens préfèrent en général la richesse à la pauvreté.

Voici quelques conseils pour vous aider à tirer le meilleur parti d'une éventuelle manne financière :

✔ **Prenez le temps de vous instruire.** Si vous n'avez jamais possédé beaucoup d'argent, il y a peu de chances que vous arriviez à gérer la situation. D'abord, ne vous précipitez pas pour investir le plus rapidement possible. Laisser l'argent là où il est ou le placer temporairement dans un des fonds du marché monétaire à taux d'intérêt élevé, tels que ceux que nous vous recommandons au chapitre 12, représente une bien meilleure solution à court terme que de vous lancer dans des investissements que vous ne comprenez pas et sur lesquels vous n'avez pas pris le temps de vous renseigner.

✔ **Méfiez-vous des requins.** Vous vous demanderez peut-être si quelqu'un a publié votre valeur nette, votre adresse civique et votre numéro de téléphone dans les journaux et sur l'Internet. Il est possible que les courtiers et les conseillers financiers vous inondent de matériel de marketing, de sollicitations téléphoniques et d'invitations à dîner. Ils n'ont qu'une seule intention : faire de l'argent avec votre argent, soit en vous vendant des placements et autres produits financiers, soit en gérant votre magot. Tenez-vous loin des requins, éduquez-vous et prenez en charge vos décisions financières. Choisissez les professionnels qui répondent à vos critères, puis allez les chercher : la plupart des meilleurs conseillers que nous connaissons n'ont ni le temps ni l'envie de courir après des clients potentiels.

✔ **Reconnaissez l'impact psychologique d'une importante rentrée d'argent.** L'un des effets secondaires de l'accession rapide à la richesse est que vous risquez d'être mal à l'aise, voire malheureux, surtout si vous pensiez que l'argent allait résoudre vos problèmes. Si par exemple vous n'avez pas investi dans votre relation avec vos parents et qu'à leur décès, vous regrettez de les avoir négligés, obtenir un gros héritage de leur part pourrait vous donner un sentiment de culpabilité. Ou si vous avez travaillé des heures interminables dans votre entreprise et que vos efforts vous rapportent enfin beaucoup d'argent, peut-être vos comptes bancaires ne combleront-ils pas le vide laissé dans votre vie par votre divorce et la perte des amis que vous avez négligés.

✔ **Remboursez vos dettes.** Le remboursement de vos dettes est l'un des meilleurs et des plus simples investissements que vous puissiez faire quand vous devenez riche. Prenez ce multimillionnaire qui cherchait des conseils parce qu'il était frustré de ne pas savoir comment investir plusieurs millions de dollars. Il s'inquiétait de perdre de l'argent sur des placements en partie parce qu'il avait travaillé si dur pour bâtir sa fortune. Mais le «pauvre» homme avait un prêt hypothécaire assez important. Il était donc clairement logique qu'il rembourse d'abord son emprunt. D'habitude, les gens empruntent pour acheter des choses qu'ils ne sont pas en mesure d'acheter d'un seul coup. Se débarrasser de ses dettes devrait être une priorité quand on dispose de l'argent pour le faire.

✔ **Diversifiez.** Si vous souhaitez protéger votre patrimoine, ne mettez pas tous vos œufs dans le même panier. Les fonds communs de placement (voir le chapitre 9) et les fonds négociés en Bourse, qui sont très bien diversifiés et gérés par des professionnels, sont des véhicules d'investissement qu'il vaut la peine de considérer. Et si vous voulez que votre argent continue de croître, pensez aux investissements créateurs de richesse : les marchés boursiers, l'immobilier et les petites entreprises, dont nous discutons dans la troisième partie du présent livre.

✔ **Profitez de l'occasion.** La plupart des gens travaillent pour un chèque de paye toute leur vie afin d'être en mesure de payer le flux incessant de factures mensuelles. Bien que nous ne préconisions pas particulièrement un style de vie hédoniste, pourquoi ne pas passer un peu plus de temps à voyager, à apprécier les moments en famille et à profiter des loisirs dont vous avez depuis longtemps envie ? Vous pourriez aussi décider d'entreprendre une nouvelle carrière plus épanouissante et, qui sait, faire du monde un endroit meilleur. Beaucoup de gens n'ont pas cette flexibilité, alors si vous l'avez un jour, profitez-en.

Prendre sa retraite

Si vous avez passé la majeure partie de votre vie d'adulte à travailler, votre passage à la retraite pourrait se révéler une transition difficile à réaliser. La plupart des Québécois ont la vision idéalisée d'une retraite merveilleuse. Fini les patrons déplaisants et la pression des délais de travail. On a tout le temps voulu pour voyager, s'amuser et mener la belle vie. Pas mal, vous ne trouvez pas ? Eh bien, pour la plupart des Québécois, la réalité de la retraite est très différente, surtout pour ceux qui ne s'y sont pas préparés (à tous les plans).

Voici quelques conseils pour vous aider à effectuer la transition à la retraite :

✔ **Planifiez tant sur le plan financier que personnel.** Laisser derrière soi une carrière à plein temps est susceptible de créer un grand vide. Que faire de tout ce temps libre ? (Le problème est l'inverse de celui des nouveaux parents !) Comme le dit l'expression : trop, c'est comme pas assez. C'est pourquoi la planification de votre temps et de vos activités de retraite est encore plus importante que la planification financière. Si, au cours de vos années de travail, vous portez uniquement l'accent sur votre carrière et votre épargne, il est possible que vous manquiez d'intérêts et d'amis une fois à la retraite, en plus de ne pas savoir de quelle façon dépenser votre argent.

✔ **Faites le bilan de vos ressources.** Beaucoup de gens s'inquiètent de savoir s'ils ont suffisamment d'actifs pour réduire leur rythme de travail ou cesser complètement de travailler à leur retraite, et pourtant, ils ne procèdent pas aux calculs qui leur permettraient d'avoir l'heure juste. Si l'ignorance est parfois un bienfait, dans ce cas-ci, vous risquez de ne pas savoir où vous en êtes par rapport à votre objectif de retraite. Consultez le chapitre 2 pour des informations sur la planification de cette période de votre vie.

✔ **Réévaluez vos besoins d'assurance.** Au cours de vos années de travail, vous disposez d'une assurance invalidité et peut-être aussi d'une assurance vie pour vous protéger, vous et les personnes à votre charge. Lorsque vous avez suffisamment d'actifs pour la retraite, il ne vous est plus nécessaire de conserver une assurance pour protéger votre revenu d'emploi. En revanche, comme vos actifs s'apprécient au fil des ans, vous devez veiller à être bien assuré côté responsabilité civile (voir le chapitre 16).

✔ **Décidez de vos conditions de vie.** Les frais médicaux durant vos années de retraite (le coût des soins de santé à domicile, notamment) peuvent être redoutables. La solution que vous choisirez – vous procurer une assurance complémentaire, acheter une place dans un village de retraités ou ne rien faire – dépendra de votre situation financière et personnelle. En vous organisant d'avance, vous augmentez vos possibilités. Si vous attendez d'avoir des problèmes de santé majeurs, vos options seront réduites. (Voir le chapitre 16 pour plus de détails.)

✔ **Décidez quoi faire de votre REER.** Lorsque vous serez sur le point de prendre votre retraite, il se peut que vous deviez choisir ce que vous ferez avec votre REER. Faire le bon choix sur cette question est similaire au choix d'un bon placement – différentes options comportent différents risques, avantages et conséquences fiscales. Reportez-vous au chapitre 7 ainsi qu'à la troisième partie de ce livre pour apprendre à évaluer vos différentes options de placement de l'argent de votre REER.

✔ **Choisissez une option de retraite.** Les régimes sont structurés par des actuaires qui les conçoivent d'après des espérances de vie raisonnables. Plus vous êtes jeune quand vous commencez à recevoir les prestations de retraite de votre régime d'entreprise et du Régime des rentes du Québec, moins vos versements mensuels sont élevés. Vérifiez si votre régime de retraite d'entreprise prévoit un arrêt de l'augmentation de vos prestations passé un certain âge. Vous ne voudriez évidemment pas retarder l'accès à vos prestations de retraite passé cet âge, parce que vous ne serez par récompensé pour l'attente supplémentaire et que vous recevrez des prestations moins longtemps.

Si vous savez que vous avez un problème de santé qui réduit votre espérance de vie, il pourrait s'avérer avantageux pour vous de commencer à retirer plus tôt vos prestations de retraite d'entreprise et du RRQ. En outre, si vous envisagez de continuer à travailler dans une certaine mesure et de gagner un revenu raisonnable après avoir quitté votre employeur, il serait probablement sage d'attendre de vous situer dans une tranche d'imposition inférieure afin de retirer des prestations de retraite plus élevées.

✔ **Préparez votre succession.** Réfléchir à l'éventualité de sa propre mort n'a rien de réjouissant, mais quand vous envisagez la retraite ou que vous y êtes déjà, il encore plus important de préparer votre succession. Renseignez-vous sur les testaments et les fiducies qui pourraient se révéler avantageux pour vous et vos héritiers. Vous pourriez également songer à la possibilité de faire des dons dès maintenant si vous avez déjà plus d'argent qu'il ne vous en faut – vous ne pourrez pas l'emporter avec vous. Sachez que les dons d'argent à vos héritiers contribuent en général à réduire les impôts qu'ils devront payer sur votre patrimoine à votre décès.

Chapitre 22

Dix choses plus importantes que l'argent

. . . .

Dans ce chapitre :

▶ Reconnaître ce qui compte vraiment

▶ Prendre le temps d'apprécier les bons côtés de la vie

. . . .

*T*out au long de ce livre, nous proposons des renseignements et des conseils destinés à vous permettre de tirer le maximum de votre argent. Que vous ayez lu cet ouvrage depuis le début ou que vous en ayez jusqu'ici consulté certaines parties seulement, vous avez probablement compris que nous adoptons une approche holistique en ce qui a trait aux finances personnelles.

Bien que nous souhaitions que nos recommandations financières vous soient utiles, nous voulons également nous assurer que vous n'oubliez pas les nombreuses choses dans la vie (nous en avons choisi dix, nos favorites) qui sont beaucoup plus importantes que la taille de votre portefeuille de placements ou de votre dernier chèque de paye. Trop souvent dans notre société capitaliste, nous accordons une considération démesurée à la réussite financière et au statut social, en négligeant les aspects plus humains et spirituels de la vie. Nous espérons que ce chapitre contribuera à vous y sensibiliser.

Faire de votre famille une priorité

Dans la culture nord-américaine, les hommes (et de plus en plus de femmes) estiment habituellement que leur rôle principal est de pourvoir aux besoins financiers de leur famille. Cette façon de voir leur sert souvent d'excuse pour tout sacrifier au bénéfice de leur emploi et de leur carrière. Les gens arrivent à justifier ceci parce qu'on leur a appris à vénérer la valeur travail.

Certains employés craignent à juste titre que leur patron ne soit pas compréhensif quand aux besoins de leur famille, en particulier lorsque ces besoins sont susceptibles de nuire à l'exécution efficace du travail telle que la conçoit un patron impatient. D'autres font passer l'entreprise en premier pour faire comme leurs collègues et parce qu'ils préfèrent ne pas faire de vagues.

Or, votre conjoint(e), vos parents et vos enfants devraient passer avant le reste. Ils comptent beaucoup plus que votre prochaine promotion, et votre comportement devrait refléter cette constatation. L'équilibre est essentiel, car on n'a jamais qu'une seule famille (sauf exception!). Si votre patron ne reconnaît pas les valeurs familiales ou ne les respecte pas, il est peut-être temps pour vous de changer de travail.

Se faire des amis et les garder

Il semble que plus on vieillit, moins on a de temps pour les amis. Les gens qui sont trop occupés à gravir les échelons d'une carrière n'ont parfois pas de temps à consacrer à l'amitié.

Il y a tant d'articles jetables dans notre société de consommation que les amis tombent trop souvent dans cette catégorie. Beaucoup de soi-disant amis ne sont pas vraiment des amis mais plutôt des connaissances utiles à l'avancement de notre carrière, et une fois que cette fonction a été remplie, ils sont relégués aux oubliettes.

Avez-vous des amis qui comptent réellement pour vous? Des amis vers qui vous pouvez vous tourner dans les moments difficiles et qui sauront vous écouter et vous soutenir? Prenez le temps d'investir dans vos amitiés, tant anciennes que nouvelles.

Investir dans votre santé

Le stress, une mauvaise alimentation, le manque d'exercice et les relations problématiques au sein d'une famille sont tous des facteurs qui risquent d'avoir des conséquences néfastes sur la santé d'une personne. Les gens négligent leur santé pour différentes raisons. Dans certains cas, comme pour la gestion de l'argent, les gens n'ont pas les connaissances ni les clés du maintien d'une bonne santé personnelle. Les personnes trop prises par leur carrière et qui travaillent des heures interminables, le font souvent au détriment de leur santé.

On ne se rend souvent pas compte des problèmes auxquels on s'expose en négligeant de prendre soin de sa santé. La pire chose, évidemment, c'est de mourir prématurément. Mais beaucoup de gens souffrent d'affections permanentes qui leur gâchent la vie pendant des années. À moins de croire en la réincarnation, on n'a qu'un seul corps, alors autant en prendre soin et le traiter avec le respect qu'il mérite.

Se soucier des enfants

Investir dans vos enfants est sans conteste l'un des meilleurs investissements que vous puissiez faire. Apprendre à interagir harmonieusement avec eux et prendre soin d'eux peut vous aider à vous épanouir et à devenir une meilleure personne.

Les enfants sont notre avenir. Vous devriez vous soucier de leur bien-être même si vous n'êtes pas parent. Pourquoi ? Vous souciez-vous de la qualité de vie dans la société dans laquelle vous vivez ? Vous préoccupez-vous du taux de criminalité ? De l'économie ? Du divertissement et des arts ?

Toutes ces questions dépendent dans une large mesure des enfants de notre pays et du type d'adolescents et d'adultes qu'ils deviendront un jour. Nous savons que de nombreux parents ont du mal à concilier les exigences du travail et de la famille. Mais nous sommes persuadés que quand les parents parviennent à trouver des façons de travailler moins et de passer davantage de temps avec leurs enfants, tout le monde en profite. Alors essayez de faire plus avec ce que vous avez déjà (argent et biens). Lorsque vos enfants seront grands, s'ils ont passé des moments de qualité avec vous, ils ne se souviendront pas vraiment des logiciels et autres gadgets que vous ne leur avez pas achetés. Par contre, et le cas échéant, ils n'oublieront pas l'attention que vous ne leur avez pas donnée.

Connaître vos voisins

Vos voisins sont des sources potentielles d'amitié, de bonheur et de réconfort. Or, trop souvent, les gens se laissent prendre dans leur train-train quotidien et négligent leurs relations avec le voisinage.

Bien sûr, vous n'avez pas nécessairement envie d'apprendre à connaître tous vos voisins. Mais donnez-leur au moins une chance. Vous auriez tort de les rejeter dès le départ à cause de leur âge, de leur origine ethnique ou parce qu'ils n'ont pas la même profession que vous. La cohésion sociale commence dans votre quartier, et vos voisins en font partie. Ne l'oubliez pas !

Apprécier ce que vous avez

Notre travail dans le monde des finances personnelles nous amène à interagir avec de nombreuses personnes de tous horizons. Malgré le niveau global de richesse dans notre société, il est toujours frappant de constater à quel point les gens se plaignent de ce qu'ils n'ont pas (une maison plus belle, plus grande, des voitures plus coûteuses, etc.) au lieu d'apprécier les choses matérielles ou non qu'ils possèdent déjà.

Vous pourriez dès maintenant dresser une liste d'au moins dix choses que vous appréciez. Répétez l'exercice périodiquement (une fois par semaine, par mois). Le fait est que notre culture nous incite parfois à nous concentrer sur ce que nous n'avons pas, ce qui est généralement moins important que ce que nous avons déjà.

Cultiver votre réputation

Qu'est-ce qui vous vient à l'esprit quand vous entendez les noms de Jean Chrétien, Brian Mulroney, Alan Eagleson, Conrad Black? Toutes ces personnes ont réussi sur les plans professionnel et financier, mais est-ce la première chose à laquelle vous avez pensé?

Comme il a déjà été dit : «Il faut une vie pour bâtir une réputation, mais il suffit d'un moment pour la perdre». Tandis que les gens cherchent à obtenir plus de gloire, de pouvoir, d'argent et de possessions, ils sous-estiment la valeur des relations humaines et négligent de s'y investir.

Pensez aux personnes que vous admirez le plus. Même si nous sommes sûrs qu'aucune d'entre elles n'est parfaite, il y a fort à parier que chacune jouit d'une excellente réputation à vos yeux.

Poursuivre votre éducation

L'éducation est un processus continu qui n'implique pas nécessairement l'université et les diplômes. Qu'il s'agisse de votre carrière ou de votre nouveau passe-temps, il y a toujours quelque chose à apprendre. Tant que vous possédez toutes vos facultés mentales, vous pouvez continuer d'apprendre en vous appuyant sur ce que vous savez déjà.

Et, qui sait, peut-être un jour parviendrez-vous à découvrir le sens de la vie, ou tout au moins, à trouver un sens à votre vie. Plus on prend de l'âge, plus on trouve matière à réflexion et de choses à apprendre.

Avoir du plaisir

Dans leur quête de gagner plus, d'épargner plus et d'investir mieux, certaines personnes se prennent au jeu de l'argent au point que celui-ci devient le but de leur existence. Qu'on appelle cela de la dépendance ou de l'obsession, une telle orientation financière risque fort de vous détourner des bonnes choses de la vie. Des tas de gens réalisent trop tard qu'aucune réussite financière ne vaut des relations personnelles enrichissantes et une bonne santé.

Les bureaux des psychologues sont remplis de gens malheureux qui passent trop de temps et d'énergie à courir après les promotions et l'argent. Nous aussi rencontrons ce genre de personnes. Elles semblent souvent inquiètes de ne pas avoir suffisamment d'argent. Quand nous leur faisons comprendre qu'elles en ont «assez», elles se mettent habituellement à parler des carences personnelles dans leur vie.

S'impliquer socialement

Bien que le Québec ait une économie forte et que le revenu par habitant y soit élevé, il y a place à de l'amélioration sur plusieurs fronts. L'analphabétisme, la pauvreté chez les enfants, le banditisme et les gangs de rue, la dégradation de l'environnement, la violence envers les femmes et le suicide sont autant de problèmes qui méritent l'attention et l'implication de chacun de nous.

Pourquoi ne pas faire partie de la solution plutôt que du problème? Vous pouvez trouver beaucoup de causes dignes de vos dons ou de votre temps comme bénévole, telles que l'organisme Grands Frères Grandes Sœurs (www.gfgsq.org), qui jumelle des adultes avec des jeunes pour des activités de mentorat informel, ou Opération Nez rouge (www.operationnezrouge.com), une organisation visant à sensibiliser les gens face aux dangers de la conduite avec les facultés affaiblies et offrant un service de chauffeur privé et gratuit durant la période des Fêtes, et une multitude d'autres organismes et associations.

Trouvez une cause qui vous tient à cœur et impliquez-vous. Joignez-vous à un groupe dédié à la protection de l'environnement, tel que Greenpeace (www.greenpeace.ca), à un club de philanthropie, tel que le Rotary (www.rotary.org) ou le Lions Club (www.lionnet.com), ou à un groupe de bénévoles hospitaliers. Et n'oubliez pas les clubs de quartier et les associations de parents des écoles locales. Il y a aussi les scouts, les associations sportives, les soupes populaires, etc.

Pour des informations sur tout ce qui concerne le bénévolat, visitez le site Internet du gouvernement du Québec «Le bénévolat au Québec» à l'adresse : www.benevolat.gouv.qc.ca

Glossaire

acompte : la partie du prix d'achat d'une maison que l'acheteur donne en comptant à titre de versement initial et qu'il ne finance pas par emprunt hypothécaire. En général, plus votre acompte est élevé, plus les conditions hypothécaires vous seront avantageuses. Avec un acompte d'au moins 25 % du prix d'achat d'une maison, vous avez toutes les chances d'accéder aux meilleurs programmes d'achat.

actifs financiers : propriétés ou investissements (biens immobiliers, actions, fonds communs de placement, obligations, etc.) possédant une valeur qui peut être réalisée par la vente.

action : titre représentant une participation dans une société. Lorsqu'une société est cotée en Bourse, elle offre des actions au public (*voir aussi* **premier appel public à l'épargne**). Plusieurs actions, mais pas toutes, payent des dividendes, soit la distribution aux actionnaires (détenteurs de parts) d'une partie des bénéfices réalisés par l'entreprise. En plus des dividendes, vous pouvez également faire de l'argent grâce à l'augmentation du cours de l'action, qui résulte le plus souvent d'une croissance des revenus et d'une plus grande rentabilité d'une société. Vous pouvez investir en achetant des actions individuelles ou en optant pour un fonds commun de placement offrant un ensemble diversifié d'actions.

action de premier ordre : les actions de premier ordre sont les actions des entreprises les plus grosses, les plus rentables et les plus fiables. On les appelle parfois « valeurs sûres », ou encore « actions de bon père de famille ». La liste de ces actions est officieuse et sujette à changements.

action ordinaire : part d'une société qui n'offre pas de montant garanti de dividendes aux investisseurs ; le montant des versements de dividendes, le cas échéant, est laissé à la discrétion des administrateurs de la société. Alors que les investisseurs dans les actions ordinaires peuvent ou non recevoir des dividendes, ils espèrent que le cours de l'action gagnera en valeur au fur et à mesure que la société prendra de l'expansion et augmentera ses profits. Les actions ordinaires offrent en général un meilleur rendement (profit) que les autres investissements, comme les obligations et les actions privilégiées. Toutefois, si la société fléchit, vous risquez de perdre votre investissement initial en tout ou en partie.

action privilégiée : type d'actions rapportant régulièrement des dividendes fixes aux investisseurs. Ces actions sont dites privilégiées parce qu'elles donnent à leurs porteurs la priorité sur les actionnaires ordinaires en ce qui a trait aux paiements des dividendes. Bien que les actions privilégiées réduisent vos risques en tant qu'investisseur (en raison des dividendes plus sûrs et des meilleures chances de récupérer votre argent si la compagnie éprouve des difficultés), elles réduisent également souvent vos bénéfices lorsque la société prend de l'expansion et augmente ses profits.

American Stock Exchange (AMEX) : l'American Stock Exchange constitue le deuxième plus important marché boursier américain. On y échange principalement des titres de petites et moyennes sociétés et plusieurs des nouveaux fonds d'actions négociés en Bourse y sont cotés.

amortissement négatif : ce terme n'a rien à voir avec la cause de l'extinction des dinosaures. Il s'agit plutôt d'une situation rencontrée lorsque le solde de votre prêt hypothécaire en cours augmente en dépit du fait que vous effectuez sans faute vos paiements mensuels. L'amortissement négatif se produit avec les prêts hypothécaires à taux référencé, où le taux d'intérêt peut varier, mais où le montant de vos mensualités reste invariable. Dans ce cas, vos paiements mensuels ne couvrent pas les intérêts qui s'ajoutent au solde de votre prêt. Alors évitez les prêts affichant cette «caractéristique».

analyse comparative des marchés (ACM) : une analyse écrite de maisons comparables à vendre et récemment vendues sur le marché. Les ACM sont habituellement produites par des agents immobiliers.

assurance avec valeur de rachat en espèces : type d'assurance vie extrêmement populaire auprès des vendeurs d'assurance en raison de la commission considérable qu'elle leur rapporte. Dans une police d'assurance avec valeur de rachat en espèces, vous achetez une couverture d'assurance vie, mais vous obtenez aussi un compte de type épargne. Évitez les polices d'assurance avec valeur de rachat en espèces à moins de chercher des façons de restreindre votre patrimoine imposable (si vous êtes très riche, par exemple). Les revenus d'investissement y sont en général médiocres, et vos contributions n'y sont pas admises en déduction d'impôt.

assurance contre les inondations : s'il existe la moindre possibilité que la zone où vous habitez puisse un jour subir une inondation, il serait prudent de vous procurer une assurance contre les inondations, qui, dans l'éventualité d'un sinistre, couvre les coûts de reconstruction de votre maison et de remplacement de son contenu.

assurance contre les tremblements de terre : dans la police d'assurance d'un propriétaire, clause relative aux pertes causées par un tremblement de terre (habituellement assortie d'une franchise équivalant à 5 à 10 % du coût de reconstruction de la maison) prévoyant le versement d'une indemnité pour les frais de réparation ou de reconstruction d'une maison. Si vous habitez dans une région à risque sismique, procurez-vous une assurance contre les tremblements de terre !

assurance des propriétaires occupants : assurance habitation couvrant les coûts de reconstruction de votre maison dans l'éventualité d'un feu ou d'un autre désastre. La partie responsabilité civile de cette police vous protège contre d'éventuelles poursuites en justice associées à votre propriété. Vos meubles et effets personnels sont également couverts par l'assurance des propriétaires occupants, qui prévoit une compensation pour le remplacement de vos biens matériels endommagés ou volés.

assurance invalidité : pendant vos années de vie active, vous travaillez dur pour gagner votre salaire. Sans celui-ci, vous auriez de gros problèmes (à moins qu'une personne aisée – votre partenaire, un membre de votre famille, un ami – ne puisse subvenir à vos besoins). Une assurance invalidité prévoit le paiement d'une partie de votre revenu d'emploi au cas improbable où vous ne seriez plus en mesure de travailler en raison d'une blessure ou d'une maladie.

assurance vie hypothécaire : une assurance vie hypothécaire garantit au prêteur qu'il se rembourse, advenant le décès prématuré de l'emprunteur. Plusieurs personnes essaieront sans doute de vous convaincre que vous avez besoin de cette assurance afin de protéger votre famille et les personnes à votre charge. Mais l'assurance vie hypothécaire est relativement coûteuse. S'il vous faut une assurance vie, achetez plutôt une assurance vie temporaire de qualité supérieure à bon prix.

assurance vie temporaire : si plusieurs personnes dépendent de votre revenu pour leur subsistance, cette assurance vous convient peut-être. L'assurance vie temporaire fonctionne de manière simple : vous déterminez quel est le niveau de protection qu'il vous faut, puis vous payez une prime annuelle établie en fonction de ce montant. Bien que les vendeurs d'assurance en vantent beaucoup moins les mérites que pour l'assurance avec valeur de rachat en espèces, il s'agit pour la majorité des gens de la meilleure assurance sur le marché.

bénéficiaires : il s'agit des personnes à qui vous désirez léguer vos actifs – ou vos prestations, dans le cas d'une assurance vie ou d'un régime de retraite – dans l'éventualité de votre décès. Vous devez désigner des bénéficiaires pour chacun de vos régimes de retraite.

bon du Trésor : titres de créances émis par les gouvernements fédéral et provincial dont l'échéance est de moins d'un an.

Bourse de New York : la plus grande des Bourses mondiales en termes de volume total et de valeur des actions transigées. Des sociétés parmi les plus grandes, les plus anciennes et les plus connues au monde y sont inscrites.

capital emprunté ou placé : le capital est le montant que vous empruntez lorsque l'on vous consent un prêt. Si vous empruntez 100 000 $, votre capital emprunté est de 100 000 $. Le capital désigne également la somme initiale que vous placez dans un investissement.

capitalisation boursière : valeur de toutes les actions en Bourse d'une société. La capitalisation boursière s'obtient en multipliant le cours d'une action par le nombre total d'actions en circulation. Ainsi, si la société Rocky and Bullwinkle a 100 millions d'actions en circulation et que le cours par action est de 20 $, la société possède une capitalisation boursière de 2 milliards de dollars (100 millions x 20 $).

carte de débit : lorsque vous utilisez votre carte de débit, le montant de l'achat est prélevé sur votre compte bancaire. Ainsi, une carte de débit présente le même aspect pratique qu'une carte de crédit, sans toutefois comporter le danger de vous constituer une montagne de dettes à la consommation.

certificats de placement garantis (CPG) : placements offerts par la plupart des institutions financières, attirant particulièrement les investisseurs frileux. Normalement, en optant pour un CPG, vous êtes informé dès le départ du taux d'intérêt pour toute la durée de votre prêt, qui, le plus souvent, porte sur une période variant de un à dix ans. Vous n'avez donc pas à vous préoccuper des fluctuations et des pertes relatives à la valeur de votre investissement. En revanche, les CPG ne sont pas avantageux sur le plan du rendement, leur taux d'intérêt étant comparable à celui d'un compte d'épargne à intérêt élevé.

commission : pourcentage du prix de vente d'une maison, d'une action, d'une obligation ou d'autres investissements qui est payé à un agent ou à un courtier. La plupart des agents et des courtiers étant rémunérés à commission, il importe aux investisseurs et aux futurs propriétaires de comprendre comment la commission est susceptible d'influencer les décisions et les recommandations de ces intermédiaires. Les agents et les courtiers ne font d'argent que si vous effectuez un achat, et plus votre achat sera important, plus il leur rapportera d'argent. Choisissez soigneusement votre agent et ne prenez pas ses conseils au pied de la lettre, car ce conflit d'intérêts inhérent risque souvent de créer une opposition entre les perspectives et les objectifs de votre agent et les vôtres.

contrat à terme standardisé : l'obligation d'acheter ou de vendre des marchandises ou des titres à une date et à un prix déterminés d'avance. Lorsqu'utilisé par la plupart des petits investisseurs, le contrat à terme standardisé représente un risque à court terme sur les mouvements du prix d'un produit de base. Les compagnies et les fermiers utilisent les contrats à terme standardisés afin de se protéger des risques de changement des cours.

courtier : personne agissant comme intermédiaire dans l'achat ou la vente de placements. Lorsque vous achetez une maison, de l'assurance ou des actions, vous le faites le plus souvent par le biais d'un courtier. La plupart d'entre eux sont rémunérés à la commission, ce qui les place en situation de conflit d'intérêts envers leurs clients. Plus un courtier effectue de ventes, plus il gagne d'argent. Mais « plus » ne signifie pas nécessairement « mieux » pour vous. Certaines compagnies d'assurance vous permettent d'acheter leurs polices directement, et plusieurs familles de fonds communs de placement contournent les maisons de courtage de valeurs. Si vous choisissez de recourir à un courtier, sachez que vous paierez moins de commissions en faisant appel à un courtier exécutant (ou «à commissions réduites»).

courtier à escompte (ou exécutant) : contrairement au courtier traditionnel, le courtier à escompte n'offre généralement pas de conseils d'investissements et ses employés sont rémunérés par un salaire plutôt qu'à la commission. Faire appel à un courtier à escompte permet d'éviter le conflit d'intérêts qui se présente immanquablement avec les courtiers de plein exercice. En plus de transiger des titres individuels, la plupart des courtiers exécutants proposent également des fonds communs de placement sans frais d'acquisition (sans commission).

courtier de plein exercice (ou traditionnel) : courtier qui offre des conseils et dont la commission est élevée comparativement à celle du courtier exécutant. Parce qu'ils travaillent à la commission, les courtiers peuvent être en situation de conflit d'intérêts : ils recommandent des stratégies susceptibles de leur être bénéfiques financièrement.

courtier en prêts hypothécaires : le courtier hypothécaire achète des prêts hypothécaires en gros, puis il les majore (de 0,5 à 1 %, le plus souvent), avant de les vendre à des emprunteurs. Les services d'un bon courtier en prêts hypothécaires sont particulièrement utiles au futur propriétaire qui n'a pas envie de magasiner tout seul son prêt hypothécaire ou à celui dont le rapport de solvabilité comporte des taches.

coût de base rajusté : pour des fins d'imposition des gains en capital, le coût (ou prix) de base rajusté est ce qui permet à l'Agence du revenu du Canada et à Revenu Québec de déterminer votre profit ou votre perte au moment de la vente d'un actif tel qu'une maison ou un titre de placement. Dans le cas d'un investissement comme un fonds commun de placement ou une action, votre coût de base rajusté correspond à votre investissement de départ plus toute somme réinvestie par la suite. Dans l'immobilier, vous obtenez votre coût de base rajusté en additionnant le coût d'achat initial au coût de toute amélioration de la valeur initiale (dépenses qui augmentent la valeur de votre propriété et sa durée utile probable).

déduction : toute dépense que vous pouvez soustraire de votre revenu dans le but de réduire votre revenu imposable. C'est par exemple le cas des frais de services de garde à l'enfance, des pertes d'entreprise et des contributions à la plupart des régimes de retraite.

dette à la consommation : l'endettement au titre de biens qui se déprécient avec le temps. Les soldes sur cartes de crédit et les prêts auto en sont des exemples. Ce type de dette est nuisible à votre santé financière en raison de ses intérêts élevés et parce qu'il vous incite à vivre au-dessus de vos moyens.

distribution des dividendes : *voir* **versements aux détenteurs de parts**.

diversification : si vous placez tout votre argent dans un seul type d'investissement, vous vous mettez dans une situation potentiellement dangereuse, car si ce placement s'écroule, vous perdez tout. En choisissant de diversifier vos placements, soit d'investir votre argent dans plusieurs placements différents – obligations, actions canadiennes, actions étrangères, etc. – vous augmentez vos chances de réussite dans l'investissement et réduisez vos risques de passer des nuits blanches.

dividende : quotient, diviseur, dividende? Oublions les mathématiques de l'école primaire. Le dividende est une ristourne payée aux investisseurs détenant des actions. C'est la partie des profits d'une société qui revient à ses actionnaires, en proportion des actions détenues. Si par exemple une société verse un dividende annuel de 2 $ par action et que vous possédez 100 actions, vous obtenez alors 200 $ en dividendes. Habituellement, les compagnies solidement établies à croissance plus ou moins lente versent des dividendes, tandis que les compagnies plus petites à croissance plus rapide n'en versent pas et réinvestissent plutôt leurs profits pour alimenter leur croissance.

faillite : procédure légale visant à protéger un débiteur (vous) croulant sous le poids de ses dettes contre les recours de ses créanciers. Si votre niveau de dettes de consommation est trop élevé par rapport à votre revenu annuel, il est possible que la faillite soit votre meilleure option. Cependant, la faillite personnelle comporte certaines obligations et conséquences qu'il importe de connaître.

fonds avec frais d'acquisition : fonds commun de placement qui comprend des frais d'acquisition, soit la commission versée aux courtiers qui vendent à la commission des fonds communs de placement. Cette commission, qui peut atteindre jusqu'à 6 %, est déduite de votre somme investie, réduisant ainsi son rendement.

fonds commun de placement : portefeuille d'actions, d'obligations ou d'autres titres détenu par plusieurs investisseurs et géré par une firme d'investissement. (Voir aussi **fonds sans frais d'acquisition**.)

fonds commun de placement à capital fixe : fonds commun de placement où l'on détermine d'avance le nombre exact d'actions à émettre aux investisseurs. Une fois toutes les actions vendues, un investisseur désireux d'investir dans un fonds commun de placement à capital fixe ne peut le faire qu'en achetant les parts d'un investisseur détenant de telles actions. Les actions des fonds communs de placement à capital fixe étant transigées sur les plus grands marchés boursiers, elles sont vendues au rabais si le nombre de vendeurs dépasse celui des acheteurs ou au prix fort s'il y a plus d'acheteurs que de vendeurs.

fonds enregistré de revenu de retraite (FERR) : type de compte d'épargne-retraite qui permet à votre investissement de fructifier à l'abri de l'impôt. Contrairement au REER, vous ne pouvez pas effectuer de contributions annuelles dans un FERR. Au lieu de cela, vous avez l'obligation de retirer un montant minimum chaque année, qui est imposé comme un revenu ordinaire.

fonds ouvert : fonds commun de placement émettant autant d'actions que les investisseurs en demandent. Ces fonds ouverts ne limitent habituellement pas le nombre des investisseurs ni les sommes investies dans le fonds. Certains fonds ouverts ferment parfois la porte aux nouveaux investisseurs, mais permettent le plus souvent à ceux détenant déjà des actions d'en acheter d'autres.

fonds sans frais d'acquisition : fonds commun de placement qui n'implique pas le paiement d'une commission. Parce qu'ils ne comportent pas de frais d'acquisition et que leurs frais d'administration sont relativement bas, ces fonds tendent à offrir de meilleurs rendements que les fonds avec frais d'acquisition.

franchise : dans le domaine de l'assurance, la franchise (parfois appelée à tort « déductible ») est le montant correspondant à la partie du coût des dommages qui demeure à la charge de l'assuré lors d'une réclamation. Disons par exemple que votre voiture subisse 800 $ de dommages. Si votre franchise est de 500 $, l'assurance couvre 300 $ et vous payez 500 $ pour les réparations. Plus la franchise est élevée, moins vos primes le sont, et moins vous avez de paperasse à remplir lors d'un sinistre (parce que les pertes dont le montant n'excède pas celui de votre franchise ne nécessitent pas de réclamation). Optez pour la franchise la plus élevée possible lorsque vous achetez une assurance.

gain en capital : profit tiré de la vente d'une action à un prix supérieur à son prix d'achat. Si par exemple vous achetez 50 actions d'une certaine société à 20 $ chaque et que deux ans plus tard, vous les vendez au moment où leur prix atteint 25 $ chacune, vous réalisez un profit – ou un gain en capital – de 5 $ par action, pour un total de 250 $. Si vous conservez ces mêmes actions à l'extérieur d'un régime de retraite à l'abri de l'impôt, vous devrez payer des impôts sur ces profits lorsque vous vendrez ces actions.

impôt minimum de remplacement (IMR) : nom donné à un système particulier d'imposition susceptible d'augmenter votre impôt sur le revenu. L'IMR a été conçu de manière à ce que les contribuables à revenu élevé ne puissent pas réduire exagérément leur impôt en profitant de trop nombreuses déductions.

indice : un indice des marchés de valeurs mobilières, tel que l'indice S&P/TSX, est un outil statistique permettant de mesurer une performance précise. Il existe des indices pour divers marchés d'actions et d'obligations, ils sont habituellement représentés par un chiffre rond (100, par exemple), établi à une période donnée. *Voir aussi :* **indice S&P/TSX de la Bourse de Toronto** *et* **indice industriel Dow Jones**.

indice des marchés émergents : l'indice des marchés émergents, publié par Morgan Stanley, recense les marchés de valeurs mobilières des pays en voie de développement. La raison principale d'investir dans les marchés émergents repose sur le fait que ces économies connaissent habituellement des taux de croissance plus forts que ceux des pays développés. Cependant, un potentiel de rendement élevé est toujours associé à des risques plus élevés.

indice des prix à la consommation (IPC) : l'indice des prix à la consommation est un indicateur des variations mensuelles des prix des biens et services tels que les aliments, le logement, le transport, les soins de santé, le divertissement, les vêtements et diverses autres dépenses. L'IPC est utilisé dans l'ajustement des prestations gouvernementales et sert également chez bon nombre d'employeurs à établir les hausses à appliquer quant aux salaires et prestations de retraite. On appelle aussi « inflation » une augmentation des prix.

indice industriel Dow Jones : indice des marchés boursiers très suivi, calculé à partir du cours moyens des valeurs de 30 entreprises américaines importantes activement négociées en Bourse. C'est l'équipe de rédaction du *Wall Street Journal* qui a la responsabilité de choisir les actions qui composent l'indice Dow Jones.

indice Morgan Stanley EAFE des Bourses étrangères : l'indice Morgan Stanley EAFE suit la performance des marchés boursiers des pays les plus stables d'Europe et d'Asie. Cet indice est important pour les investisseurs intéressés par la chose internationale qui désirent suivre les performances des investissements dans les actions à l'étranger.

indice S&P/500 : cet indice mesure la performance des actions des 500 plus grandes compagnies américaines comptant pour 80 % de la valeur marchande totale de toutes les actions transigées aux États-Unis. Si vous investissez dans les actions et les fonds d'actions de grandes sociétés américaines, l'indice S&P/500 constitue un point de repère appréciable pour l'évaluation des rendements de vos investissements.

indice S&P/TSX de la Bourse de croissance de Toronto : indice mesurant la performance générale de la Bourse de croissance de Toronto, où sont échangées les actions de nombreuses petites entreprises canadiennes émergentes.

indice S&P/TSX de la Bourse de Toronto : cet indice mesure la performance générale de la Bourse de Toronto. Si vous investissez dans les actions ou les fonds d'actions des grandes sociétés canadiennes, l'indice S&P/TSX constitue un bon point de référence pour évaluer la performance de vos investissements.

indice Wilshire 5 000 : malgré son nom, cet indice suit près de 6 000 compagnies de toutes les tailles sur les principaux marchés boursiers américains. Si vous investissez dans les actions ou les fonds d'actions de compagnies américaines de différentes tailles, cet indice constitue un point de référence approprié.

inflation : terme technique signifiant « hausse des prix ». L'inflation se produit en général lorsqu'il y a trop d'argent en circulation et pas assez de biens et de services disponibles pour le dépenser. L'excès de demande entraîne ainsi une hausse des prix. Il existe un lien entre l'inflation et les taux d'intérêt : si ces derniers ne suivent pas l'inflation, personne n'investira dans les obligations émises par les gouvernements ou les compagnies. Quand les taux d'intérêt des obligations sont élevés, cela reflète habituellement un taux d'inflation élevé qui viendra gruger une partie de vos profits.

levier financier : le levier financier donne à son utilisateur une quantité disproportionnée de pouvoir financier par rapport à la somme investie avec son propre argent. Dans certains cas, vous pouvez emprunter jusqu'à concurrence de 50 % du cours d'une action et utiliser tous les fonds (votre propre argent et celui emprunté) pour effectuer des achats. Vous remboursez ce prêt sur marge au moment où vous vendez les actions. Si le prix de l'action s'élève, vous faites de l'argent sur votre investissement ainsi que sur ce que vous avez emprunté. Bien que cela puisse sembler attirant, souvenez-vous que le levier financier fonctionne des deux côtés. Ainsi, quand les cours déclinent, vous perdez de l'argent sur votre investissement, mais aussi sur la somme empruntée.

marché baissier : période durant laquelle les marchés boursiers connaissent une forte décroissance. Celle-ci est souvent suivie (et parfois précédée) d'une récession économique. Au cours de telles périodes, les investisseurs deviennent frileux, le marché fléchit et la valeur des actions en Bourse peut diminuer considérablement. Le marché doit normalement décroître d'au moins 20 % avant d'être considéré comme un marché baissier.

marché haussier : période (comme la plupart des années 1990 au Canada et aux États-Unis) durant laquelle les marchés boursiers connaissent une forte croissance, habituellement accompagnée et poussée par une économie florissante et une hausse des profits des sociétés.

marchés boursiers internationaux : les marchés boursiers de l'extérieur du Canada comptent pour une part considérable des capitalisations boursières mondiales. Quelques indices spécifiques suivent les marchés internationaux (*voir* **indice Morgan Stanley EAFE des Bourses étrangères** *et* **indice des marchés émergents**). L'investissement international vous offre une possibilité de diversifier votre portefeuille et de réduire vos risques. En plus des États-Unis, plusieurs autres pays ont des Bourses importantes, dont le Japon, la Grande-Bretagne, la France et l'Allemagne.

Nasdaq (National Association of Securities Dealers Automated Quottions) : il s'agit d'une Bourse américaine où sont regroupées la plupart des entreprises du secteur des technologies. Cette Bourse fonctionne à l'aide d'un réseau électronique permettant aux courtiers de transiger à partir de leur bureau partout aux États-Unis. Grâce au Nasdaq, les courtiers vendent et achètent des titres en se référant aux prix constamment mis à jour apparaissant sur leurs moniteurs.

notation de crédit : *voir* **notation de l'agence Standard & Poor's** *et* **notation de l'agence Moody's**.

notation de l'agence Moody's : les services de notation de Moody's mesurent et notent (ou «cotent») les risques financiers (de non paiement) de diverses obligations. Moody's évalue la situation financière d'un émetteur d'obligations. Ses notations sont fondées sur l'échelle suivante, exprimée de la note la plus élevée à la plus basse : Aaa, Aa, A, Baa, Ba, B, Caa, Ca, C. Une note élevée traduit un risque plus faible, mais cela signifie également que le taux d'intérêt sera plus faible.

notation de l'agence Standard & Poor's (S&P) : l'agence de notation Standard & Poor's est l'une des deux institutions qui évaluent et notent les risques financiers relatifs à l'achat d'obligations. Les notations de S&P utilisent l'échelle suivante, exprimée de la note la plus élevée à la plus basse : AAA, AA, A, BBB, BB, B, CCC, CC, C. Voir aussi **notations de l'agence Moody's**.

obligation : prêt que font des investisseurs à une entreprise ou à un gouvernement. Les obligations rapportent en général un intérêt fixe et régulier. Elles constituent un véhicule d'investissement approprié pour les investisseurs conservateurs qui recherchent un revenu régulier et qui redoutent les risques qu'impliquent les investissements dans les actions. Toutes les obligations sont assorties d'une échéance à laquelle l'émetteur d'obligations doit rembourser la valeur originale de celles-ci en totalité aux porteurs d'obligations (prêteurs). Les obligations ne devraient pas représenter votre véhicule d'investissement principal à long terme, car elles produisent une croissance réelle faible sur votre investissement initial après ajustement en fonction de l'inflation.

obligation à coupons détachés : obligation ne rapportant pas d'intérêts explicites durant le terme du prêt. Ces obligations sont achetées à prix réduit par rapport à la valeur payée à échéance, les coupons d'intérêts ayant été retirés (ou «détachés»). L'intérêt est donc implicite dans le rabais.

obligation à haut risque : une obligation notée Ba (Moody's), BB (Standard & Poor's) ou moins. Historiquement, ces obligations ont présenté des risques de non-paiement de 1 à 2 %, ce qui n'est pas si mal. Évidemment, un risque plus élevé s'accompagne d'un taux d'intérêt plus élevé.

obligation rachetable : obligation que la société émettrice peut décider de rembourser plus tôt que prévu à son titulaire. Si les taux d'intérêt sont relativement élevés au moment de l'émission d'obligations, l'émetteur peut choisir d'émettre des obligations rachetables (également dites «remboursables par anticipation») en raison de la flexibilité qu'elles lui offrent : l'émetteur pourra racheter ces obligations et en émettre de nouvelles à un taux d'intérêt plus faible, dans l'éventualité d'un déclin des taux d'intérêt. Les obligations rachetables sont risquées pour les investisseurs, parce que si les taux d'intérêt diminuent, le titulaire d'obligations sera remboursé par anticipation et sera peut-être contraint de réinvestir son argent à un taux d'intérêt plus faible.

obligation sans coupon : obligation ne payant pas d'intérêts explicites durant le terme du prêt. On achète ces obligations à prix réduit par rapport à la valeur payée à échéance. L'intérêt est donc implicite dans le rabais. Les obligations sans coupon n'offrent pas d'avantage fiscal, l'investisseur étant tenu de payer de l'impôt sur le montant qu'il aurait dû recevoir en intérêts.

option : droit d'acheter ou de vendre un titre sous-jacent (une action, par exemple) à un prix et à une date ou durant une période stipulés d'avance. L'option est différente du contrat à terme standardisé : elle implique le paiement d'une prime versée d'avance et ne comporte pas d'obligation d'acheter ou de vendre, mais bien le droit de le faire ou non avant l'échéance du contrat. Si l'option à expiration est dépréciée, vous perdez 100 % de votre investissement initial. Les options sont surtout utilisées par les sociétés, qui peuvent s'en servir comme outil de couverture. Les gestionnaires financiers tirent parti des options dans le but de réduire les risques sur leurs portefeuilles d'investissement. Comme pour le contrat à terme, la plupart des investisseurs individuels considèrent l'option comme un pari à court terme, non pas comme un investissement. Par exemple, vous avez une option sur l'achat de 100 actions de la société Rocky and Bullwrinkle à 20 $ chacune au cours des six prochains mois. Vous payez d'avance une prime de 3 $ par action. Durant cette période, le cours de l'action de Rocky and Bullwrinkle atteint 30 $. Vous exercez alors votre droit d'achat à 20 $, puis vous vendez vos actions à 30 $ chacune, soit le cours du marché, réalisant ainsi un profit de 10 $ par action, ce qui équivaut à un rendement plus de trois fois supérieur à votre investissement initial.

papier commercial : titre ou reconnaissance de dette à court terme émise par une société stable dans le but de financer la croissance et la prospérité de l'entreprise. Les sociétés solvables peuvent vendre ces titres de créance directement aux grands investisseurs et ainsi éviter d'emprunter de l'argent à une banque. Les fonds de marchés monétaires investissent généralement dans les papiers commerciaux arrivant à échéance.

passifs financiers : il s'agit de vos emprunts en cours et de vos dettes. Pour établir votre valeur nette, il faut soustraire vos passifs de vos actifs.

patrimoine : la valeur, au moment de votre décès, de vos actifs moins vos passifs (emprunts et autres dettes).

pension : les pensions, ou prestations de retraite, sont des revenus de retraite payables aux participants d'un régime de retraite offert par certains employeurs. Ces régimes, qui vous versent un revenu de retraite mensuel, sont fondés soit sur le nombre de vos années de service dans une compagnie, soit sur la valeur de vos contributions à votre régime de retraite au moment où vous cessez votre activité.

planificateur financier : personne qui se dit apte à gérer votre argent. Au Québec, les planificateurs financiers doivent être diplômés de l'Institut québécois de planification financière. Il est important d'identifier le mode de rémunération du planificateur financier : ses services sont-ils tarifés, est-il payé à l'heure ou à la commission ?

planification successorale : processus décisionnel visant à préciser où iront vos actifs à votre décès et à structurer vos actifs de votre vivant de manière à minimiser les impôts à payer au moment de votre décès.

premier appel public à l'épargne (PAPE) : fait pour une société d'émettre pour la première fois des actions destinées aux investisseurs. Cette opération s'effectue habituellement lorsqu'une société souhaite obtenir des fonds pour accélérer son expansion et sa croissance. Un certain nombre d'études indiquent que les actions achetées dans les PAPE auxquels peuvent participer les investisseurs produisent des rendements sous la moyenne. Un niveau élevé d'activité du côté des PAPE peut indiquer une crête du marché boursier, les sociétés et leurs banquiers se dépêchant de tirer profit d'un marché lucratif.

prêt hypothécaire à taux fixe : le grand-père de tous les prêts hypothécaires. Le taux d'intérêt établi à la signature du contrat (7 %, par exemple) demeure le même pour toute la durée de votre prêt hypothécaire, et vos paiements mensuels sont égaux. Si vous êtes du genre à vous transformer en un monstre écumant dès que vous sautez une dose matinale de café ou que quelqu'un se présente avec cinq minutes de retard, ce type de prêt hypothécaire est peut-être celui qui vous convient !

prêt hypothécaire inversé ou emprunt hypothécaire inversé : le prêt hypothécaire inversé permet aux propriétaires plus âgés, particulièrement ceux qui n'ont pas beaucoup d'argent, de puiser dans la valeur nette de leur propriété sans devoir la vendre ou la quitter. Une institution prêteuse vous remet chaque mois un chèque que vous êtes libre d'utiliser comme bon vous semble. Cet argent est en réalité un prêt sur la valeur de votre maison, c'est pourquoi il est exempt d'impôt. En plus de présenter l'inconvénient de réduire la valeur nette de votre maison, ces prêts portent des frais et des intérêts habituellement élevés et sont parfois assortis de l'obligation de rembourser en un certain nombre d'années.

prêt sur valeur nette de la propriété : terme technique équivalant à ce que l'on appelait autrefois une « deuxième hypothèque ». En recourant à ce type de prêt, vous empruntez sur la valeur nette de votre maison. Lorsqu'utilisé intelligemment, un prêt sur la valeur nette de votre propriété peut vous aider à payer une dette à taux d'intérêt élevé ou à réaliser d'autres objectifs à court terme (un projet de rénovation, par exemple). Par contraste avec les dettes à la consommation, la dette hypothécaire porte habituellement un taux d'intérêt plus faible.

produit dérivé : produit financier dont la valeur est dérivée d'autres titres. Par exemple, une option d'achat sur des actions d'IBM n'a pas de valeur en elle-même, sa valeur étant dérivée du prix des actions d'IBM.

produits de base ou ressources naturelles : les produits de base constituent une forme de dérivé. Les matières premières (l'or, le blé, le sucre, le pétrole, etc.) sont des ressources négociées sur le marché des contrats à terme.

prospectus : les entreprises individuelles et les fonds de placement doivent obligatoirement soumettre un prospectus d'émission, tel qu'exigé par la Commission des valeurs mobilières. Pour une compagnie, le prospectus consiste en un document légal présentant l'analyse détaillée de ses antécédents financiers, de ses produits et services, de la formation et de l'expérience de ses gestionnaires, ainsi que des risques d'investissement dans cette compagnie. Le prospectus d'émission d'un fonds commun de placement donne les détails concernant les objectifs d'investissement du fonds, les coûts, le risque, et son historique de rendement.

rapport de solvabilité : le rapport de solvabilité (souvent appelé « étude de crédit » ou « dossier de crédit ») fournit des informations sur vos antécédents de crédit. Il s'agit du document principal utilisé par un prêteur afin de déterminer s'il y a lieu de vous faire crédit ou non. Normalement, il vous faut payer le prêteur pour obtenir ce rapport.

ratio cours/bénéfice : le cours le plus récent d'une action divisé par le dernier bénéfice publié par action (ou parfois, par le bénéfice anticipé) de la société émettrice. Ce ratio est une statistique d'analyse des actions largement utilisée qui donne aux investisseurs une idée du coût théorique d'une action. En général, un ratio cours/bénéfice plutôt élevé indique que les investisseurs croient que les bénéfices de la compagnie sont appelés à augmenter rapidement.

refinancement : le refinancement consiste à contracter un nouveau prêt hypothécaire (en général à un taux d'intérêt relativement bas) pour payer un prêt hypothécaire en cours (en général à un taux d'intérêt relativement élevé). Ni automatique ni garanti, le refinancement peut parfois s'avérer complexe et coûteux à effectuer. Pesez soigneusement le pour et le contre d'un refinancement avant de procéder.

régime enregistré d'épargne-études (REEE) : compte particulier dans lequel vous pouvez déposer des économies destinées à couvrir des frais d'études postsecondaires. L'argent déposé dans ce régime d'épargne n'offre pas de réduction d'impôt, mais il fructifie à l'abri de l'impôt et les bénéfices sont imposables lorsque l'argent est retiré pour payer des frais d'études. Ils sont alors imposés en tant que revenus de l'étudiant. Comme les revenus d'un étudiant sont habituellement faibles, il n'aura le plus souvent que très peu, voire pas du tout, d'impôt à payer sur cet argent.

régime enregistré d'épargne-retraite (REER) : type de régime d'épargne-retraite accessible à pratiquement toute personne – tant le salarié que le travailleur autonome – ayant gagné de l'argent. Vos contributions sont habituellement exemptes des impôts fédéral et provincial sur le revenu (vraiment !), en plus de fructifier à l'abri de l'impôt. Toutefois, cet argent est imposé en tant que revenu lorsque vous le retirez du régime.

rendement : on évalue généralement le rendement d'un investissement en observant son taux de rendement historique. Plus les nombres analysés s'étalent sur une longue période, plus les résultats obtenus seront utiles. Pris seuls, ces nombres n'ont pratiquement rien à dire. Il faut aussi considérer le rendement d'un fonds par rapport à des compétiteurs ayant les mêmes objectifs d'investissement. Méfiez-vous des publicités qui vantent les rendements élevés d'un fonds commun de placement, parce qu'elles ne tiennent pas nécessairement compte du rendement ajusté en fonction du risque, sans compter qu'elles s'appuient peut-être sur des analyses de rendement à court terme. Gardez à l'esprit que les statistiques de rendement élevé sont habituellement associées à des risques élevés et qu'il est possible que l'étoile qui brille cette année devienne la météorite qui s'écrasera l'année prochaine.

rendement des obligations : taux annuel de rendement, exprimé en pourcentage, produit par une obligation d'après sa valeur initiale si les paiements d'intérêts sont versés tel que prévu. Le montant qu'une obligation rapportera à un investisseur est fonction de trois facteurs importants : le taux d'intérêt stipulé de l'obligation, les variations de la solvabilité de l'émetteur de l'obligation, et l'échéance de l'obligation. Plus une obligation est cotée favorablement, moins elle implique de risque, et moins elle offre de rendement. En ce qui concerne l'échéance d'une obligation, plus longtemps vous prêtez votre argent, plus votre risque est élevé (parce que les taux sont davantage susceptibles de fluctuer), et plus votre rendement sera élevé.

rendement du capital investi : pourcentage de profit que vous retirez d'un investissement. Si vous placez 1 000 $ dans un investissement, et qu'un an plus tard ce placement vaut 1 100 $, vous réalisez alors un profit de 100 $. Le rendement de votre capital investi est le quotient de votre profit (100 $) par votre investissement initial (1 000 $) ; dans ce cas-ci, ce rendement serait de 10 %.

rente : investissement sous la forme d'un contrat entre un investisseur et une compagnie d'assurance. Souvent, on achète une rente en prévision de la retraite. Son avantage principal est de vous permettre de faire fructifier votre argent à l'abri de l'impôt jusqu'au moment du retrait. La vente de rentes représente une source de revenu pour les agents d'assurance et les planificateurs financiers qui travaillent à commission, alors n'en achetez pas à moins d'être certain qu'il s'agit d'un produit convenant à votre situation.

répartition des actifs : lorsque vous investissez votre argent, il vous faut décider comment le partager entre les placements risqués, orientés vers la croissance (comme les actions), dont la valeur fluctue, et les placements plus stables, générateurs de revenus (comme les obligations). La durée prévue de votre placement et votre tolérance au risque sont deux facteurs déterminants dans vos choix de placement de votre argent.

Securities and Exchange Commission (SEC) : la SEC (l'équivalent de l'Autorité des marchés financiers au Québec) est l'agence fédérale américaine chargée de l'administration, de la règlementation et de la surveillance des activités des sociétés d'investissement, des courtiers et des conseillers financiers.

société de placement immobilier (SPI) : les sociétés de placement immobilier, qui ressemblent à des fonds communs de placement immobilier, investissent dans des propriétés (centre commerciaux, immeubles d'appartements, etc.). Les actions des SPI se transigent sur les principaux marchés boursiers. Si vous voulez investir dans l'immobilier sans vivre les problèmes inhérents à la gestion d'une propriété, les sociétés de placement immobilier représentent peut-être un bon choix pour vous.

société en commandite simple (SCS) : ce type de partenariat, dont on fait souvent la promotion en promettant des rendements élevés, offre à vrai dire des rendements généralement faibles. Pourquoi ? Parce qu'il porte des frais de commission et d'administration élevés. L'argent placé dans une société en commandite présente également le problème de ne pas être encaissable avant plusieurs années.

souscription : processus par lequel une compagnie d'assurance évalue les probabilités qu'une personne présente une réclamation avec un type particulier de police d'assurance. Si des problèmes importants sont identifiés, l'assureur proposera souvent une prime beaucoup plus élevée ou refusera de vendre la couverture.

taux d'intérêt : le taux auquel les prêteurs vous permettent d'utiliser leur argent. Plus le taux d'intérêt est élevé, plus les risques liés au prêt sont élevés. En ce qui a trait aux obligations d'une échéance donnée, un taux d'intérêt élevé indique une obligation de qualité moindre, donc plus risquée.

taux marginal d'imposition : taux d'impôt sur le revenu que vous payez sur les derniers dollars que vous gagnez dans une année. Pourquoi cette distinction compliquée ? Parce que tous les revenus ne sont pas traités également : vous payez moins d'impôts sur les premiers dollars de vos revenus annuels et plus d'impôts sur les derniers dollars gagnés annuellement. Il importe de connaître votre taux marginal d'imposition, car cela peut vous aider à évaluer les implications fiscales de certaines décisions financières personnelles.

taux préférentiel : taux d'intérêt que les plus grandes banques appliquent aux crédits consentis à leurs clients de premier ordre – souvent de grosses compagnies. En quoi cela vous concerne-t-il ? Eh bien, les taux d'intérêt de différents prêts que vous seriez peut-être intéressé de contracter sont souvent établis à partir du taux préférentiel (aussi appelé «taux de base»). Et devinez quoi, vous payez un taux d'intérêt plus élevé que ces grandes sociétés !

taux préférentiel de la banque : *voir* **taux préférentiel**.

testament : document légal garantissant que vos volontés concernant vos avoirs et le bien-être de vos enfants seront respectées à votre décès.

titre financier : *voir* **valeur mobilière**.

valeur de l'actif net : valeur d'une action d'un fonds de placement. Dans le cas d'un fonds sans frais d'acquisition, la valeur marchande de l'action correspond à sa valeur nette. Dans le cas d'un fonds avec frais d'acquisition, la valeur nette de l'action est son prix d'achat moins la commission.

valeur mobilière : une valeur mobilière (aussi appelée : titre financier, titre de placement ou valeur) est un instrument représentatif d'un titre de propriété (action) ou de créance (obligation). Elle est négociable et cotée en Bourse ou susceptible de l'être.

valeur nette de la maison : *voir* **valeur nette réelle**.

valeur nette personnelle : votre valeur nette personnelle est égale à la différence entre la valeur de vos actifs et la valeur de vos passifs. Bref, c'est la différence entre ce que vous possédez et ce que vous devez !

valeur nette réelle : ce terme désigne la valeur que représente la part que vous détenez dans une entreprise, un immeuble, etc., établie à partir du juste prix diminué du montant des dettes. Dans le monde de l'immobilier, notamment, il s'agit de la différence entre la valeur marchande de votre maison et ce qui vous reste à payer sur celle-ci. Si par exemple votre maison vaut 200 000 $ et que le solde de votre hypothèque est de 140 000 $, votre valeur nette réelle est alors de 60 000 $.

vérification : étude de vos dossiers financiers effectuée par l'Agence du revenu du Canada et/ou par Revenu Québec dans le but de vérifier l'exactitude de vos déclarations de revenus. Les vérifications ne font décidément pas partie des expériences les plus agréables à vivre.

versements aux détenteurs de parts : les versements réguliers imposables (ou distribution des dividendes) aux détenteurs de parts provenant d'un fonds commun de placement ou d'une société de placement immobilier.

Index